織田信長・豊臣秀吉の刀剣と甲冑

飯田意天

宮帯出版社

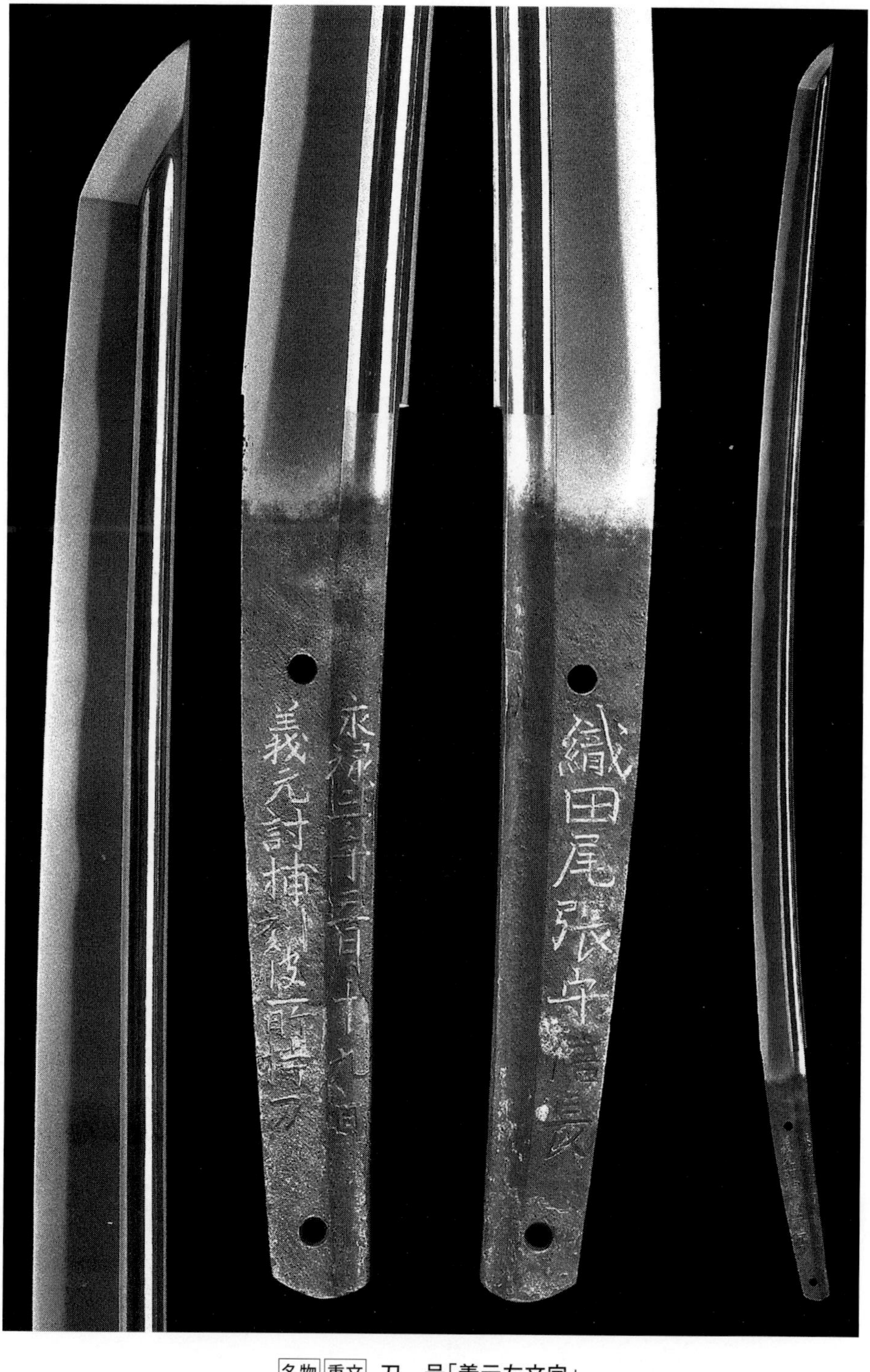

名物 重文 刀　号「義元左文字」
金象嵌銘「永禄三年五月十九日 義元討捕刻彼所持刀」「織田尾張守信長」（建勲神社 蔵）
〔今川義元→織田信長→豊臣秀吉→豊臣秀頼→徳川家康〕

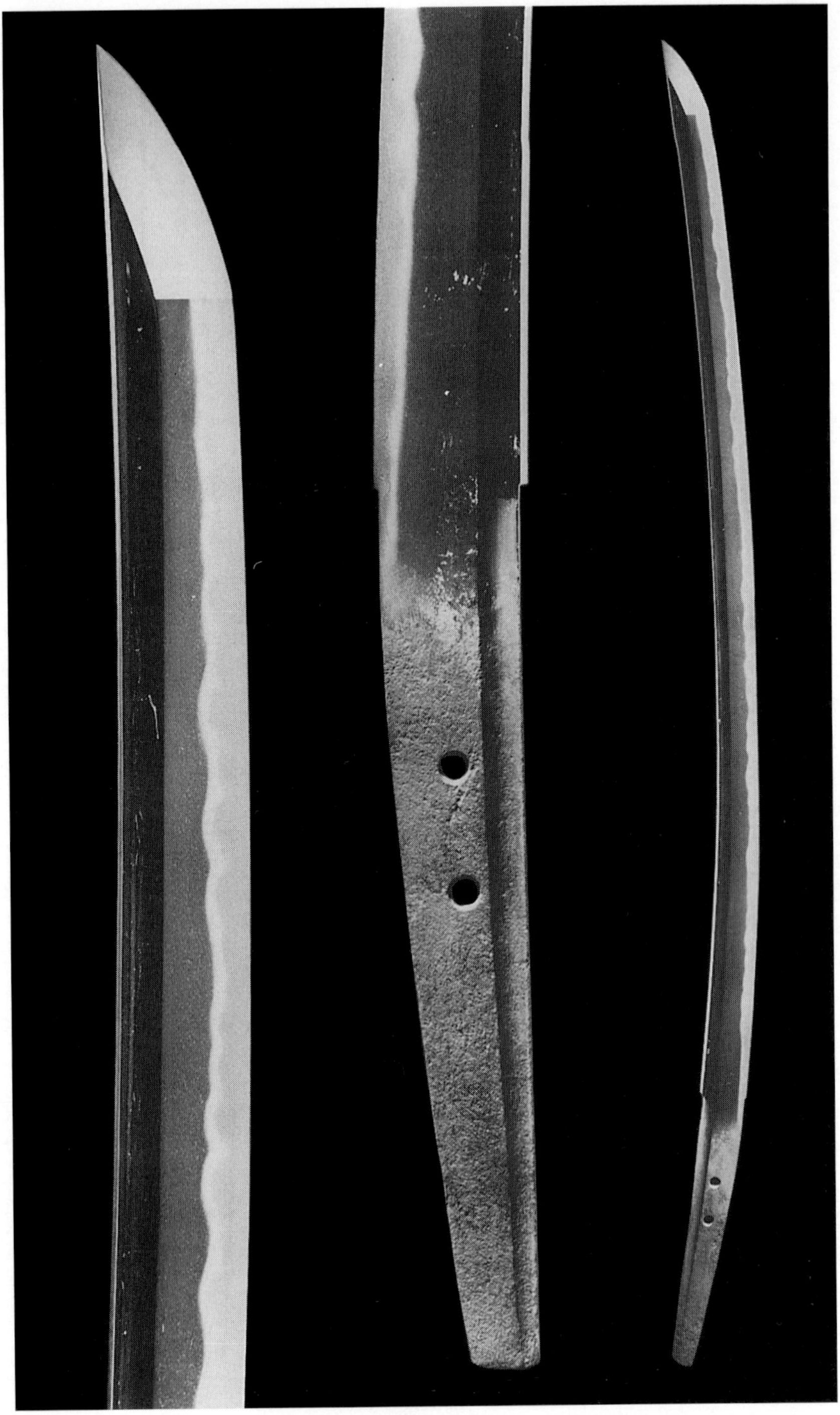

名物 刀　号「織田左文字」　無銘 左（彦根城博物館蔵）
〔織田信長→織田信雄→豊臣秀吉→徳川家康…井伊家（彦根藩）〕

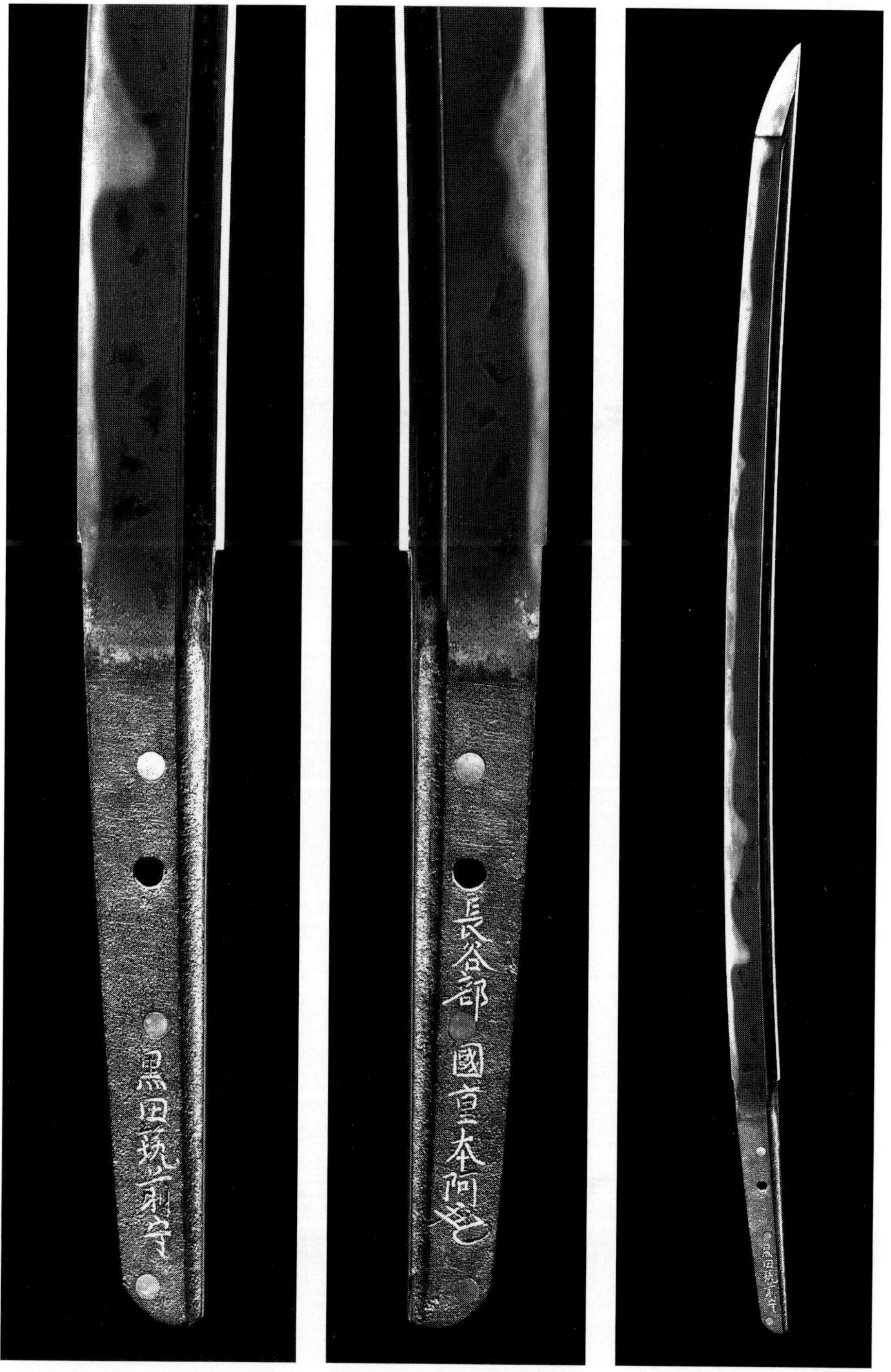

名物 国宝 刀　号「へし切長谷部」
金象嵌銘「黒田筑前守」「長谷部國重 本阿(花押)」(福岡市博物館 蔵・要史康 撮影)
〔織田信長→豊臣秀吉→黒田長政〕

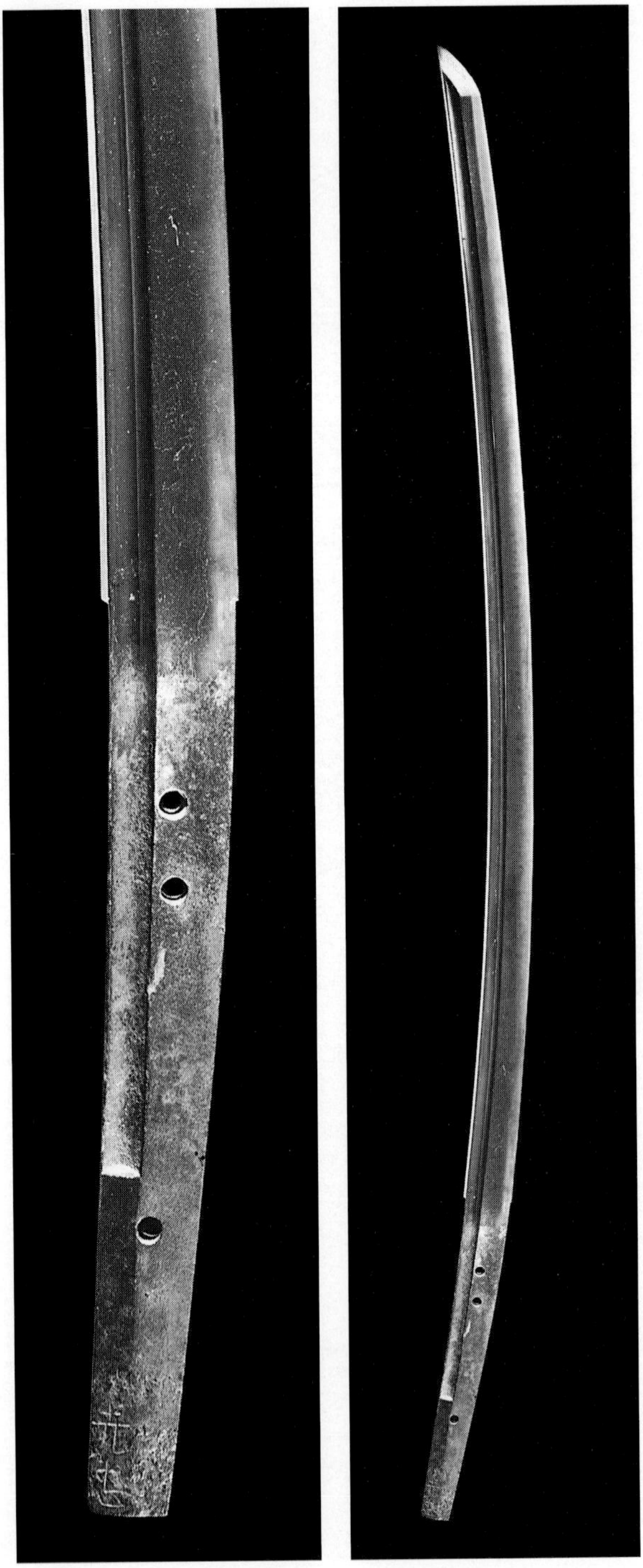

国宝　太刀　銘「光忠」（徳川美術館 蔵）

〔…徳川綱吉→徳川綱誠（尾張徳川家三代）〕

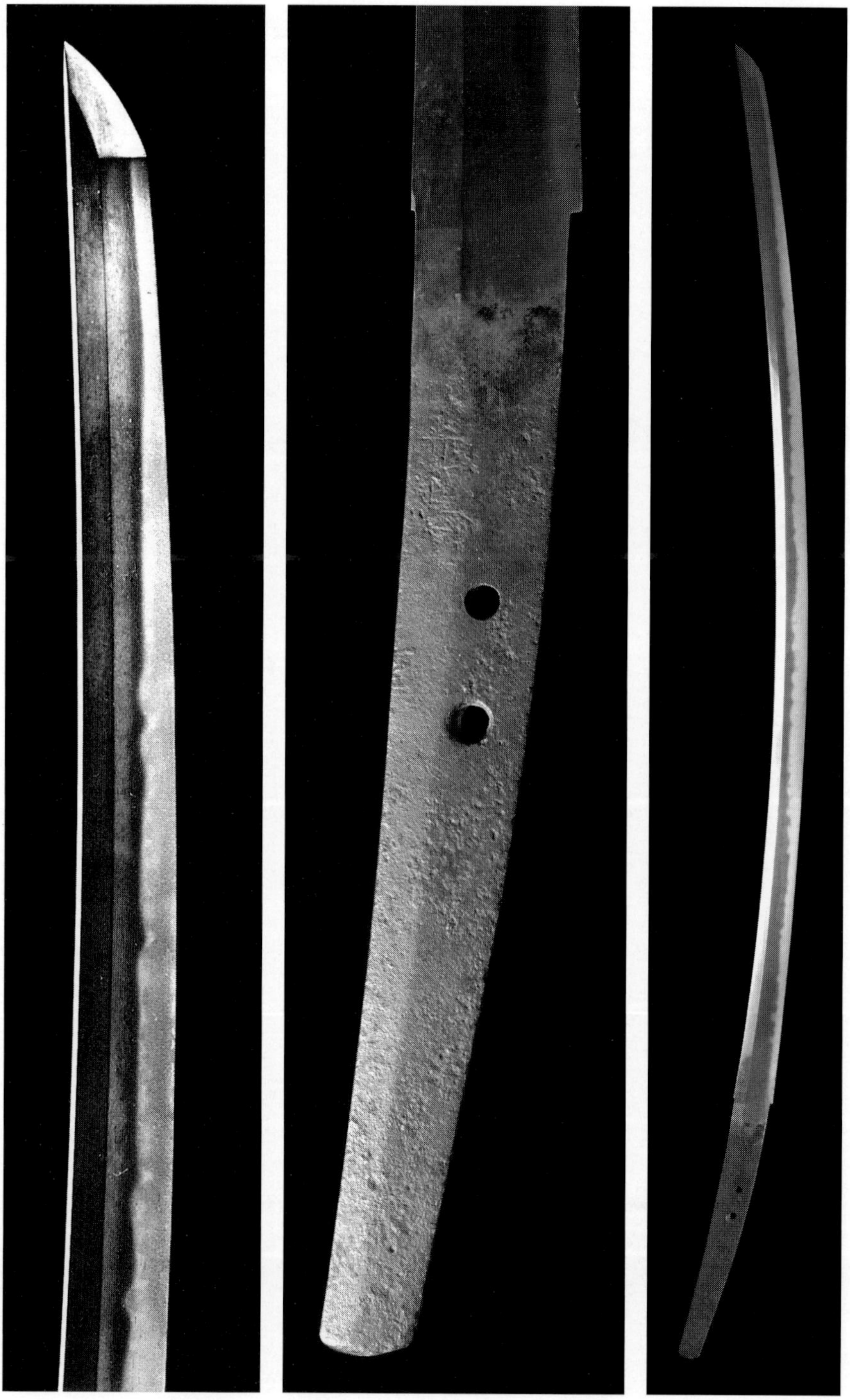

重文 太刀　銘「光忠」（紀州東照宮 蔵・和歌山県立博物館 提供）
〔…徳川家康→徳川頼宣（紀州徳川家初代）〕

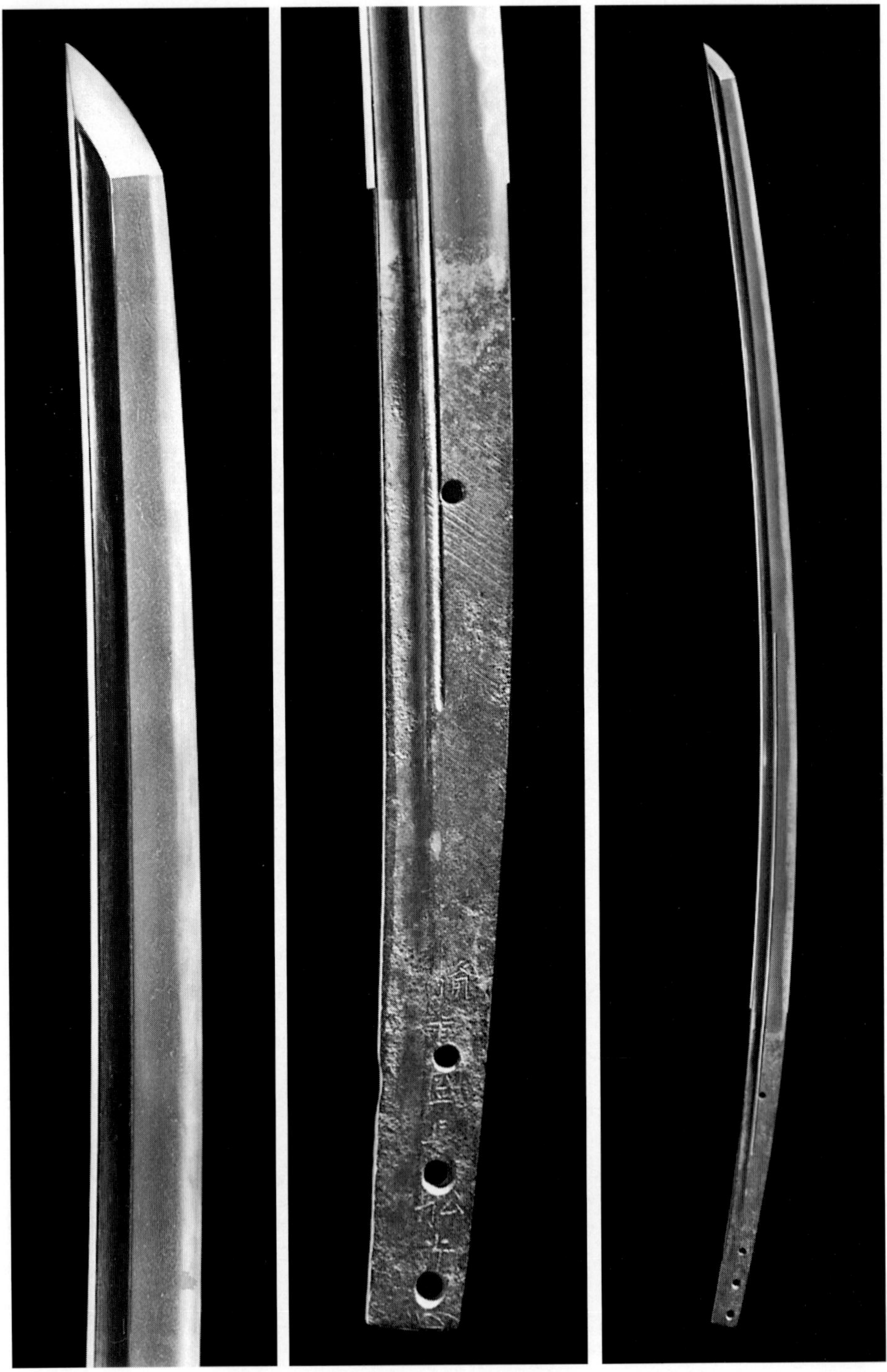

御物 太刀 銘「備前國長船光忠」(宮内庁蔵)
〔…岩崎弥之助→明治天皇〕

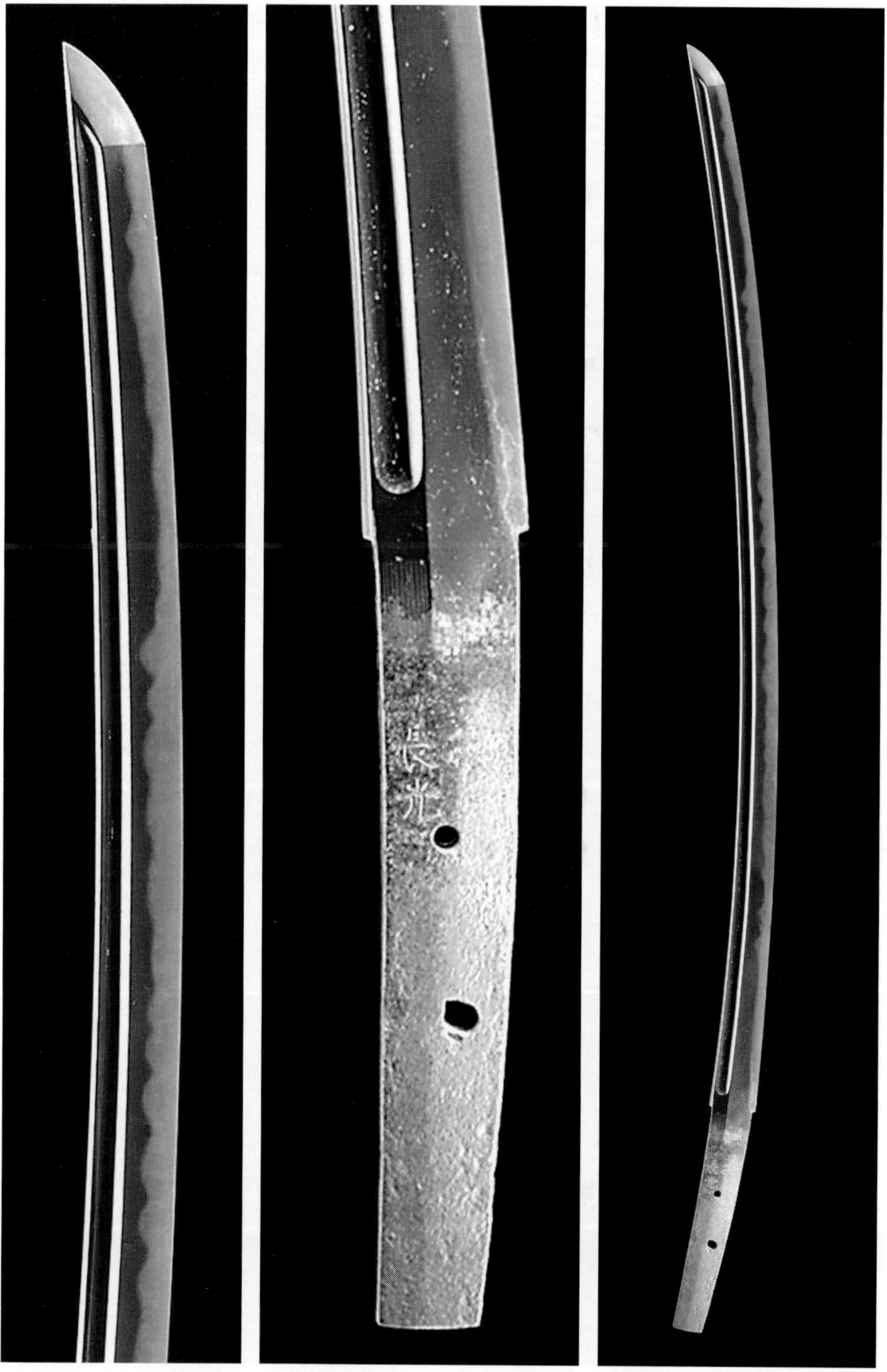

国宝　太刀　号「大般若長光」　銘「長光」（東京国立博物館 蔵）
Image:TNM Image Archives
〔足利義輝→三好長慶→織田信長→徳川家康→武州忍松平家→伊東巳代治〕

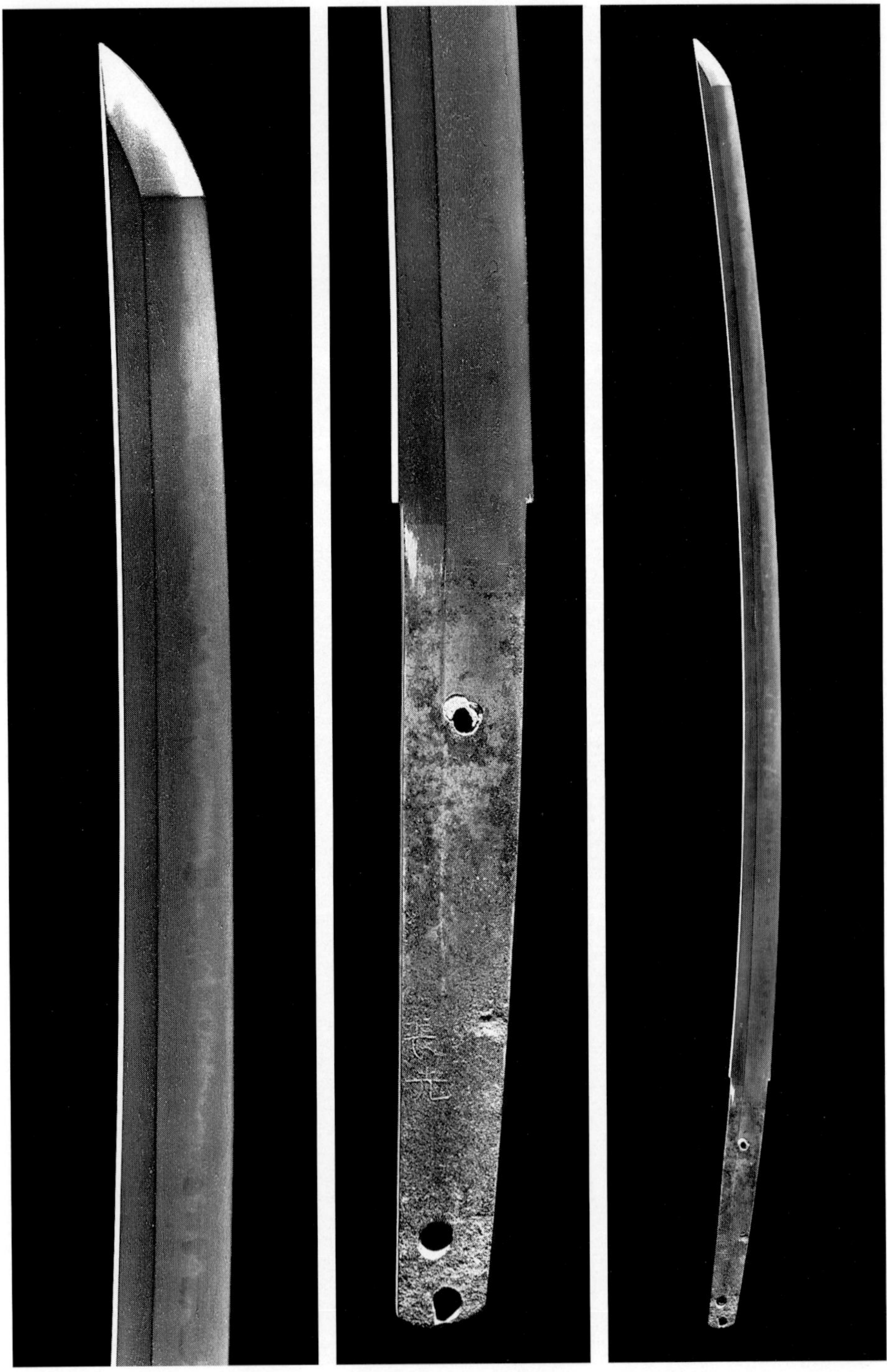

名物 国宝 太刀 号「津田遠江長光」 銘「長光」(徳川美術館 蔵)

〔織田信長→明智光秀→津田重久…前田家→徳川将軍家→徳川吉通(尾張徳川家四代)〕

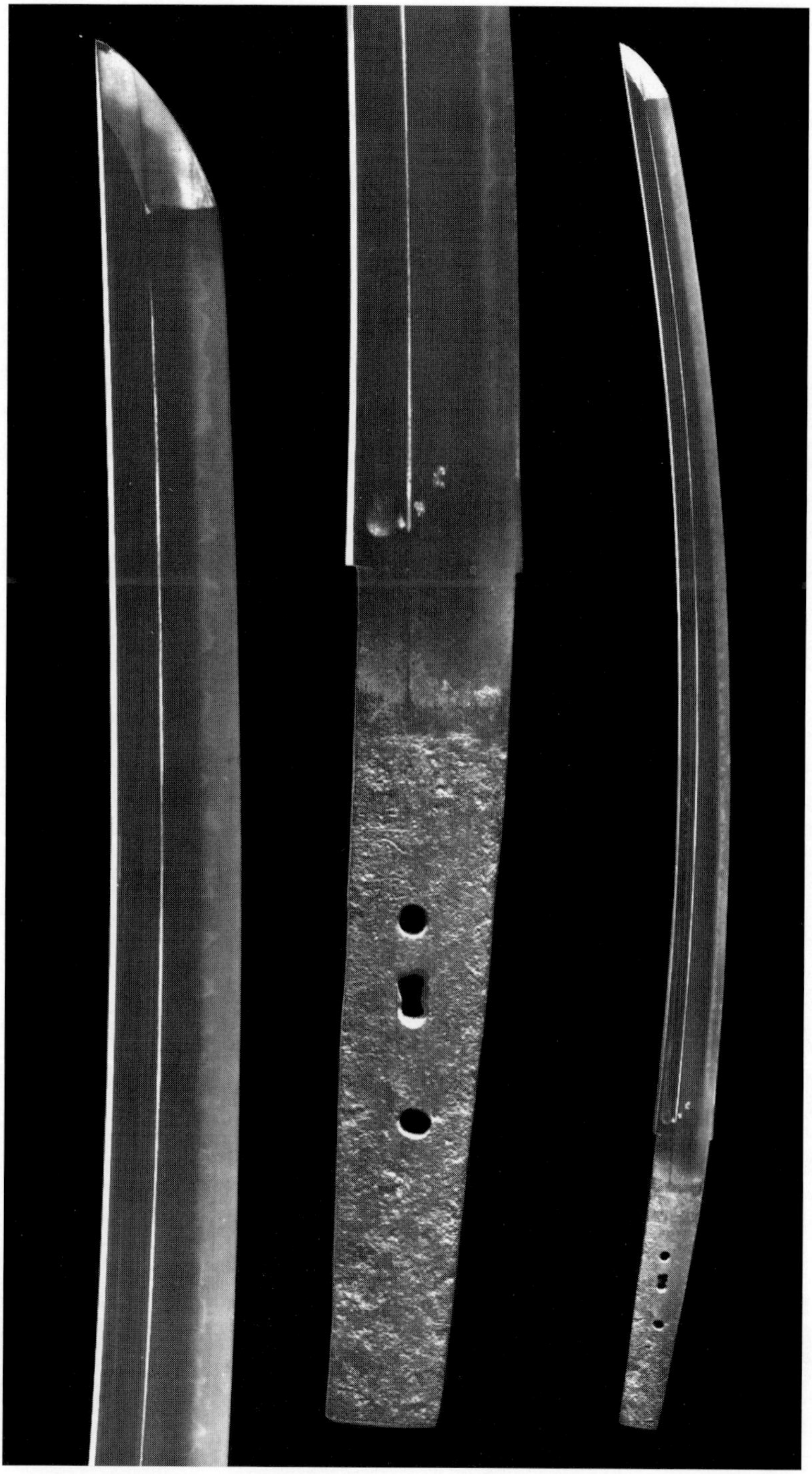

名物 重美 太刀　号「鉋切長光」　銘「長光」（徳川ミュージアム蔵）
〔蒲生氏郷…豊臣秀吉→徳川秀忠→徳川家光…徳川家綱…徳川家達→水戸徳川家〕

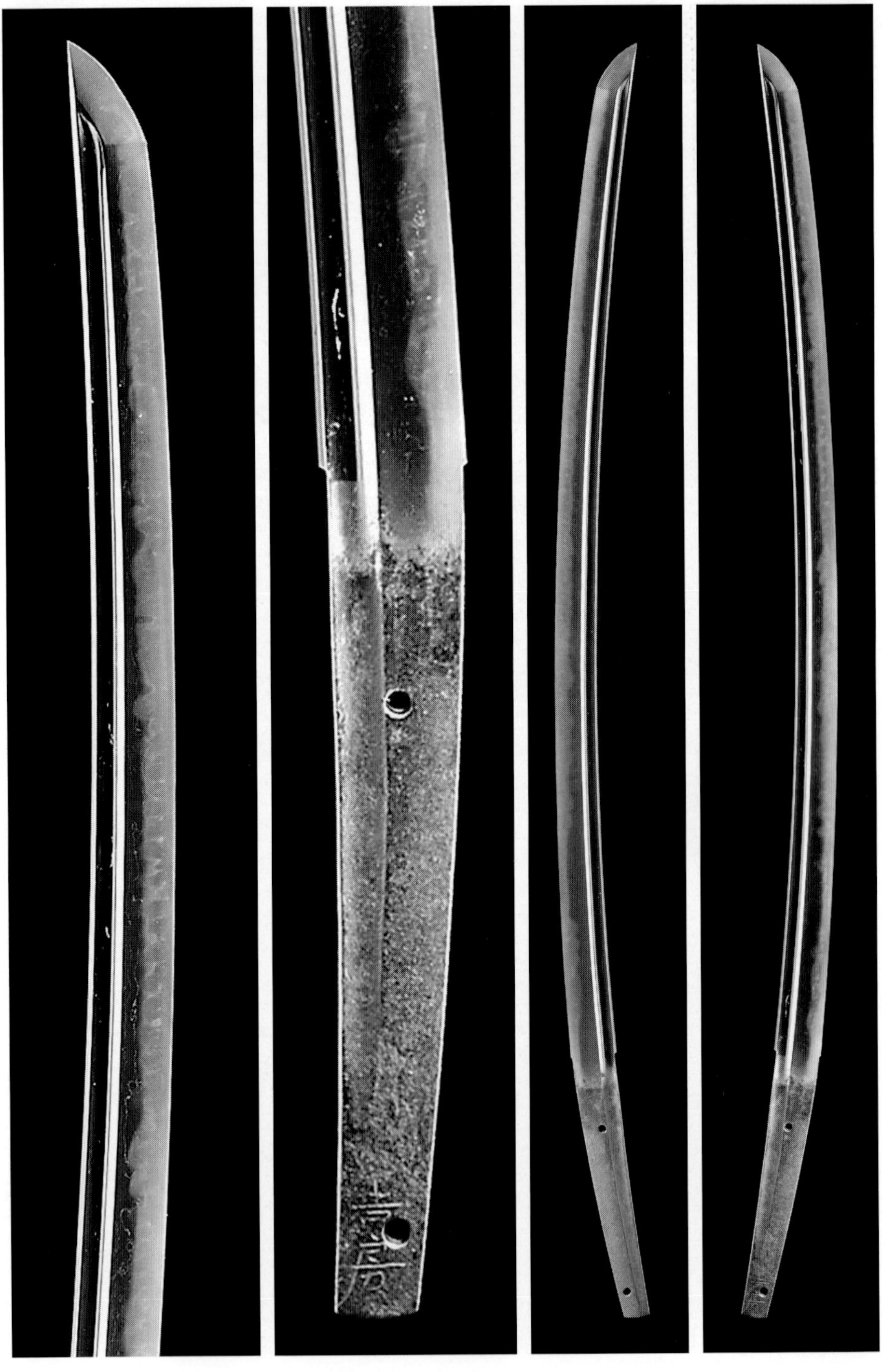

国宝 太刀　号「岡田切」　銘「吉房」（東京国立博物館 蔵）
Image:TNM Image Archives
〔織田信長…明治天皇〕

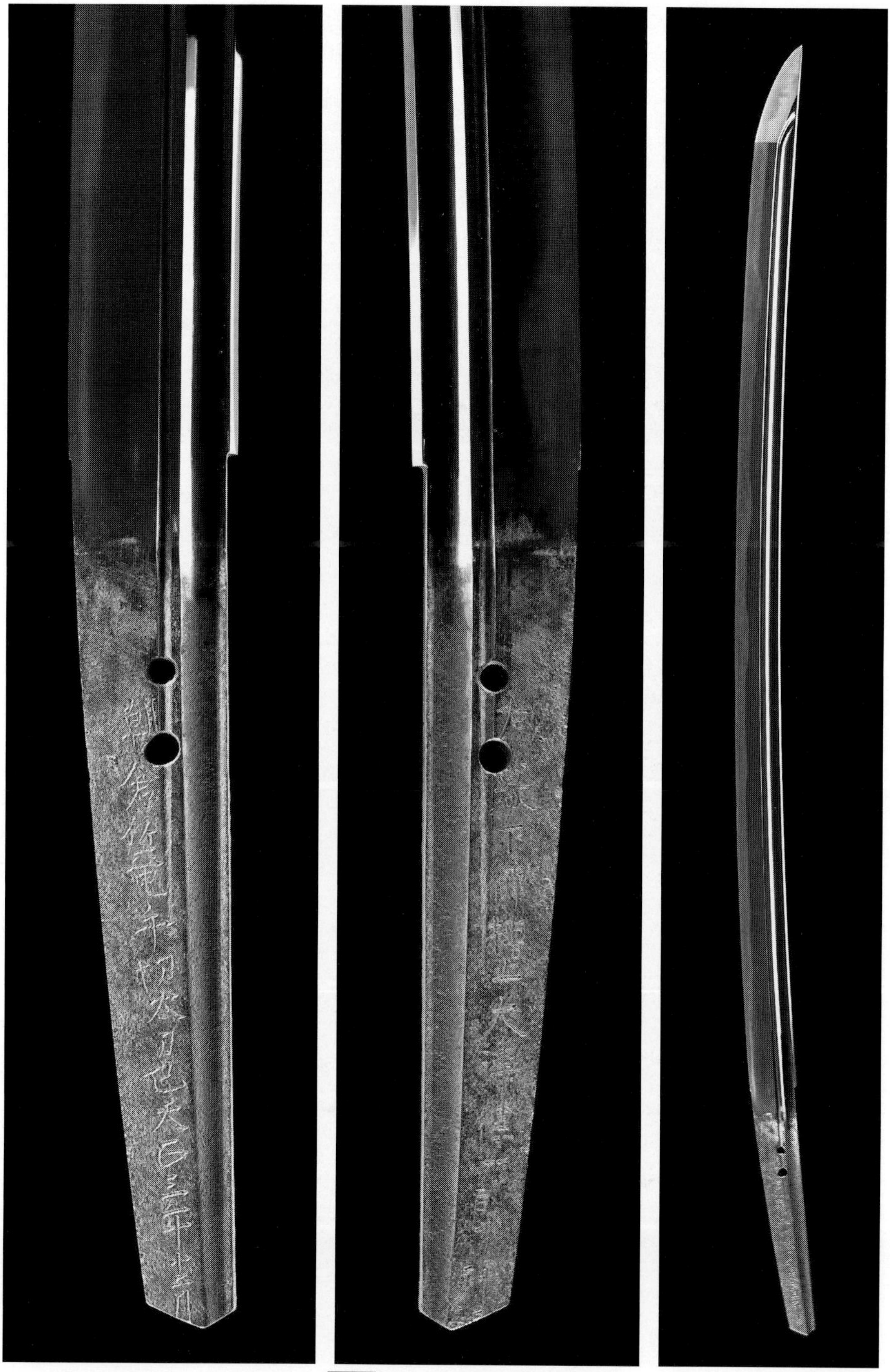

名物 刀　号「籠手切正宗」

切付銘「朝倉籠手切太刀也 天正三年十二月」「右幕下御摺上 大津伝十郎拝領」（東京国立博物館 蔵）

Image:TNM Image Archives

〔朝倉義景→織田信長→大津伝十郎（織田家家臣）→佐野政綱→前田利常…宮内庁〕

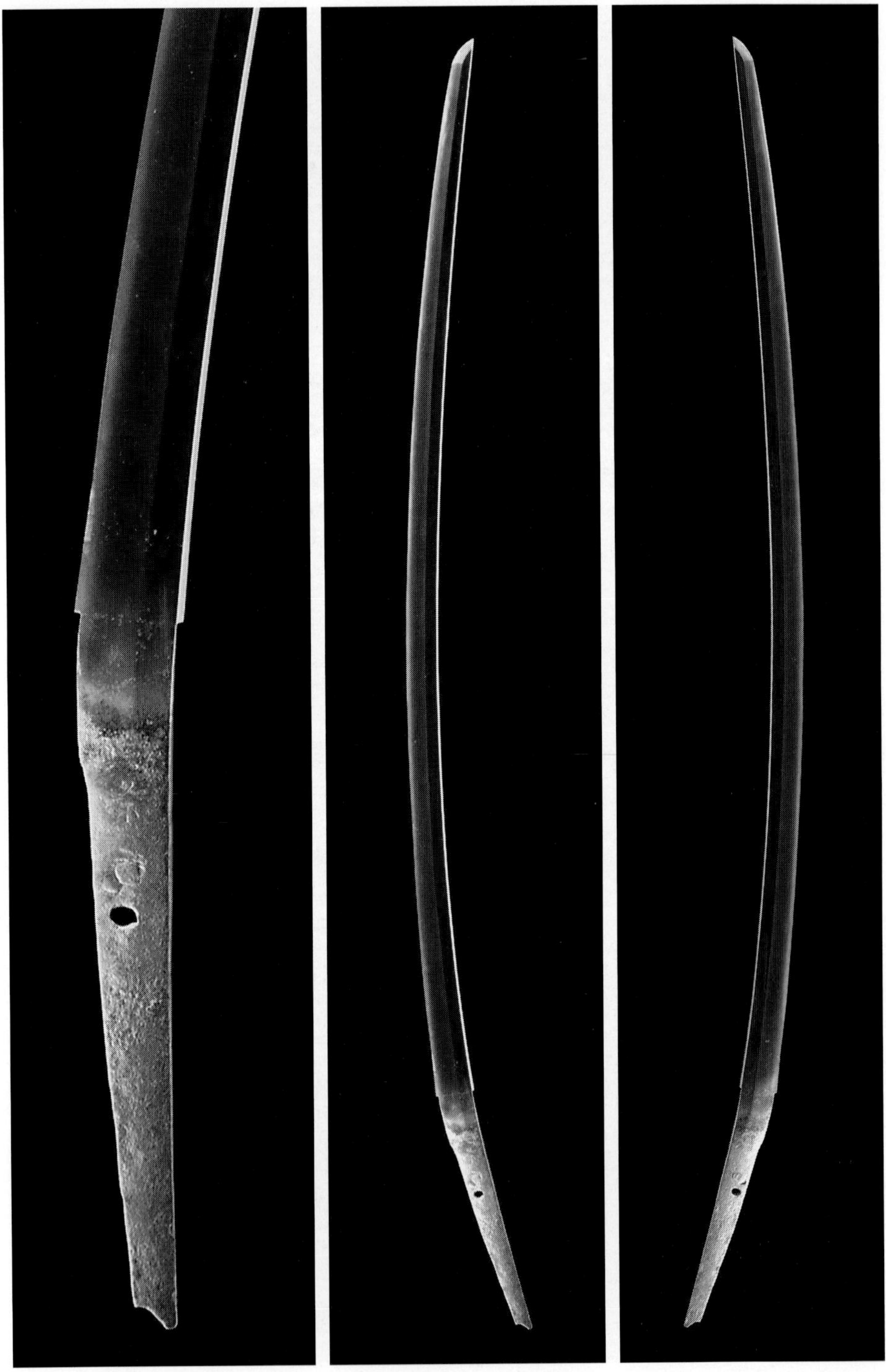

名物 御物 国宝 太刀　号「三ヶ月宗近」　銘「三条」(東京国立博物館蔵)
Image:TNM Image Archives
〔高台院(豊臣秀吉正室・おね)→徳川秀忠〕

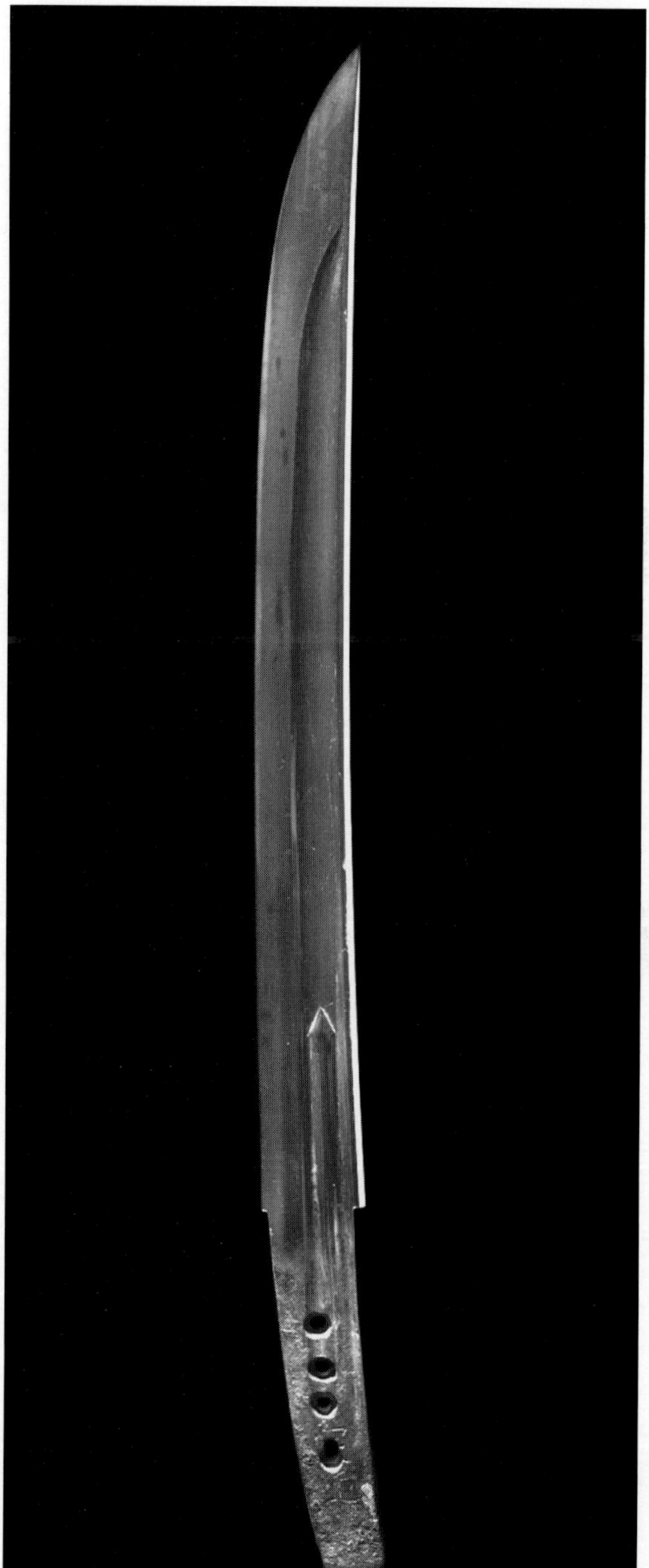

名物 短刀　号「海老名宗近」　銘「宗近」（徳川美術館蔵）

〔足利将軍家…豊臣秀吉→豊臣秀頼→徳川家康→尾張徳川家〕

名物 御物 太刀　号「鬼丸国綱」　銘「国綱」(宮内庁蔵)
〔足利義昭→豊臣秀吉→徳川家康→本阿弥家(指置)…明治天皇〕

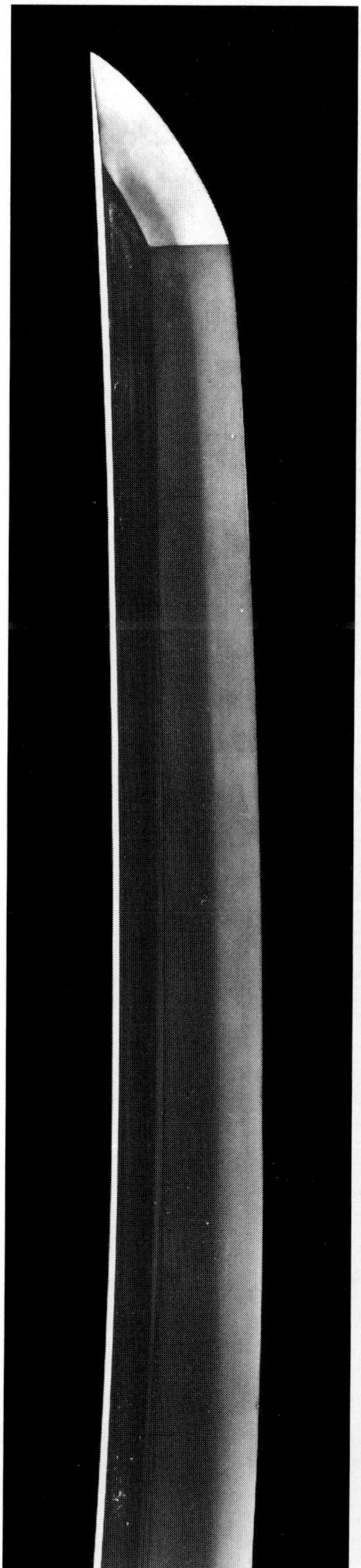

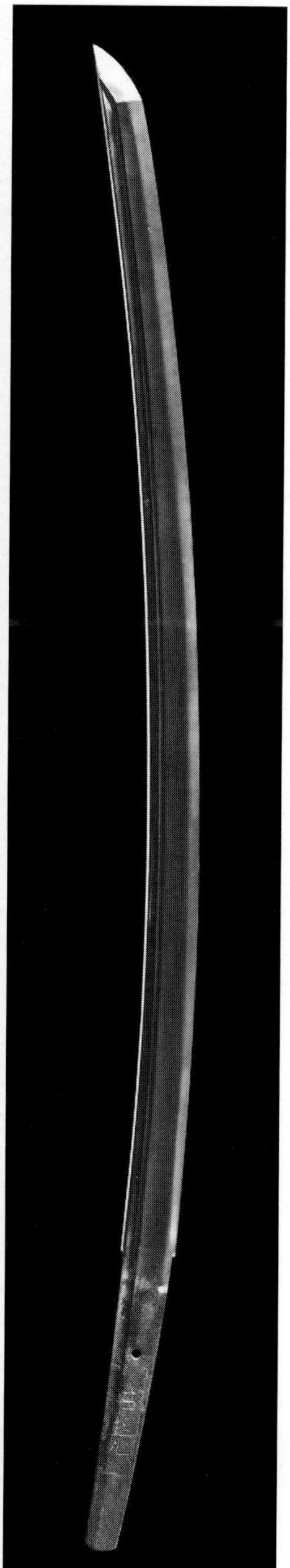

名物 御物　太刀　号「一期一振」　銘「吉光」(宮内庁蔵)
〔足利義昭→織田信長→豊臣秀吉→徳川家康→尾張徳川家…孝明天皇〕

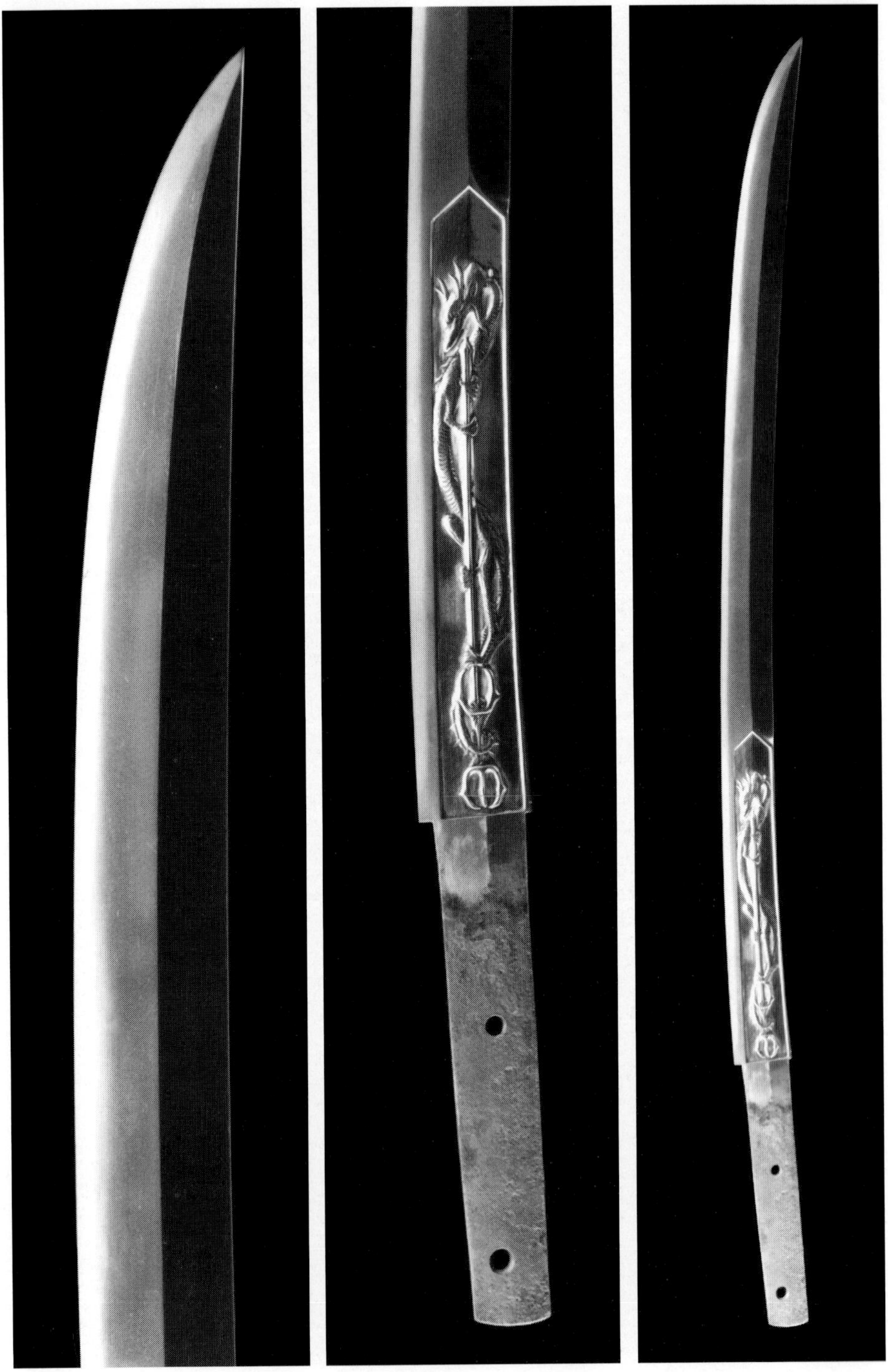

名物 重文 長刀直し刀　号「骨喰藤四郎」　無銘　吉光（豊国神社蔵）
〔足利将軍家→松永久秀→大友宗麟→豊臣秀吉→豊臣秀頼→徳川家康〕

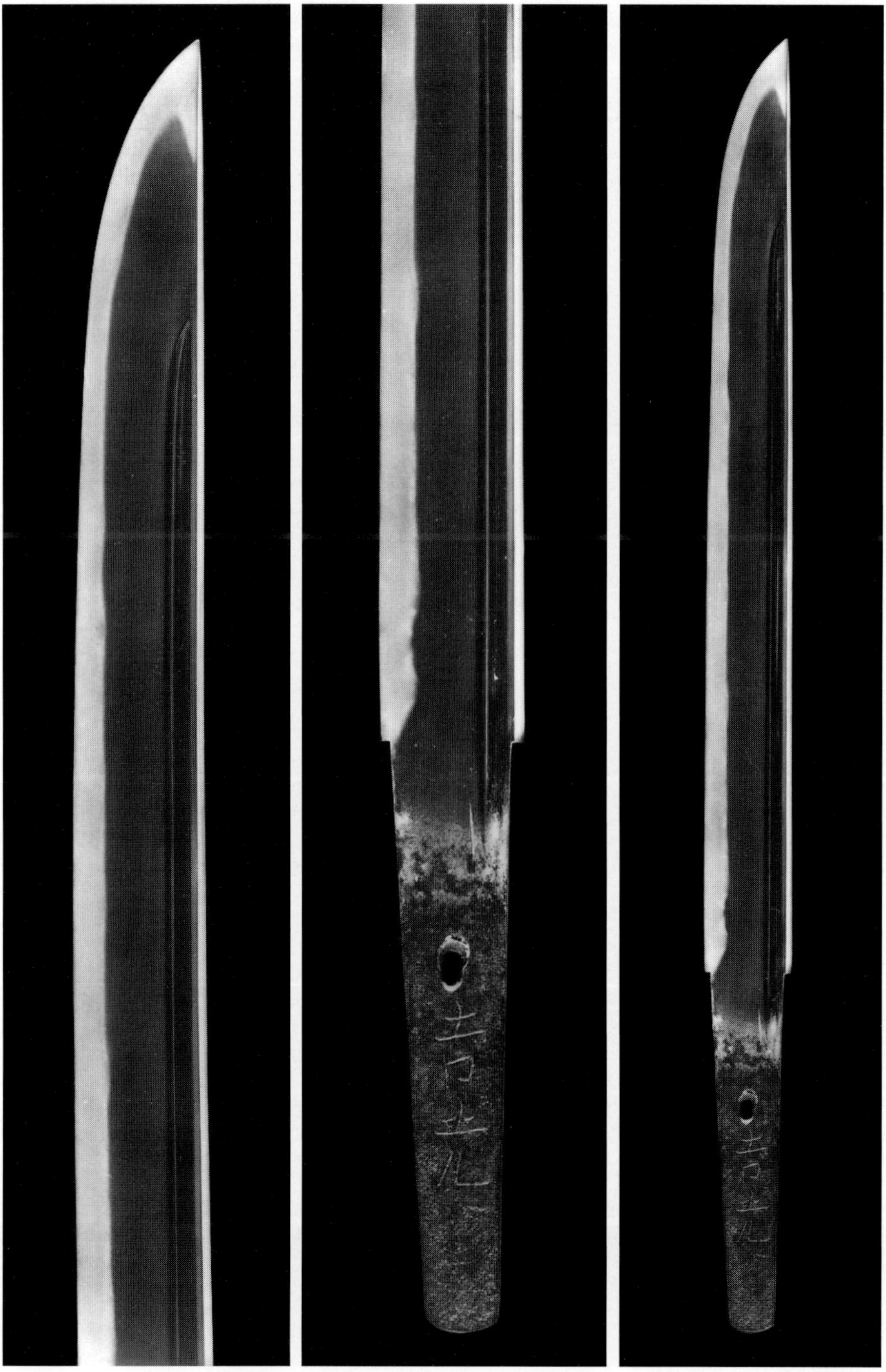

名物 御物 短刀　号「平野藤四郎」　銘「吉光」(宮内庁蔵)
〔道雪(摂津国平野町人)→木村常陸介(重茲)→豊臣秀吉→前田利長→徳川秀忠→前田利光…明治天皇〕

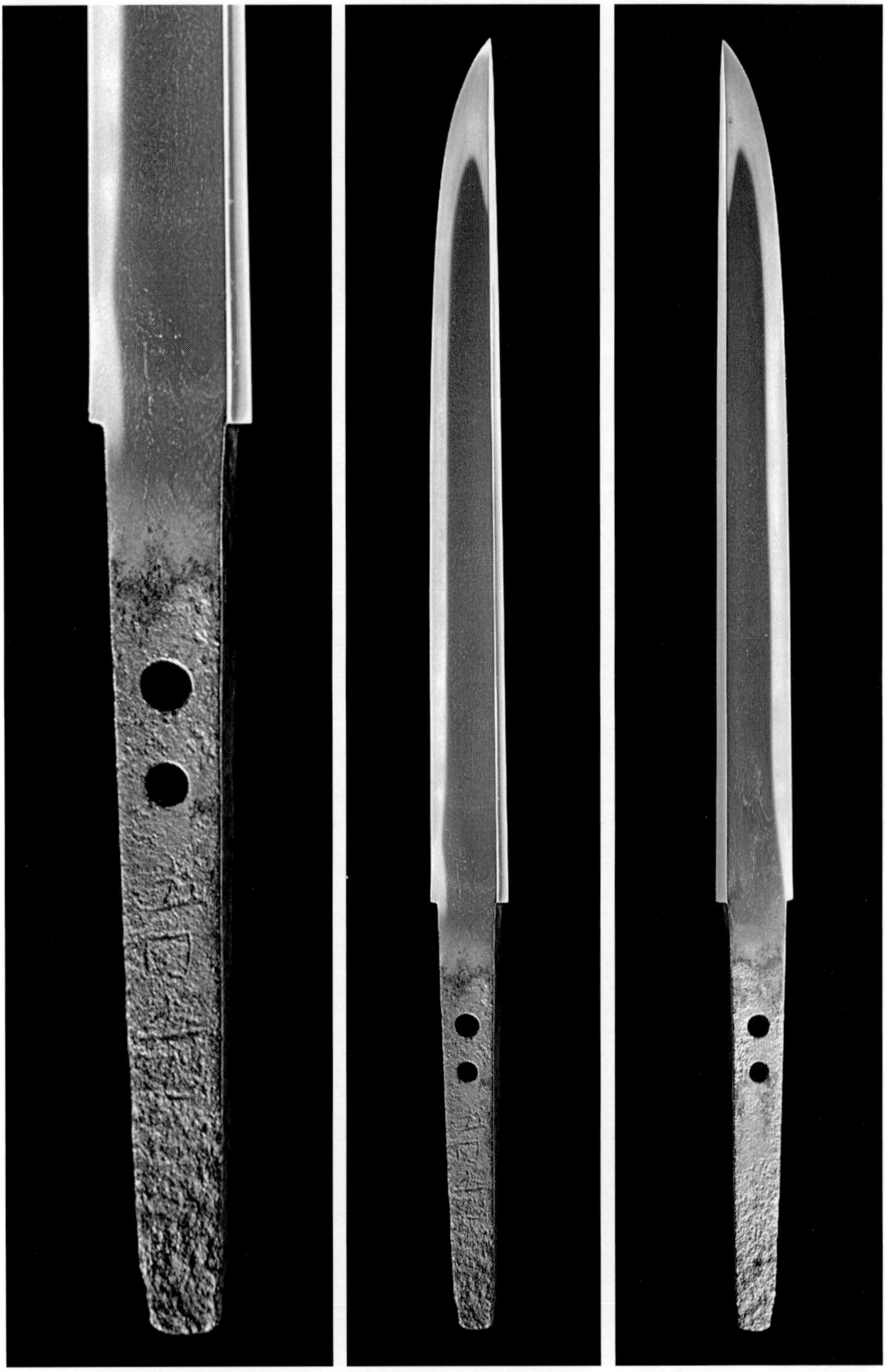

名物 国宝 短刀　号「厚藤四郎」　銘「吉光」(東京国立博物館 蔵)

Image:TNM Image Archives

〔足利将軍家…本阿弥光徳→一柳伊豆守(直末)→黒田如水→豊臣秀次→豊臣秀吉→毛利輝元…徳川家綱〕

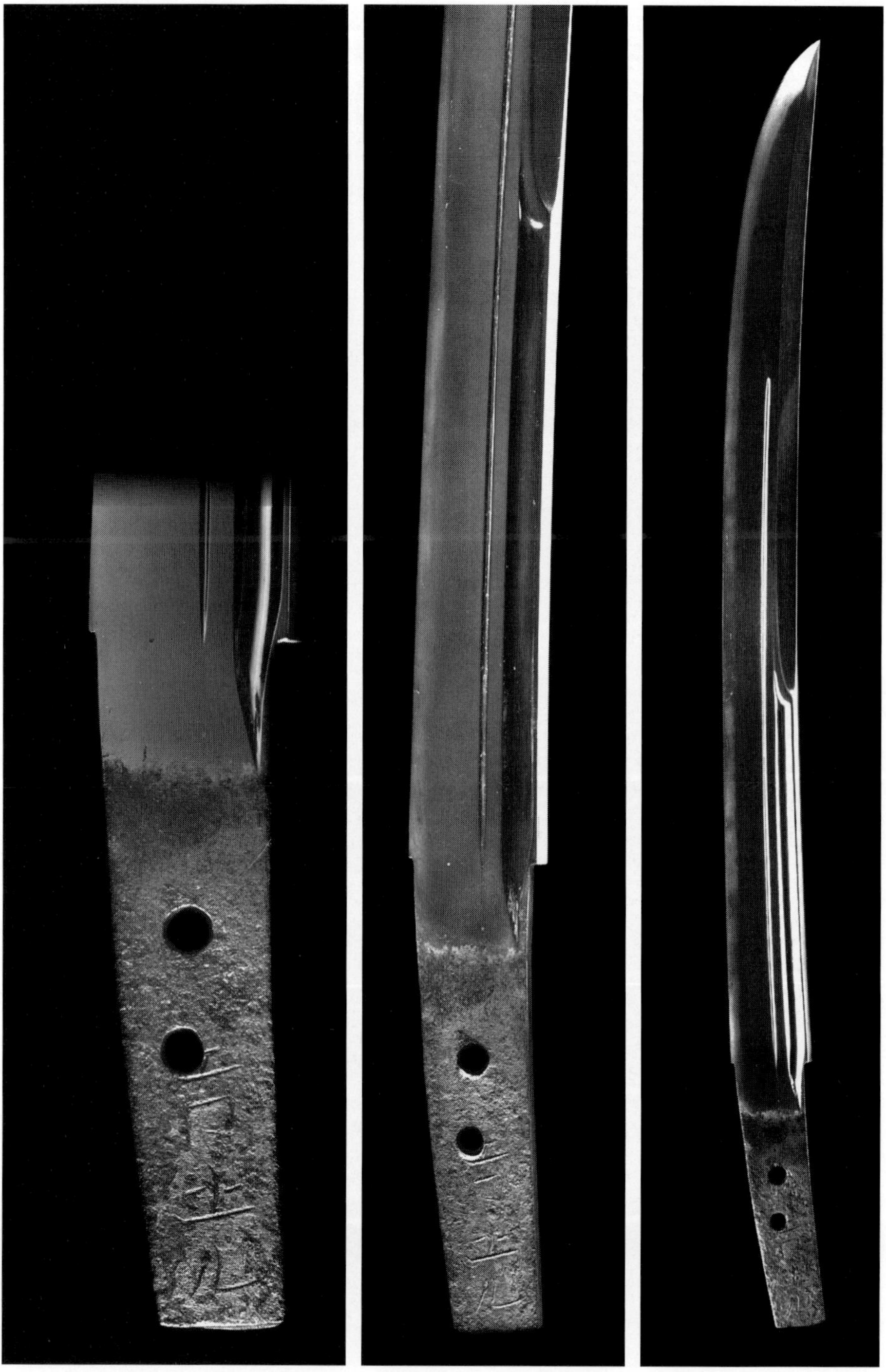

名物 御物 脇指　号「鯰尾藤四郎」　銘「吉光」（徳川美術館 蔵）
©徳川美術館イメージアーカイブ／DNPartcom

〔豊臣秀吉→豊臣秀頼→徳川家康→尾張徳川家〕

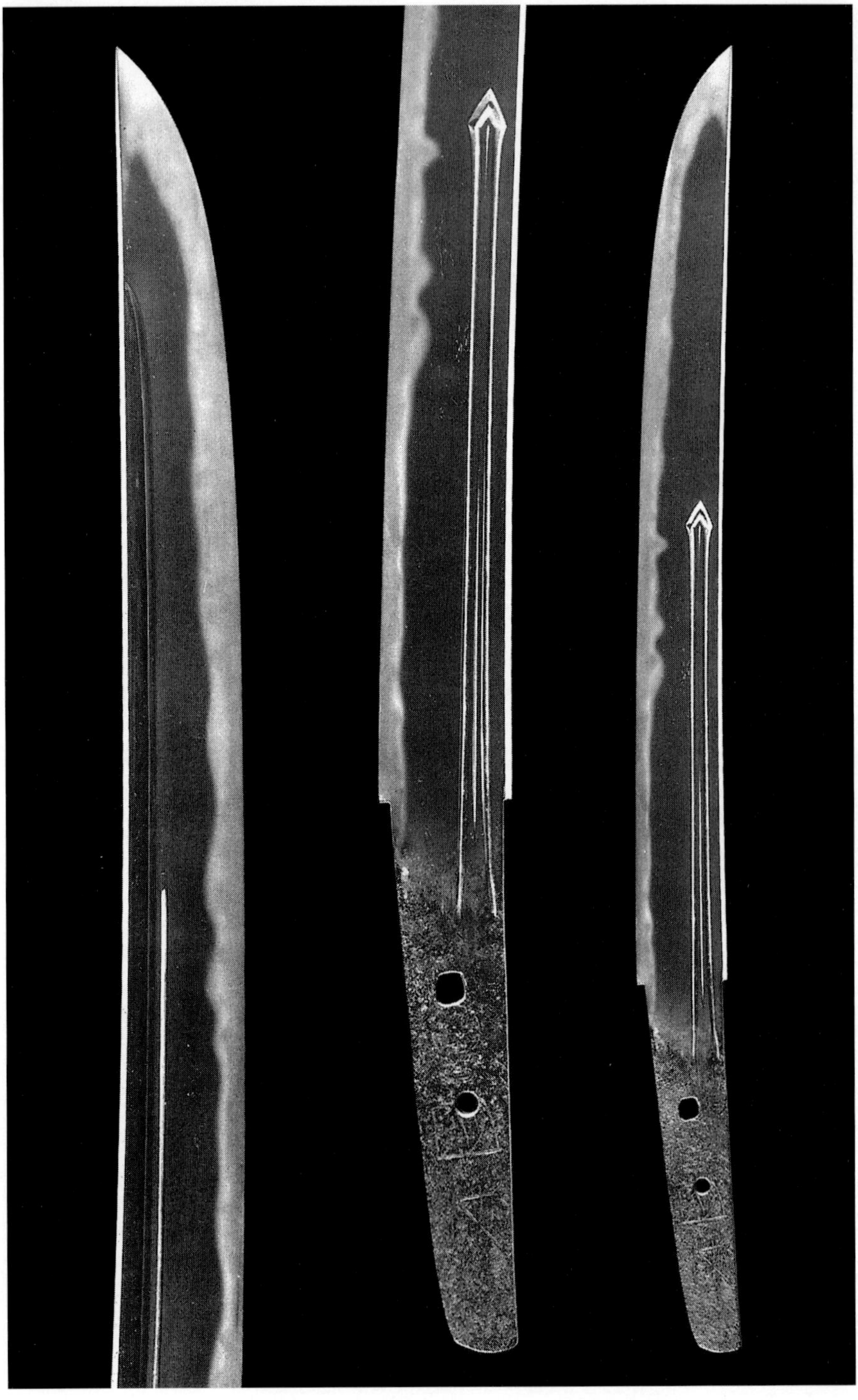

名物 重文 短刀　号「愛染国俊」　銘「国俊」(個人蔵)
〔豊臣秀吉→徳川家康→森美作守(忠政)→徳川家光→前田家(加賀藩)〕

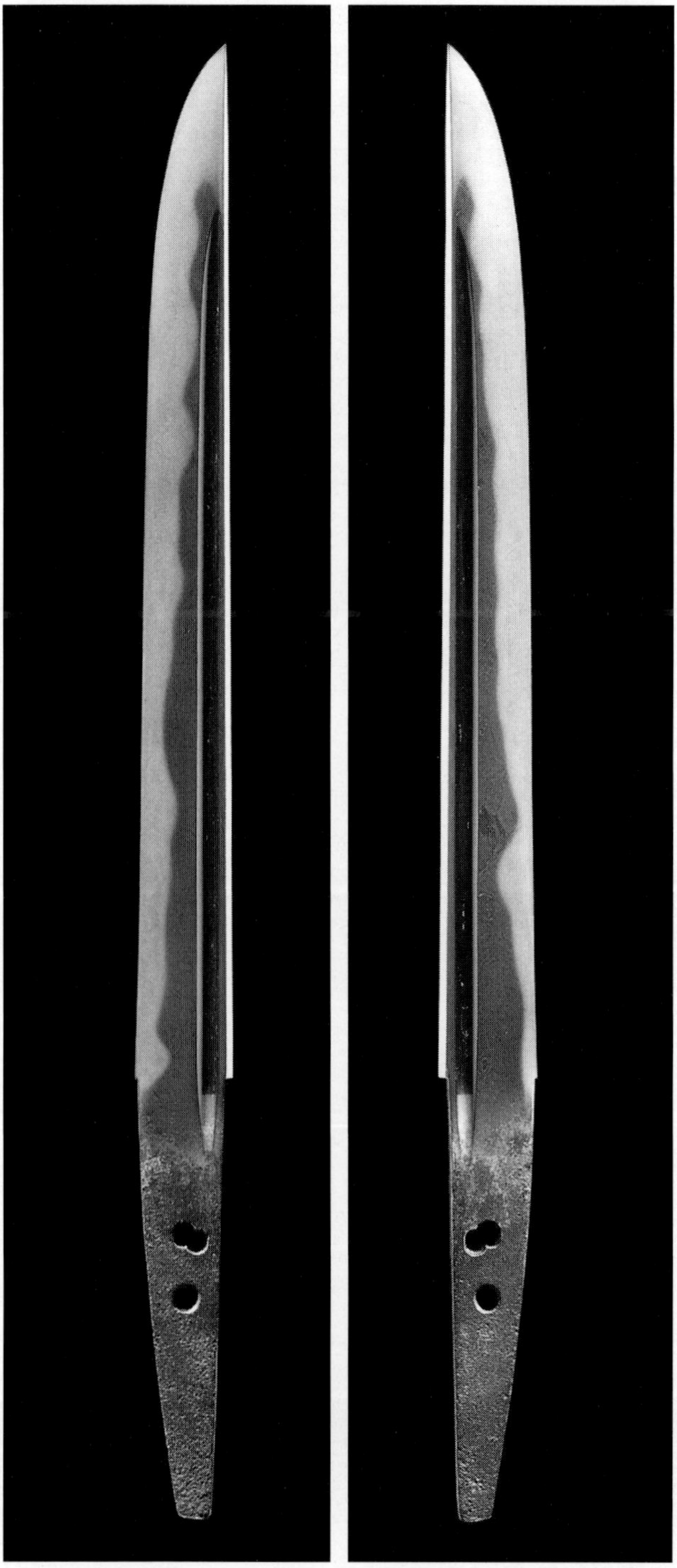

太閤御物　短刀　号「細川正宗」　無銘　正宗
〔徳川家康→豊臣秀吉〕

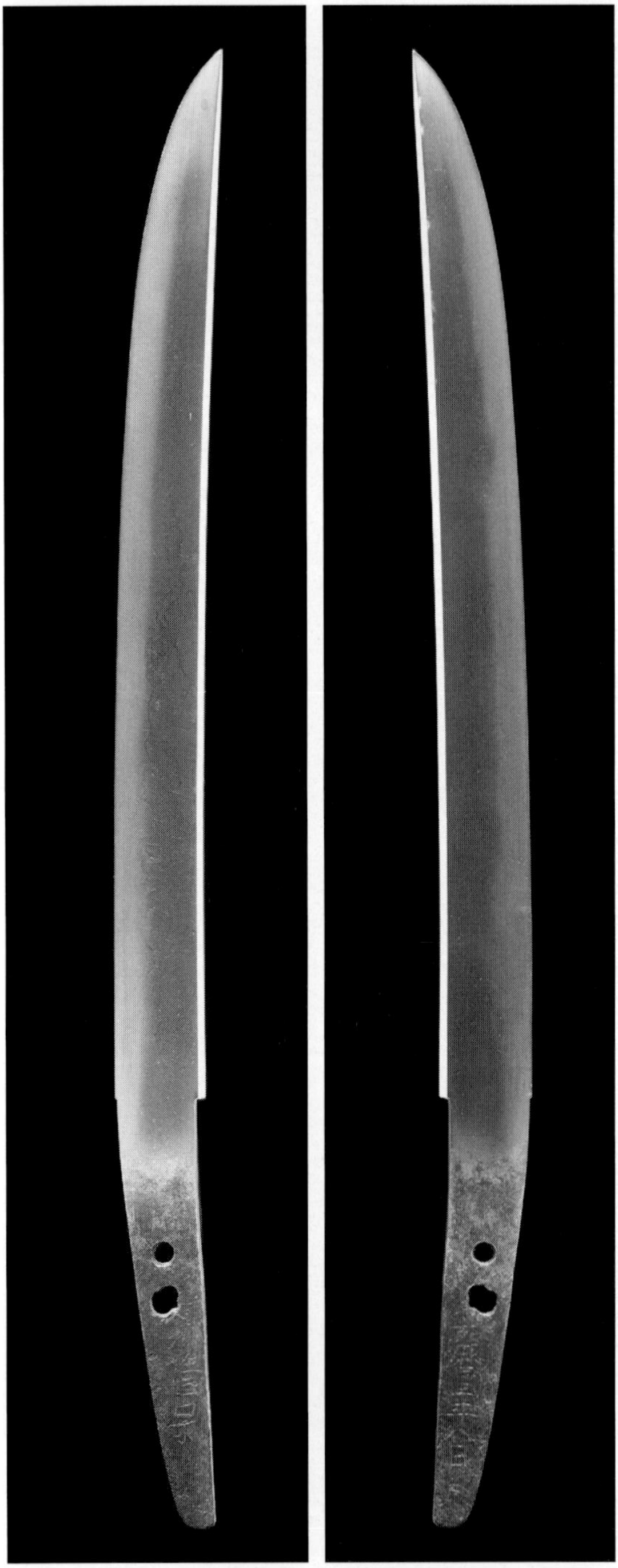

名物 大坂御物 短刀　号「大坂長銘正宗」
銘「相州住正宗」「嘉暦三年八月日」（徳川美術館 蔵）
©徳川美術館イメージアーカイブ／DNPartcom
〔細川幽斎→豊臣秀吉→豊臣秀頼→徳川家康→尾張徳川家〕

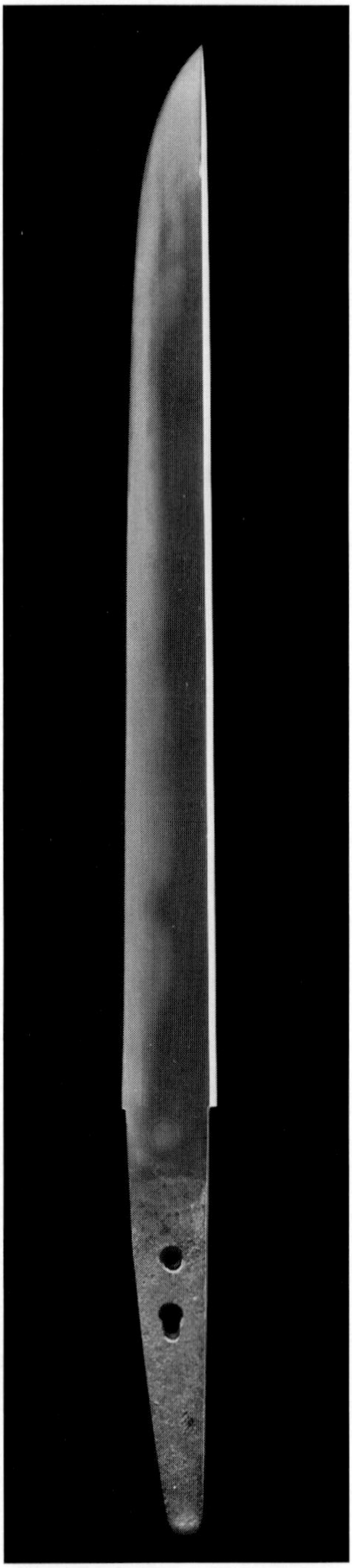

名物 大坂御物 短刀 号「若江十河正宗」
無銘 正宗（徳川美術館 蔵）
©徳川美術館イメージアーカイブ／DNPartcom
〔豊臣秀吉→徳川家康→尾張徳川家〕

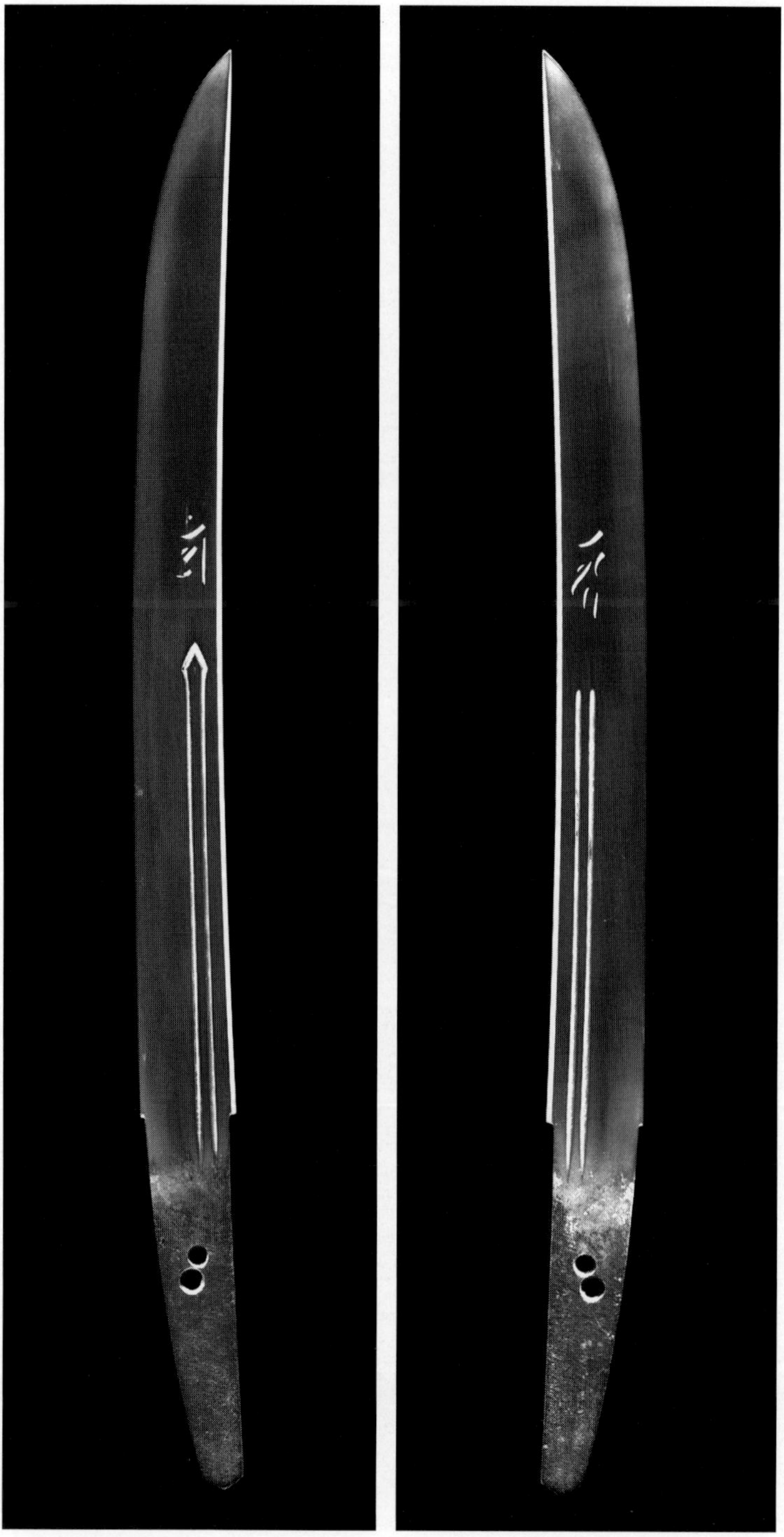

名物 短刀　号「奈良屋貞宗」　無銘 貞宗（徳川美術館 蔵）

〔豊臣秀吉→豊臣秀頼→徳川秀忠→徳川義直（尾張徳川家初代）→徳川家光→徳川頼宣（紀州徳川家初代）→尾張徳川家〕

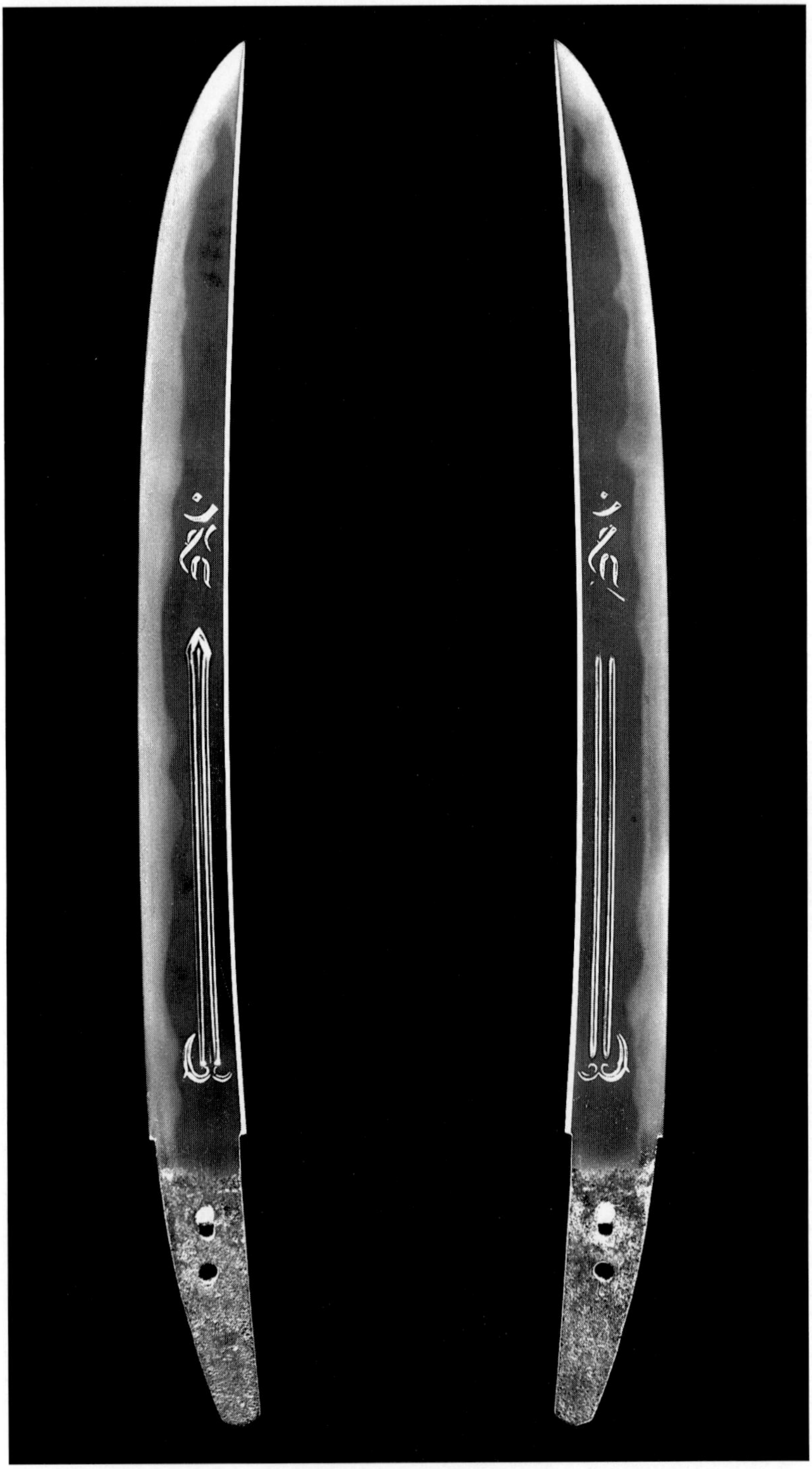

名物 国宝 脇指　号「徳善院貞宗」　無銘 貞宗（三井記念美術館 蔵）
〔織田信忠→織田秀信→豊臣秀吉→前田玄以→徳川家康→紀州徳川家→伊予西条松平家〕

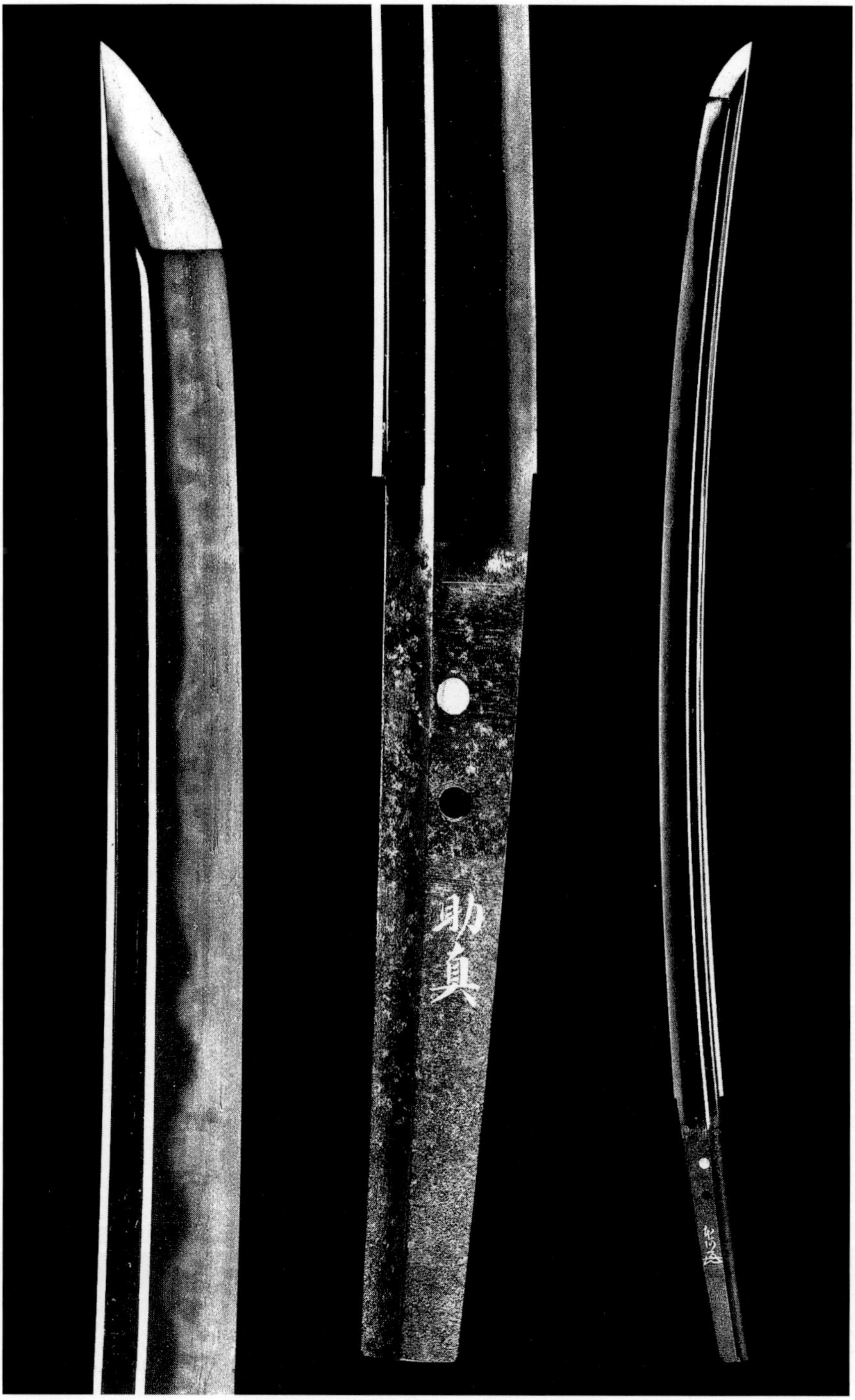

太閤御物　刀　金象嵌銘「助真」「本阿(花押)」

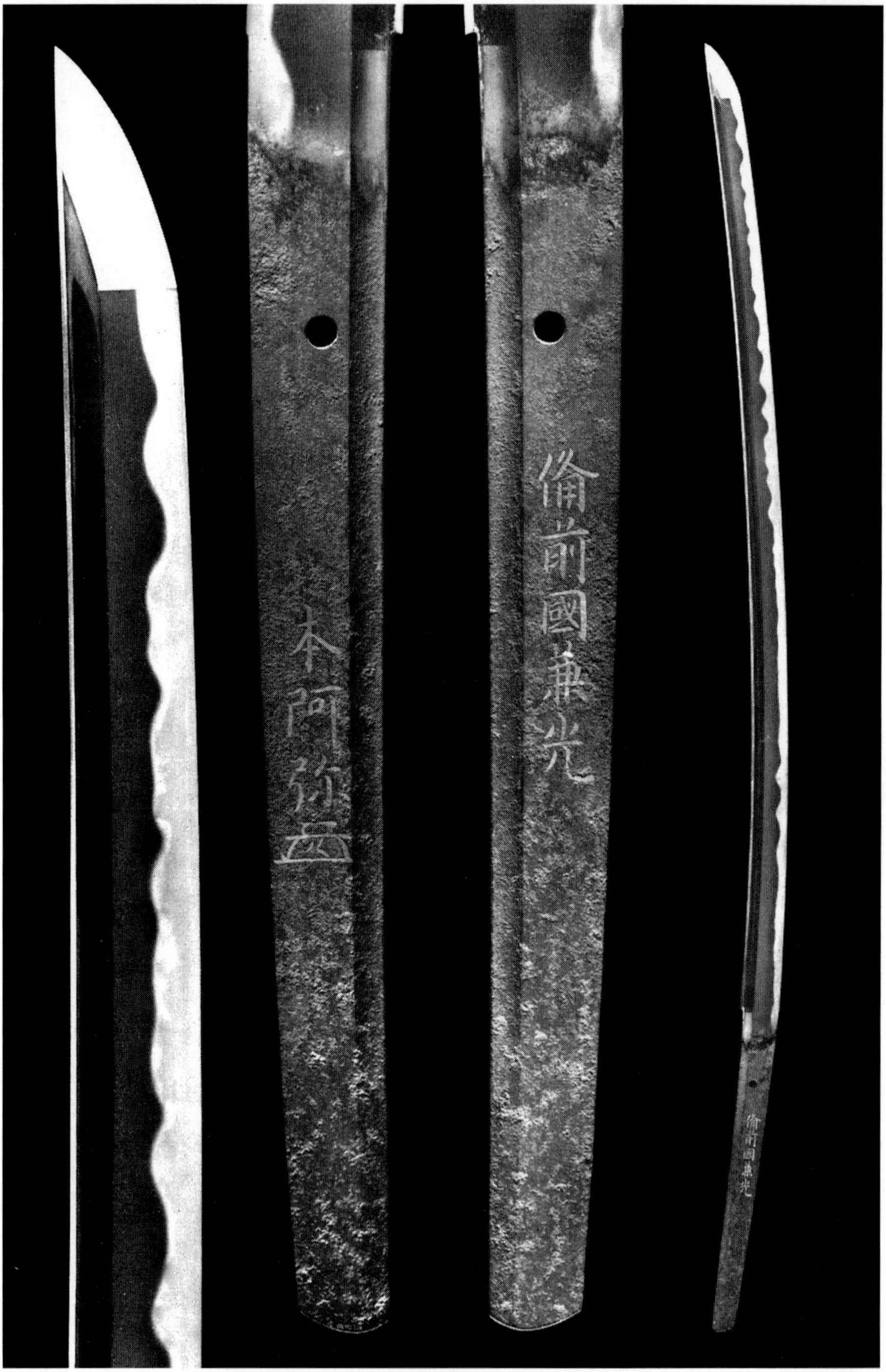

名物 重文 刀　号「大兼光」　金象嵌銘「備前国兼光」「本阿弥(花押)」(佐野美術館 蔵)
〔豊臣秀吉→藤堂高虎→徳川将軍家〕

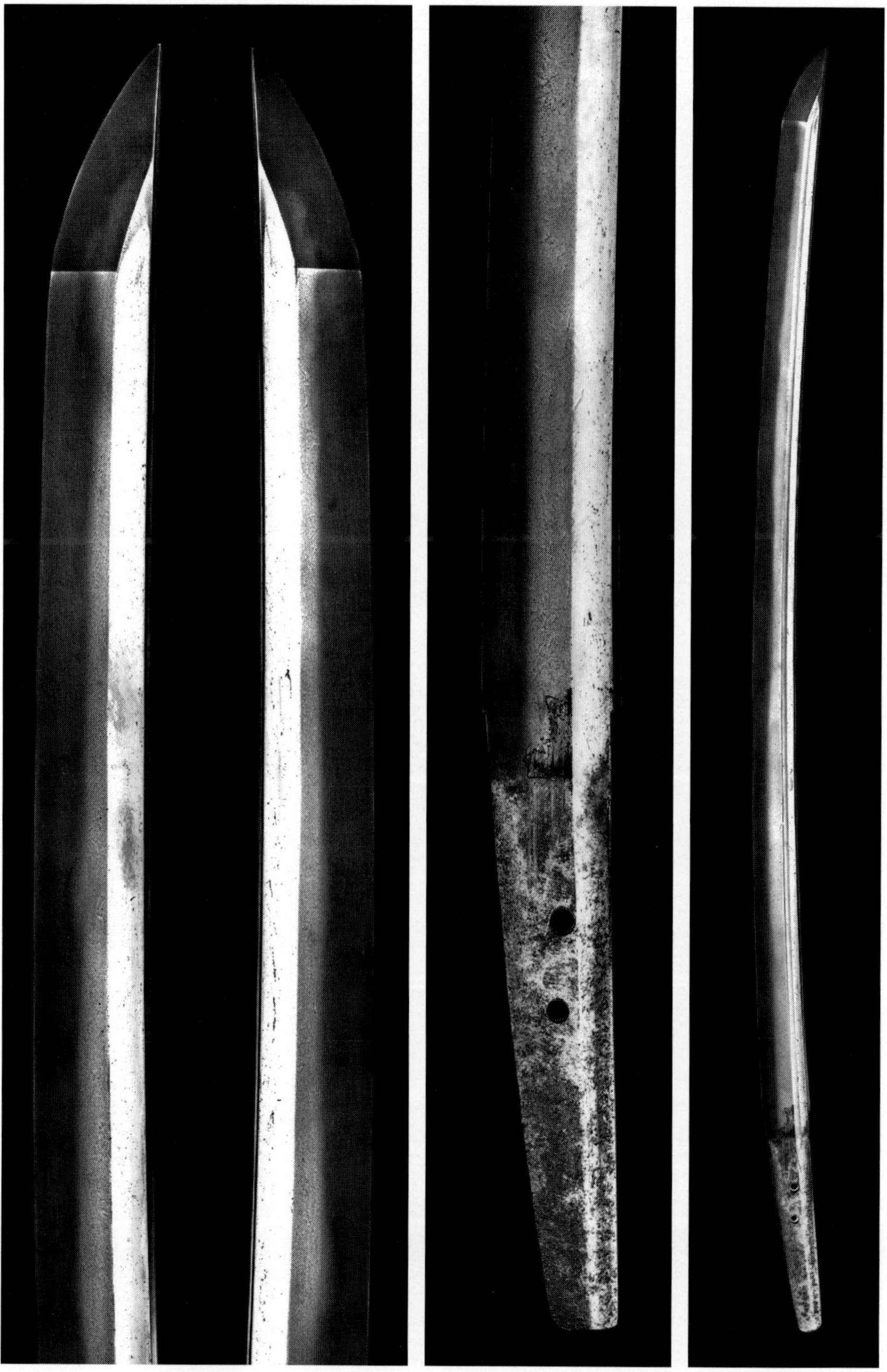

名物 国宝 刀　号「冨田江」　無銘 義弘（前田育徳会 蔵）
〔富田信広→堀左衛門大夫(秀政)→豊臣秀吉→前田利家→徳川秀忠→前田家(加賀藩)〕

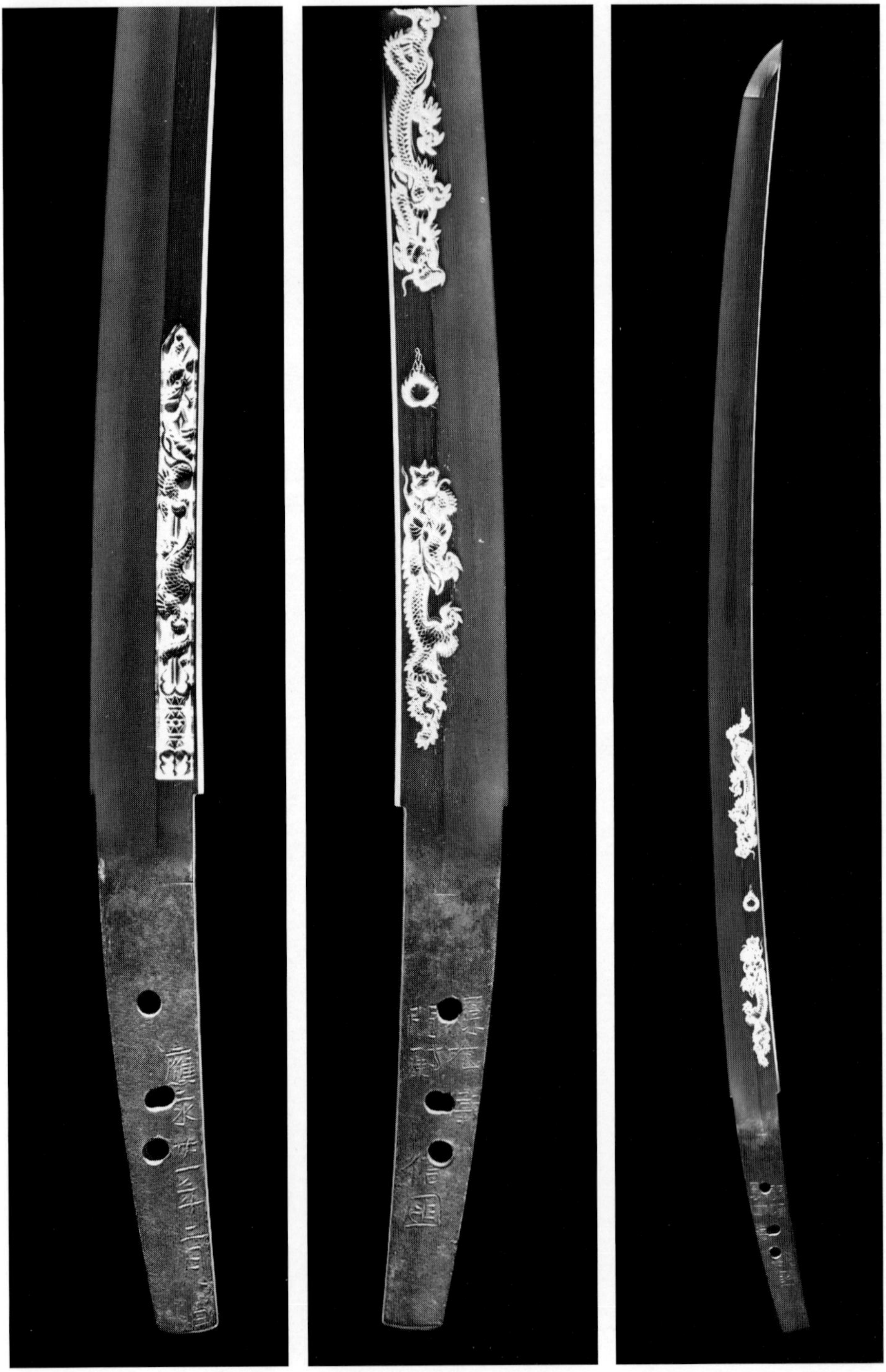

名物　小太刀　号「松浦信国」　銘「源左衛門尉信国」「応永廿一年二月日」（徳川美術館 蔵）

〔細川忠興→豊臣秀吉→豊臣秀頼→尾張徳川家〕

重文 金蛭巻朱塗大小拵（東京国立博物館 蔵）

兜金

唐鐔（正面）

責金と石突

同（側面）

金沃懸地菊唐草文太刀（金剛峯寺 蔵）

太刀 柄

同 木瓜紋蒔絵鞘尻

織田信長像（京都 大雲院 蔵）

腰刀 柄

同 鞘尻

織田信長像（狩野永徳 画·大徳寺総見院 蔵）

腰刀と短刀の柄

同 鞘尻

裏側に残る最初の織田信長像（透過赤外線画像・大徳寺総見院 蔵）

腰刀 柄

同 鞘尻

織田信長像（京都 報恩寺 蔵）

突盔兜鉢(愛知総見院 蔵)〔伝 織田信長所用〕

重文　金小札色々威胴丸（東京 某寺 蔵）／大袖（上杉神社 蔵）
〔（胴丸）織田信長→上杉謙信…会津保科家…益田鈍翁〕

〔背 面〕

左 大袖

左(射向側) 笄金物

大袖(上杉神社 蔵)〔**織田信長→上杉謙信**〕

右 大袖

右(馬手側) 笄金物

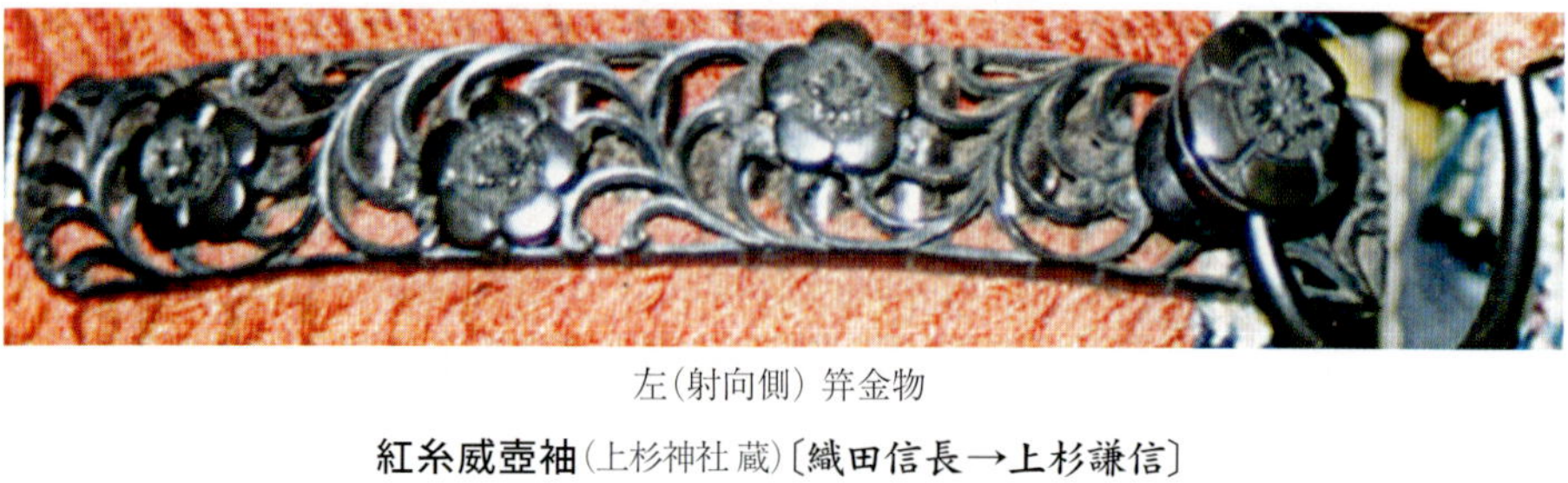

左(射向側) 笄金物

紅糸威壺袖(上杉神社 蔵)〔**織田信長→上杉謙信**〕

右(馬手側) 八双金物

揚羽蝶紋 黒鳥毛陣羽織（東京国立博物館 蔵）〔伝 織田信長所用〕
Image:TNM Image Archives

木瓜紋の拡大(左前)

紅麻地 木瓜紋籠目文様鎧下着(名古屋城総合事務所 蔵)〔伝織田信長所用〕

木瓜紋の拡大(左前)

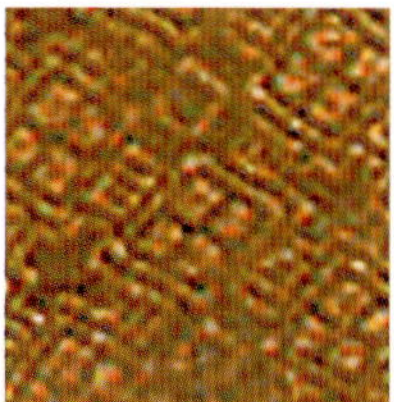

緞子地の拡大

萌黄四ツ目菱斜格子緞子地 木瓜紋鎧下着(名古屋城総合事務所 蔵)〔伝織田信長所用〕

桐紋の拡大

小紋の拡大

〔背 面〕

茶地桐紋 小紋染韋 胴服（上田市博物館 蔵）**〔伝織田信長所用〕**

重文 牡丹唐草文様マント（上杉神社 蔵）〔織田信長→上杉謙信〕

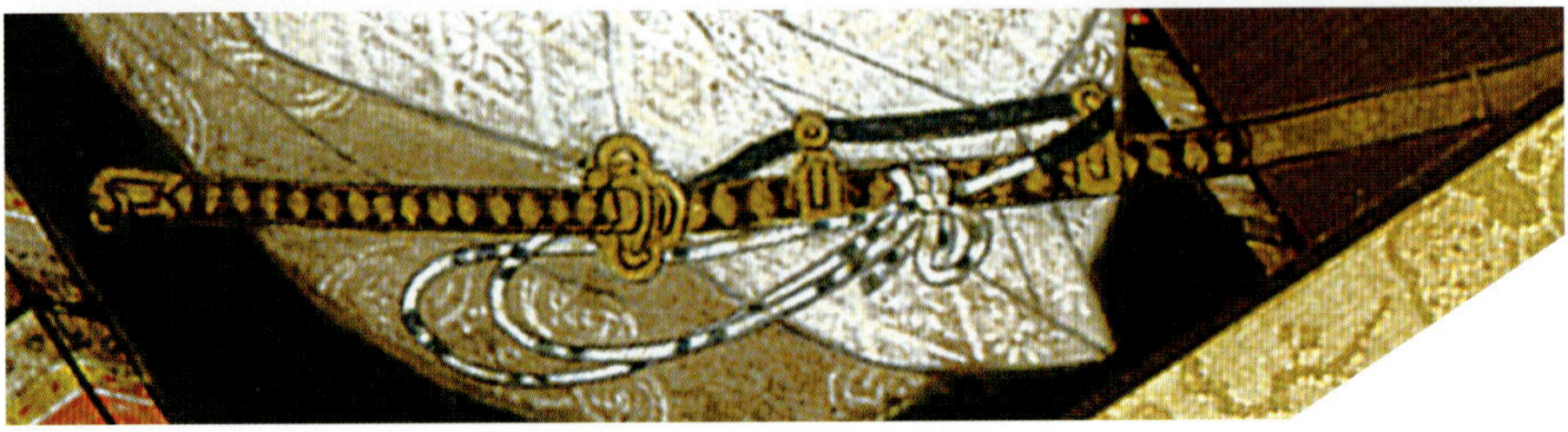

豊臣秀吉 像（神戸市立博物館 蔵）

豊臣秀吉 像（大阪 豊国神社 蔵）

金沃懸地 打刀

「醍醐の花見図屏風」豊臣秀吉像 部分（国立歴史民俗博物館 蔵）

胸板の蒔絵と桐の紋鋲

草摺裾板の菊・桐紋蒔絵

縹色威 下散紅 胴丸(大坂城天守閣 蔵)〔**豊臣秀吉→脇坂安治**〕

重文 銀箔押 伊予札胴丸具足 黒熊毛植兜付（仙台市博物館 蔵）〔豊臣秀吉→伊達政宗〕

兜 右斜前

佩楯と臑当

〔側 面〕

同兜の𩊱

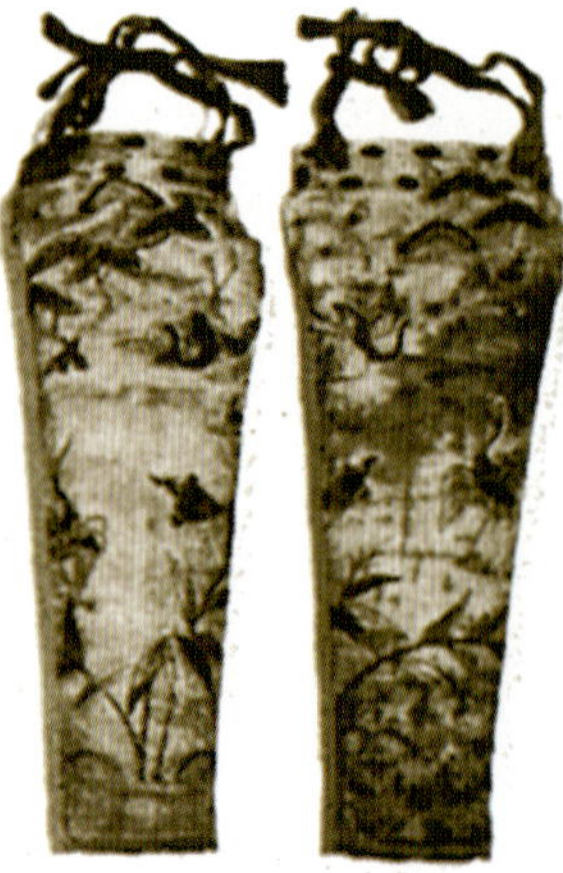

籠 手

喉 輪

佩 楯

重文 金箔押 唐人笠形兜（妙心寺蔵）〔豊臣棄丸所用〕

総角の鐶

高緒の責鞐

鍍金菊紋鋲

重文 **白綸子包 童具足**（妙心寺 蔵・京都国立博物館 提供）〔**豊臣棄丸所用**〕

〔背 面〕

〔左側面〕

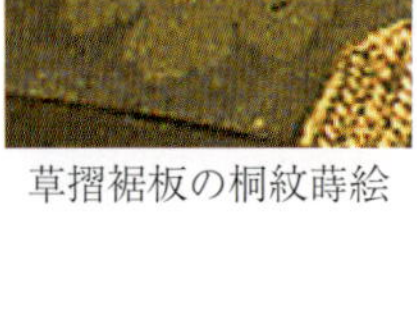

草摺裾板の桐紋蒔絵

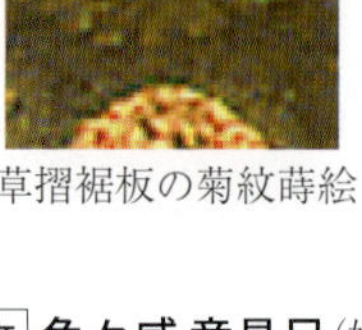

草摺裾板の菊紋蒔絵

胸板の鶴丸紋鋲

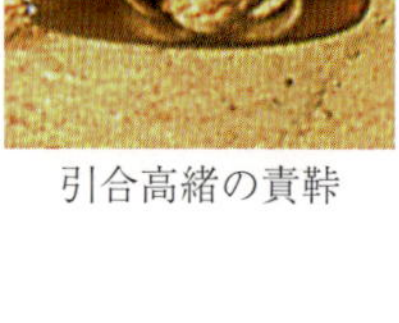

引合高緒の責鞐

重文 色々威 童具足（妙心寺 蔵）〔豊臣棄丸所用〕

籠手

佩楯

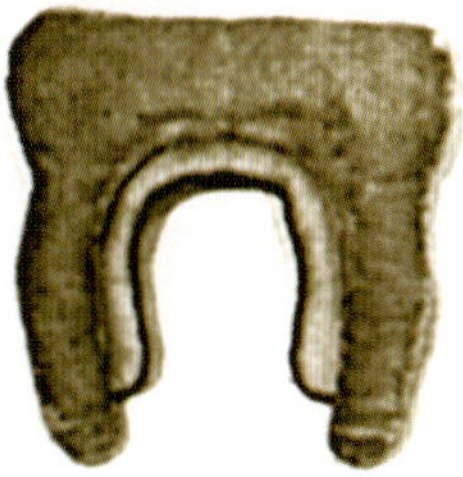

肩当

佩楯

喉輪

金小札松竹蒔絵 仏胴胸取童具足 唐冠形兜（纓脇立欠）付（上部 豊栄神社 蔵）〔伝毛利元就所用〕

革包 仏二枚胴具足　唐冠形兜付（毛利博物館 蔵）〔豊臣秀吉→毛利輝元〕

佩楯の雷文菊沢瀉蒔絵

脇板の同蒔絵

金小札紅白糸威 胴丸具足　獅噛前立 烏帽子形兜 付（毛利博物館 蔵）〔豊臣秀頼→毛利秀就〕

金小札紅糸中白威 腹巻（東京国立博物館 蔵）〔伝 豊臣秀頼所用〕
Image:TNM Image Archives

〔背面〕

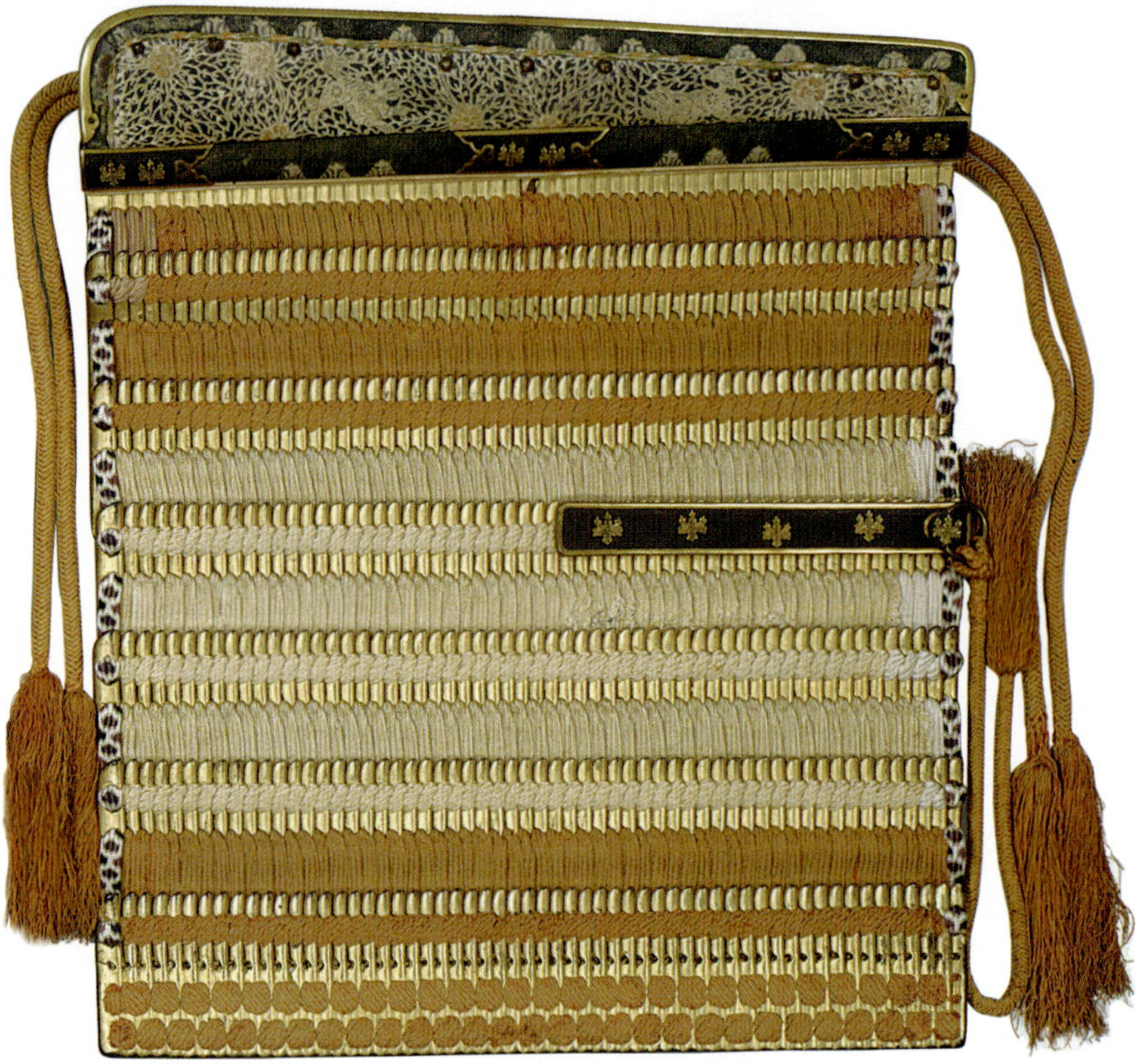

左 大袖

亀甲打の耳糸

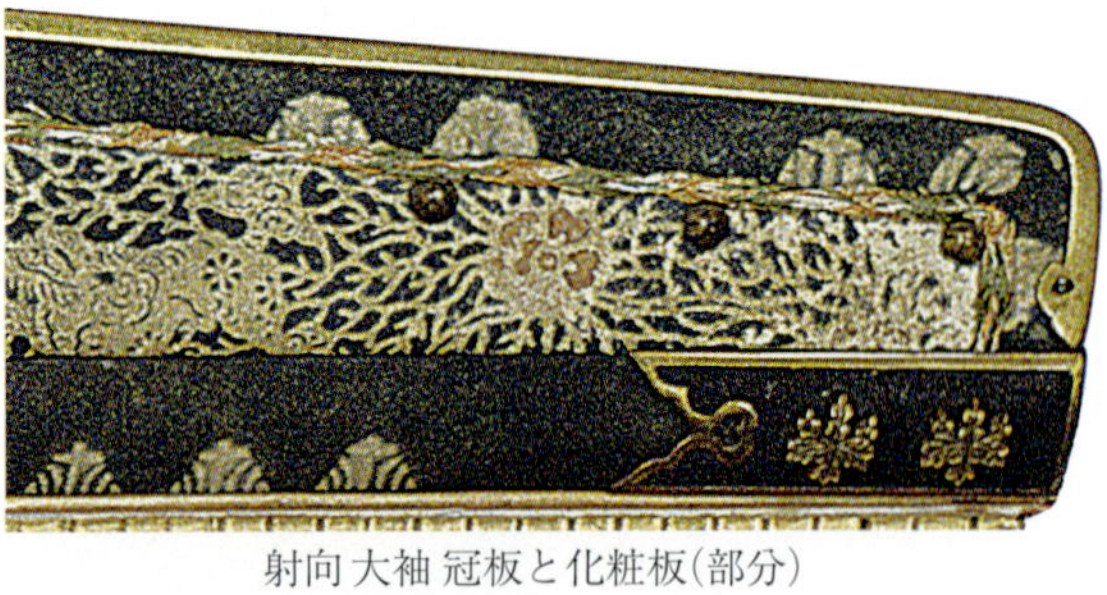

射向大袖 冠板と化粧板(部分)

射向大袖 笄金物

右大袖

喉輪

色々威二枚胴具足（徳川美術館 蔵）
©徳川美術館イメージアーカイブ／DNPartcom

色々威二枚胴具足（靖国神社 遊就館 蔵）

色々威二枚胴具足（大阪城天守閣 蔵）

銀箔押尖笠形兜（松井文庫 驥斎 蔵）〔伝 豊臣秀吉→松井康之〕

馬藺後立 一ノ谷形兜（東京国立博物館 蔵）〔伝 豊臣秀吉所用〕
Image:TNM Image Archives

〔背 面〕

1884年の焼失によりバラバラになった仁王胴具足の展示状況。表側。兜の鞠や袖部分が胴の下におかれるなど配置に混乱がみられる。しかし、1990年1月22日に調査団により解体、適正に配分して現在では4領の甲冑に組み替えてある。

マドリード王宮武器庫 展示中の甲冑（1990年 著者撮影）

4領が混合、うち2領が秀吉が贈った甲冑

裏側。面頬が誤って背面に付されている他、関係のない部品も混在している。

1884年の焼失によりバラバラになった色々威胴丸具足の展示。面頬、籠手、佩楯などを欠き、仁王胴具足の佩楯が混在している。展示ボードは計４枚あり、そこに秀吉贈答品とは別の江戸期のものも含めて４領の甲冑の部品が混在している。

兜と面具正面

吹返の桐紋金具

兜 左側面

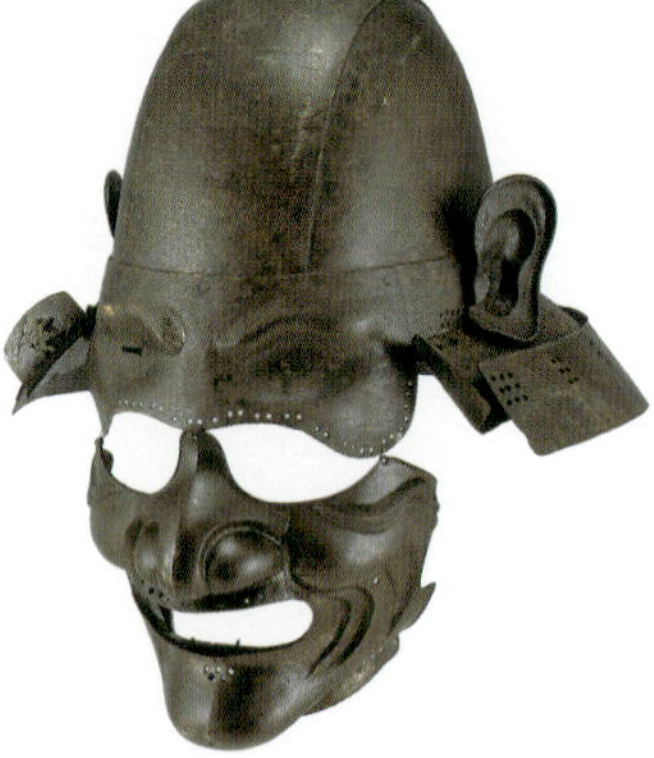

兜 左斜前

兜 左側面の耳

兜 天辺

仁王胴具足（マドリード王宮武器庫 蔵）〔**豊臣秀吉→フェリーペ2世**〕

胴 背面

胴 正面

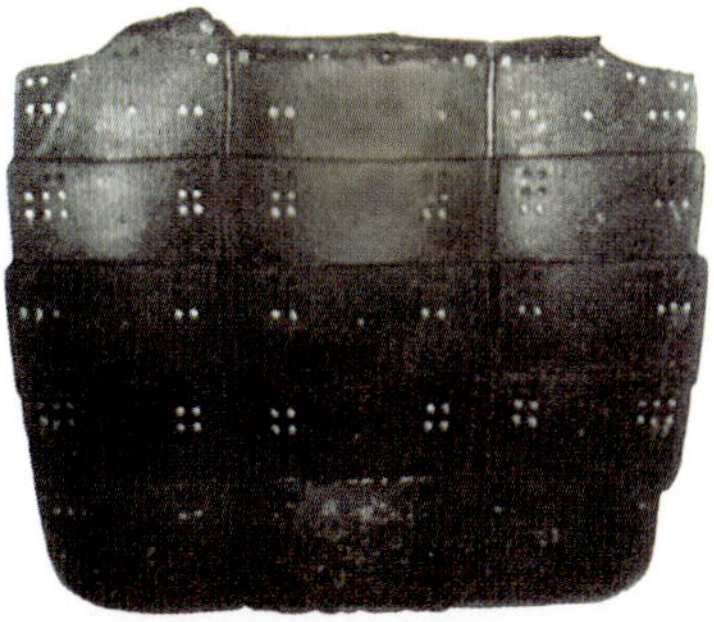

蝶番繋ぎの袖

手甲の桐紋と菊金具

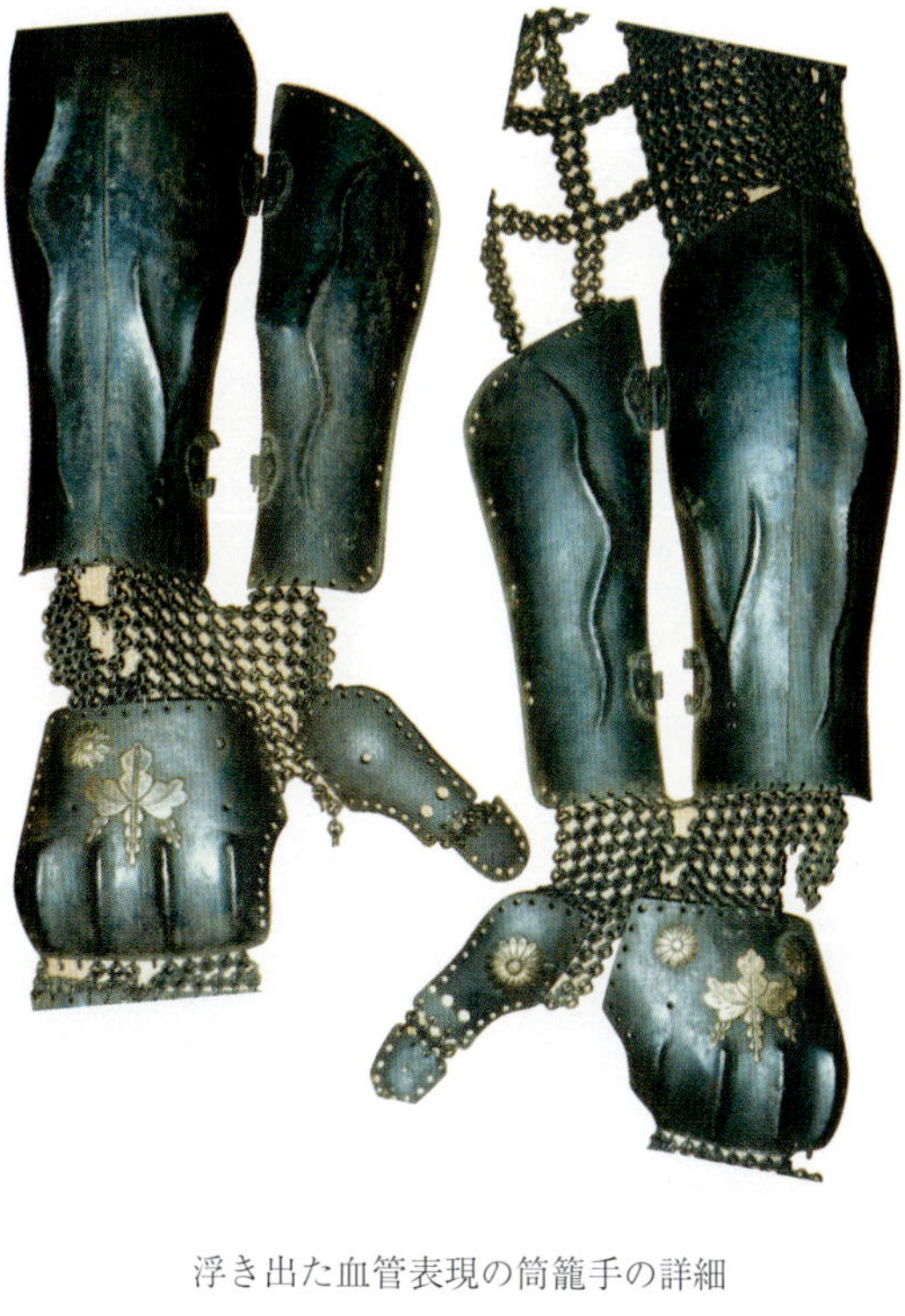

浮き出た血管表現の筒籠手の詳細

鉄板物製草摺

同 左

首折瓢金具の佩楯

草摺の○紋蒔絵

草摺の桐紋蒔絵

臑当の菊紋金具

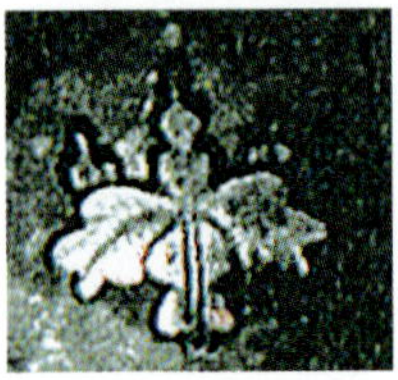
臑当の桐紋金具

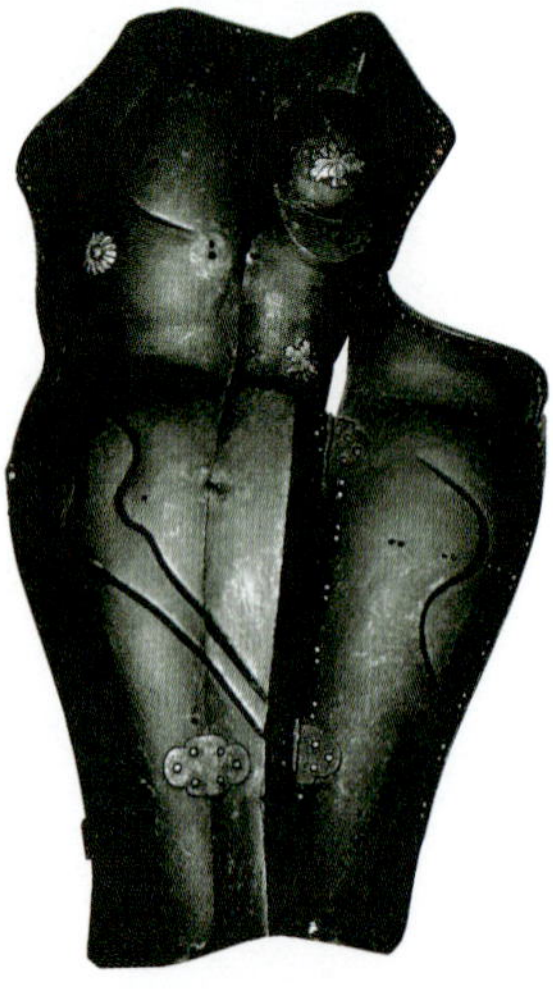
大立挙三枚筒臑当(右)

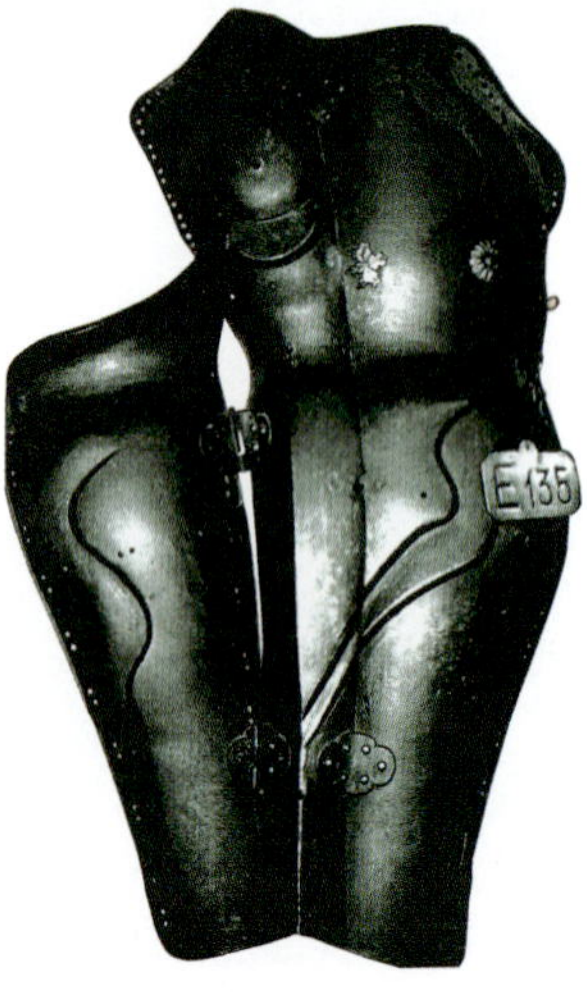

同(左)

眉庇の桐紋

眉庇の菊紋

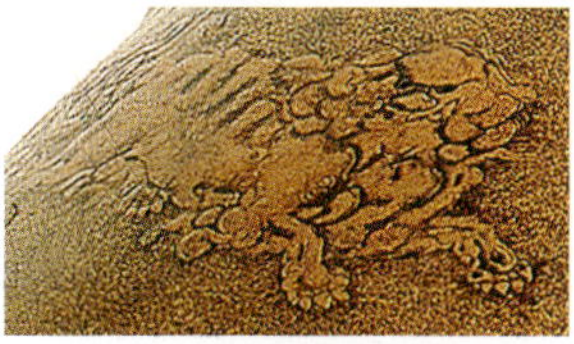

眉庇の獅子

兜と面具 左斜前

兜 左側面

金具廻の桐紋鋲

同 菊紋鋲

札板の欠失部が多い大破した胴(左斜前)

胸板の獅子金具

色々威胴丸 小星兜付(マドリード王宮武器庫 蔵)〔**豊臣秀吉→フェリーペ2世**〕

同 桐紋鋲

同 菊紋鋲

押付板の獅子金具

押付板と肩上

大袖冠板の桐・獅子金物

胴背面の札板と威毛

櫃の飾金具付の脚

草摺の札板と威毛

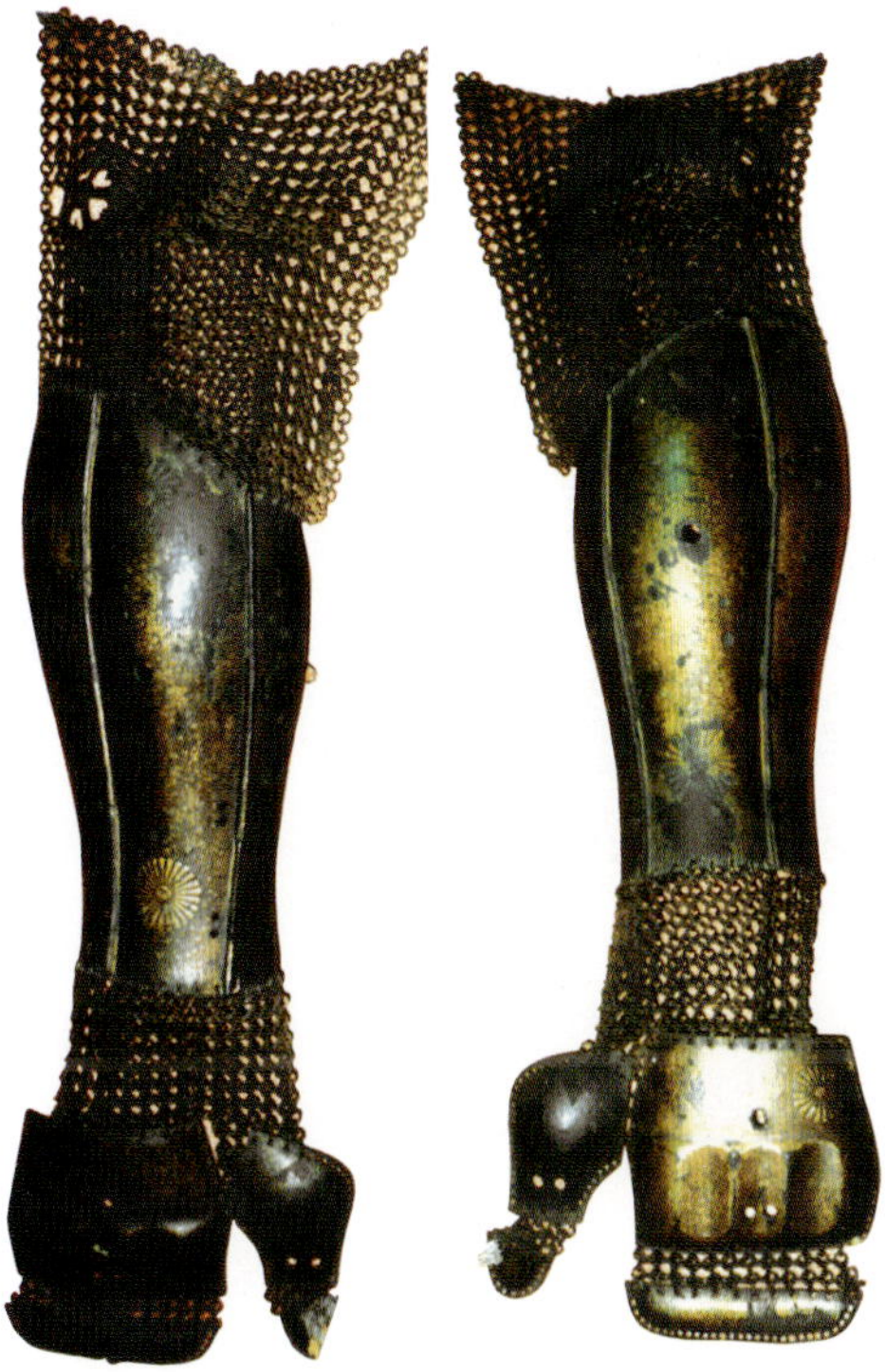

三枚筒籠手

籠手鎖の猪ノ目透金具

手甲

鉄板繫の佩楯

佩楯の菊紋

佩楯鎖の菊透金具

色々威腹巻の小具足（マドリード王宮武器庫 蔵）

面具の蝶番

兜と面具正面

兜の桧垣と眉庇

兜 左側面

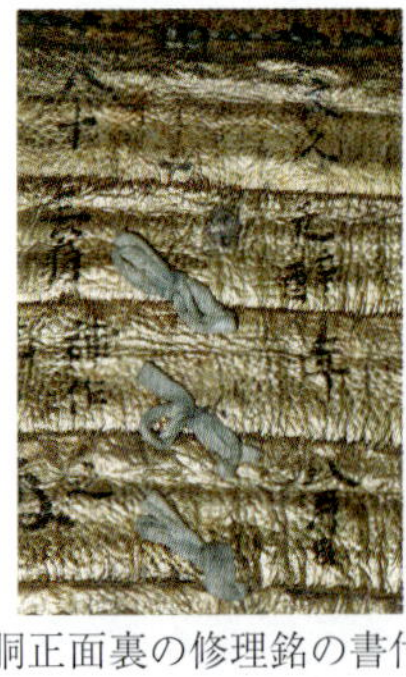

胴正面裏の修理銘の書付
「文久元辛酉年 八月日
八十三翁 補作之
田中暁信花押」

同じく胴正面裏側の
札板韋包の状況

大破したもう一領の本小札萌葱糸威胴丸

スペインに現存する兜や本小札萌葱糸威胴丸（マドリード王宮武器庫 蔵）

鐙正面の桐紋蒔絵

鞍 前輪の菊桐金物

重文 鞍(妙心寺 蔵)〔豊臣棄丸所用〕

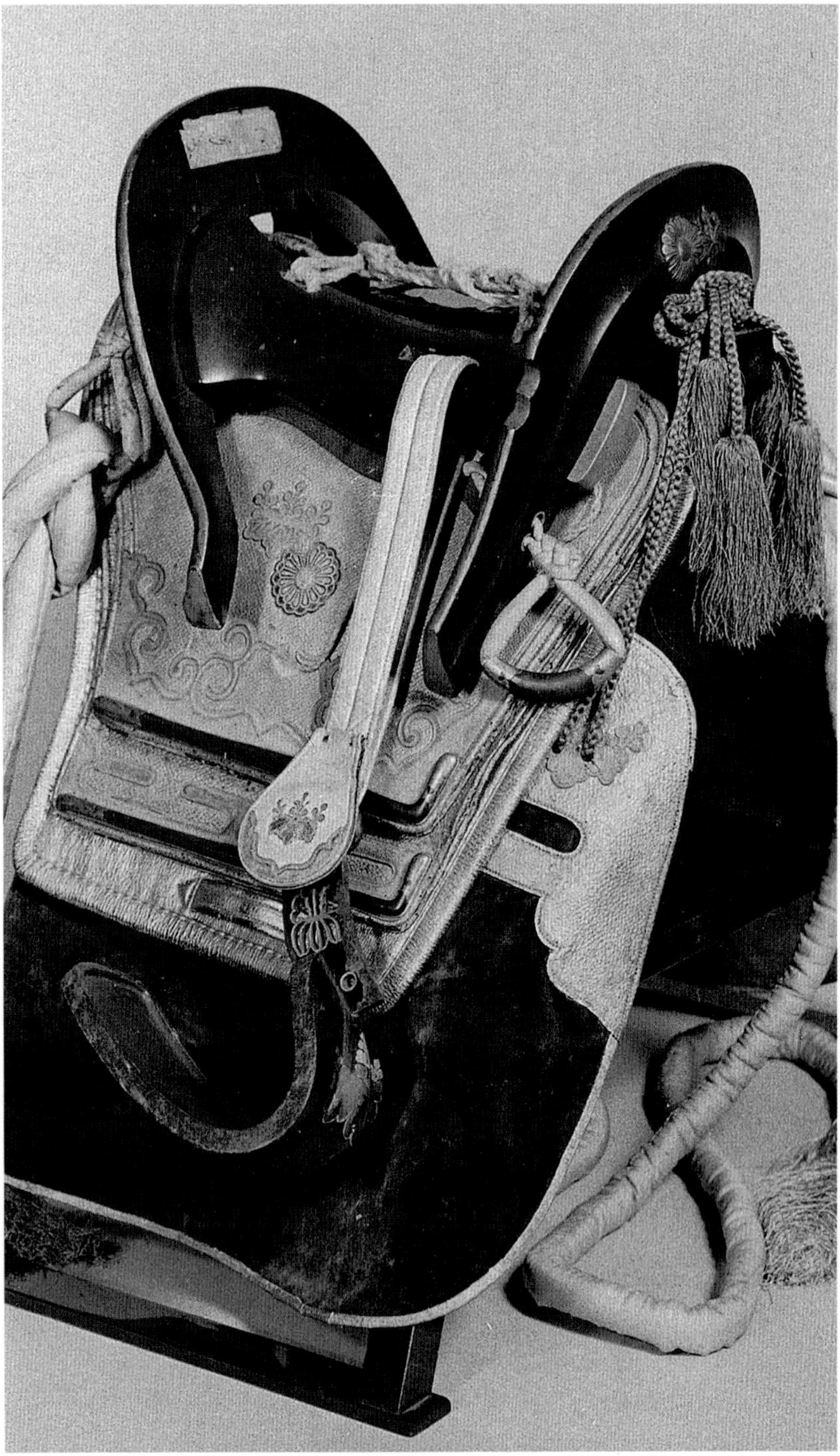

（『妙心寺大観』転載）

重文 芦穂蒔絵鞍・鐙（東京国立博物館蔵）〔豊臣秀吉所用〕
Image:TNM Image Archives

黒塗菊桐蒔絵具足櫃（犬山城白帝文庫 蔵）

黒塗菊桐紋蒔絵具足櫃(毛利博物館 蔵)〔豊臣秀吉→毛利輝元〕

柄の詳細(140%拡大)

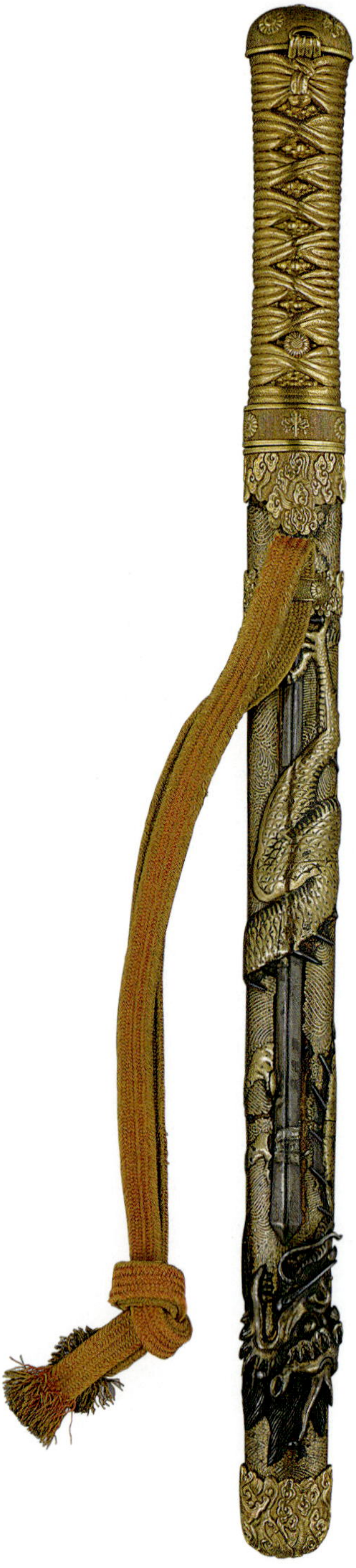

重文 倶利迦羅腰刀(妙心寺蔵)〔豊臣棄丸所用〕

鐺の詳細（140%拡大）

縁と鯉口金具（140%拡大）

部分

〔背面〕

重文 **鳥獣文様 陣羽織**（高台寺蔵）〔豊臣秀吉所用〕

〔背 面〕

太白字 鳥毛植 陣羽織〔伝 豊臣秀吉→榊原康政〕(東京国立博物館 蔵)
Image:TNM Image Archives

〔背 面〕

桐紋 陣羽織(毛利博物館 蔵)〔伝 豊臣秀吉→毛利輝元〕

〔背面〕

ビロードマント（名古屋市秀吉清正記念館 蔵）〔豊臣秀吉所用〕

目次

第二章 信長の甲冑と陣羽織

第三章 秀吉の刀剣

第四章 秀吉の甲冑

第五章 秀吉の陣羽織

第一章　信長の刀剣

本能寺で最期を看取った実休光忠（太刀）と薬研藤四郎（短刀）

義元討捕の左文字刀を試し切りし指料にする

永禄三（一五六〇）年五月十七日、桶狭間合戦の二日前、今川義元は沓懸《くつかけ》に陣を構え、十九日に桶狭間山に本陣を移している。織田勢は二千に満たない兵数だったのに対し、今川軍は四万五千を擁していた。

五月十九日午の刻（正午）、桶狭間山で人馬に休息を与えていたころ、すでに鷲津《わしづ》・丸根砦《とりで》を攻め落とし、初戦に勝利していた義元は、「わが武力は天魔も鬼神も恐れるだろう、心地はよし」と悦《よろこ》び、ゆるゆるとして謡《うたい》を三番うたったそうである。

一方、善照寺砦から低地の中島砦へ移動していた信長は、中島砦を出撃し山ぎわまで軍勢を寄せたとき、激しい豪雨が石か氷をなげうつかのように降り出した。沓懸峠の松の根方に、二抱え三抱えもある楠の木が倒れかかるほどで、信長勢は余りの幸運なことと「熱田大明神の神慮による戦いか」といった。

空が晴れ間をみせたのをみて、信長は大音声をあげ「それ、掛かれ、掛かれ」と叫ぶ。信長も馬を下り、若武者どもと先を争うように突き伏せ、突き倒す。敵に乱れかかって鎬《しのぎ》を削り、鐔《つば》を割り、火花を散らす乱戦が続くうち、織田軍主力の攻撃で今川軍は総崩れとなり、義元の本陣は撤退し、義元を囲む旗本は初め三百騎ほどだったものが、ついには五十騎ほどに減ってしまった。ついには義元の朱塗りの輿《こし》さえ打ち捨てて崩れ逃げた。

服部小平太（春安）は義元に打ちかかり、膝口を切られて倒れ伏す。毛利新介（良勝）は義元を切り伏せて首を取った。

この時、義元が腰に佩《は》いていたのが筑前国左文字の秘蔵の刀で、信長はこれを召し上げ、何度も試し切りをして、常に指すことにした。

この刀の茎《なかご》には、

永禄三年五月十九日
義元討捕刻彼所持刀
織田尾張守信長

と金象嵌銘が施されている。

『享保名物帳』に「三好　宗三左文字」として収載されているのと同品で、江戸初めの頃より、「義元左文字」と号して知られ、一般にもその名でなじまれてきている。

その後、豊臣秀頼の御物《ごもつ》となっていたものを徳川家康へ贈られ、将軍家の重宝として代々伝えられる。明暦の大火で焼け、越前康継が再刃する。信長を祀る京都・建勲《たけいさお》神社に明治十二（一八七九）年九月、徳川家達《いえさと》から奉納されて今日に伝えられている。大正十三（一九二四）年、国宝（現重文）に指定される。

信長が義元を討ち取ってその佩刀《はいとう》を手中にしたのは「義元左文字」とされているが、『常山紀談』は「左文字」の太刀と併せて松倉郷（江《ごう》）の刀（注：現在の脇指）も分捕ったとしている。これによってみると、義元は大刀《だいとう》の左文字を佩き、脇指の松倉郷を添指しにしていたことがわかり、信長は大小共に義元の愛刀を手中にしたことになる。

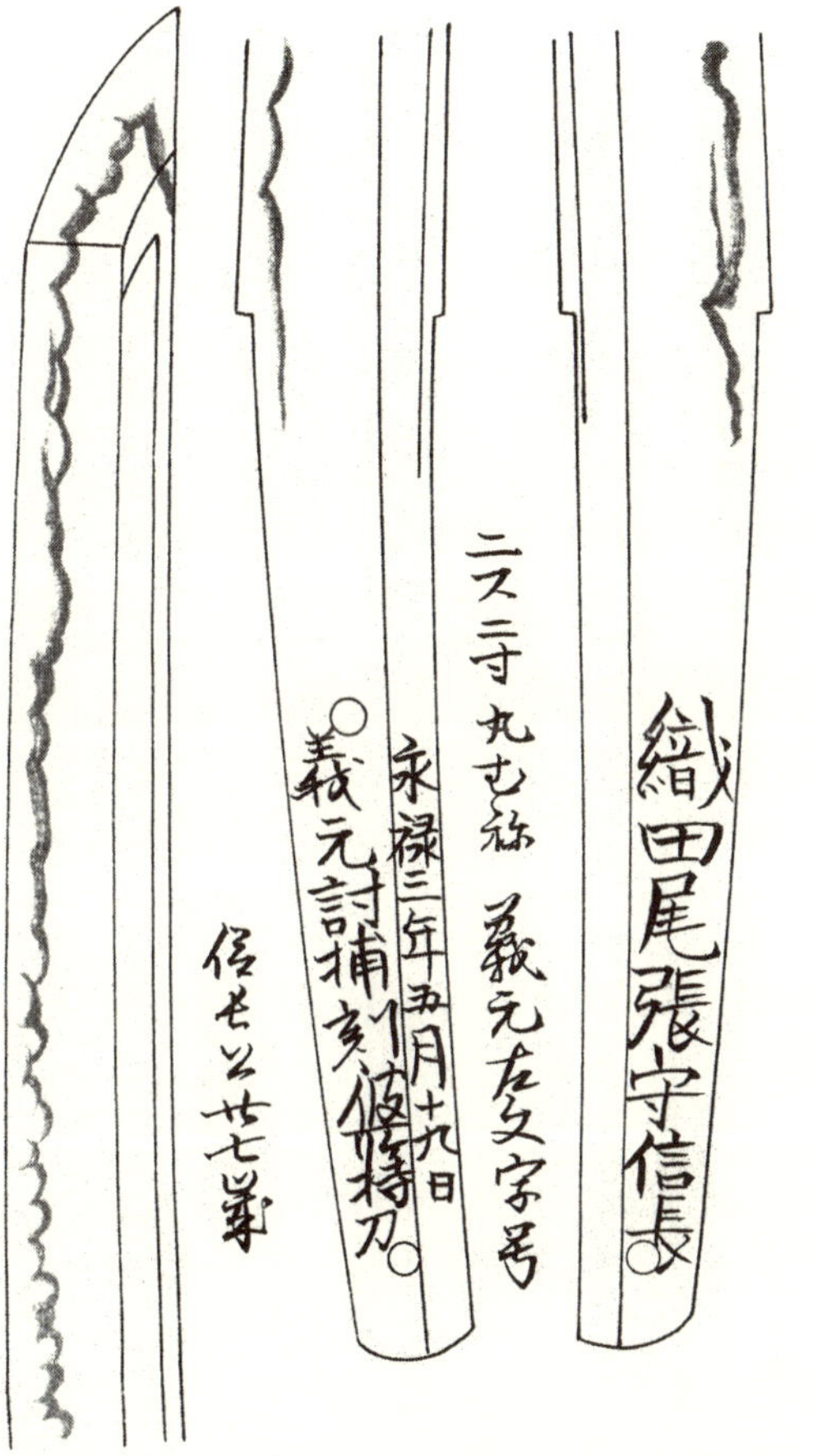

義元左文字（継平押形・『本阿弥光徳・光温押形集』所載）

では松倉江とはどのようなものであり、その後の行方はどうなったのであろうか。信長が義元から分捕った「義元左文字」は、戦勝記念に、磨上《すりあ》げて佩刀にするほどの名刀だったことからみて、添指の松倉江もそれに劣らぬ名刀だったことは容易

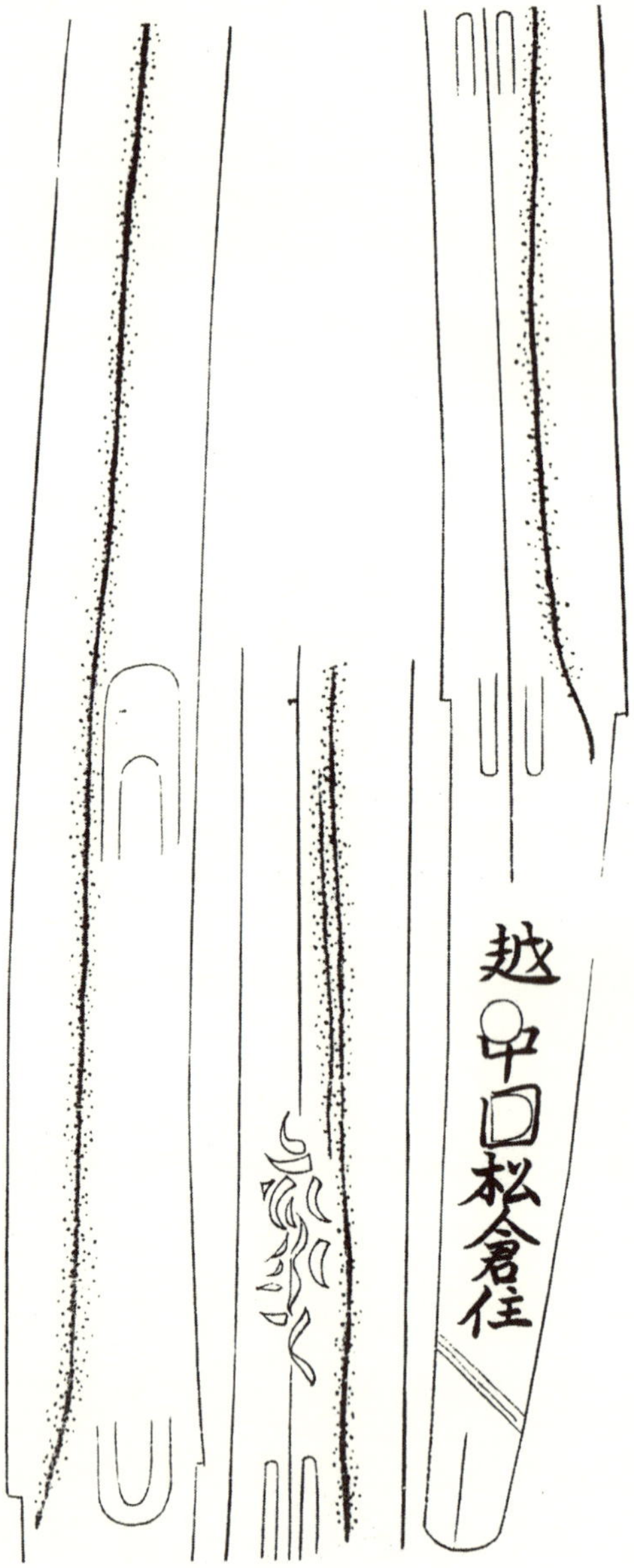
松倉江（『本阿弥光心押形集』所載）

に想像がつく。

桶狭間の戦より四年前の弘治二（一五五六）年に描いた『本阿弥光心押形集』（静嘉堂文庫蔵）に松倉江とみられる脇指が収載されている。裏銘に「越中国松倉住」とある。「松倉住」と切銘がある江（郷・義弘）は他の押形類にも未見であり、「松倉江」の名の由来があると考えられてくる。描図によれば、表は樋の内に腰樋《こしび》を浮彫、裏は二筋の樋（護摩箸《ごまばし》）に梵字を彫る。焼幅の広い湾《のた》れ調の直刃《すぐは》を焼く。『本阿弥光心押形集』は土屋温直が文政十二（一八二九）年に描いた写本で、「越中国松倉住」の押形に「江の銘ある物日本国中この一本に限る。今川家討死の時帯せらる松倉江なるべし」と注記があり、幕末の当時は加賀の前田家にあったとしている。

松倉江の面影を伝えるものは、桶狭間戦後はなぜかほとんどみることがなく、江戸時代を通じても同様である。『享保名物帳』には二十三口（内十一口焼け）の江が所載されるうち、いずれもそれと確証するものはないが、「長谷川江」（長さ八寸、裏棒樋《ぼうび》）の項中に、本阿弥弥九郎右衛門の書付けに「松倉江義弘の短刀由緒聞書」があるとして、長谷川江が松倉江であると但している。長谷川江は明治十八（一八八五）年に今村長賀が実見した旨の朱書の注記がある（『名物帳』松平秋霜軒本）ものの、その後の行方は知られず、果たして長谷川江が松倉江と同一のものか否かを確かめるすべがない。

松倉江は義元左文字のように歴史の表舞台に登場する余地がなかったかのようである。敗軍の将の愛刀が所有者を変転としても世に囃《はや》される例は多く、名刀としての存在は何時《いつ》の世にも光彩を放ち続けるのは義元左文字が例証するところであるが、同じ義元が所持した添指の松倉江が影をひそめるかのようにその足跡を残すことがないのは、敗軍の将の愛刀であったことが、裏目に出ることによって、意識的に史上から打ち消され、その名を伝えることがなかったのかもしれない。

「江」は有銘作が現存することなく、無銘作を含めても、「江と化物はみたことがない」といわれてきているほど作刀数が稀有《けう》である。「江」そのものの実態がよく明かされていないのである。

信長に名物を献上

織田信長が政治に茶の湯を利用したことはよく知られている。「名物狩り」によって信長の蒐集品《しゅうしゅうひん》に加えられた名物茶器は『信長公記』に記述があって詳しいが、刀剣の「名物」もしばしばその名が登場して、信長の愛刀ぶりを知る手がかりとなる。ここでいう「名物」とは〝名のある物〟、あるいは〝有銘な物〟であって、信長の名物好みをよく示した名品揃いである。のち、享保四（一七一九）年に徳川将軍家の命により制作された『名物帳』は、全国の著名刀剣を調べ上げたもので、一般に『享保名物帳』とも称され、これに収載する二百七十八口（『名物帳』松平秋霜軒本）の刀剣を名物と呼び尊重されてきている。信長の時代の「名物」と『享保名物帳』の「名物」とはおのずと別種のものであるが、両者に共通して挙げている同一物の名品の名をみるものがある。『名物帳』の記録するところによって、〝信長公御物〟をはじめとした信長の所持刀を知ることができ、その由来や、伝承の経緯などが明らかとなってくる。

信長が入手した名物茶器は強制的に「召し上げられ」たものがほとんどだったのに比べ、信長の刀剣は「進上」、「上ル」とあり、献上刀の例が目立つ。『信長公記』によると、

天正二年正月八日、松永弾正が濃州岐阜へ罷《まか》り下り、天下無双の名物不動国行進上候て、御礼申し上げらる。以前（注：元亀四年正月十日）も代《よ》にも隠れなき薬研《やげん》藤四郎進上なり

とある。

　これによって不動国行太刀と薬研藤四郎吉光短刀が松永久秀から信長に進上（献上）されていたことが知られる。

　信長の愛刀となった不動国行太刀と薬研藤四郎吉光は明智光秀の手を経て秀吉へと渡る。薬研藤四郎吉光は本能寺の変で焼け、不動国行は秀頼から家康に贈られ、将軍家代々の重宝として伝えられながら明暦の火災で焼けている。不動国行が大名刀であったことは『光徳刀絵図』からもうかがい知られる。焼身ながら昭和十二（一九三七）年に重要美術品に認定されていて現存する。

　信長の刀剣は、信長が贈物に用い、また家臣に与え下されたものがある。天正九（一五八一）年七月二十五日、織田信忠が安土城へ来たとき、信長が次の三人に脇指（注：現在の短刀）を贈っているのは、その贈物の一例である。

織田信忠へ岡崎正宗の作。織田信雄《のぶお(かつ)》へ粟田口吉光作（北野藤四郎）。織田信孝へも粟田口吉光作（しのぎ藤四郎）

いずれも有名な逸品で高価なものであった。

　信長が家臣に与えた例は、元亀四（一五七三）年、三月二十九日、信長入洛のおり御迎えに参った両人に、

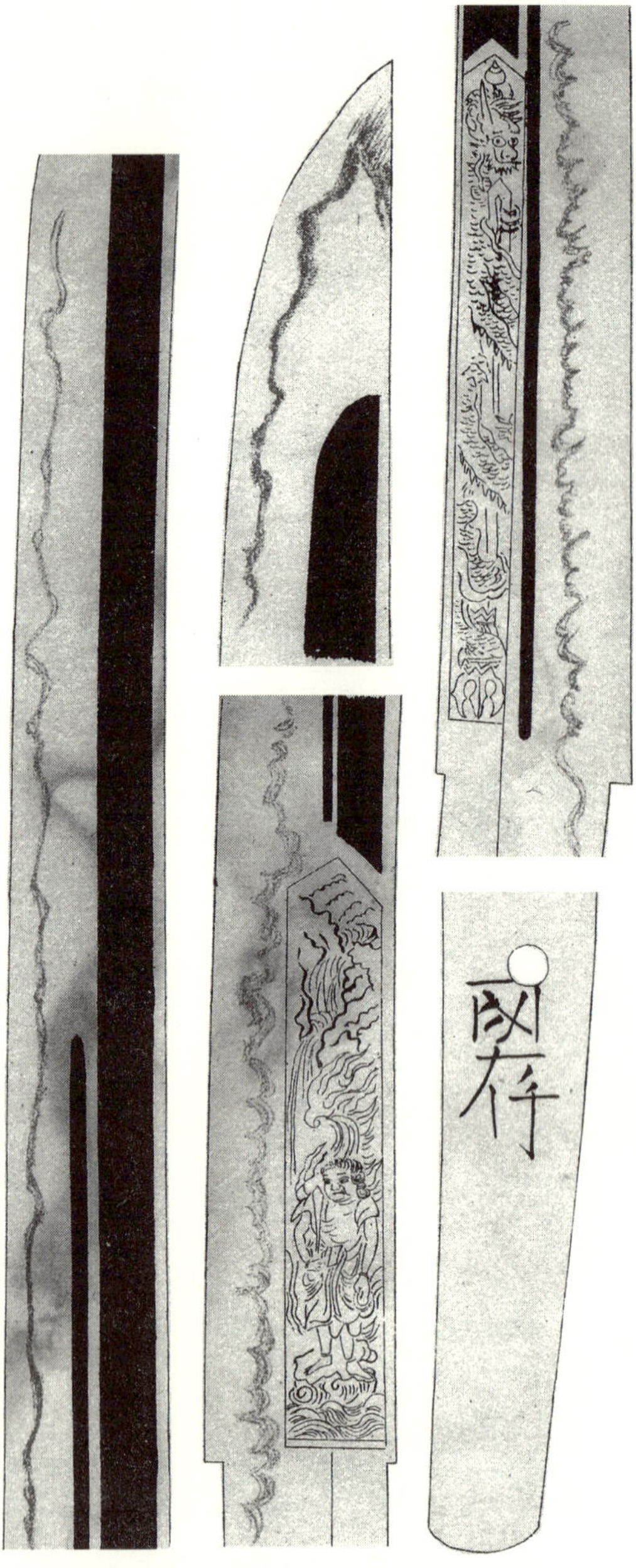

不動国行（『光山押形』所載）

此の時、大ごうの御腰物、荒木信濃守（村重）に下され。名物の御脇指、細川兵部大輔（藤孝）殿へとある。「大ごう」は越中国江の作で『名物帳』に所載がある名物であり、かつ大坂御物である。「名物の御脇指」とは「名物の短刀」のことであるが、個銘の記載がない。

長船光忠を二十五腰まで蒐集

信長は備前長船光忠の刀をことのほか好み、「二十五腰まで」蒐集していたと『常山紀談』が記している。

光忠は日本刀の最盛期である鎌倉中期、備前長船の祖で、猪首《いくび》切先の豪壮な体配に、丁子乱を焼き重花丁子、大房丁子を交じえた華麗な作風を表す名工である。この光忠のひときわ目立つ豪壮華麗さが、信長の嗜好にみあい、引きつけてやまないものがあったのかもしれない。信長は光忠の子の長光の作刀も愛して同作中の代表作とされる大般若長光、津田遠江長光、鉋切《かんなぎり》長光をはじめ相当数の長光を蒐集している。その数量は光忠の二十五腰に迫るほどであったろう。

『享保名物帳』に記載がある名物中の光忠で、信長所持が確かなのが「信長公御物」の実休光忠である。長さ二尺三寸あり、もと三好実休の所持であったところからの名である。信長が日ごろから指料《さしりょう》にしていた愛刀で、本能寺で焼け、秀吉が焼直しをして所持していたほどの名刀であった。

三好長慶の弟の実休（豊前守義賢）は永禄五（一五六二）年、久米田合戦で三十六歳で討死にしている。その時実休が所持していたのが光忠の太刀である。実休死後のある時、堺の豪商で好事家《こうずか》、木津屋に信長が所持する光忠の刀を全て見せて、尋ねた。

「この中に実休の光忠はあるか」

すると木津屋は、うちの一腰を取り出して、

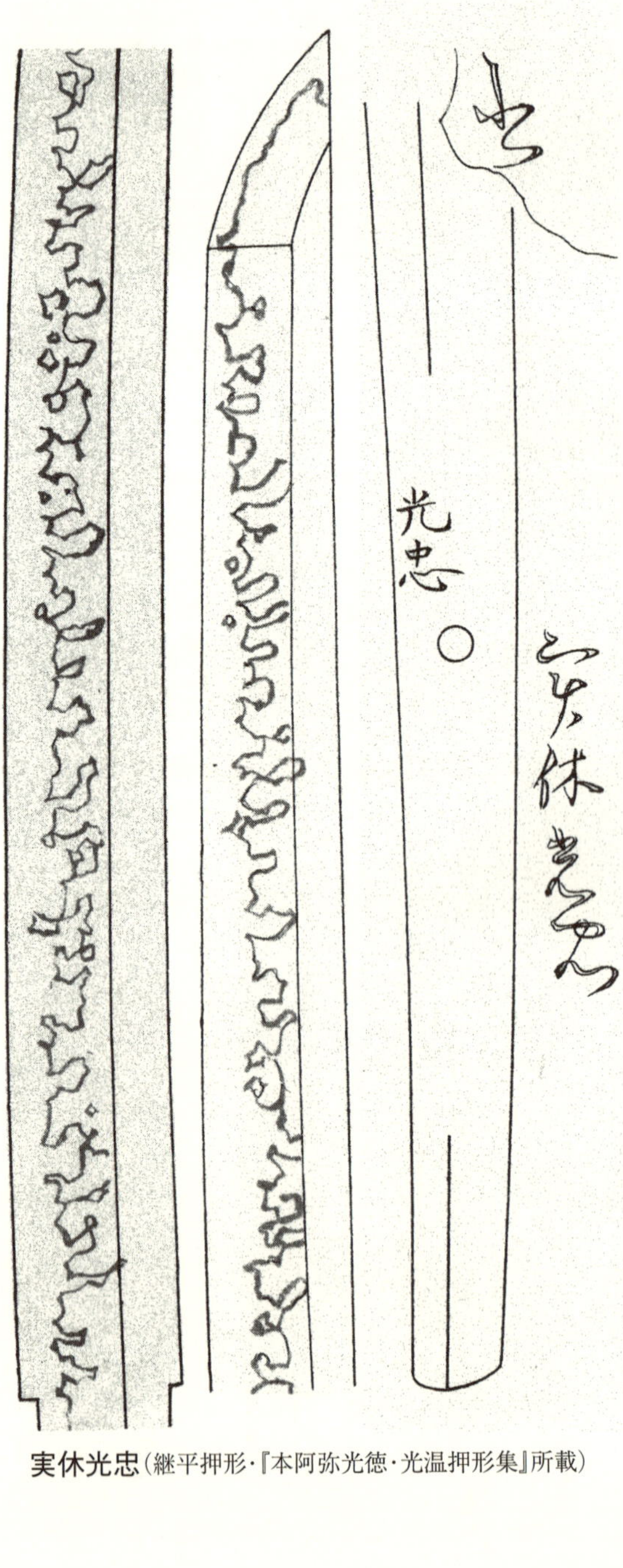

実休光忠（継平押形・『本阿弥光徳・光温押形集』所載）

「これが実休が持っていたものでしょう」

と言った。信長が、

「どうしてわかるのか」

と問うと、

「切先が少し欠けていますのは、実休が討死の時、根来左京を斬ろうとして臑当《すねあて》に切先が当たって欠けたものと承知しています」

と答えたので、信長は、

「よく知っている」

といって感心したという。

その実休光忠を本阿弥光温が元和元（一六一五）年に描いた押形図（『継平押形』）では、すでに切先の欠けは修正されて直っている。丁子乱が鎬筋を越えるほどに、焼の出入りが烈しく華やかな作である。

本能寺で信長が帯刀したのは実休光忠と薬研藤四郎

信長が好んだ光忠中の刀が実休光忠であったことは、本能寺で焼けた薬研藤四郎短刀とともに信長が指料としていたこととかかわりが深く、注目してよい。それは本能寺で信長が最期まで帯びていたのが大刀《だいとう》の実休光忠と短刀の薬研藤四郎であったとみられるからである。『名物帳』が本能寺で焼けた信長の刀が実休光忠と薬研藤四郎であったことを記録し、また不動行光も焼けているが、不動行光は信長が森蘭丸に与えたもので、蘭丸とともに本能寺で焼身となっている。豊後藤四郎（吉光）も信長の指料で本能寺にあったが、「本能寺ニ而失《てうしなわ》ル」とある。『名物帳』は焼身となったときは「焼ル」「焼失」と

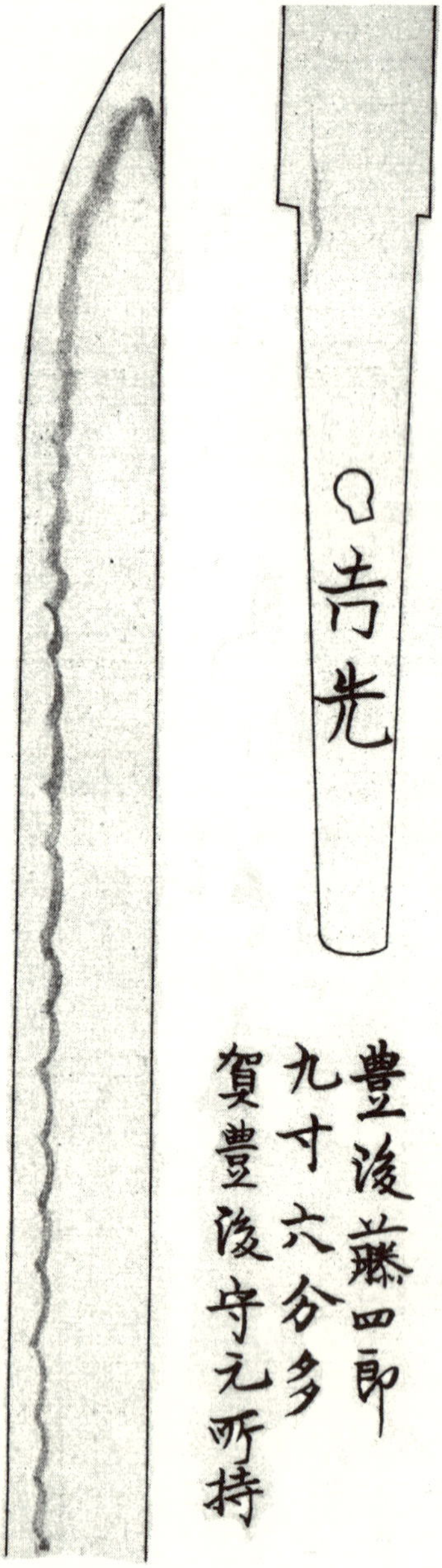

豊後藤四郎（『継平押形』所載）

するが、豊後藤四郎は「失ル」であって、本能寺では焼身にならなかったものの、一時は行方を失っている。その後どのようにみつかったかは知る由もないが、のち「秀忠公之御物ニ成」（『享保名物帳』）と伝承する。『名物帳』には「焼失の部」に掲げられていて、秀忠の時代には健在であったものが、のち明暦の大火で焼身となっている。

信長の遺骸の行方については異説があるが、信長の愛刀である刀を主体としてみたとき、

信長は部屋に火を放って灰燼《かいじん》となった。

とする『常山紀談』の聞き伝えが真に近い。

『信長公記』は、この間の情勢にさらに詳しい。

信長は初めは弓を手に、二つ三つと取り替えて防戦したが、どの弓も時がたつと弦が切れた。その後は槍で戦ったが、肘に槍疵を受けて引き退いた。

すでに御殿は火をかけられ、燃えてきた。信長は自らの姿を敵にみせてはならないと考えてのことであろう。御殿の奥深くへ入り、納戸の戸を内側から閉めて、無念にも切腹した。

信長が切腹に用いたのは薬研藤四郎ではなかったか。共にしていた指料は実休光忠太刀であったとみられる。

八百度を超す高温で焼き鍛えられた日本刀は灼熱の火の手に包まれようと、その原姿を損なうことなく、信長の愛刀はその腰間に常に離れることなく、本能寺の焼跡にひっそりと残されていた。そこ

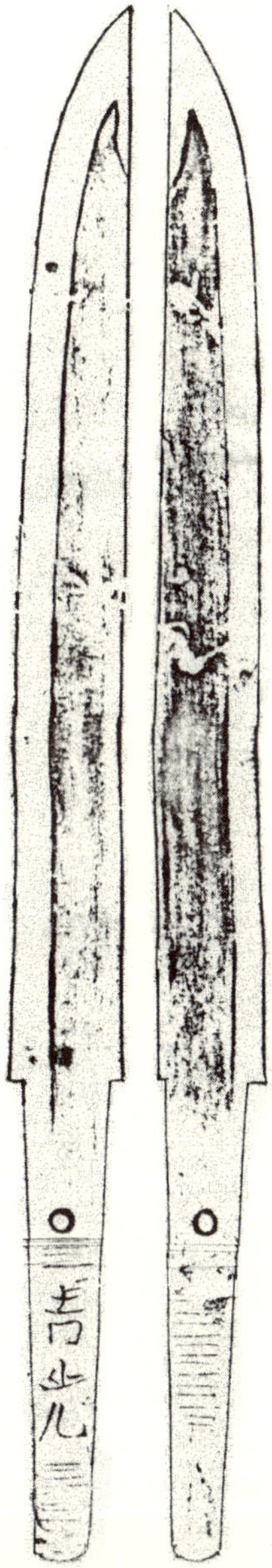

薬研藤四郎
(『光徳刀絵図(石田本)』所載)

には信長の遺骸の跡形が愛刀とともにあったのである。

その後、信長の遺品を手にした秀吉は実休光忠を再刃して指料とし、薬研藤四郎は『光徳刀絵図』に押形図をみることから、これも秀吉が愛刀の一つとして所持していたことがわかる。のち秀吉から関白秀次に与えられ、文禄四（一五九五）年、秀次の切腹のおり薬研藤四郎の銘が再び「秀次自害の事」（『川角太閤記』）の場に出てくる。秀次が切腹時に用いたのが信長が用いたのと同じ、薬研藤四郎（獅子正宗であったともいう）であったとすれば、すこぶる奇縁である。薬研藤四郎は明応二（一四九三）年、畠山政長が自刃するとき、三度まで腹に突き立てたが突き通せずに投げ捨てたところ、かたわらにあった薬研（薬種を砕く硬木製また金属製の舟形の道具）の表裏を突き通したためにこの名がある。数奇な運命を辿ることとなった薬研藤四郎は、「主の別れを思うが故」（『享保名物帳』）の心をもって、政長という主を護ったのである。

それから後の元和元年、大坂落城のあと、一時行方を失っていた薬研藤四郎は、農民が拾って本阿弥家に届け出たものを、本阿弥光徳が将軍秀忠に献上した。秀忠は、金百両を授けた（『台徳院殿御実記』）。畠山政長―信長―秀吉―秀次―秀頼―秀忠へと主を替えたこの名物短刀は、死から人を護る心と、死を共にする心を秘めたまま、秀忠をめぐる伝承からのちの音沙汰がない。

本能寺で失われた豊後藤四郎（吉光）も秀吉の有に帰しているが、のち品川主馬《しゅめ》から家康に献上され、秀忠に渡り秀忠御物となったまではっきりとしている。信長の愛刀として本能寺にあった実休光忠太刀と薬研藤四郎短刀、そして明暦の大火で焼けてからの豊後藤四郎短刀は、その後の行方が杳《よう》としていまに知れることがない。

二字銘「光忠」が多く、長銘は稀

阿波から京に攻め上り室町幕府の実権を握った三好一族は一時期隆盛を極めたが、畠山・佐々木などの大名や信長に攻められ滅亡している。一族の三好実休の弟十河一存《そごうかずまさ》も実休と同じく光忠を所持しており、その名物を『名物帳』が「池田光忠」として掲げているのは、左衛門一存が摂津国池田を領していたことからの名である。長さ一尺九寸四分がある。紀州家に伝わり、水戸徳川家へ贈られたものが、大正十二（一九二三）年の関東大震災の大火で焼失した。『土屋家押形集』に所載する押形図から「池田光忠」の焼ける前の華やかな刃文がみられる。三好実休の光忠刀を入手した信長が、実休の弟一存が所持した光忠の作刀を手中にしていたのであろう可能性は高い。

福島光忠は福島左衛門大夫正則の愛刀で長さ二尺三寸七分半がある。水戸徳川家の支流宍戸《ししど》（松平）家の祖頼道の遺愛刀であったものが、のち水戸家に伝わる。元治元（一八六四）年の天狗党の乱のとき藩主が佩用したという。

『享保名物帳』には収載がないが「生駒光忠」は著名である。長さ二尺二寸六分。

表に「光忠　光徳（花押）」

裏に「生駒讃岐守所持」

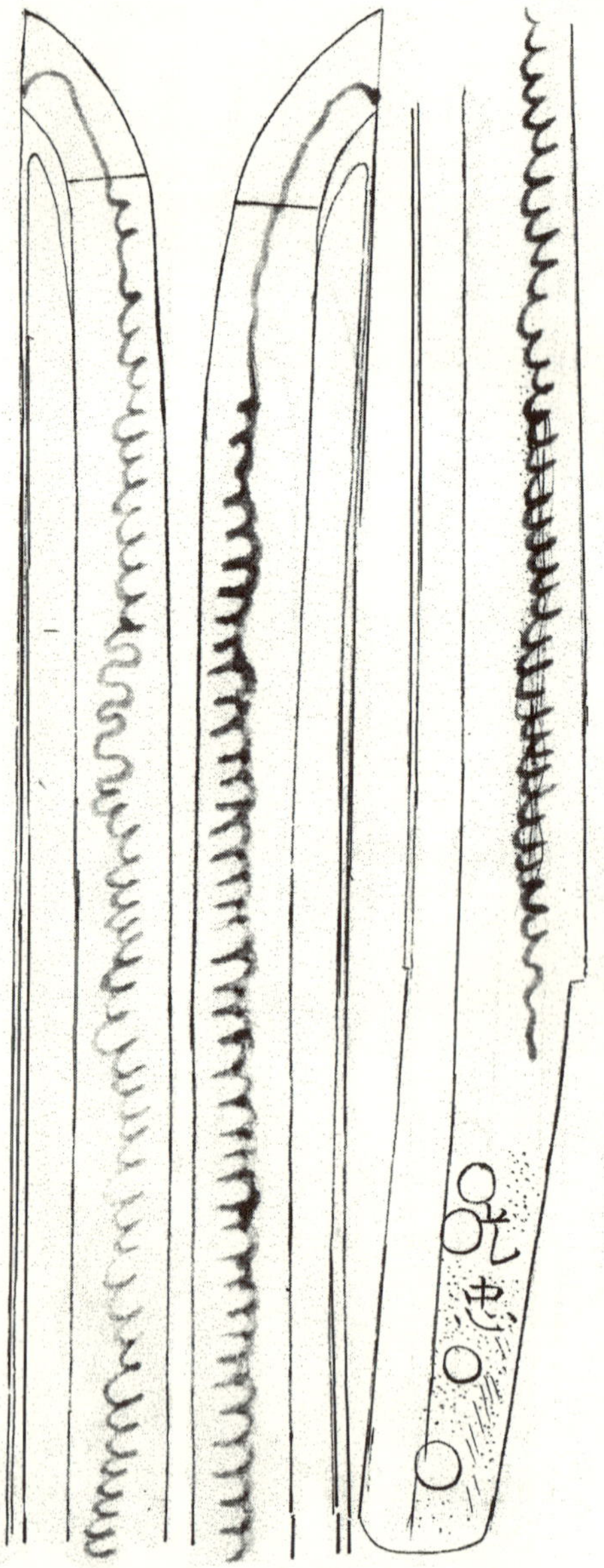

名物 池田光忠（『土屋家押形集』所載）

金象嵌銘があり、生駒讃岐守の所持銘から「生駒光忠」と呼ばれる。国宝に指定されている。細川家蔵。

信長の愛刀の内の有力な一刀とみられるものに、尾張徳川家に伝来する二字在銘の国宝光忠（二尺三寸九分）と、紀州東照宮蔵の重文の太刀（二尺四寸五分）とがある。東照宮の光忠は紀州（徳川）家初代頼宣が家康より譲り受け、東照宮へ寄進したもの。

光忠の有銘作は多くが「光忠」の二字銘であるが、御物に「備前国長船光忠」と七字銘に切った、長さ二尺三寸八分の太刀が現存する。光忠の刃文は常には焼幅が広く、華やかさが目立ち、とくに磨上無銘で光忠と極《きわめ》の作が顕著である。しかるにこの長銘光忠は丁子に互《ぐ》の目《め》が交じり、同作にしては総じて小模様な出来なのが異色である。流石《さすが》に匂口が冴え、地に乱映りがよく立つさまは光忠の本領を発揮した出来振りである。この一刀が信長愛刀の二十五腰の一とみなす確証はいまのところ見出せないが、名作としての力倆に加え、長銘としての貴重性にかんがみても愛刀であった可能性の余地は残される。

備前刀は光忠・長光と福岡一文字が目立って多い

光忠と国・時代を同じくする名工に福岡一文字吉房がいる。同工の代表作に信長の愛刀「岡田切」がある。長さ二尺二寸八分、地刃健全で、丁子乱の匂が深く華美な出来である。信長の旗本であった岡田助三郎を成敗したことから「岡田切」の号がある。明治天皇の愛刀の一であり、国宝に指定されている。

信長が所持した刀は平安・鎌倉期から南北朝期にかけての健全な古作ばかりなのに気付く。なかでも備前刀では光忠・長光が目立って多く、一文字派の岡田切吉房、荒波一文字がある。

荒波一文字は『名物帳』に「不知有所」とあるが、井伊家の腰本帳などから直中の代の享保以降に井伊家が入手し、のち明治四十三（一九一〇）年に直忠が明治天皇に献上した太刀とされる。現在、東京国立博物館が収蔵する「名物今荒波」がそれであるといい、二尺二寸八分がある。ところが、『名物帳』

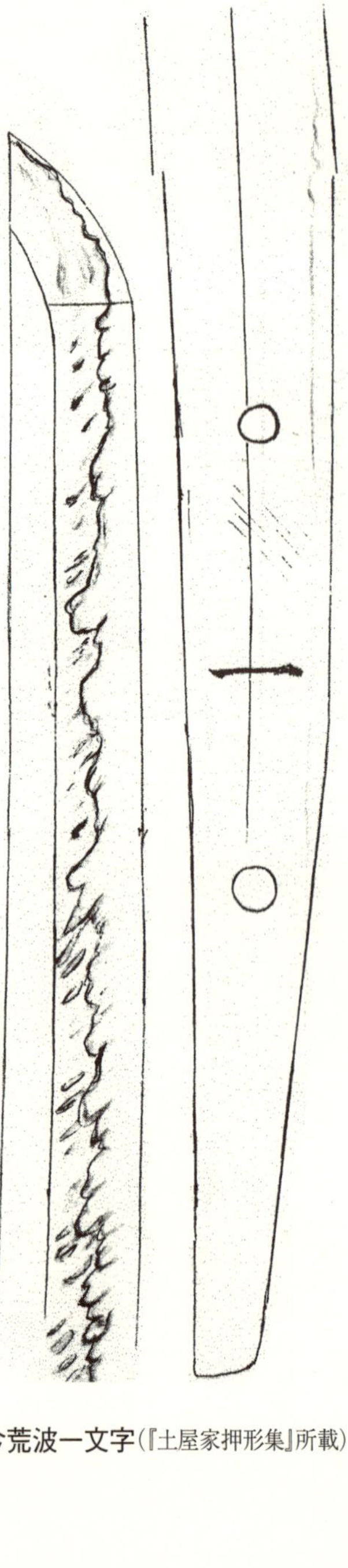
今荒波一文字（『土屋家押形集』所載）

が記載する「荒波一文字」の寸法は二尺一寸五分、「今荒波則房」は二尺で、いずれとも現物との寸法に一寸以上の誤差がある。

名物に「荒波一文字」と「今荒波則房」の二振があるのであるが、『名物帳』の「今荒波則房」の項中に「荒波一文字ニ似タル道具故異名付申候」と記されている。また同じ項中に今村長賀が朱書追記して「二尺三寸アリ、銘一、刃文丁子乱」（『名物帳』松平秋霜軒本）とある。それを裏付けるのが『土屋家押形集』にある号「今荒波」の押形図で、「一」文字が有銘である。幕末の当時、喜連川家に伝来していて同家に在ったとある。「今荒波」すなわち「今荒波則房」は「一」字を切ることがわかる。「今荒波則房」は片山一文字派、寸法は二尺三寸、丁子乱が盛んで、逆丁子乱が目立つところからであろう「則房」の個銘が極まる。このように「今荒波」は「則房」の極はあっても則房銘はなく、「一」字が切られているところから、「荒波一文字」の一文字とは混同がみられるものの、現存するものからは「今荒波則房」（「一」文字銘）に注目が寄せられてこよう。信長が名付け親の「荒波一文字」の方は、皆目その消息が明らかではない。

以上を要約すると、二振の名物は次のようである。

荒波一文字　二尺一寸五分。信長が命名。所在不明。

今荒波則房　二尺。「一」字が有銘。片山一文字則房の作。所在不明。

粟田口吉光には薬研藤四郎と豊後藤四郎の二口の「信長公御物」があって、薬研藤四郎が本能寺で焼けたことは、すでに前述して触れた。信長は短刀の名手である吉光の作をこの二口の他にも所持していたであろうが、秀吉が執心するほど吉光の蒐集に傾注した形跡はみられない。

相州物では不動行光短刀と籠手切《こてぎり》正宗刀があり、信長の愛刀中でも逸話の多い名宝である。不動行光は信長のお気に入りの短刀で、日ごろから腰にして離さなかったものであるが、外装の刻み鞘の目の数を言い当てた森蘭丸の実直さを感じとり、信長が蘭丸に与えたもの。不動行光は信長に殉

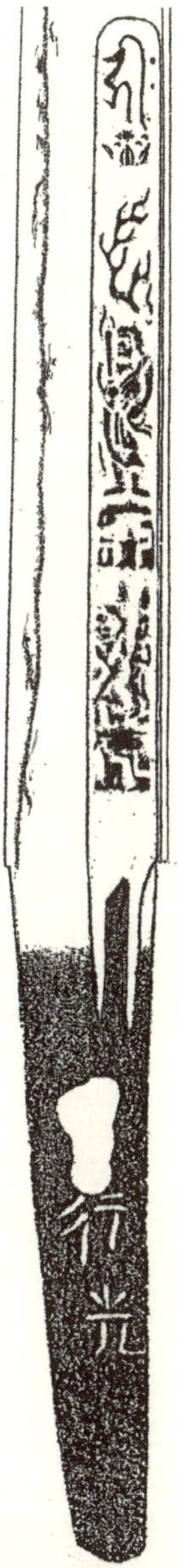

不動行光（『日本刀大百科事典』〔福永酔剣著・雄山閣刊〕所載）

じた蘭丸とともに本能寺で焼身となったが、その後、焼直しされ、筑前小倉の小笠原家に伝来し、戦後に民間に放出されて現存する。

相州正宗は「籠手切」のほか三好正宗短刀がある。長さ八寸三分。三好修理《しゅり》大夫《だいぶ》（長慶）が金拾六枚で求め、子の左京大夫（義継）が信長に献上する。細川幽斎が信長から拝領し、のち秀吉の手に入り、前田利家―利長―徳川家康と渡る。明暦の大火時に焼身となったその後、所在不明である。焼ける前の刃文を『光徳刀絵図』でみると、乱刃が烈しく金筋・稲妻の働きが目立つ見事な出来を示している。『享保名物帳』に書込みがある松平頼平評に「帽子に玉（玉焼）あり、切先より三寸ばかりにタンジャク（丹冊）刃あり」と正宗の刃文の見所が記されている。

九州物では「三好　宗三左文字」（義元左文字）と「織田左文字」がいま健在である。「義元左文字」は信長が桶狭間で義元を討ち取った戦勝記念の刀で、前述に詳しい。「織田左文字」は〝信長公御物〟の一、大磨上無銘で左（左文字）に極がある名物である。彦根藩井伊家に伝来する。

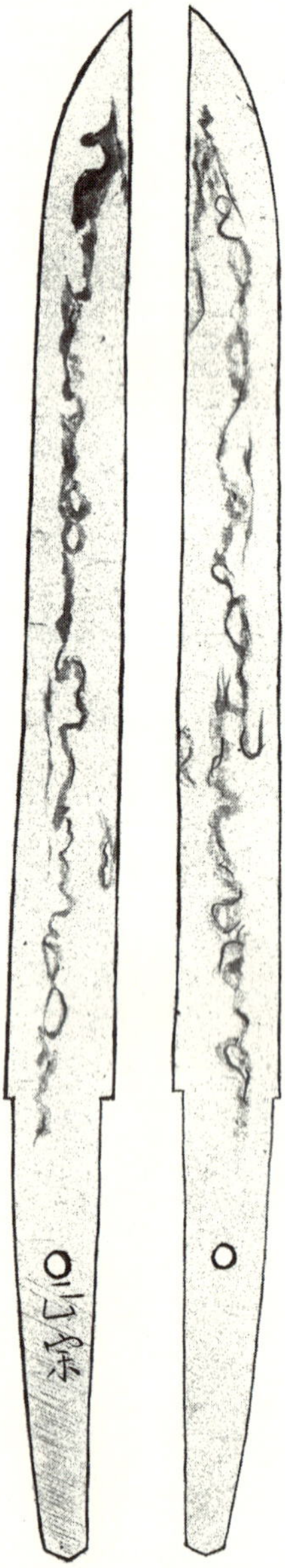

三好正宗
（『光徳刀絵図（大友本）』所載）

「大江」は『信長公記』に、

元亀四年のこと大ごうの御腰物、荒木信濃守に下され

とある。『享保名物帳』では名物焼失の部にあって、江戸時代に入って焼身となっている。大坂御物。長さ二尺一寸七分半。

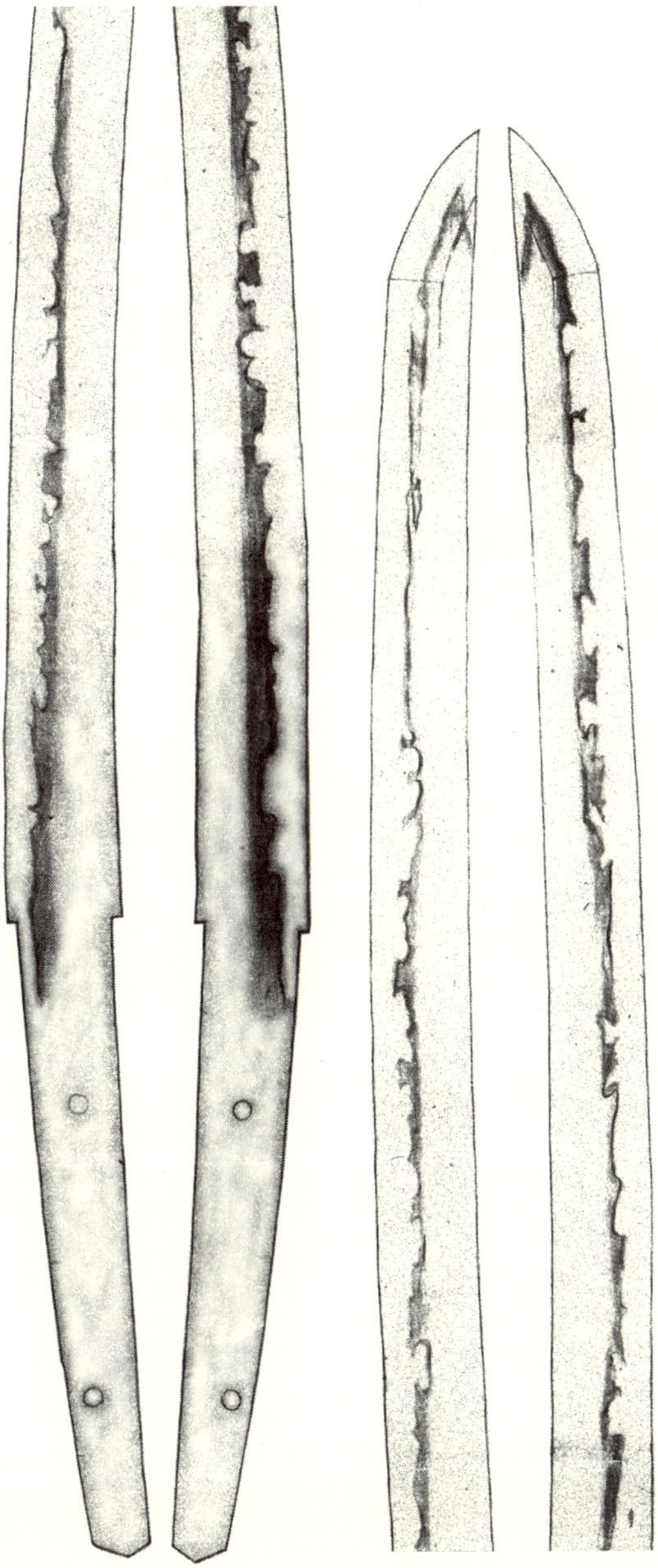

大江（『光徳刀絵図（大友本）』所載）

此の作ノ極上ナルニ依リ大江ト名付ク

と名の由来が記されている。

「大江」は『光徳刀絵図』に描かれているので、信長から秀吉に渡ったのに違いなく、火災に遭う前の「大江」の様態をうかがうことができる。乱刃が賑わい働きの多い出来をみせ、姿格好が尋常で、常にみる幅広のしっかりとしたものとは異なり、年代が鎌倉期に遡る古様さをみせている。

信長の愛刀の多くは秀吉から家康へ

信長は茶道具の名物を数多く集めており、刀剣の名物もそれに劣らず、名だたる名刀揃いである。「名物召し置かる、の事」は、すべて茶道具に限るもののようである。つまりは刀剣の「名物を召し上げる」ことはなかったとみられるのであるが、信長に献上した名刀のなかには、事実上は「召し上げる」ほどのものがかなり含まれていたのではあるまいか。表向き「進上」し、「上ル」ことによって、信長の所蔵刀に加えられていったのである。

信長の愛刀の多くは秀吉に引き継がれている。本能寺で焼けた実休光忠は再刃して秀吉が指料にしているし、安土城にあった不動国行をはじめとする名宝は、坂本城が焼失する前に、明智左馬助光春(秀満)から受け継いでいる。秀吉が自ら蒐集した名刀はかなりの数にのぼり、これらを加算したものの多くは徳川家康に渡ることとなる。江戸時代を通じて将軍家をはじめ徳川御三家、諸大名に伝来した名刀類は明暦の大火や関東大震災の難を越えつつ今日に至るのである。

信長から秀吉、家康を通じた江戸時代二百七十年間に徳川色は色濃さを加え、秀吉の年代を遡《さかのぼ》る信長の事跡が心なしか薄められる傾向があるのは、時代の経過によることもあっていたしかたのないことかもしれない。信長が集めた光忠二十五腰のうち、数口をのぞいては信長の愛刀であったことを確かめにくい。現存する光忠の名作のなかに信長所持だったものが相当数あるに違いない。それほどの名作を信長が蒐集品に見逃すはずはないと思われるからである。徳川美術館が所蔵する光忠(重文)は「御天守御腰元帳」に「太閤御太刀」とあって、太閤秀吉から以前の記録はみられず、また光忠(国宝)は「御腰物之下帳」に、元禄十二(一六九九)年に公方様より拝領の由緒があるものの、信長にまで遡る年代をたどることはできない。

では信長が光忠の刀を好んで二十五腰まで集めていたという『常山紀談』のいうのは疑問の余地があるのだろうか。いや、そうとは思えない。信長が本能寺で最期まで所持していたのが最愛の実休光忠であったし、現存する光忠の名作の数々を目にするとき、信長が蒐集した光忠が相当数含まれていなかったとは言いきれないのである。

一 名物 重文 刀 号 義元左文字

金象嵌銘 永禄三年五月十九日 義元討捕刻彼所持刀 織田尾張守信長 （建勲神社蔵）

永禄三（一五六〇）年、二十七歳で信長は桶狭間に今川義元を破り、義元が秘蔵する左文字の刀を手中にした。長寸だったものを大磨上げして切り詰め、信長が佩刀とした一刀である。古くから「義元左文字」の名で知られ、『享保名物帳』に「三好宗三左文字」の号で収蔵されているものと同一である。号の由来は三好宗三が所持するところからで、それを武田信虎に、ついで信虎から義元に贈られたものである。その後、豊臣秀頼の手に渡り、慶長六（一六〇一）年三月、徳川家康に贈って、将軍家の重宝として伝わった。惜しむらくは明暦の大火で焼けたが、再刃され、信長を祀る建勲神社に明治二（一八六九）年に徳川宗家から奉納されて今日に伝えられている。歴史的な価値が高く評価されて重要文化財に指定されている。

義元左文字は一時行方がわからなくなったことがあって、『名物帳』は「信長御所持の時失ル、後ニ秀頼公之御物ニ成ル」と記している。それが後、文禄のころに「松尾社人のところから出て、豊家へ上ル」（『徳川家御腰物帳』）という来歴がある。

義元左文字は長さ二尺二寸一分半。大磨上げ茎に金象嵌が入銘されている。

信長が義元を討ち取ったとき、義元が腰に佩いていた太刀がこの左文字であり、小刀《しょうとう》（脇指）の添指

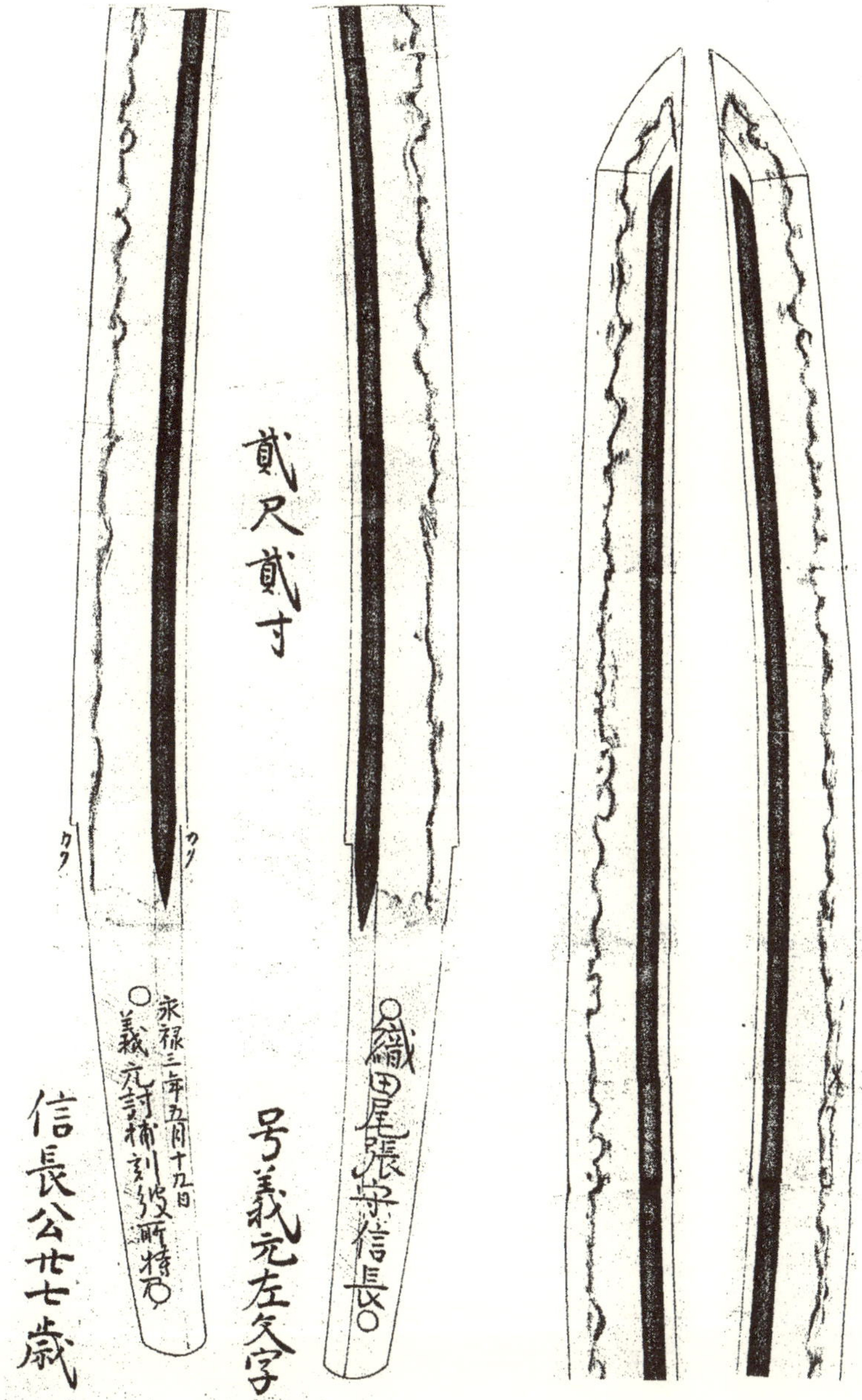

刀 金象嵌銘義元左文字(『寛永7年写 垂水半左衛門勝重押形』所載)

しは松倉郷（江）であったことはすでに前述した。

左文字は今川家重代の名宝で、もとの長さ二尺六寸あり（『名物帳』長根本）、小刀の松倉郷（江）は一尺八寸であったという。二尺六寸の長寸の左文字がいつ誰によって二尺二寸一分半に磨上げられたかの証左は見出し得ないが、信長が手中にしてのち、大磨上げにしたとみられ、金象嵌を施したのは後のことのようである。『豊臣家御腰物帳』によれば、慶長六（一六〇一）年にはすでに金象嵌が施されており、秀頼から家康に贈られている（口絵1頁参照）。

二　名物　刀　号　織田左文字　無銘　左（彦根城博物館蔵）

無銘ながら「左」の極がある名物・織田左文字がこれである。左は筑前国の人、左衛門三郎を略して「左」また、「左文字」「大左」と呼称される。有銘作の太刀は江雪左文字（国宝）一口のみが知られ、他はほとんどが短刀で「左」「筑前住」と切る。正宗十哲の一人として知られ、沸《にえ》出来で金筋が働き、地刃が冴える。帽子が突き上げて先が尖る風がある。織田左文字は信長公御物、次男信雄に与えられ、秀吉から家康に伝わる。将軍家からの拝領といわれ、経緯は定かでないが、井伊家が入手して歴代藩主の重宝として伝来する。明治十九（一八八六）年五月、靖国神社遊就館に展示された折、慶安四（一六五一）年、百枚の折紙付きが確かめられている。井伊家では大正十二（一九二三）年の関東大震災で彦根から東京に移されていた刀剣四百口余のうち、来源国次と共に織田左文字の二口の名物も含まれていて、そのほとんどが焼身となってしまった。しかし織田左文字は惜しまれて再刃復元され、現在に至っている（口絵2頁参照）。

三　名物　国宝　刀　号　へし切長谷部

金象嵌銘　黒田筑前守　長谷部國重　本阿（花押）（福岡市博物館蔵）

「へし切長谷部」は織田信長の所持品で、敵対する茶堂の観内という者を手討ちにしたが、その者が膳棚の下に隠れたのを上から〝へシ切〟にした大切物であるところから名付けられた。この一刀は信長から秀吉へ渡り、秀吉から黒田長政が拝領している。長谷部国重の作との極は本阿弥光徳がしていて、茎の表に「黒田筑前守」、裏に「長谷部國重 本阿（花押）」と金象嵌銘がある。山城国長谷部派の名物はこの一口のみで、同作を代表する名作である。

長さ二尺一寸四分。身幅が広く、大切先で反りが浅い。大磨上げで長さが詰まっているが、南北朝期の姿格好を示して典型である。小板目肌が詰《つ》み、地沸が厚くつき、地景を入れる。刃文は皆焼《ひたつら》、匂い深く小沸よくつく。表裏に幅の狭い棒樋を掻き通す（口絵3頁参照）。

四 国宝 太刀 銘 光忠（徳川美術館蔵）

光忠は備前長船派の祖で鎌倉中期に活躍した鍛冶である。その子に長光、ついで真長・景光・近景・兼光などの名工が輩出して室町末期まで備前刀の本流として栄えている。

光忠の作刀には大磨上げ物がままあって、江戸時代に至り金象嵌の極銘が加えられたものなどがある。有銘作は極めて少なく、『名物帳』に収載された光忠は三口にすぎない。

光忠の作は、大磨上げ物は身幅が広く猪首切先で頑健な造りに、大模様の丁子乱が華やかである。一方で在銘物は身幅が尋常で切先が中ほど、丁子乱の刃文が無銘のものほど華やかさが見られないのが通常である。

この太刀は身幅が広く豪壮な体配で、小板目肌が美しく詰み、乱れ映りが立つ。刃文は丁子乱が華やかで、互の目、小乱が交じり、あたかも大磨上げ物の作風をみせていて二字在銘である。有銘・無銘の光忠作中にあっての代表作である。長さ二尺三寸八分強。茎を磨上げて先に二字銘があるが、本来は三尺に近い大太刀であったろう。

この太刀は、元禄十一（一六九八）年三月に将軍綱吉が麹町《こうじまち》の尾張邸へ御成のおり、三代綱誠が拝領し尾張家に伝えられてきたものである。そのおり尾張家からは亀甲貞宗刀、宗端正宗短刀、国行太刀を献上している（口絵4頁参照）。

五 重文 太刀 銘 光忠（紀州東照宮蔵）

長さ二尺四寸五分。生ぶ《う》茎で二字有銘の太刀である。在銘光忠の典型を示した作風である。身幅が尋常で、腰反り踏張りがあり小切先。地鉄が細かくよく詰み、地沸がつき、乱れ映りがよく立つ。刃文は丁子乱が総じては小模様ながら、中央辺がやや焼幅広く華やかさを加え、物打辺から切先にかけて焼幅を狭め、帽子は直ぐに入り小丸に返る。同作中、比較的に穏やかな作である。

紀州家初代頼宣が、家康より拝領したもので、紀州東照宮へ奉納して同社に伝世する（口絵5頁参照）。

六 御物 太刀 銘 備前國長船光忠（宮内庁蔵）

光忠の現存する太刀は極めて少ない。あれば二字銘で「光忠」と切り、長銘はこの太刀一口が知られるのみである。『光山押形』には「光忠造」と三字に、「長船光忠」と四字に切る押形を掲げているが、現存するのを知らず、かように切銘することがあったとばかりで、やはり稀《まれ》な例であったろう。御物として現存する長銘の光忠はすこぶる貴重であるばかりか、大磨上光忠にみる華やかな刃文よりは穏やかながら、金筋がしきりに働いて覇気が多く流石である。

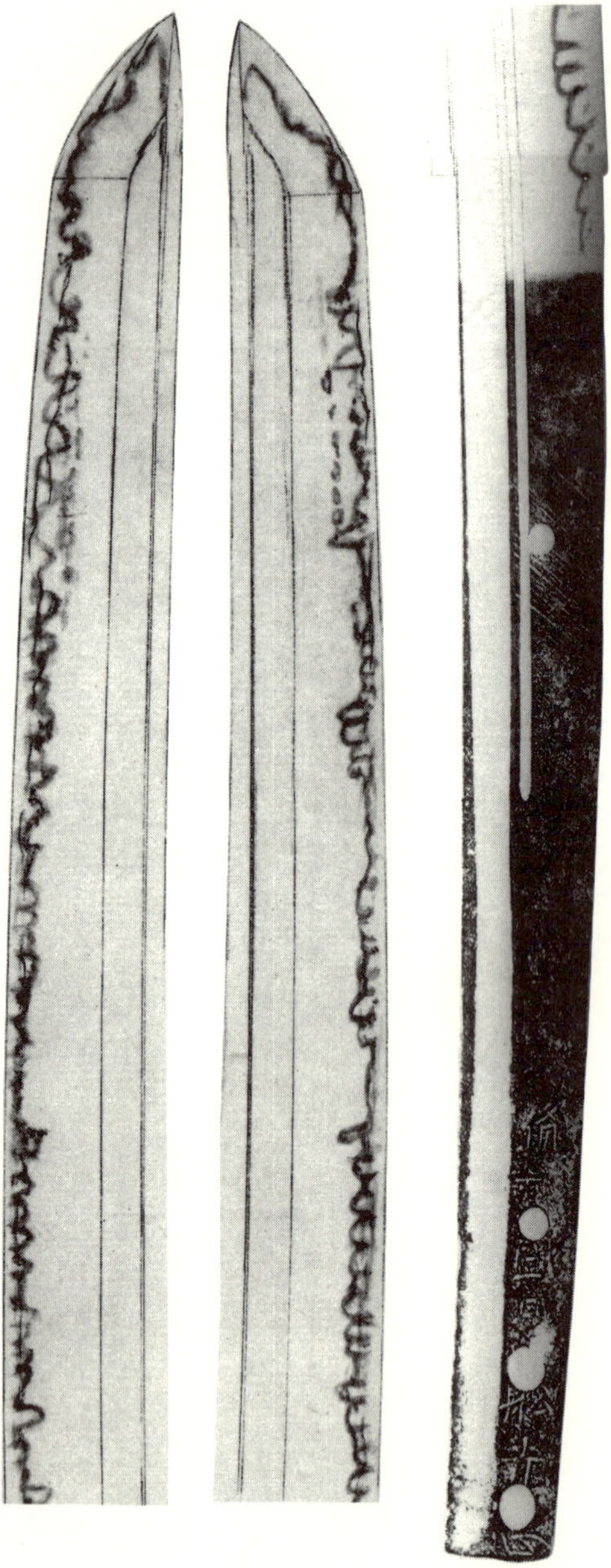

太刀 銘備前國長船光忠（『御物東博 銘刀押形』所載）

長さ二尺三寸八分。磨上げのため中間反りとなり、反り七分八厘。身幅が広く猪首切先の堂々した体配。小丁子乱に互の目交じり、匂口冴える。帽子乱込み、先尖りごころに鋭く、表裏に金筋入る。岩崎弥之助氏から明治天皇に献上のものである。古くからの伝来を詳《つまび》らかにしないが、「古来余程やかましかったものであろう」（『御物東博 銘刀押形』）といわれるように、時の為政者が注目しなかったはずはなく、垂涎《すいぜん》の的となったものではあるまいか（口絵6頁参照）。

七 国宝 太刀　号 大般若長光　銘 長光（東京国立博物館蔵）

名工長船長光の作品中でも、大般若長光の名は高い。室町時代に、代付けが六百貫という破格な高さから、大般若経六百巻に通わせて名付けられた号である。

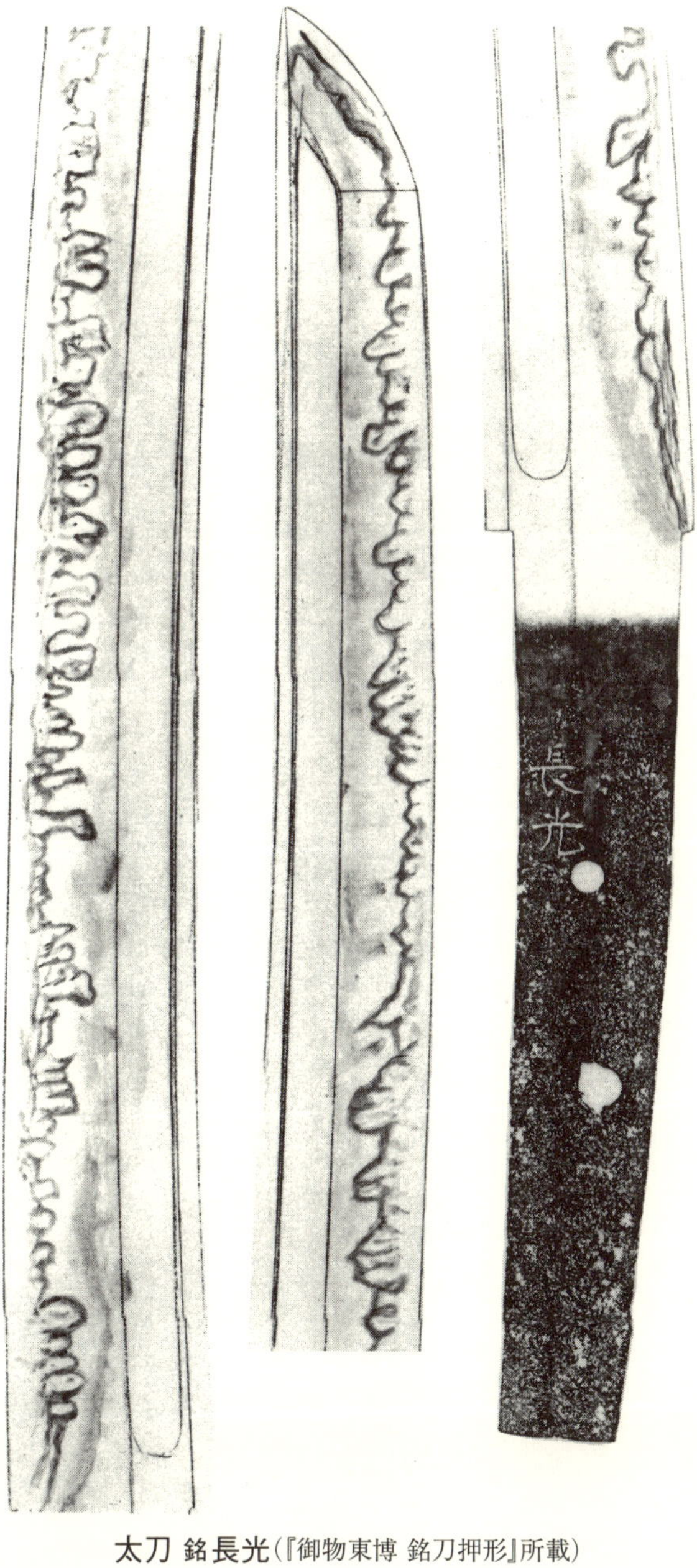

太刀 銘長光（『御物東博 銘刀押形』所載）

天正三（一五七五）年五月、武田軍と織田・徳川連合軍との長篠合戦で、奥平信昌は五百の少兵をもって武田一万五千の大軍を長篠城に籠城して食い止め、連合軍の救援を待った。四千の救援隊が武田勢を追い払い、城内の味方と合流したのが五月二十一日、連合軍は大勝するのである。信昌は籠城を全うした功により織田信長から「信」の一字を賜わり貞昌から信昌に改め、備前福岡一文字太刀を拝領し、また徳川家康から大般若長光の太刀に三千貫の所領をそえて賜ったのである。

大般若長光は、足利将軍家の重代として足利義輝が所持し、それが三好長慶に伝わり、さらに信長の手中に入っていたものを、姉川の戦功により家康に贈ったもの。長篠合戦の功を賞して家康から奥平信昌に贈ったこの太刀は、武州忍《おし》の松平家に伝来したが、明治に入り伊東巳代治伯の愛刀となり、その没後、帝室博物館（現・東京国立博物館）に収まったものである。

長さ二尺四寸三分。身幅広く、腰反り高く猪首切先。小板目肌が詰み、乱映りよく立つ。刃文丁子に互の目交じり、焼幅広く、匂口締って冴える。帽子乱込み先小丸。茎生ぶ、先をわずかに切り詰める（口絵7頁参照）。

八　名物　国宝　太刀　号　津田遠江長光　銘　長光（徳川美術館蔵）

この太刀は信長が所持していて、『名物帳』に「信長公御物」と記載する。天正十（一五八二）年六月、本能寺で生害のさい、明智光秀は安土城にあった信長の宝物類を奪ったなかのこの一刀を、家老の津田遠江守（重久）に与えた。のち遠江守から前田利長へ移ったとも、また遠江守の子孫から利常へ献上したとも伝える。さらに宝永五（一七〇八）年十一月、綱紀から将軍綱吉に献上、翌六年五月、将軍家宣から尾張中納言吉通が拝領したと伝える。

長さ二尺三寸七分半。広い身幅に猪首切先の堂々とした体配、磨上げながら腰反りつく。板目肌がよく詰み、乱映りが鮮やかに立つ。丁子乱に互の目を交え、元の方少し焼幅狭まり、中央から物打にかけて大模様な丁子乱を主調にして華やか、匂口明るく冴える。

長光は長船の祖光忠の子、左衛門尉、また左近将監《さこんのしょうげん》といい、文永から元応までの年紀作があり、作刀期がおよそ六十年間の長きに及ぶため長光には二代があったのではないかとの説がある。猪首切先の身幅の広い太刀姿に、華やかな丁子乱を焼き光忠と変わらぬ出来のものは鎌倉中期の初代作であり、もし一代説に基づけば初期作に該当しよう。

信長が好み所持した長光は大般若長光、津田遠江長光、鉋切長光など、いずれも猪首切先の堂々とした姿の太刀であり、華やかな丁子乱の作をみる。また香西長光、青屋長光、蜂屋長光も信長から秀吉へ渡ったとみられる作刀であるが、信長は光忠を愛好するほどに長光にも執心するものがあったであろう。『名物帳』に収載する長光は五口あり、光忠の三口より多く、名物の長光を含めた長光の代表作のほとんどは、信長が愛刀に加えているのをみても首肯《しゅこう》されるところである（口絵8頁参照）。

九 名物 重美 太刀 号 鉋切長光 銘 長光（徳川ミュージアム蔵）

もと蒲生氏郷の所持品であったが、佐々木兼秀に遺し、秀吉に献上する。のち寛永元（一六二四）年四月、秀忠に移る。寛永三（一六二六）年十月、森内記長継が拝領し、延宝二（一六七四）年五月に家綱に献じてより将軍家の重器として伝えて家達に至る。大正十二（一九二三）年十二月、家達より水戸徳川家に贈られ、同家に伝来する。

長さ一尺九寸五分の小太刀で、『光山押形』に所載があり、古来から珍重され名宝として扱われてきたものである。

以上の伝承記録からは、この小太刀が信長の所持刀であったことを示すものはみられない。ところが『信長公記』天正七（一五七九）年六月二十四日の項には、次のような記述がある。

先年、丹羽長秀に下賜した珠光《しゅこう》茶碗を、信長は再び召し上げ、其の替りと言って、鉋切の腰刀を賜った。長船長光の作で一段と上出来。伝来の系図も在る刀なり

鉋切の腰刀とは、この長光の小太刀のことで、信長が所持する一刀だったことが知られる。一説には、信長が所持する前は、松永久秀がこの太刀を手に入れ、信長に献じたという。

鉋切の名の由来は、大昔のこと、近江国の堅田又五郎という者が、伊吹山へ行く山中で日ごろから

同家に出入りの大工、実は化生の者がいきなり切りかかってきた。これを切り返して打ち込んだところ、かの者は持っていた鉋で受け止めたが、この太刀で鉋と共に両断した。という説話によっている。

鎬造、身幅広く、重ね厚く、腰反り踏張りがつき健全無比。板目肌がよく詰み、乱れ映り立つ。刃文は丁子乱に互の目交じり、匂出来で小沸つき、匂口明るく冴える。生ぶ茎で、先をわずかに切る（口絵9頁参照）。

十　国宝　太刀　号　岡田切　銘　吉房（東京国立博物館蔵）

鎌倉中期の福岡一文字派を代表するのが助真・吉房・則房の三工の名手で、中でも丁子乱の華麗さが最もきわだつのが吉房である。

吉房の作中、身幅が広く豪壮さが目立ち、丁子に重花丁子、蛙子《かわずこ》丁子が交じって華やかなさまが匂い深く、優れた作位をみせる。鍛えは板目肌が肌立ちごころに乱映りが鮮やかに立つ。長さ二尺二寸八分、磨上げて茎先に二字銘がある。

吉房の銘について古説（『元亀元年　刀剣目利書』）によってみると、吉房は備前に三人がいる。一人は宗吉の子。二人目は「房」字を変って切る上手。三人目は「吉房」を大銘に変り銘を切る。とある中で、「岡田切」は二人目の上手に該当し、吉房の銘としては中ぐらいの大きさに切る。「房」の第一画、第五画の点を傾けて打つのを「変って切る」といっているが、この手が吉房銘の中で一番多い。この古説

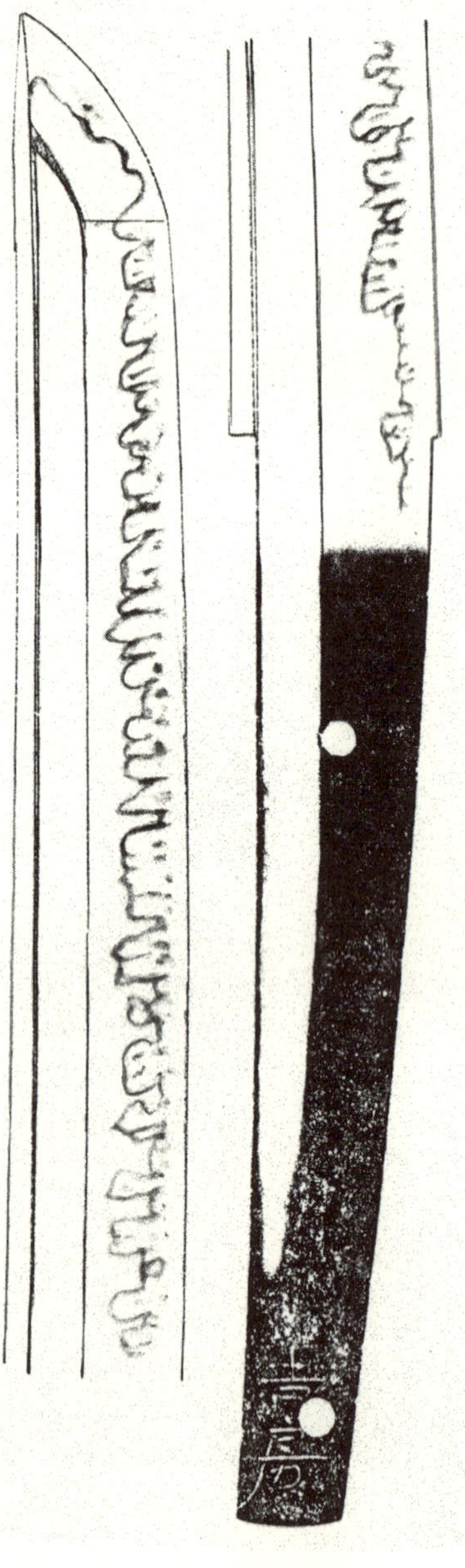

太刀 銘吉房（『御物東博 銘刀押形』所載）

あたりからきているらしく、吉房には三代ないし四代があるとする見方が一般的で、これに基づけば「岡田切」吉房銘は二代か三代にあたり、吉房同銘中で最も名人の工であるといえる。

「岡田切」は織田信長の愛刀の一であり、かつて信長が岡田助三郎なる者を斬ったことからこの号がある。明治天皇の愛刀であった（口絵10頁参照）。

十一　名物　刀　号　籠手切正宗　切付銘　朝倉籠手切太刀也 天正三年十二月 右幕下御摺上 大津伝十郎拝領（東京国立博物館蔵）

「籠手切正宗」は越前一乗谷の城主朝倉家に代々伝わっていた太刀で、天正元（一五七三）年、朝倉義景を破った信長が手中にする。同三年に磨上げた信長は、石山攻めに功のあった近臣・大津伝十郎に与え、さらに佐野政綱に移り、佐野家が亡んだ後、前田利常が求めて同家に伝来する。明治十五（一八八二）年、平野藤四郎の短刀とともに宮内庁に献上している。

もとは三尺三寸ある大太刀で、朝倉家にあるときは当時の戦に〝貞宗の太刀〟と呼び、用いられ相州貞宗作とされていたものを、信長が磨上げて二尺二寸六分半（二尺三寸とも）とする。のち大津伝十郎が拝領して切付銘を入れたのをみると「朝倉籠手切太刀也」とばかりで、正宗作とはしていない。佐野家に移ってからは行光といい、〝佐野の大行光〟の称があったという。前田家に入ってから正宗作に極替えされたもので、『享保名物帳』で「籠手切正宗」として挙げている。この刀は初め貞宗―行光―正宗と作者の極が変転していることがわかる。

「籠手切」の異名は、朝倉家蔵であった南北朝時代、敵の手を鉄籠手ごと切り落としたことからのもので、この刀の斬れ味の秀でたさまを表している。

身幅が広く、反り浅く、切先が大きく延びて、しっかりとした造込みである。小板目肌がよく詰み、地沸がつき、地景がしきりに入って、湯走りかかる。小湾れの刃文に互の目が交じり、匂と沸がよくつき、砂流しかかり金筋がしきりに働く。表裏に棒樋に連樋《つれび》を彫り、『名物帳』には「表裏樋ならびに影樋《かげび》ことのほかフトシ(太し)」とある。

一説(今村長賀が本阿弥平十郎より伝聞)に、長寸のこの太刀は信長が二尺三寸に磨上げたものを、のち前田家にあるとき、四分を磨上げて現在の二尺二寸六分(『名物帳』は二尺二寸六分半)にしたという。二回磨上げたことになり、現品によってみると、茎先を少しつまみ、銘文の末尾が切られていることからみて二回目の四分磨上げ説が否定できない(口絵11頁参照)。

第二章　信長の甲冑と陣羽織

謙信に贈った胴丸と大袖が合体

信長は名物の茶器をしばしば「召し上げ」ている。信長の意向に背くことはできず、何も言わずに献上した事例が多く、その代価として金銀また米を下げ渡しているほか、刀剣を下賜したこともある。丹羽長秀から珠光茶碗を再び召し上げて、その代わりに鉋切長光の太刀を下賜するなどがその例である（『信長公記』天正七年六月の条）。

信長の蒐集は名物茶器に集中していて、刀剣がそれに準ずるが、かなりの名刀類を手中にしている。それにひきかえ甲冑類は信長所用と伝えるもの、信長にゆかりのあるものなどはごく限られていて、知られるその数はあまり多くない。信長が上杉謙信に贈った金小札色々威《きんこざねいろいろおどし》胴丸は出色の作品であり、他に建勲神社蔵の紺糸威胴丸がある。後者は、江戸時代に織田信重が奉納したもので、兜（別物）、大袖、籠手、佩楯《はいだて》などが皆具《かいぐ》している。前立など付属品が取り合わされているのは、江戸後期に全体を大改修したときで、新装の風がみられるが、数少ない信長ゆかりの伝承をもつ甲冑である。また、上杉神社が収蔵する紅糸威壺袖は信長が贈ったものと伝える。

「長篠合戦図屏風」（犬山城白帝文庫蔵）に描かれた信長の突盔《とっぱい》形の兜は、黒地に立節状の金覆輪をし

「長篠合戦図屏風」中の信長南蛮風の兜（犬山城白帝文庫蔵）

た南蛮風の作で、鐔が幅広く、目の下面を付す。長篠の戦いは天正三（一五七五）年で、それより六年後の天正九（一五八一）年に京で行われた馬揃《うまぞろえ》のおり、織田一族は思い思いの頭《ず》巾《きん》装束に趣向をこらして出場し、「信長は黒い南蛮風の笠をかぶり」（『信長公記』一月八日の条）とあって、市女笠のような被りのいでたちだったらしい。馬揃で被った「南蛮風の笠」が、兜であったとは限らないにしても、進取の気性の烈しい信長にして、舶来の南蛮兜や胴などを日本風に改良して用いることはあり得たであろう。そのために南蛮甲冑がことあるごとに信長所用として誤り伝えられてきている。その例に、南蛮甲冑で著名な榊原康政所用の南蛮胴具足、徳川家康所用の南蛮胴具足などが知られ、鎬の立った鉄兜や堅牢な二枚胴は鉄砲に対して有利であるし、見た目にも斬新で人の耳目を集めたに違いない。

陣羽織は寒さや雨露を防ぐという実用的なものから、やがて示威的な要素を強くし、武人の趣向を反映して人を驚かすような奇想ともいえるデザインのものが生まれた。陣羽織は戦国時代以降に発達したもので、桃山時代にピークを迎えている。戦乱の世に功名と生死を賭けて戦い続ける〝晴れ姿〟にほかならない。斬新で洒落《しゃれ》たデザインもあれば、ユーモラスな造形のものもあって、武将の美意識がよく表されたものである。

鎧下着は、陣羽織が鎧の上に着用するのとは逆に、鎧の下に用いるもので、鎧が簡略化されて具足になってから、その下に着用するものとして盛行した。当世具足の下着として使われたことから具足下着というのが一般的である。

実用上、活動に便利なように筒袖状のものが多く、首まわりの保護を兼ねて襟《えり》形式となるのが普通である。立襟やボタン仕様をみると南蛮様式の影響を色濃く受けていることが知られる。

胴服は、主に外出時や礼装時に小袖の上に羽織るもので、もとは「道服」といい、のち上半身を覆うところから「胴服」と記されるようになったとされる。コートのような外着であることは陣羽織に通じて用途的に近く、実用性が高い。いまの羽織のもととなるものといわれる。

一 重文 金小札色々威胴丸（東京某寺蔵）
金小札色々威大袖（上杉神社蔵）

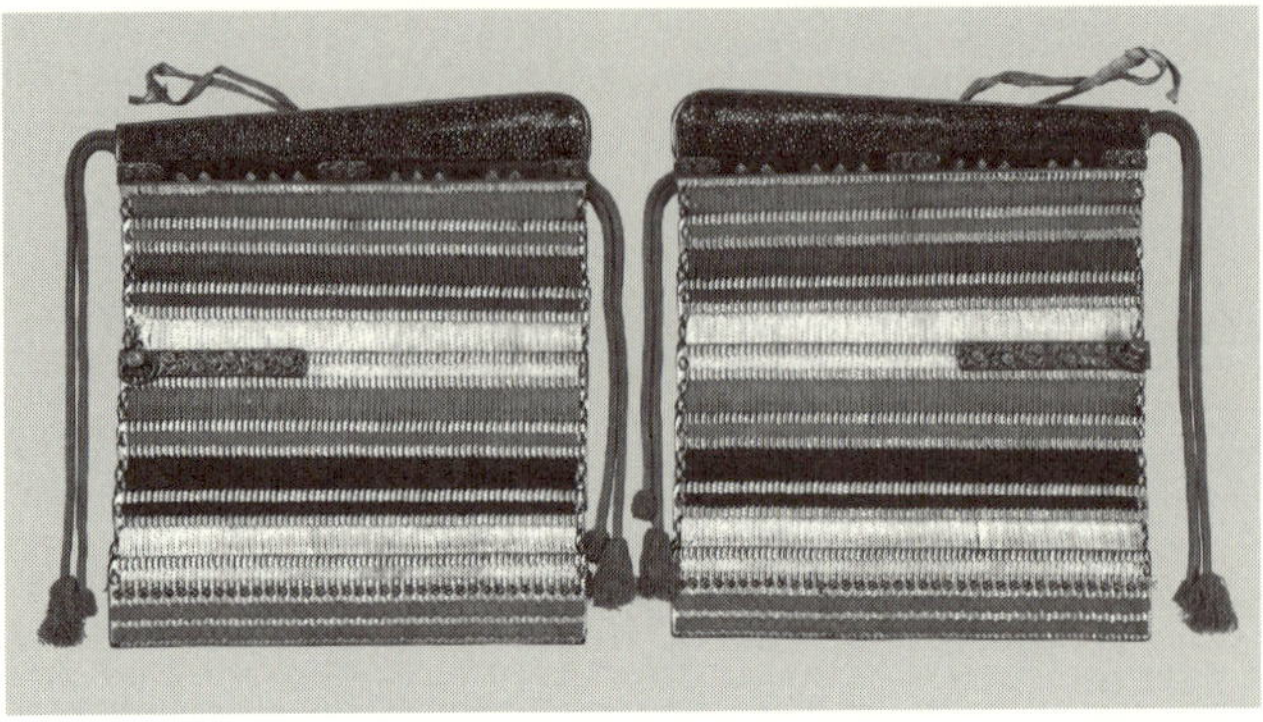

金小札色々威大袖（上杉神社蔵）

織田信長が上杉謙信に贈った甲冑と伝え、江戸中期（寛文ころ）に胴は上杉家から会津保科松平家に贈られた。明治以降に益田鈍翁《どんのう》（孝）の蔵品となり、戦後は持主が変わったのち、芳賀実成氏が入手した。

信長が謙信に贈った当初は兜・喉輪《のどわ》が付いていたとみられ、なお籠手・佩楯・臑当なども付属していたかもしれない。本胴丸に付く大袖一双は上杉神社に現蔵する。胴が保科正之に贈られたとき、大袖は藩主ゆかりの宝として上杉家は自家にとどめ置いたものであろう。現在、胴と大袖は所有を異にするも健在であり、兜や籠手などの具は所在が明らかでない。

ひと続きの胴を右脇で引き合わせた胴丸である。胸板や脇板は通常は染韋《そめかわ》を張るが、これは珍貴な研出鮫《とぎだしざめ》で包んでいる。金箔を置いた小札に、紅・萌黄・白・紫の四色で威《おど》した色糸が美しい。草摺《くさずり》は十一間に細かく分かれていて五段下り。

大袖は七段下り。金小札に紅・萌黄・白・紅・紫糸の色々威とする。笄《こうがい》金物は鍍金《ときん》菊唐草の透彫に奈良菊鋲《びょう》を打ち精緻である。

金色の小札に色糸の織りなす配色がよく映え、華々しい桃山文化の予感を漂わせるものがある。「金小札色々威胴丸」は昭和五十一（一九七六）年に重要文化財に指定されている（口絵36～39頁参照）。

二　突盔 兜鉢（愛知・総見院蔵）

突盔 兜鉢（総見院蔵）

鉄六枚張り六間の突盔兜の鉢である。火中しており火肌をみせる。𩋡《しころ》は失われている。

現状ではほとんど錆地《さびじ》の状態にあるが、黒漆が所々に残り、もとは黒漆塗であった。

眉庇《まびさし》は水平に突き出たうねりのある天草眉庇とし、その内側に眉形に刳《く》った内眉庇を設ける。

前正中板下端に一本角元《つのもと》を、左右側面に大きな角元を打つ。

突盔兜は室町末期から桃山期にかけて、阿古陀形《あこだなり》筋兜と共に流行し、奈良の甲冑師、春田が盛んに製作した。

一見簡素にみえるが、長大な大脇立が聳《そび》える見事な兜であったと想像される。時代はまさしく戦国期の形式であり、社伝が信長所用と伝承する。兜を収容する木箱の蓋裏の記述（天明五年）によれば、天正十年六月、本能寺の焼跡から信雄がこれを見出し、信長直系の信忠の子秀信にこれを譲り、秀信が後に岐阜城退去に際し、かつて信長家臣であった小林宗祐に贈ったとある（口絵35頁参照）。

三　紅糸威壺袖（上杉神社蔵）

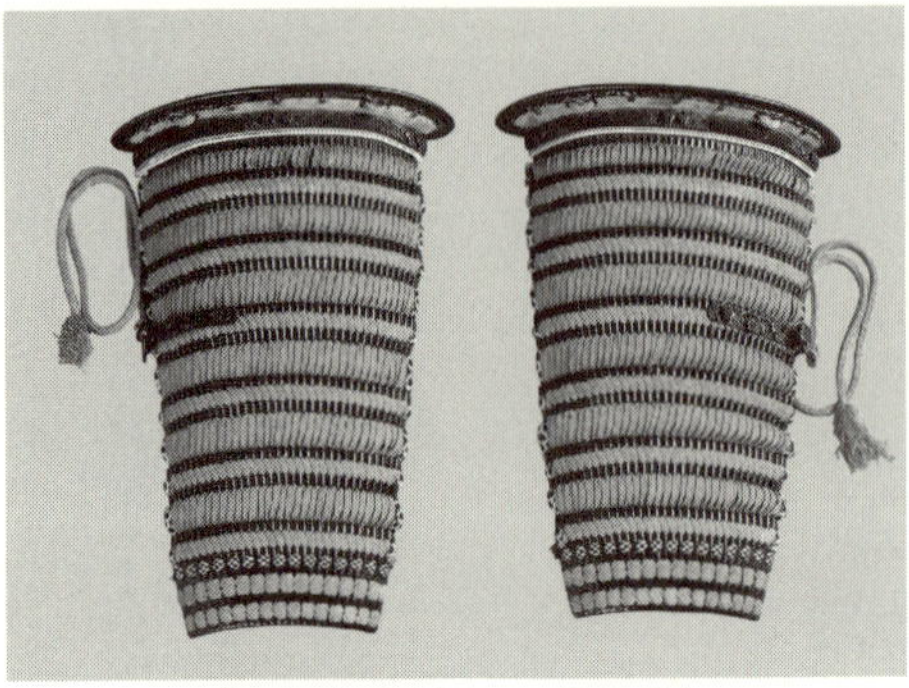

紅糸威壺袖（上杉神社蔵）

信長が謙信に贈ったと所伝のある壺袖である。壺袖とは肩から上腕部を守る具で、湾曲した小札の板で仕立て、全体が下方に向かい裾幅を狭めているところから壺袖といっている。

本小札七段下りに赤糸毛引威、冠板は鉄板で折冠につくり、通常は鹿韋で包むのであるが、これは青鮫包みである。

八双金物・笄金物は赤銅唐草透しとし、織田木瓜紋を打っている。この壺袖は同構成になる腹巻に添えられていたと考えられ、また総覆輪の阿古陀形筋兜が付属していたかもしれない。いまは壺袖のみが上杉神社に伝来する（口絵40・41頁参照）。

四　揚羽蝶紋　黒鳥毛陣羽織（東京国立博物館蔵）

上半身は山鳥とみられる鳥毛を植えた濃い藍色地に、揚羽蝶《あげはちょう》を白毛で象《かたど》る。下半身は紅地に金糸などの色糸で唐花模様を織り出している。陣羽織に鳥の羽毛を用いるのは秀吉所用の桐紋陣羽織（防府毛利報公会蔵）など稀にみられ、桃山時代に流行している。なかでもこの作は、上部の鳥毛の部分と下部の裂地《きれじ》とをつないだ斬新な手法が珍貴であり、品格の高い作となっている。信長所用と伝える（口絵42頁参照）。

揚羽蝶紋 黒鳥毛陣羽織（東京国立博物館蔵）
Image:TNM Image Archives

五　紅麻地　木瓜紋籠目文様　鎧下着（名古屋城総合事務所蔵）

紅麻地 木瓜紋籠目文様 鎧下着（名古屋城総合事務所蔵）

山崎重友が信長から拝領したと伝える鎧下着である。紅麻地の単衣《ひとえ》で、上部左右の胸に織田木瓜紋《ぼけもん》を二つ、後には三つを染め抜き、下半身の下方には籠目《かごめ》を表している。立襟は南蛮襟で、細袖《ほそそで》（筒袖）は鎧の籠手を通すのに適した造りにしてある。

大鎧の下着には鎧直垂《ひたたれ》が用いられるが、当世具足には鎧下着や肌着が使われるのは、動きやすさと着脱に便なためである。麻のほか絹、木綿などがある（口絵43頁参照）。

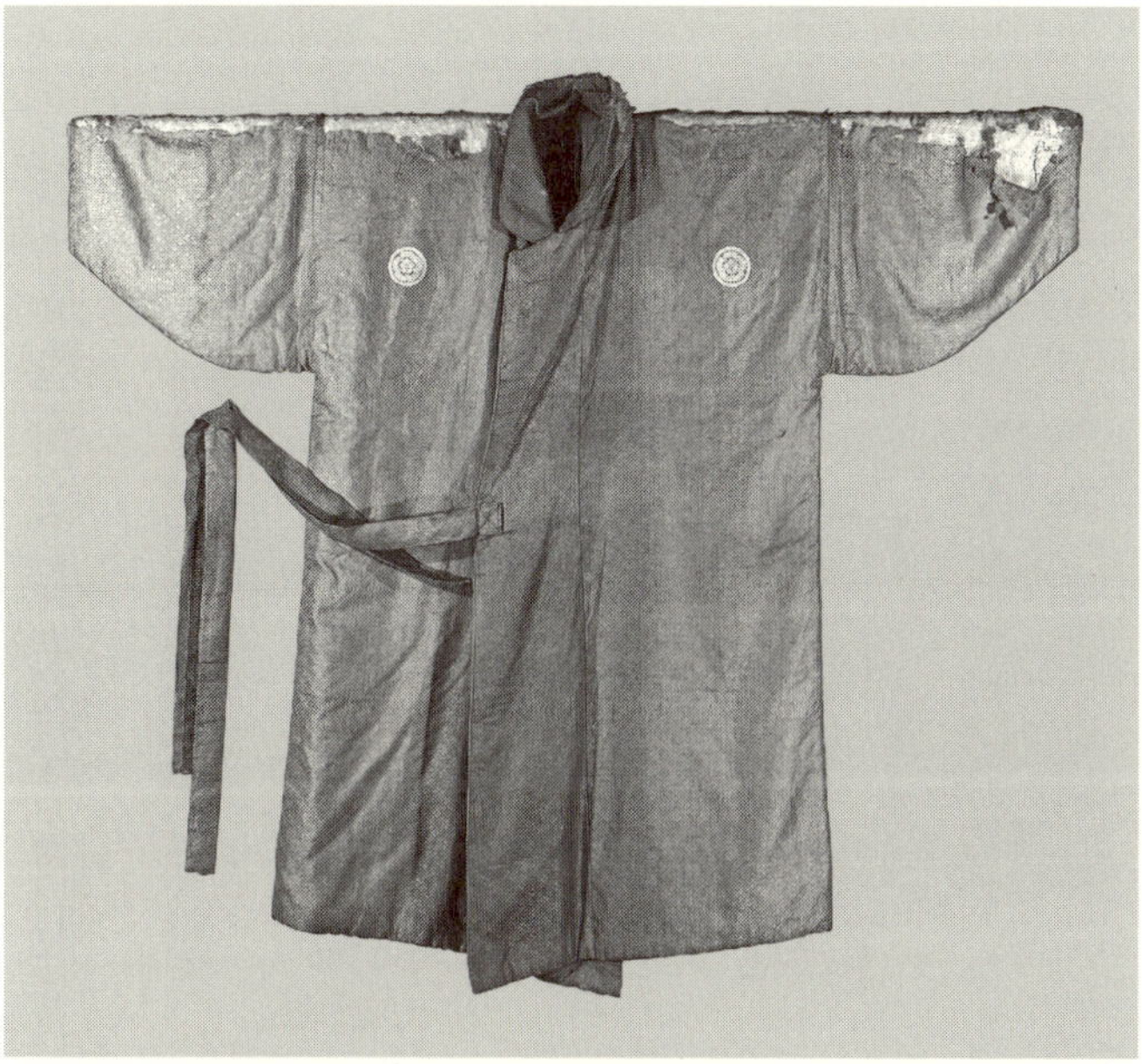

萌黄四ツ目菱斜格子緞子地 木瓜紋 鎧下着（名古屋城総合事務所蔵）

六　萌黄四ツ目菱斜格子緞子地 木瓜紋 鎧下着（名古屋城総合事務所蔵）

緞子《どんす》で仕立て、斜格子地《はすごうしじ》に織田木瓜紋を表に二つ、裏に三つを配す。筒袖状に袖口をしぼり、首周りを保護した襟形式は下着としての実用性をよく兼ね備えたものである。

具足下着は、もともと鎧が簡略化して具足になってから、その下に着用するものとして鎧直垂に替わって用いられるようになったものだけに、身のこなしに便なのがより有効であった。

全体の姿形が整い、色調が柔らかく明るい具足下着である。信長の所用と伝える（口絵43頁参照）。

七　茶地桐紋 小紋染韋 胴服（上田市博物館蔵）

鹿の鞣革《なめしがわ》に小紋染で桐紋を表に四つ、裏に三つを表した革胴服である。信州上田の松平信一が、永禄十一（一五六八）年に信長から拝領したと伝えるものである。

表裏全面にみられる白い小さな模様は小紋染で、胴服のほか鎧下着、小袖など武将の衣服にままみられるものである（口絵44頁参照）。

茶地桐紋 小紋染韋 胴服（上田市博物館蔵）

八　重文　牡丹唐草文様マント（上杉神社蔵）

マント（洋套）は衣服の上にまとう外衣で、一枚布仕立てで袖のないものである。ビロード（天鵞絨）地をマントに仕立てた本品は、信長が上杉謙信に進呈したものと伝える。

大航海時代の当時、ポルトガル、あるいはスペインからもたらされたビロードは羅紗《らしゃ》とともに注目の的で信長、秀吉をはじめ、多くの武将たちが用いている。ビロードは艶のある色、織りの美しさ、日本ではみられない文様の変化など、見る者の目を奪うほどのものがあったに違いない（口絵45頁参照）。

牡丹唐草文様マント（上杉神社蔵）

九　織田信長像（大雲院、大徳寺総見院、京都・報恩寺蔵）

狩野永徳筆と伝わる織田信長像である。縦一一五センチ、横五二センチで絹本著色《ちゃくしょく》の作品。この絵は表と同じ絵を裏にも描いて二重に重ねており、京都国立博物館が先年に調査したところ表裏ともに薄藍色の小袖を着た表面に対し、裏面は右腕が萌葱《もえぎ》色、左腕が薄茶色と派手な色づかいだったことが確認された。

裏側に残る最初の織田信長像
（透過赤外線画像・大徳寺総見院蔵）

さらに興味深いことは表の像は腰刀を一本差すが、裏の像は腰刀と短刀の二本を差していることである。二本差しは後年の大小差しの式制の萌《きざ》しをみせたもので、室町期にはさらに太刀を佩くことで腰刀と短刀の三本を同時に用いていたことがあることを、この絵は暗示している。表面の像は裏面の像を大幅に書き直したもので、書き直しを命じたのは秀吉ではないかとみられている。

伊勢貞丈は『貞丈雑記』に、大小を差すのは信長・秀吉の戦国の時代より始まると記している。天文の頃は太刀に脇指（腰刀）をそえて佩いたという。腰刀を差して、太刀・打刀は従者に持たせるのが時の武将の風俗だったようである。この信長像の二本差しの原姿は、この間の事情をよく伝えたものであり、二本差しのほかさらに太刀を佩き、三本を用いることがあったことを暗示している（口絵31～34頁参照）。

第三章　秀吉の刀剣

天下の名刀を一手に蒐集

戦国武将は刀好きである。

上杉謙信は備前刀が好きで、なかでも一文字、長船景光、兼光を好み、高木長光と号がある太刀は謙信が枕刀として愛用したと伝える。織田信長は長船光忠の刀を愛し、その蒐集が二十五口に及んだという。信長の愛刀として古来名高いものには名物不動行光短刀、名物へし切長谷部刀、名物津田遠江長光があって、行光は相州物、長谷部は山城物、長光は備前物であり、信長の愛刀は各国全般に及んでいたことがわかる。名作名刀を蔵刀にしていたことは、戦国武将に共通してみられるところである。

なかでも豊臣秀吉はたいへんな刀好きで、天下の富を集めるほどに、天下の名刀を一手にわがものとしたほどである。秀吉の権勢をもってすれば、世の名刀は意の如くに集めることができたのである。しかも秀吉がことのほか刀好きであることを知れば、諸大名は競って名刀を献上しないはずはなかったのである。

秀吉の刀は、自ら蒐集したもののほか、献上されたものが多く、『名物帳』に「秀吉公御物」と記載があるものが所蔵刀であり、そのうち「秀吉公ニ上ル」は献上刀である。

秀吉の刀は、秀吉没後に「御遺物」として諸大名に贈られたものがある。その数は百六十余口で厚藤四郎は毛利輝元へ、三好正宗と富田江は前田利家へ、徳善院貞宗は前田玄以へ、大三原は浅野幸長へなど、名物が十口余り含まれている。『名物帳』の記述によれば、毛利正宗が毛利河内守へ渡されたのが前田利長の館《やかた》であったと記され、秀吉の形見分けが前田邸で行われたことが知られる。

大坂落城で焼身になった秀吉の刀は、相当数があり、家康が引き継いで一部は越前康継に再刃をさせている。『享保名物帳』に載せている名物のうちの八十口ほどは、大坂落城のおりと明暦三（一六五七）年の江戸城の大火で焼けたものである。家康の遺品は「駿府御分物」として尾張徳川家に伝えられている。

本能寺の変のさい罹災《りさい》し、または失われた信長の刀は「信長公御物」と称するもので、薬研藤四郎短刀、実休光忠太刀、豊後藤四郎短刀などのうち、実休光忠は秀吉が焼直しをさせ、自身の指料にしているし、薬研藤四郎も焼身ながら秀吉の手中に入っている。豊後藤四郎は本能寺で行方を失い、のちみつかって家康の手に入り、徳川秀忠の所蔵となっている。

本能寺の変の後、明智光秀が安土から奪い、坂本城に預けてあった名刀類を秀吉が確保したもの、これも秀吉の刀といってよいであろう。光秀の従弟、左馬助光春（秀満）は光秀の討たれたことを聞き、坂本城に戻るや名器類を天守から投げおろし、「わが身は戦国の露と消え失せても、天下の名器は失うべきではない」といって、敵将秀吉に託したと『常山紀談』は伝えている。

明智左馬助から秀吉に渡った名物刀剣は不動国行太刀、薬研藤四郎吉光短刀、二字国俊刀などが含まれ、なかでも不動国行は「天下の名物」であるとして、特に城外に出し、秀吉の手に渡ったと『名物帳』が記している。不動国行は豊臣秀頼から家康の手に入り、いまは御物となっている。薬研藤四郎は松永弾正から信長に献上されたもので、本能寺で焼身になったものが、一度は光秀の手に渡り、のち秀吉へと移ったものである。

秀吉の刀は、秀吉から諸大名に与えられたものがあり、拝領した大名家に代々伝え残されたものがかなり多い。

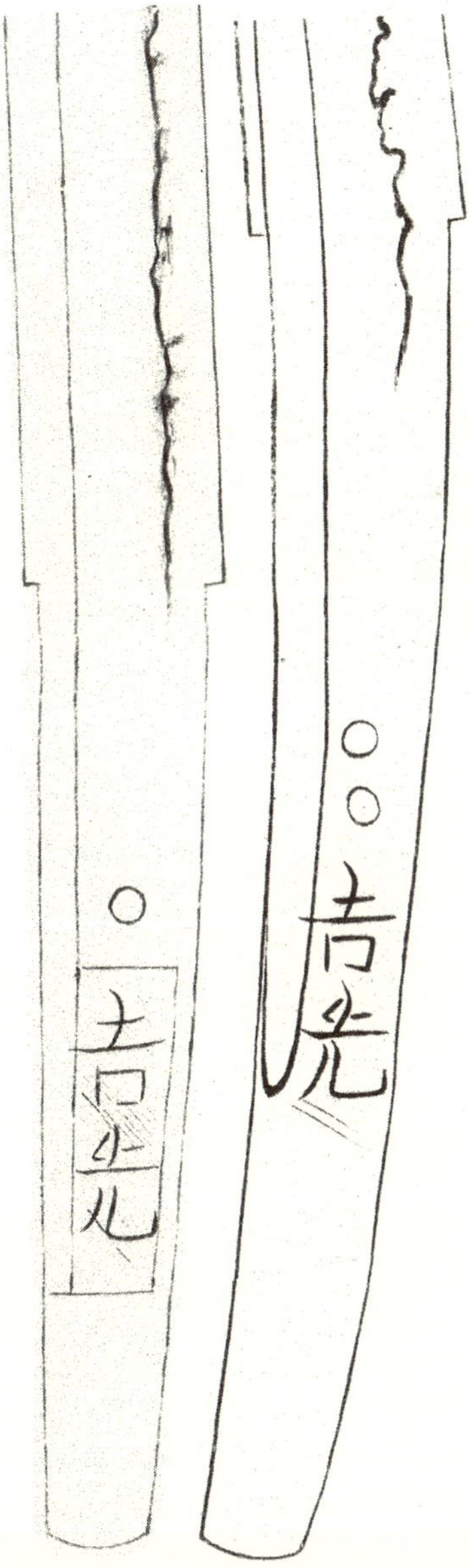

右…刃長二尺八寸三分の生ぶ茎の押形図。文禄三・四年の奥書きがある『光徳刀絵図』に所載。
左…大磨上げして額銘を入れ、二尺二寸八分の寸法に直した押形図。元和元年の年紀がある。「ヤ」の書込みがあるのは「焼身」であることを示すもので、元和元年には、すでに磨上げて焼直しされていたことが知られる。『光徳刀絵図集成』（便利堂）から複写縮図し、全身押形の茎部分を表出した。

〈右〉**「一期一振」の生茎**（『光徳刀絵図』毛利本）、〈左〉**大磨上げ額銘入り**（『寿斎本』）（『光徳刀絵図集成』所載：便利堂）

このように秀吉の刀は、所蔵刀をはじめとして献上刀があり、信長の遺産として愛刀を引き継いだもの、諸大名に分け与えたものなどさまざまがあることがわかる。その量と質において秀吉は古今第一の愛蔵家であったといえよう。愛蔵刀の中では山城国粟田口の藤四郎吉光が最も数多く、なかでも「一期一振《いちごひとふり》」太刀が特別な存在だったようである。

「一期一振」は、吉光の太刀としては現存するもののうち唯一知られる名宝であり、吉光作のほとんどは短刀ばかりであるが、「一期一振」は、一生に一振だけ作った太刀とみるよりは、一生に一振の代表作であると解するのがよさそうである。秀吉の刀剣の係に任じられていた本阿弥光徳には、秀吉の蔵刀のうち押形に写して記録していた「刀絵図」があり、いま『光徳刀絵図』と題する押形集によれば、「一期一振」は生ぶのときは二尺八寸三分あり、磨上げて二尺二寸八分の寸法に直されている。磨上げたのは秀吉であり、あまりの長寸であったことから、自身の体形に合わせて寸法を短く直したものといわれている。この太刀は、大坂落城のさい火災に遭い、家康が康継に命じて焼直しをしている。磨上げて額銘《がくめい》を入れたのは、焼直しのときであろう。

『光徳刀絵図』は、光徳の克明な筆になる刃文と銘の写しが好資料となるものであり、秀吉の蔵刀の主なものを掲げているので、好参考とすることができる。これまでに知られる『光徳刀絵図』は毛利本（文禄三年）が最も古く、四種が知られていたが、それより六年遡る天正十六（一五八八）年極月三日付け、石田治部少輔《じぶのしょう》（三成）宛てのものがみつかっている。この石田本（写し）には七十二口の名物図が光徳筆で描かれている。

山城物では、鬼丸国綱太刀（御物）、海老名《えびな》宗近短刀、鷹巣《たかのす》宗近短刀、愛染国俊短刀（太閤御物）、大国吉短刀（大坂御物）、鳥養来《とりかい》国次短刀、三ヶ月宗近太刀（御物）、松浦信国太刀、一期一振太刀（御物）、鯰尾《なまずお》藤四郎短刀（大坂御物）、骨喰藤四郎短刀（御物）、厚藤四郎短刀（御物）、新身藤四郎短刀（大坂御物）、庖丁藤四郎短刀（御物）、大坂新身藤四郎短刀（大坂御物）。

相州物では、若江正宗短刀（大坂御物）、大坂長銘正宗短刀（大坂御物）、庖丁正宗短刀（御物）、徳善院貞宗短刀、奈良屋貞宗短刀、冨田江刀、西方江刀（御物）、大左文字刀（江と左は相伝）。

備前物では、今荒波一文字太刀（御物）、津田遠江長光太刀、助真刀（太閤御物）、大兼光刀、実休光忠刀（信長御物）。

などのほか、大和物や大博多（三池）など名刀の数々があって圧巻である。

桃山美術といえば伸び伸びとして自由闊達《かったつ》であり、革新的な活気に満ちたものを思いうかべるのが普通である。武器武具類においても新たな技法、技術が開発され、斬新なデザインが大胆に発揮されている。刀剣では埋忠明寿の〝鍛揰刀《たんすいとう》〟といわれる鍛法の新たな技法と、埋忠家本来の彫金の新技をみることができるし、甲冑の創作には〝当世具足〟の画期的な技法の採用をはじめ、変り兜の斬新な工法、刀装具にみる金蒔絵、金文金具の華麗な色どりと彫技、あるいは南蛮文化からの新感覚をとり入れての豪華さなど、桃山時代に到達した高水準の成果をみる思いがある。

その一方、武将の愛刀をみてきて共通することの一つは、武将が〝古刀好き〟なことである。『光徳刀絵図』に収載する秀吉の愛刀は、ほとんどが平安朝・鎌倉初期から南北朝期にかかる年代の古作である。日本刀の鍛刀技の最盛期が鎌倉時代であってみれば、この年代に造られた高度な工匠の優れた作刀を愛刀とすることは、秀吉にとってもすこぶる当然なことであったろう。桃山文化を最もよく体現したといわれる秀吉にとって、愛刀のほとんどは古作の名刀に限ってのものであった。しかも愛刀の数量において、誰よりも抜きんでて多く、作中の代表的な逸品ばかりをねらいとしていたことが特筆できる。

一　名物 御物 国宝 太刀　号 三ヶ月宗近　銘 三条（東京国立博物館蔵）

長さ二尺六寸四分、反り八分八厘。腰反り踏張り強く古雅な太刀姿を呈す。鍛え小板目肌が詰み美しい。刃文は小乱を主調に匂深く小沸がよくつき、刃縁にそって半月形の打のけが随所にかかり、上半は二重刃、三重刃がかかり変化する。三ヶ月の号は刃縁にみる半月形の打のけ状から名付けたものという。また『名物帳』の説に高台院の召使いに山中鹿之助（もと毛利輝元の臣、尼子氏の鹿之助とは別人）という者がいて、一時彼が所持していたことがあって、この者が常に三ヶ月を信仰して、刀拵《かたなごしらえ》に三ヶ月文を付すなどしており、所持者の縁に由来するという。

宗近は山城国三条に住したことから三条宗近の名があり、三条の小鍛治宗近の称で知られる。古書によれば宗近は「三条」とばかり銘を切ることがあり、「三条宗近」とは切らない。「三条」と切るときは佩裏に銘を切るのが常で、「宗近」と切るときは佩表に銘を切ると説いている。

三ヶ月宗近は室町時代以来、天下五剣の一つに数えられて著名であり、秀吉の後室高台院（北政所）

の遺物として徳川秀忠に贈られ、徳川将軍家に伝来したものである（口絵12頁参照）。

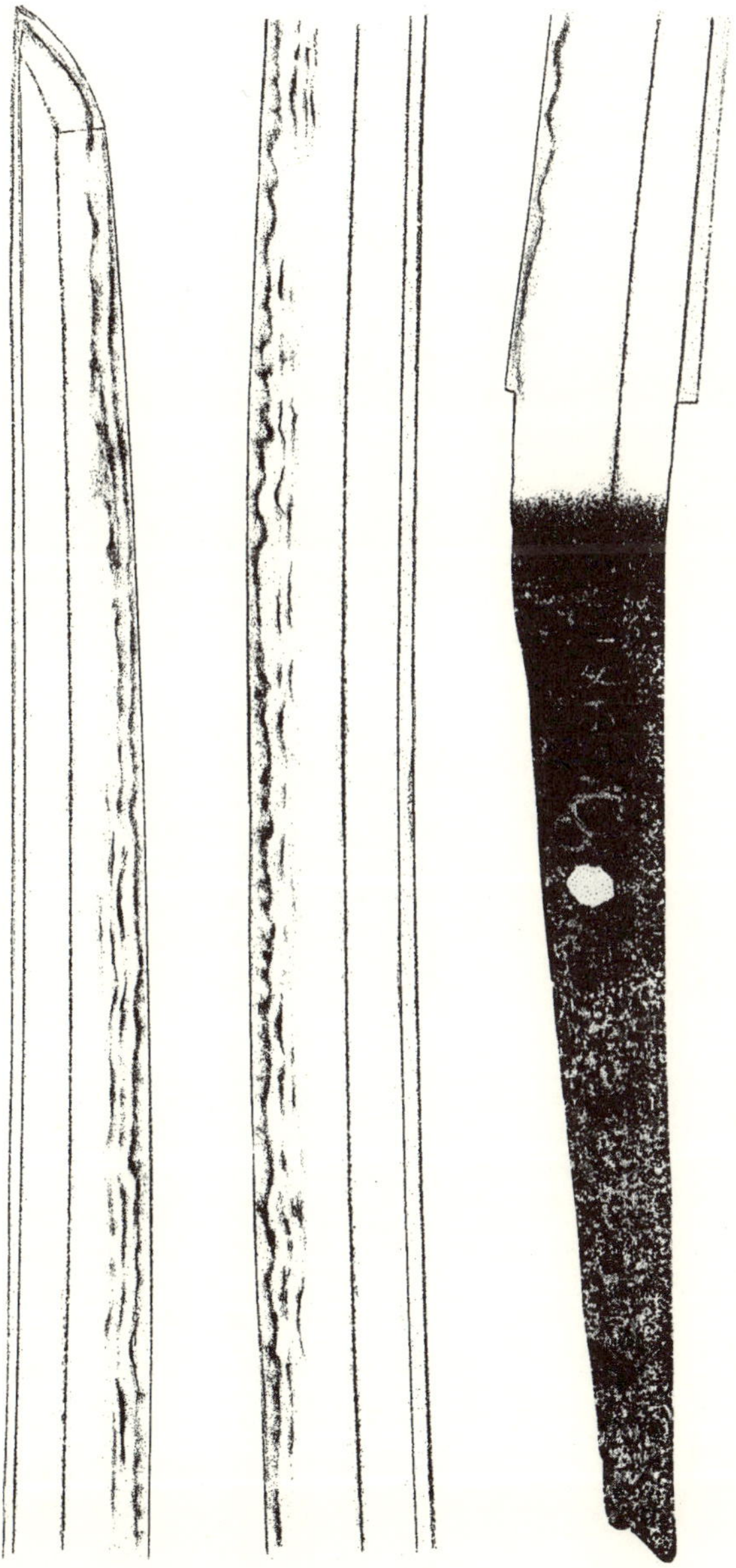

太刀 銘三条（『渡辺誠一郎寄贈刀剣図録』所載）

二 名物 短刀 号 海老名宗近 銘 宗近（徳川美術館蔵）

長さ一尺一寸二分。この短刀は室町将軍家の重宝で、将軍が正月中の指料として用いていたもの（『東山殿年中行事』）。のち秀吉から秀頼に移り、大坂落城後は、家康からその遺物として尾張徳川家に伝えられてきている。大坂落城のさい火災にあったため、家康が越前康継に焼直しをさせている。『名物帳』に描かれた刃文は小湾れ調の直刃にほつれ、湯走りがしきりで、二重刃かかる。

海老名という名称の由来は『名物帳』にも知られずとあるが、海老名は相州にある所在地の名であるとして、その地名を姓とした海老名氏の名をあげている。しかし分明でないままながら、大坂御物として名作の面影をいまによく伝えている（口絵13頁参照）。

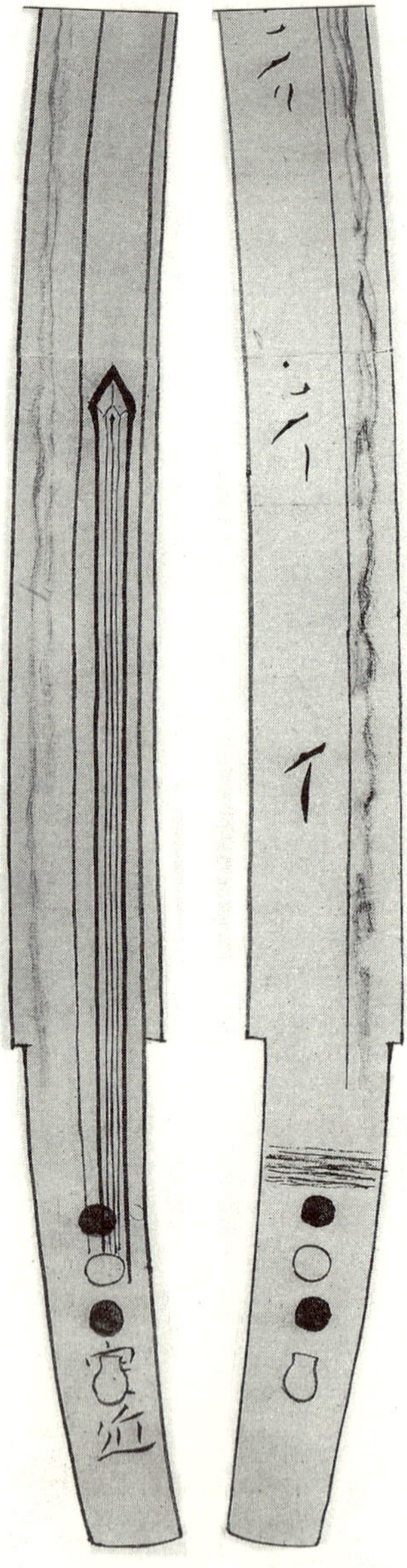

短刀 銘宗近
（『光徳刀絵図集成』所載：便利堂）

三　名物　御物　太刀　号　鬼丸国綱　銘　国綱（宮内庁蔵）

長さ二尺五寸八分、反り一寸。腰元で踏張り、深く反る曲線が力強く、美しい。小板目に小杢《こもく》交じりの肌に地景が交じる。刃文は広直刃調に小乱と互の目交じり、小沸よくつき、腰刃を焼く。帽子は表大丸、裏尖りごころに掃掛ける。茎生ぶ、太鏨《ふとたがね》の二字銘を切る。

国綱は山城国粟田口派、六人兄弟の末弟で、のちに執権北条時頼に招かれ鎌倉に下向し、鎌倉鍛冶の開祖となった一人である。有銘作は稀少で、なかでもこの太刀は代表作の一口である。

鬼丸の号のいわれは、所蔵者の北条時頼が病に侵されたとき、この太刀が自ら抜けて、火鉢の足金物にある小鬼の頭を切り落とし、それ以来、時頼の病は快癒し鬼形の夢もみなくなったという。よって鬼丸と名付け平家重代として伝え、鎌倉幕府滅亡後は新田義貞の手に移る。のち足利将軍家の重代として足利義昭の手に渡り、後に秀吉が所蔵する。その後、鬼丸国綱は家康の手に入るのであるが、秀吉も家康も本阿弥家に〝指置〟、つまり保管をゆだねている。江戸時代には本阿弥家がこれを保管していたものが、明治時代になって徳川家から明治天皇に献上し御物となったものである。革包太刀が付属し、「鬼丸拵」とよばれる（口絵14頁参照）。

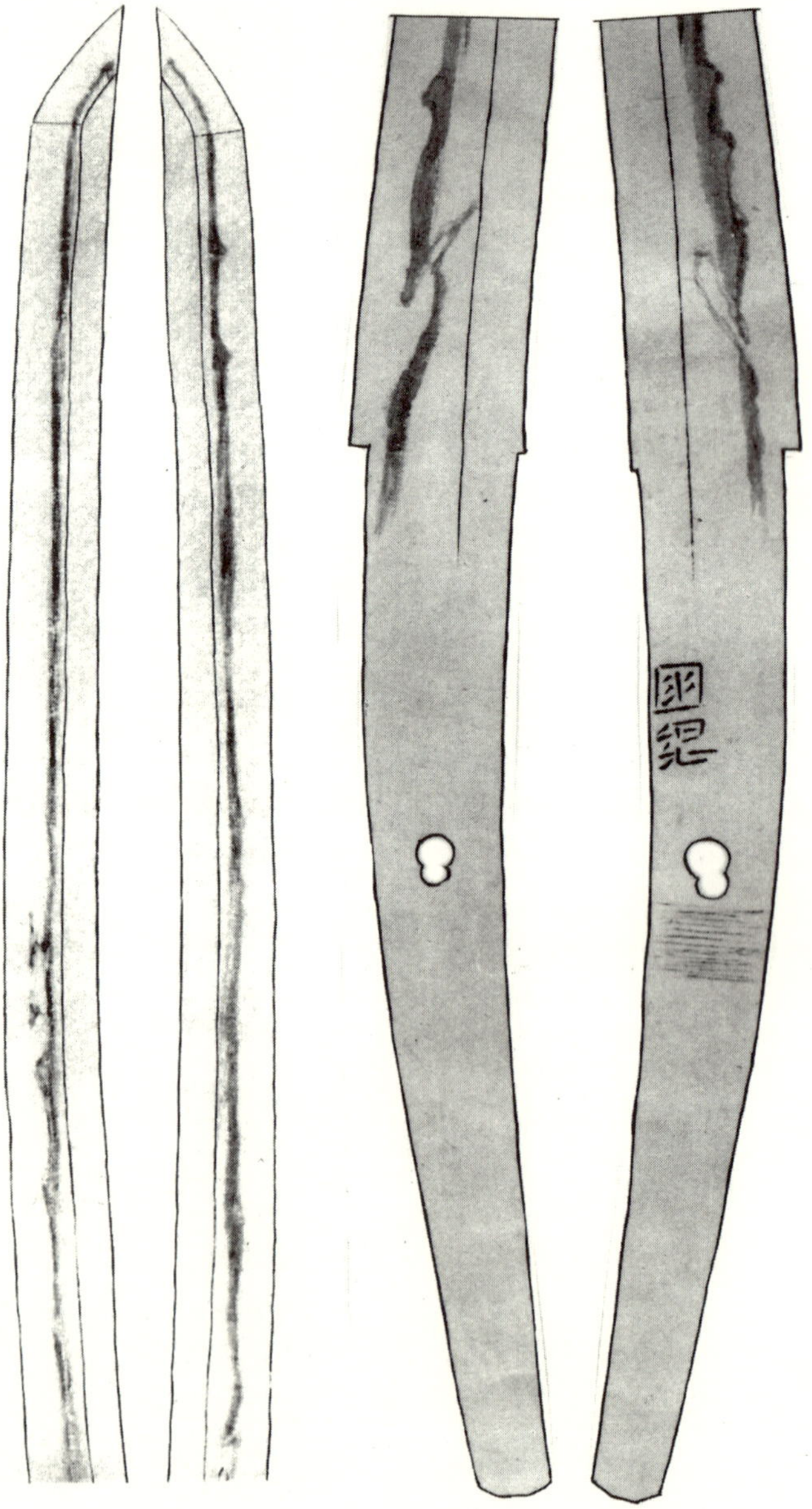

太刀 銘国綱（『光徳刀絵図集成』所載：便利堂）

四　名物　御物　太刀　号　一期一振　銘　吉光（宮内庁蔵）

秀吉が愛蔵した名刀の筆頭に位するものといわれる。山城国粟田口吉光の太刀で、大坂落城のおり焼身となり、徳川家康が越前康継に再刃させている。『光徳刀絵図』に描かれた焼ける前の刃文は乱刃

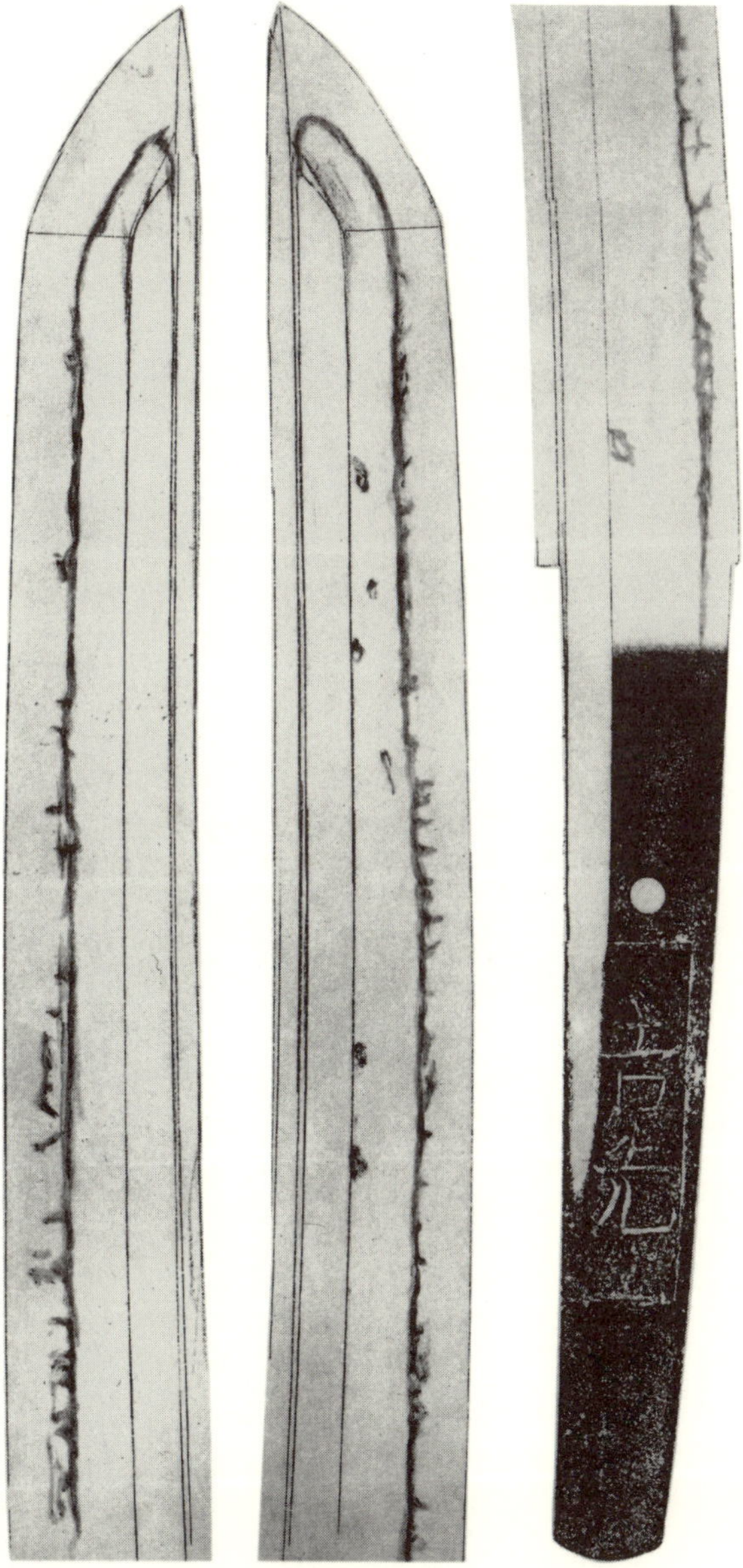

太刀 銘吉光（『御物東博 銘刀押形』所載）

で、二尺八寸三分の刃長があり身幅が広い豪刀である。『享保名物帳』には「焼直し、右の寸法に磨上り、入銘《にゅうめい》に成る」とあり、二尺二寸八分に磨上げ、額銘に仕立て直されている。再刃後の刃文は直刃に小互の目足入りである。

一期一振は室町将軍家重代の名宝で、義昭から信長に献じ、秀吉に伝えられている。再刃されてのちは尾張徳川家に伝来し、文久三(一八六三)年正月二十九日に徳川茂徳から禁裏へ献上され、御物としていま宮内庁が保管している。吉光の太刀は、他に別のものが古絵図に描かれているのをみることからも、一期一振は一生に一振だけ作った太刀ということではなく、一生にただ一振の代表作であり、一世一代の傑出作という命名であろう。いかにも天下の名刀としての名に相応しい(口絵15頁参照)。

五 名物 重文 長刀直し刀 号 骨喰藤四郎 無銘 吉光(豊国神社蔵)

長さ一尺九寸四分。長刀《なぎなた》直し造。地鉄は小板目肌よく詰む。現在の刃文は中直刃、帽子小丸。彫物は表樋内に倶利迦羅《くりから》、裏樋内に火焔不動と梵字を真に彫る。茎はほとんど生ぶ、先をわずかに切詰める。『光徳刀絵図』の収載図によれば焼身となる前の刃文は直刃に互の目足入りである。もとは長刀であったものを、いつのころにか脇指の寸法に詰めて長刀直し造としている。

骨喰藤四郎の名の由来は、人に向かい切る真似をするだけで骨が砕けるほどの名刀と称されたことからきている。刀そのものが数奇な伝来をもつことでも異色である。もとは大友家の始祖能直《よしなお》が源頼朝から拝領したことに始まる。南北朝の初め、大友家から足利尊氏へ献上され、以後は足利将軍家に伝えられた。永禄八（一五六五）年、十三代将軍足利義輝が松永久秀に殺されたおり、久秀がこれを奪い、その後、大友家重代の宝刀であったため、大友宗麟が久秀から譲り受ける。天正十七（一五八九）年、秀吉の九州征伐の際、宗麟が降伏の印として秀吉に贈ったのが骨喰藤四郎である。〝秀吉公御物〟となっ

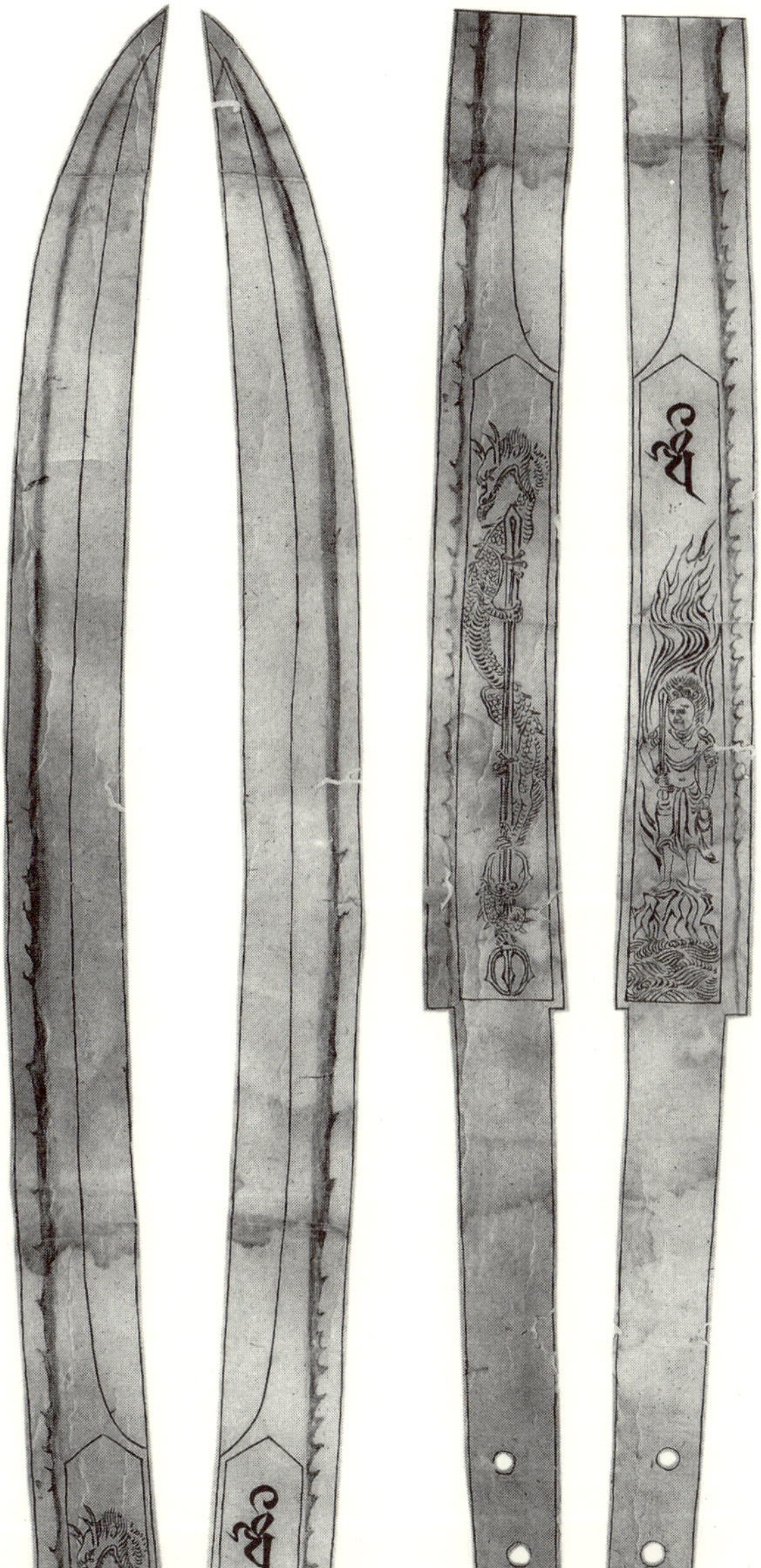

長刀直し刀 無銘吉光（『光徳刀絵図（大友本）』所載）

たこの刀は秀頼に伝わり、大坂落城のおり、多くの名刀が焼身となったなかで、奇《く》しくも難をのがれている。『名物帳』には御城の堀から出たとあり、また『難波戦記』には秀頼の茶坊主が盗んだものともいうが、大坂の兵火の前に持ち出されていて、焼けずに済んだもののようである。しかし後年の明暦の大火で江戸城で類焼し、三代康継が焼直しをしている。江戸時代は家康から秀忠へ渡り、徳川将軍家の蔵刀となったが、維新後、明治二十(一八八七)年、徳川家達から秀吉を祀る京都・豊国神社へ奉納され、現在に至っている(口絵16頁参照)。

六 名物 御物 短刀 号 平野藤四郎 銘 吉光(宮内庁蔵)

『享保名物帳』の巻頭第一にあるのが平野藤四郎である(薬研藤四郎・厚藤四郎を巻頭に掲げるものもある)。『名物帳』にある吉光は上巻に短刀十六口、下巻焼失の部に一期一振藤四郎の太刀一口を筆頭に短刀・脇指十七口、名物追記に太刀一口、短刀二口を掲げている。その数は太刀二口、短刀・脇指三十五口、計三十七口である。

吉光は古今を通じて短刀の名手として知られる。国吉の子、また門人とも伝えられているが、国吉に大振りの短刀があるのに似て、吉光にもやや大振りのものがある。なかでも最も大振りなのがこの平野藤四郎である。地刃の出来も抜群なものがあり、焼出しからすぐ上部に小豆つぶを並べたような互の目を揃えるのと、物打辺の焼幅をやや狭めにするのが吉光の掟とされていて、それがこの短刀によく表されている。吉光の典型作かつ代表作である。

長さが九寸九分三厘あり、同作の短刀中で最も長い。『名物帳』によればこの短刀はもと一尺あったものを、一分磨上げたものといい、現寸の九寸九分余になったことになる。

平野藤四郎の名は摂津国平野の町人道雪が所持していたところからのもので、木村常陸介（重茲《しげこれ》）が

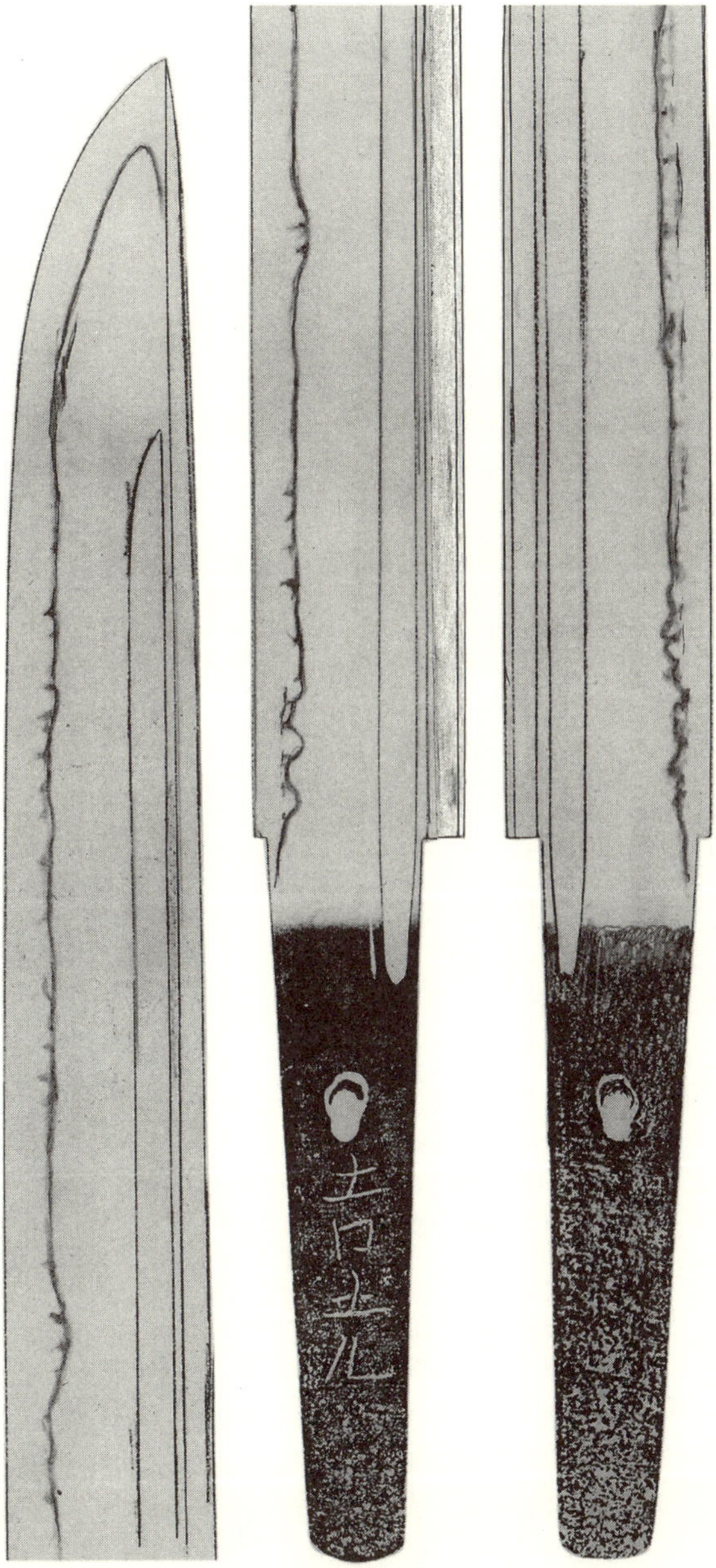

短刀 銘吉光（『御物東博 銘刀押形』所載）

求め、常陸介が磨上げてのち秀吉に献上している。のち前田利長が拝領したが、利長は将軍秀忠に献じ、元和三（一六一七）年前田利光（利常）が秀忠から拝領し、以来前田家に伝来したものを、明治十五（一八八二）年、前田家より明治天皇へ献上したものである（口絵17頁参照）。

七 名物 国宝 短刀 号 厚藤四郎 銘 吉光（東京国立博物館蔵）

長さ七寸二分。重ねが厚く四分があり、内反り。板目肌よく詰み、地沸がつき地景入る。中直刃に元の方互の目を連れて焼き、匂深く沸よくつき、金筋が入る。地刃健全である。山城国粟田口派吉光の異色の造りである。重ねが特に厚く鎧通しの造りは室町期にはみるが、鎌倉期には類例がなく、刃中の金筋の働きがめだって豊富なのも同作には異例なほどである。吉光は短刀の名手として名高い。

もと室町将軍家の重宝で、泉州の町人が所持し、本阿弥光徳の手に入り、一柳伊豆守（直末《なおすえ》）、黒田如水と渡り、如水から秀次に献じ、さらに秀吉に贈った。のち毛利輝元が拝領し、毛利家から徳川家綱に献上され、以後は将軍家に伝来している。はじめは五百枚代付け、のち寛文の初め本阿弥光徳の代付けでは金千枚という高価さである（口絵18頁参照）。

八 名物 御物 脇指　号　鯰尾藤四郎　銘　吉光（徳川美術館蔵）

長さ一尺二寸八分。長刀直し鵜首造《うのくびづくり》。姿恰好が鯰の尾に似ることから鯰尾藤四郎と呼ばれる。『享保名物帳』に「長刀樋添《そえ》樋《び》これ有り、打のけ多し、大坂の御物なり」とある。秀吉の愛刀で、秀吉没後は秀頼が指料としていたもの。大坂落城のおり兵火に遭ったものを家康が初代康継に再刃させ、遺産

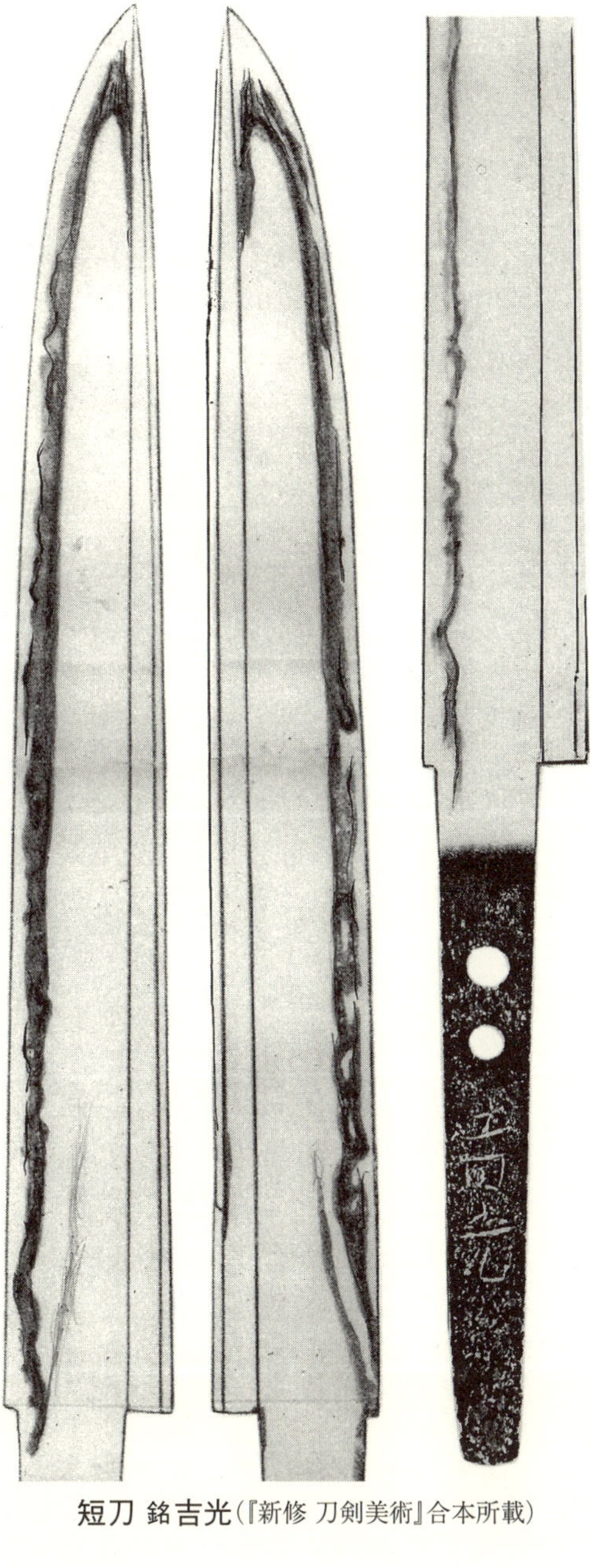

短刀 銘吉光（『新修 刀剣美術』合本所載）

分配されて尾張徳川家に伝来した。

吉光は山城国、粟田口派の刀工で、生まれは正元（一二五九〜一二六〇）頃と伝え、国吉の四男で藤四郎と称す。短刀の名手として名高く、作例はほとんど短刀で、太刀は「一期一振」と号するものがあるが稀である。

刃文は直刃が多く乱刃もあり、焼出しに小互の目を揃えて焼くのが特徴とされている。匂いが深く小沸がよくつき、匂口が明るい。鍛えは小板目肌が詰んだものと、肌立ち気味のものとがあるが、いずれも地鉄に強さがみられる。刀身彫は比較的に多く、鯰尾藤四郎には長刀樋に添樋があり、表裏に護摩箸を彫るなど簡略な彫をみる。骨喰藤四郎は無銘作で吉光に極めた長刀直し刀であるが、倶利迦羅と火焔不動の濃密な彫物があって異例である（口絵19頁参照）。

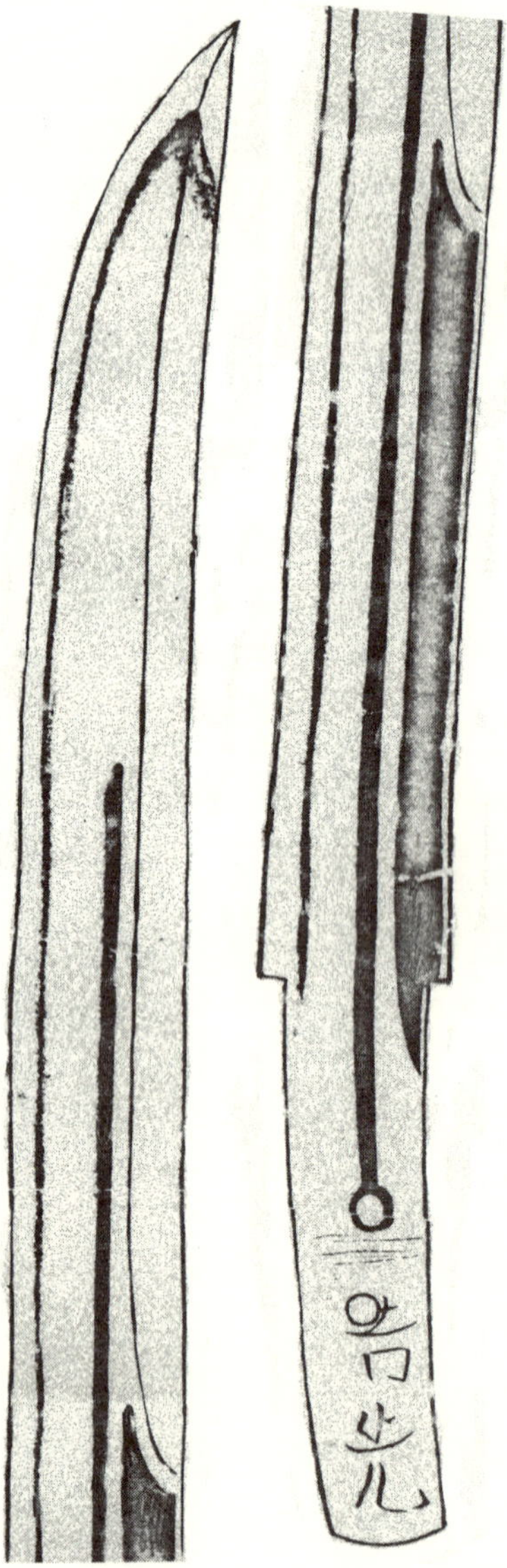

脇指 銘吉光（『光徳刀絵図（石田本）』所載）

九　名物　重文　短刀　号　愛染国俊　銘　国俊（個人蔵）

長さ九寸五分。平造、身幅広めで寸が延び、僅かに反りをもつ。鍛え小板目に小杢交じりよく詰む。刃文は互の目乱、匂深く小沸よくつく。表に素剣《すけん》、裏に棒樋に腰元に添樋を彫る。茎は生ぶ、表の目釘孔下に愛染明王を線刻し、その下に二字銘を切る。

愛染国俊の名は茎表に刻まれた愛染明王の彫物による。太閤御物の一で、秀吉が愛用した短刀である。のち徳川家康の手に渡り、森美作守忠政が家康から拝領する。家康没後に遺物として将軍家光に献上し、のち家光から前田家に贈られたものである（口絵20頁参照）。

十　太閤御物　短刀　号　細川正宗　無銘　正宗

長さ八寸一分。湾れ調の乱刃に金砂のような沸がよくつき、金筋・稲妻が走り、地には大模様の肌が交じり、地景が働く。生ぶ無銘の作である。

『光徳刀絵図』には「行光　八寸二分」とあり「家康進上」と記されている。家康が秀吉に献上したものである。本阿弥光徳が行光と鑑定していたものを、のち元禄十四（一七〇一）年に光忠が正宗作として極替えし代金三百枚の折紙を付けている。細川越中守に伝わっていたことから、細川正宗と号される

（口絵21頁参照）。

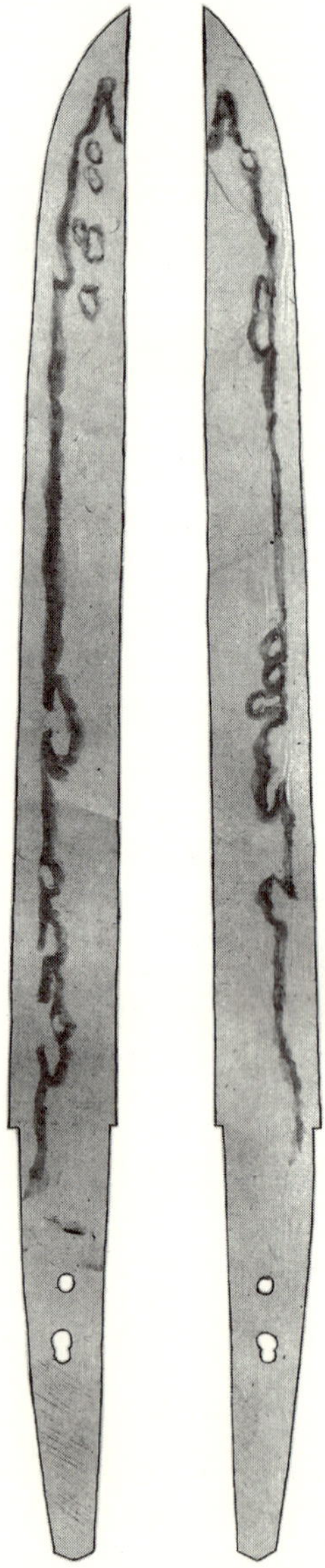

短刀 無銘正宗
（『光徳刀絵図（大友本）』所載）

十一 名物 大坂御物 短刀 号 若江十河正宗 無銘 正宗 （徳川美術館蔵）

『名物帳』また『光徳刀絵図』には「長さ八寸七分」とあるが、現在は八寸五分。元より二分短いのは火災時、あるいは再刃のときに切り詰められたためであろう。大坂落城のとき焼けたので家康が再刃させている。

名物・若江十河《そごう》の名は、河内国若江というところから見い出された短刀で、十河十左衛門が所持していたことからのものという。秀吉が所蔵し、のち家康から遺品として尾張徳川義直に贈られ、尾張徳川家に伝えられたものである（口絵22頁参照）。

十二　名物　大坂御物　短刀　号 大坂長銘正宗　銘 相州住正宗 嘉暦三年八月日（徳川美術館蔵）

長さ八寸五分。『埋忠押形』は八寸三分、『刀剣名物帳』は八寸六分と少し誤差があるが現況を優先する。

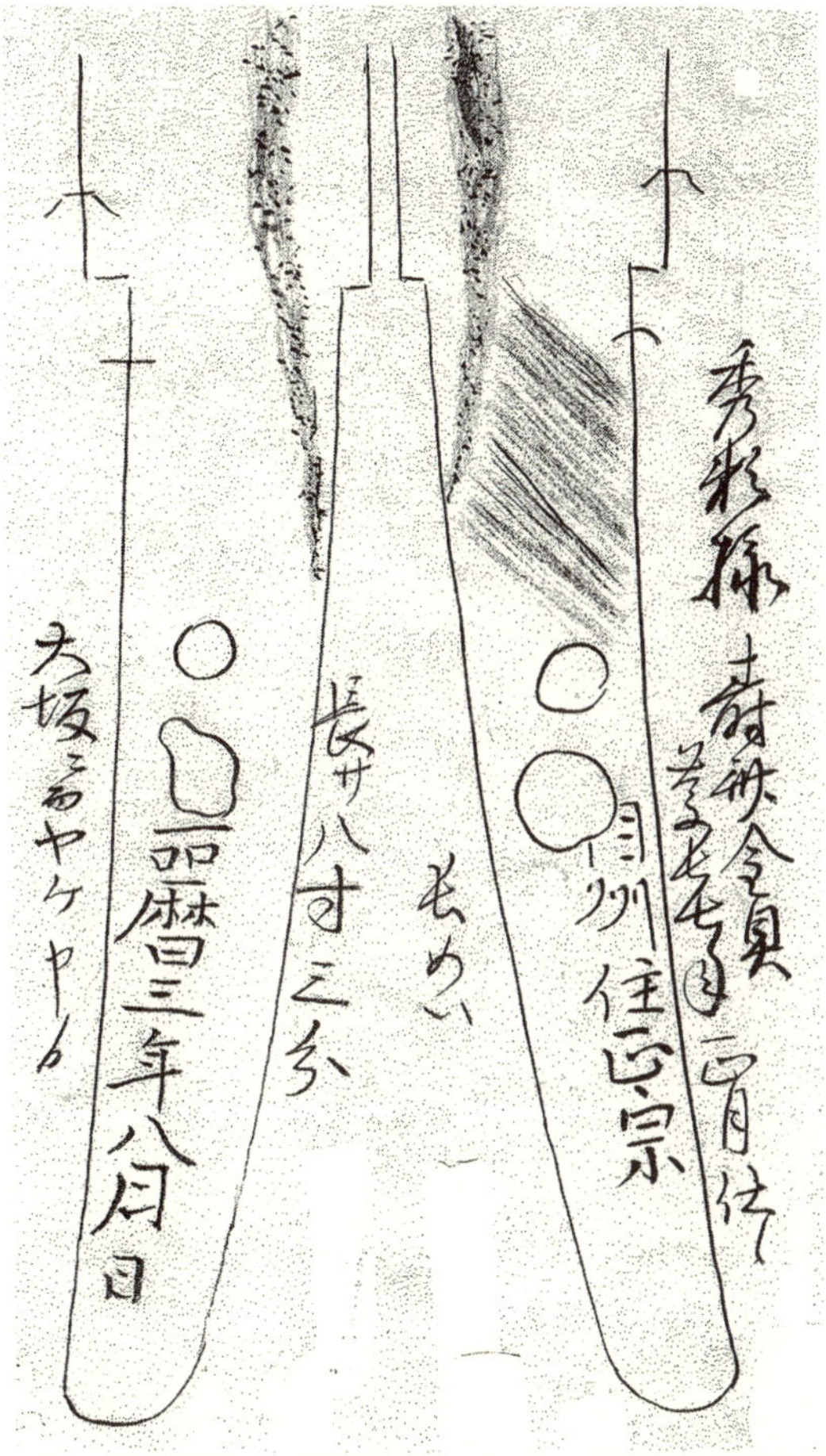

短刀 銘相州住正宗 嘉暦三年八月日（『埋忠押形』所載）

細川幽斎が秀吉に献上し、秀頼に伝えた名宝で、大坂落城のさい火災に遭うが家康が越前康継に再刃させる。のち家康の遺品「駿府御分物」の一として尾張徳川家に伝来する。

『享保名物帳』に収載する正宗の作刀は焼失の部十八、追加二を含め六十一口にのぼる。

ほとんどが無銘作で、朱銘と象嵌銘がわずかに、在銘は八口ほどであり、裏年紀(製作年銘)があるのは大坂長銘正宗と江戸長銘正宗の二口だけである。いま江戸長銘(正和三年十一月紀)は所在不明なため、嘉暦三年紀がある大坂長銘のみが年紀を有する正宗の貴重資料として健在である(口絵22頁参照)。

十三 名物 短刀 号 奈良屋貞宗 無銘 貞宗(徳川美術館蔵)

長さ九寸七分。平造、総体に反りがつき、寸延び。表に素剣に梵字、裏に護摩箸に梵字の彫がある。鍛え小板目肌が詰む。刃文は湾れに小互の目交じり、茎は先剣形の生ぶ。

『享保名物帳』によれば、泉州堺の奈良屋宗悦が所持していたことから名付けられたという。その後、文禄の頃に黄門羽柴秀俊(小早川秀秋)が五百貫で購入し、秀吉に献上、秀吉から秀頼と移り、のち秀頼が慶長十三(一六〇八)年五月二十一日(『豊臣家御腰物帳』では五月六日)将軍秀忠に献上し、さらに尾張初代義直が拝領したとある。義直が秀忠から拝領したのは、尾張家『御腰物請取・払方帳』によって、元和九(一六二三)年二月十三日の秀忠の江戸義直邸御成のときであると知れる。

羽柴秀俊ー秀吉ー秀頼ー徳川秀忠ー義直と伝わり、その後、家光ー頼宣へと移り、慶安三(一六五〇)年に尾張家の名物・和泉藤四郎と交換され、以後、奈良屋貞宗は尾張家に伝えられてきている(口絵23頁参照)。

十四　名物　国宝　脇指　号　徳善院貞宗　無銘　貞宗（三井記念美術館蔵）

長さ一尺一寸七分。身幅が広く一尺を超す大振りな造り。地景が細かくよく入った精美な地に、湾れに互の目、丁子交じり、匂いを敷き沸深く強くつき、やや大きめの沸が光る。表裏に力強い彫があり、生ぶ茎で健全である。

織田信長の長男信忠が所持し、その長男秀信に移り、秀信から秀吉に献上される。のち秀吉の五奉行の一人徳善院前田玄以が秀吉の遺物として拝領し、関ヶ原の戦いの後徳川家康の手に入り、さらに紀州徳川家に譲られる。その後伊予西条松平家に伝来する。前田徳善院の蔵刀であることから徳善院貞宗の名がある（口絵24頁参照）。

十五　太閤御物　刀　金象嵌銘　助真　本阿（花押）

長さ二尺二寸六分。元身幅広く、先幅もさまで狭まらず、中切先が詰まった姿恰好が鎌倉期の作調をよく示し、大磨上げながら腰反りが深く堂々とした風格をみせている。大丁子乱の焼の出入りが烈しく華やかなさまは、一文字派特有のもので、なかでも助真の刃文は同派中で最も華麗であり、匂深く小沸をよくつけた技の本領をこの刀は存分に発揮している。大磨上げの茎に、本阿弥光常が金象嵌を施している。古来、太閤御物として知られる一刀である。

助真は備前福岡一文字の刀工で、鎌倉中期の正元頃に鎌倉に下向し、鎌倉鍛冶の開祖の一人となっている（口絵25頁参照）。

十六 名物 重文 刀 号 大兼光

金象嵌銘 備前国兼光
本阿弥（花押）（佐野美術館 蔵）

長さ二尺七寸五分強。『名物帳』に「長き故の名也」とある。大磨上げながら、いまなお長寸であり、もとは三尺を超す長大な豪刀であったことを思わせる。鍛えは板目肌がやや肌立ち映り立つ。刃文は匂勝ちの互の目乱。帽子乱込み先尖りごころに返る。茎は本阿弥光温が寛永後半頃に金象嵌を加えている。

南北朝期の長船兼光の作で、大兼光の称がある。兼光は長船派の正統で景光の子。正宗十哲の一人といわれる。

秀吉の没後、前田利家邸で形見分けが行われ、藤堂高虎が大兼光を拝領している。のち将軍家に献上される（口絵26頁参照）。

十七　名物　国宝　刀　号　冨田江　無銘　義弘（前田育徳会蔵）

長さ二尺一寸四分。刃文の焼幅が広く、湾れ調の直刃に互の目を交じえ沸匂いが深く、地刃が明るく冴えたところは相州伝の上工中でも第一に位する。正宗十哲中で最も名声が高い。『名物帳』は収載する江の作十四口の筆頭に掲げ〝天下一の江なり〟といっている。

松平加賀守の臣冨田左近信広が所持していたことから冨田江の名がある。のち堀左衛門督《かみ》（秀政）が入手し、秀吉に献上する。次いで前田利家から徳川秀忠に渡り、さらに秀忠から前田利長が拝領し前田家に代々伝わる（口絵27頁参照）。

十八　名物　小太刀　号　松浦信国　銘　源左衛門尉信国　応永廿一年二月日（徳川美術館蔵）

長さ一尺九寸四分、反り五分。鍛え小板目肌が詰み、刃文は直刃に小乱交じり、小沸よくつく。佩表に宝珠をはさんで上り龍、下り龍を彫り、佩裏は櫃の内に真の倶利迦羅を浮彫にする。応永備前を代表する一人源左衛門尉信国の逸品である。

この小太刀は秀吉の愛刀の一で、『豊臣家御腰物帳』に、細川忠興から贈られ、慶長十六（一六一一）

年四月三日に徳川義直が秀頼から拝領したとある。即ち同年三月二十八日徳川家康と豊臣秀頼が二条城で会見した後、家康の名代として義直が秀頼を大坂城へ送り届けたときに、秀頼から義直に贈られた由緒あるものである。

松浦《まつら》信国の号は、肥前平戸の城主松浦鎮信の蔵するところからのものといわれる。『享保名物帳』追記の部に「尾張殿　松浦信国」とあるのに該当する。次いで「上り龍（信国）　長さ壹尺九寸」のものが記載されているが、この「壹尺九寸」は松浦信国の寸法である。松浦信国には「長さ　貳尺壹寸九分」とあって、これが上り龍（信国）のもので、相互に寸法が入れ替わっているようである。

小太刀（脇指）　松浦信国　長さ一尺九寸

太刀　上り龍（信国）　長さ二尺一寸九分

このように考えれば、上り龍下り龍を彫った信国には、大刀《だいとう》の太刀と小刀《しょうとう》の小太刀（脇指）が大小であったとみることができよう。尾張徳川家の『荊田蒔絵小鼓付　書付』には敬公（義直）が秀頼より拝領した刀は「御太刀信国一腰　御脇指一腰」とあって大小一腰が揃っていたことが知られる。同家の『御腰物御脇指帳』（慶安四年三月）には「松浦信国　代金三拾枚ノ由御拵有秀頼より」（『尾張・徳川家伝来名刀百選』）とあり、この小太刀（脇指）が「松浦信国」であることは明らかである。

なお名物信国は小太刀（脇指）の「松浦信国」と、太刀の「上り龍（信国）」の二口で、もとは大小揃いであったらしく、「松浦信国」を「上り龍とも云」と『名物帳』が記しているように、大小とも同様の刀身彫があったとみられる（口絵28頁参照）。

十九　**重文**　金蛭巻朱塗　大小拵・金桐文透　大小鐔（東京国立博物館蔵）

豊臣秀吉所用。朱漆塗の鞘に金の薄金二筋を蛭巻にして華美である。柄は黒塗鮫を着せ、茶糸の菱巻。大は雲龍、小は龍虎の目貫で金容彫。頭《かしら》と鐺《こじり》は金製である。大小鐔は金桐文透しが付き、桃山時代に流行した大小拵の典型をみせて製作が優れる。溝口伯耆守が拝領し、同家に伝来したものである（口絵29頁参照）。

参考資料　金沃懸地《いかけ》　菊唐草文　太刀（金剛峯寺蔵）
（次米《しとぎ》鐔銘）正阿弥左兵衛丞常吉（花押）
慶長亖年四月一日

慶長四年は秀吉が没した翌年のことで、この年、秀頼が高野山に奉納した堀川国廣太刀（二尺一寸九分・重文）に付く拵である。「正阿弥金具」（『毛吹草』）で知られていた正阿弥の作。俗銘入りで、年代が慶長まで遡るのは現存作では稀少である（口絵30頁参照）。

第四章　秀吉の甲冑

桃山の華麗な変り兜と具足

室町時代末期から桃山時代にかけての戦国の動乱期は、天文十二（一五四三）年に鉄砲が伝来してのち火器が戦闘の主流をなし、槍が前代に引き続き普及している。戦闘方式は密集隊形による徒歩集団戦へと変化し、従来の甲冑では機敏な活動ができず、また鉄砲の弾丸や鋭利な槍の攻撃を防ぐことができないという欠点がでてきた。大規模な徒歩集団の戦闘が主流となったことで、大量の数の甲冑が必要とされ、そこには簡便化され、量産化されるものが求められてきた。室町末期から桃山初期にかけて甲冑の世界に変革がもたらされたのである。

そこで簡便で堅牢な「当世具足」と呼ばれる新しい形式の甲冑が現れた。この新様式の甲冑は一般には「具足」といい、「当世具足」と称したのは、「当世」は「今の世」であり、「現代」であって、すべてがそなわっていることを表している。つまり防護機能が完備した現代風の具足なのである。鉄砲を用いた戦闘や槍主体の集団戦法に対応でき、軽快な動きをすることができる工夫がこらされている。

当世具足は兜、胴、袖の三つと、籠手《こて》、頬当《ほおあて》、臑当《すねあて》、佩楯《はいだて》などが皆具しており、従来の胴丸の形式を基本に、細部の構造などに新しい工夫が加えられている。胴丸は〝筒丸〟ともいわれるように、胴廻りをひと巻きにして右脇で引き合わせを設けたもので、もともと装着が簡便であり、軽便なことから徒歩戦には至便である。この胴丸に加えられた新しい技法の最たるものは、素懸威《すがけおどし》が採用されたことである。従来行われてきた毛引威《けびきおどし》の手法は製作時間と費用がかさむのに比べ、素懸威は小札一面に威さずにすむため、多少とも重さを軽減されることともなり、桃山時代には盛んに用いられた。素懸威の遺品として著名な銀箔押《ぎんぱくおし》伊予札《いよざね》胴丸具足（仙台市博物館蔵）は豊臣秀吉の所用品で、伊達政宗が拝領したと伝承している。この具足は胴と草摺を革札にして、白色で素懸威としており、全体の重量が三・六キロと軽量である。

新しい技法の画期的な改良に板物胴の考案がある。作例に片肌脱胴《かたはだぬぎどう》具足（東京国立博物館蔵）があり、のちに本論でみる秀吉がスペイン王へ贈った仁王胴具足などが代表的である。また西欧甲冑を改装した南蛮胴具足などもあって、新奇を好んだ戦国武将の趣向を反映したもので、独創的な造形感覚によって生み出されたものといえよう。

当世具足に具備する兜は、星兜や筋兜といった通常の形姿のものから、異形で奇抜な意匠の〝変り兜〟が盛行したのもこの時代である。鉄を打出し、鉄板を矧《はぎ》合わせた置手拭形兜などのほか、素材に木、布、革などを用い、特に和紙を主材に張懸《はりかけ》技法で形姿を整えた鯰尾形兜、一ノ谷兜、唐冠形《とうかんむりなり》兜などがあって、集団戦のなかにあって敵を威圧するだけでなく、自己の存在を誇示するに充分なものがあった。

かくて当世具足は伝統の枠を越え自由な発想による造形、意匠がなされたもので、素材、構造、機能などの各面にわたり変革を遂げるものとなった。

豊臣秀吉による天下統一の事業は、中央の甲冑様式を地方へ伝播させることと関連をもつ。当世具足は天正から慶長初期を形成期とし、慶長年間に様式を定形化していったとみられる。日根野弘就・高吉父子が考案したといわれる日根野頭形兜、細川三斎（忠興）の創案による三斎流の具足などは実用の利便性が高い評価を受け、藩という局所にとどまることなく、全国的な盛行をみるほどとなり、当世具足の形式発達に多大な影響を及ぼすこととなった。

秀吉の影武者鎧、また近習具足とも

当世具足の典型かつ代表的なものに、豊臣秀吉の影武者鎧あるいは影武者七騎の鎧と称するものがある。この色々威二枚胴具足は、鉄地切付盛上札を用い、左脇で蝶番《ちょうつがい》を用いて前後二枚の胴をつなぎ開閉を自由にした構造で、背には指物装置を付けるなど、当世具足の特徴をよく示した遺品である。

明治二十五（一八九二）年の尾張徳川家の調査記録によれば、もとは大坂城中にあった秀吉近侍具足であるという。一説には恩賞用に製作されたともいうが、いずれの作も同一形式をもち十余領が伝存している。

この秀吉の近習具足は、徳川家康の手に渡ってのち、家康の遺品として尾張徳川家に十六領が分与されている。元和二（一六一六）年、徳川家康の遺品を分配したときの目録『駿府御分物御道具帳』（水戸家本）には「御具足拾六領分」とあって、これが色々威二枚胴具足に相当するものと知られる。これとは別に、徳川頼宣奉納と伝え紀州東照宮にある一領を加算すると、家康の手元には少なくとも十七領があったとみられる。現存して知られる色々威二枚胴具足は、海外にも渡ったものがあるらしく、これから見つかるであろう数を加えると、もともと秀吉のもとにあったのは相当数にのぼることとなろう。

近年、宮崎隆旨氏の調査で、これら一連の具足は徳川家康用の近習具足ではないかとの説がある。色々威二枚胴具足は紅《くれない》・白・縹《はなだ》の三色、または四色の色糸で威し、胸板《むないた》に這龍を、草摺の裾板《すそいた》には桐紋を金蒔絵して明るく、華やかである。またこの時代には仁王胴や片肌脱胴など趣向をこらした異形のものがあり、銀箔で覆われた伊予札胴丸は熊毛に金色の軍配を付けた色彩に目をみはるものがある。

秀吉の好んだ甲冑は、華麗に開花した桃山美術そのものを体現したもので、自由闊達な時代の息吹を表すかのように、斬新で奇抜な新様の技をみることができる。

一　馬藺後立一ノ谷形兜（東京国立博物館蔵）

天正十五（一五八七）年、九州攻めのさい、秀吉が功のあった蒲生氏郷の臣西村重就に与えた兜である。頭形兜の表中央に鎬を立て、鉄板を地に張懸で一ノ谷形を表している。源義経が一ノ谷の鵯越《ひよどりごえ》の断崖を駆け下りて平家を破った故事になぞらえたもので、兜の表面を直線や湾曲線で表し、あるいは黒田長政所用の銀箔押一ノ谷兜は曲線で表すなど、桃山期に盛行した変り兜の最たるもの。なかでも秀

馬藺後立 一ノ谷形兜（東京国立博物館蔵）
Image:TNM Image Archives

吉の馬藺《ばりん》の兜は広く知られた名物兜である。戦前まで九段の靖国神社遊就館にあったものが、終戦の混乱期であったろうか、現物の行方が知れずにきていたが、近年見つかり、東京国立博物館の所蔵となった。

　後立の二十八本の放射光状に挿し、放たれた馬藺が旭日の光を思わせる。馬藺は菖蒲の一種で、檜製の薄板を用いて作られている（口絵72・73頁参照）。

二 重文 銀箔押伊予札白糸威胴丸具足 黒熊毛植桃形兜（仙台市博物館蔵）〔伊達政宗拝領〕

天正十八（一五九〇）年七月、北条氏を攻略し天下をほぼ手中にした秀吉は、残る奥州仕置のため会津に向かった。下野宇都宮まで出迎えた伊達政宗に秀吉が与えたのが、この日輪に照り映えるような

銀箔押伊予札白糸威胴丸具足
黒熊毛植桃形兜（仙台市博物館蔵）

銀白色の華麗な具足である。

六枚張椎実形の兜に黒熊毛を植え、鉢の前後には軍配団扇の立物が金色に輝き、後は蛇の目を配していて、これは日輪をみせたものかもしれない。𩊱の裾には白いヤク（犛牛）の毛を引廻しに用いている。兜の𩊱は二段で銀箔が施され、菊桐紋が金蒔絵されている。

胴は矢筈頭の伊予札に銀箔が施され白糸で素懸に威す。黒漆塗の金具廻りには桐と菊紋を金蒔絵して、いかにも秀吉の着料として相応しい。両袖は備えない。もともと軍配団扇付の黒熊毛兜は別に一頭が付き、本体のものと合わせて二頭が伝世する。

桃山という自由闊達な文化は、「変り兜」という斬新な造形をもたらしたものであり、その典型の一つをこの甲冑にみることができる。

伊達家の正史『貞山公治家記録』巻十四の天正十八年七月晦日条に、秀吉から政宗に具足が与えられた記事がみられる。

卯花威ノ御具足　熊毛ノ御冑　御鎧　御綴毛色　御具足ニ同シ　御団扇相副ヘラレ

とあって、この熊毛団扇の具足が該当する。

此御具足ハ西国　東国マテ召セラレ　天下思召ノ儘ナルノ由　御意有テ拝領シ玉フ

と記録は続く。この具足が西国から東国にもたらされた初めてのものであり、「天下思召のまま」のものとして、拝領したものであることを示している。

この具足は、一見しては均整がとれて重厚感があるが、三・六キロと具足としては軽量である。縫《ぬい》延《のべ》にした伊予札胴を煉革《ねりかわ》小札で構成していることも、鉄小札の重量からはよほど軽減したものとなっている。総じては比較的に小柄にみえるのは、秀吉の着料に相応しく、その体型に合わせて仕立てたものであろう（口絵50・51頁参照）。

三　縹色下散紅威胴丸〔脇坂安治拝領〕（大阪城天守閣蔵）

賤ヶ岳七本槍の一人として知られる脇坂安治が秀吉から拝領した胴丸である。秀吉に従って九州征伐の後、文禄の役、また慶長の役に水軍の将として渡海し、軍功をたてる。

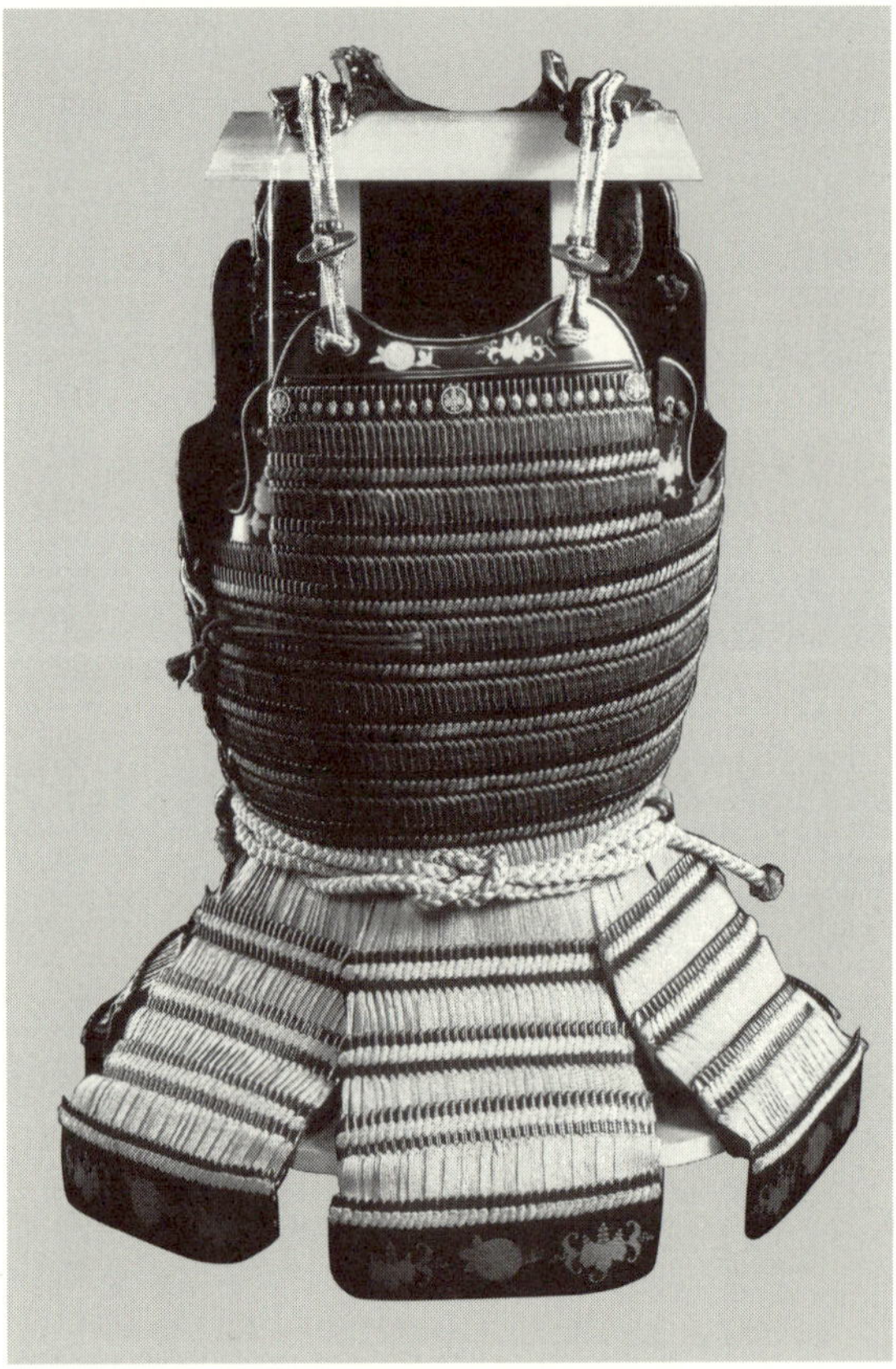

縹色下散紅威胴丸（大阪城天守閣蔵）

胸を縹糸、草摺を紅糸で威して配色が美しい。胸板や脇《わき》板《いた》、また裾板に五七桐紋と菊花を金蒔絵して華美である。

胴丸は胴廻りがひと続きとなり、引き合わせを右脇に設け、ここで開閉する形式の鎧である。草摺は八間以上に分かれていて、活動しやすいのが特徴で、胴丸具足は馬上また徒歩戦に功を奏して多用された（口絵49頁参照）。

四　紅白糸威十六間筋兜〔山田光俊拝領〕

色々威二枚胴具足に付く一連の兜と同作で、鉄黒漆塗十六間阿古陀形筋兜、総覆輪に檜垣《ひがき》をめぐらし古風な眉庇が付く。吹返しに桐紋を金蒔絵。二段の板𩊱に紅と白糸で毛引威とする。三鍬形《みつくわがた》の前立を添える。

豊臣秀吉から山田光俊が拝領し、永く山田家に伝来してきたもの。同家の記録によれば、初代兵左衛門光俊が朝鮮出征のさいに武功をあげ、秀吉から拝領したという。

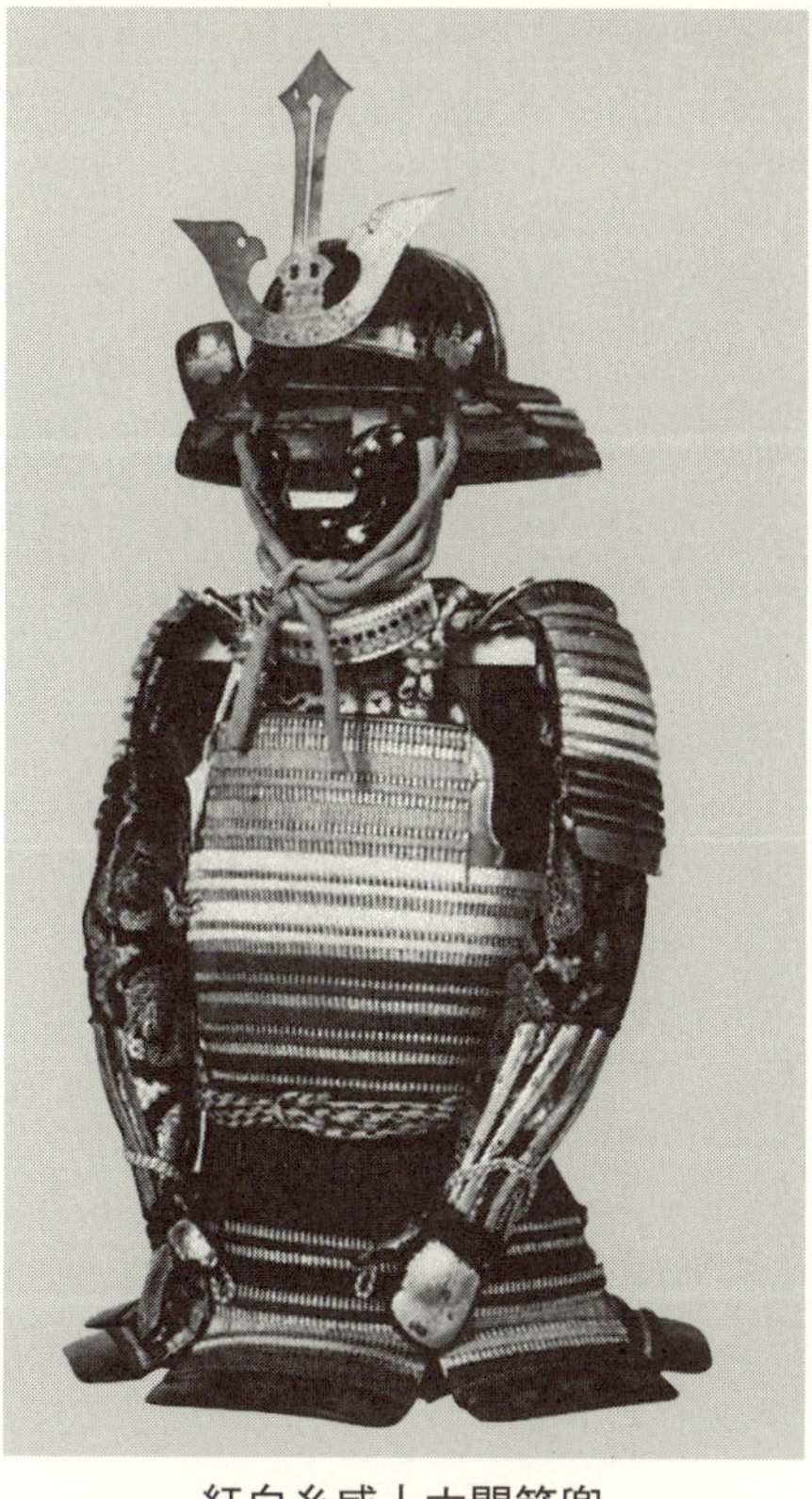

紅白糸威十六間筋兜

五　色々威二枚胴具足（大阪城天守閣蔵）

一連の色々威二枚胴具足は、いずれも同一形式をもち当世具足の特徴をよく示して明るく清楚な作調である。

阿古陀形の兜に三鍬形の前立を飾り、胴は前後を二分して左脇でとじ、右で引き合わせて開閉を自在にしたこの構成を二枚胴と呼んでいる。左脇を蝶番でとじ、後背に指物装置を付けるなど当世具足の風がある。当世具足は古式の甲冑に対する「当世」仕様の具足であり、身体の間隙をなくす装置を完備した具足の意である。

黒漆塗の切付小札に紅・白・縹・紺の四色の糸で美装し色々威とする。胸板と草摺の裾板に桐紋を金蒔絵で描く。桃山期の様式をよく伝えて華美な雰囲気があふれる。

これらの具足の製作はすべて抱具足師・岩井家の手になるものであろう。朱書きの作銘があるものに「茂右衛門尉作」、「助右衛門尉作」がある。朱書銘で最も多いのが「林孫四郎」で八例あり、「八人」「戊一」などがあって威糸ほかの修補が行われている。「林孫四郎」は『奈良曝』（貞享四年刊）に岩井孫四郎の名が記されていて、同一人とみれば、「林孫四郎」の年代が江戸中頃の人と知られる。また大阪城天守閣蔵品の一領に「加藤彦十郎　津田助左衛門　宝暦十年午五月日」と墨書きした竹札が結び付けられていて、加藤彦十郎、津田助右衛門はともに尾張藩の抱甲冑師であることから、宝暦十（一七六〇）年に尾張家で修理をしたことがわかる。具足の製作は桃山時代（口絵70頁参照）。

色々威二枚胴具足（大阪城天守閣蔵）

六　色々威二枚胴具足（靖国神社遊就館蔵）

この色々威二枚胴具足は秀吉近習の具足とも伝える。鉄黒漆塗十六間阿古陀形筋兜が付く。元和二（一六一六）年、家康の遺品を尾張徳川家に分与した目録『駿府御分物御道具帳』によれば、この具足は十六領があったとある。これと別に紀州東照宮にある同作の一領は、頼宣の奉納といわれて

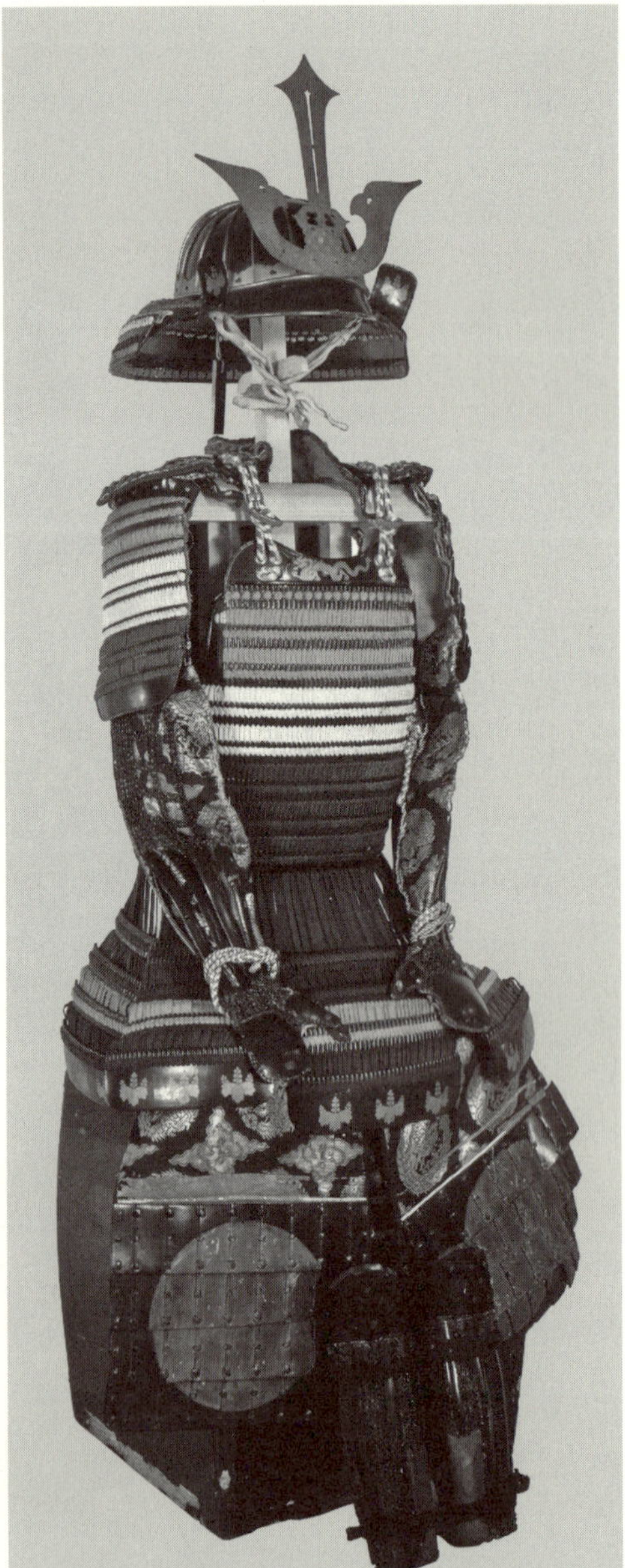

色々威二枚胴具足（靖国神社遊就館蔵）

いることから、家康の手許にあった数は十七領以上ということになる。なおまた大坂城中にあったときの秀吉の具足はそれを上まわる数だったとみることができる。この種の具足には秀吉の影武者七騎説があるが、数量の上からは影武者七騎説はありえない。

いま存在が確かめられる色々威二枚胴具足の他に同作の兜のみが一頭、兜と臑当が一具など揃い具足でない部品がある。また、秀吉がローマ法王に贈呈したと伝える一領がオーストリア・インスブルックのアンブラス城に現存するという（『戦国武将甲冑展』）。

色々威二枚胴具足は熱田神宮、紀州東照宮、徳川美術館、名古屋市秀吉清正記念館、大阪城天守閣、

靖国神社遊就館、他個人蔵四領の計十領が知られる。これに兜と臑当の部品二具を数に加え、オーストリアの一領を加算すれば計十三領となる（口絵70頁参照）。

七　紅白花色紺段威具足（徳川美術館蔵）

色々威二枚胴具足と称されるものの一領で徳川家康所持、尾張徳川家伝来。豊臣秀吉近侍具足ともいわれる。徳川美術館所蔵の『豊太閤近侍具足目録』（尾張徳川家伝来名刀百選）には、

員数之儀ハ本来八人歟、袖菱ノ板ニ朱塗ニテ八人ト記シ有之、御具足多門ニ納有候六領具足ト唱候事畧覚ニ有之、大坂城以来二領ハ欽印歟

とあり、近侍具足は、その製作はそれぞれ異なっていても、遠見は同様に見えるように作ったものである、とも記している。

鞠と頬当に朱銘で「茂右衛門尉作」、臑当に「林孫四郎」、佩楯に「八人」と漆書がある。江戸時代中頃に尾張家で修理したときの書銘であろう（口絵68・69頁参照）。

紅白花色紺段威具足（徳川美術館蔵）
©徳川美術館イメージアーカイブ/DNPartcom

八　革包仏二枚胴具足〔毛利輝元拝領〕（毛利博物館蔵）

唐冠形兜は中国官人の冠を象った独特の変り兜の一である。後立物の纓《えい》が大きく張出し、元を細めにしぼった姿形全体に力感がある。眉庇には大眉と三条の見上皺《みあげのしわ》を打出していて、前立を付けない。

鞆は鉄板札五段朱糸素懸威とする。唐冠形兜の塗色は黒色が多いが、この兜は胴・草摺など全体を朱塗にしており、籠手の金色と見合って色調が鮮やかである。鉄二枚胴は革包とし腰元に牡丹《ぼたん》唐草文を描く。佩楯には山道菊沢瀉《おもだか》文を金蒔絵する。

これは、毛利輝元が秀吉から拝領したものである（口絵60・61頁参照）。

この二枚胴具足には具足櫃《ぐそくびつ》二合が付属する。一荷櫃と呼ぶ二個組のもので、具足を二手に分けて収

革包仏二枚胴具足（毛利博物館蔵）

黒塗菊桐紋蒔絵具足櫃（毛利博物館蔵）

黒塗菊桐蒔絵具足櫃（犬山城白帝文庫蔵）

納する。前面の胸部にある菊座をつけた二つの輪は、担い縄を通すもので、運搬時に背負うのに便であり、この櫃が、背負い櫃であることを示している。形が笈《おい》形となっている。黒韋包の担い縄が遺されているという。

総体黒漆地に菊・桐紋を高台寺蒔絵とした技法に古色があり、銀金具の菊桐紋が精緻である。山口県指定文化財（口絵87頁参照）。

同類の具足櫃に犬山城白帝文庫の蔵品がある（口絵86頁参照）。

九　金小札色々威二枚胴具足（京都・妙法院蔵）

金箔押の烏帽子《えぼし》を象った兜に、胴は前立挙《たてあげ》三段を金小札で、長側《ながかわ》五段は伊予札本縫延で素懸威とする。草摺は銀箔小札なのをのぞき籠手・佩楯・臑当などを金箔で覆い華美である。

秀吉の遺品として豊国神社に納められているもので、蜻蛉燕《とんぼつばめ》文様陣羽織（大阪城天守閣蔵）と一緒のものだったという。しかし、この二枚胴は江戸前期のものと見る向きもある。

金小札色々威二枚胴具足
（京都・妙法院蔵、大阪城天守閣提供）

十 重文 色々威童具足（京都・妙心寺蔵）

胴の胸部の立挙は金小札で、紫・紅・萌黄《もえぎ》糸で威し、腹部の長側は革地に漆箔を施し、松樹・鶴・亀を描いている。草摺は銀箔押五間三段板札で、紅糸素懸威とし、各段に菊・桐紋を金蒔絵する。

色々威童具足（京都・妙心寺蔵）

秀吉の命で、長子棄丸《すてまる》（鶴松）のために作らせたものというだけに、縁起のよい図柄を描出しており、華やいだ美しさに気品があふれた童《わらべ》具足《ぐそく》である。童具足は元服・着初めのほか産衣鎧としても用いられている。

大きさは幼児でも着用は不可能なほど小さい。

童具足とするより玩具鎧（具足雛形《ひながた》）と呼ぶ方が適当かもしれない。小形ながら、本格的な構成をもち、さすが天下人の子弟の所持品である風格を有する（口絵56・57頁参照）。

十一 重文 白綸子包童具足（京都・妙心寺蔵）

胴を松・竹・菊に、鶴・亀・千鳥などを色糸で刺繍《ししゅう》した白綸子《しろりんず》で包んだ童具足である。前出の色々威童具足と対をなすもので、秀吉が第一子棄丸の所用として作らせたと伝えている。

兜は鉄金箔押唐人笠形兜。兜鉢下縁をゆるく曲げ水平に一枚鞠状とし、小さな吹返しを付する。そ

白綸子包童具足・兜（京都・妙心寺蔵）

の内側に白綸子地に菊桐紋を刺繍する三間の割鞠を下げる。

草摺は七間三段。一、二段目を紫韋で包み、裾板と金具廻は黒漆に菊紋を金蒔絵する。

喉輪、籠手、佩楯が付属する。

桃山期の華やかな雰囲気をよく伝える華麗な一品である（口絵52〜55頁参照）。

十二　金小札紅白糸威胴丸〔伝　毛利秀就拝領〕（毛利博物館蔵）

毛利秀就が慶長四（一五九九）年、大坂城に初登城した折、豊臣秀頼から拝領したという伝来をもつ。

兜は銀箔押烏帽子形。側面に金で朝顔が描かれていることから毛利家では朝顔の小具足と呼ばれてきた少年用の童具足である。

眉庇は当世風。鞠は金箔押切付札三段、白糸威。一段を吹返し黒漆地に桐紋を金蒔絵する。

正面に獅噛《しかみ》前立を挿す。

面具は黒漆塗猿頬。金箔押板物三段の垂を紅糸威にする。

胴は金箔押切付札二枚胴。前立挙三段、後立挙四段、長側四段、草摺六間四段下り。

威毛は立挙一段目紫、以下長側一段目まで紅糸。以下白糸威とする。畦目《うなめ》、菱縫は紅糸。耳糸は設けない。

金具廻は鉄黒漆地に菊・桐紋を金蒔絵する。

袖は胴と同構成五段大袖。威毛は一段目紫糸、以下白糸。冠板は胴金具廻に同じ。

籠手は金箔押五本篠籠手。佩楯は白羅紗亀甲綴とし、下部に金箔押切付札三枚を紅糸で威し付けとする。

臑当は金箔押三本篠臑当である（口絵62・63頁参照）。

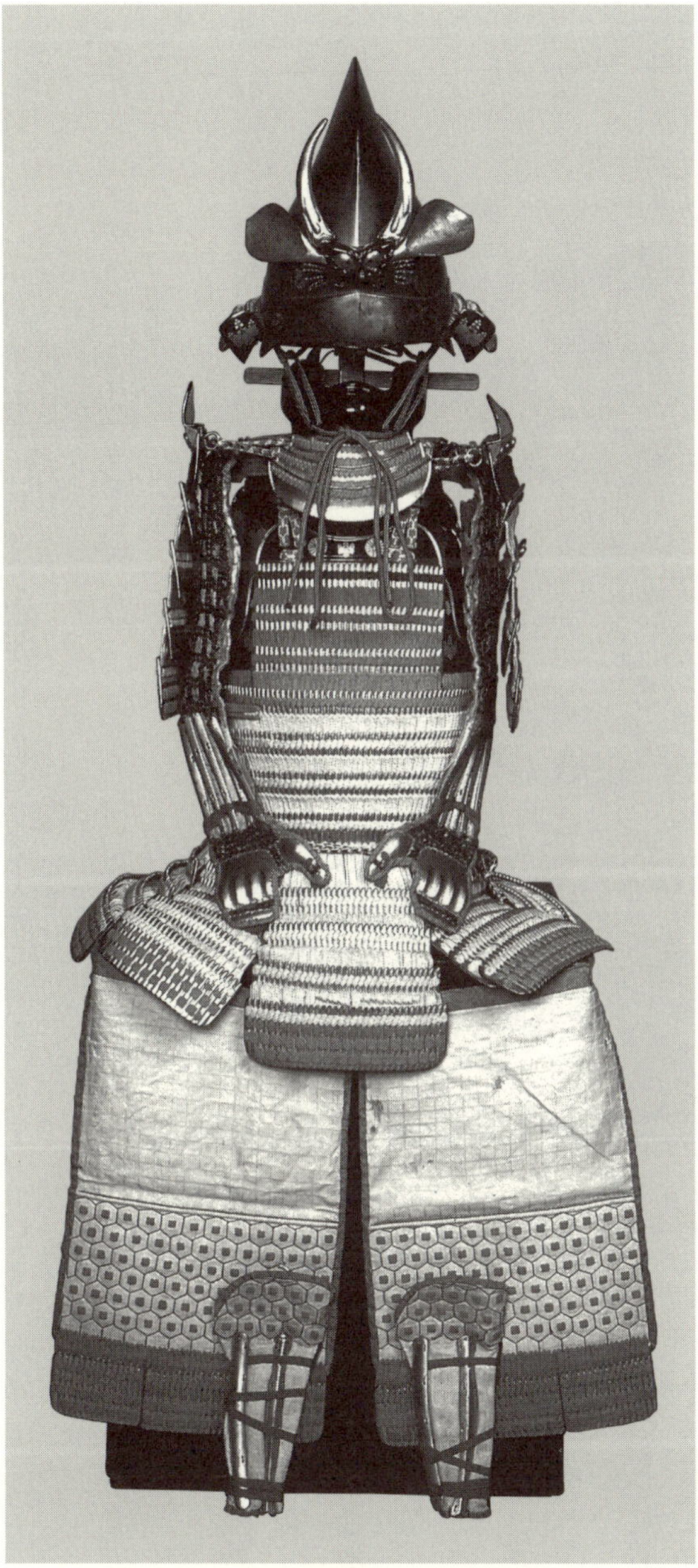

金小札紅白糸威胴丸（毛利博物館蔵）

十三　金小札松竹蒔絵仏胴胸板童具足〔伝　毛利輝元所用〕（豊栄神社蔵）

童具足は武家の子供用の具足であるが、なかでもこの作は桃山の雰囲気を色濃く残す華麗な仕立てである。

金小札松竹蒔絵仏胴胸板童具足（豊栄神社蔵）

唐冠形兜は張懸の仕様で、表に麻布を着せ、黒漆塗金箔押としている。笠形の一枚鞠に、桐紋を金蒔絵した吹返しが付き、引廻しにヤクの白色の毛を装着する。目の下面は鉄地銀陀美塗で烈勢形、切耳が古式で打出しが深い。

胴の立挙は金小札

四段で紫色威、胸板には金・銀蒔絵で縁起のよい図柄である松・竹を描いている。初期二枚胴の遺品として貴重であり、実戦の用を備えて成人用のものと何ら遜色《そんしょく》がない。毛利輝元が、祖父元就を祀った豊栄《とよさか》神社に奉納したものと伝える（口絵58・59頁参照）。

十四　金小札紅糸中白威腹巻（伝　豊臣秀頼所用）（東京国立博物館蔵）

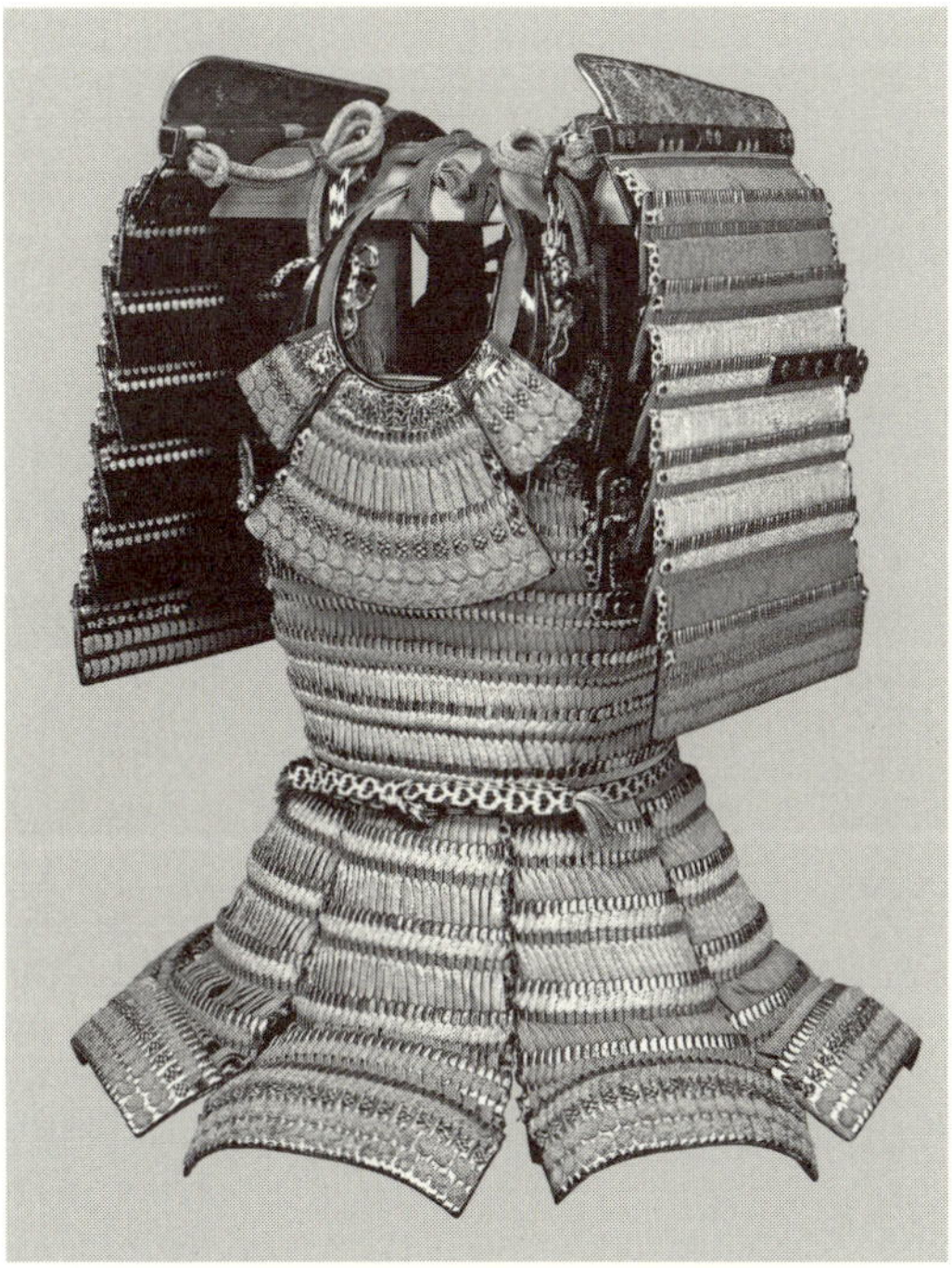

金小札紅糸中白威腹巻（東京国立博物館蔵）
Image:TNM Image Archives

豊臣秀頼所用の伝来をもつ非常に美しい腹巻である。総体に小振りである。金箔押盛上本小札で構成する。胴は前後立挙二段、長側四段、草摺七間五段下り。威毛は緋威中白。

金具廻には藻獅子韋を貼り鍍金覆輪を懸ける。

肩上先に杏葉《ぎょうよう》を付す。また、同構成二段の喉輪を設ける。肩上後方には鍍金鞐《こはぜ》が設けられ、もとは背板があったと考えられる。

袖は胴と同構成七段大袖。化粧板は菖蒲韋を貼り八双金物は赤銅魚子《ななこ》地《じ》に鍍金の桐紋鋲二点ずつを打つ。四段目に八双金物と同工の笄金物を打つ。

世の趨勢《すうせい》は当世具足に移行しつつあった時、あえて伝統的な腹巻を製作させた秀頼の奥ゆかしさがうかがえる名品である。

兜はおそらく軽快な三段笠𩋙の総覆輪阿古陀形筋兜に三鍬形を打ったものであったと想像される（口絵64〜67頁参照）。

十五 重文 芦穂蒔絵鞍・鐙 付・下絵（東京国立博物館蔵）

鞍は前輪《まえわ》と後輪《しずわ》、人の座る居木《いぎ》からなり、鐙《あぶみ》は足を踏みかけるもの。武人の騎乗の装いとして、金蒔絵や螺鈿《らでん》で装飾を施した華麗な作品をみる。

秀吉の愛用と伝えるこの鞍・鐙は木地に黒漆を塗り、葦穂を高蒔絵し、葉脈・穂先などは金延板を貼り、銀鋲で露を置いた工夫が豪華であり、いかにも秀吉好みをみせたものといえよう。

本品には狩野永徳が描いたと伝える下絵が付してあり、「天正五年正月中ニ　秀吉（花押）」と記されている（口絵85頁参照）。

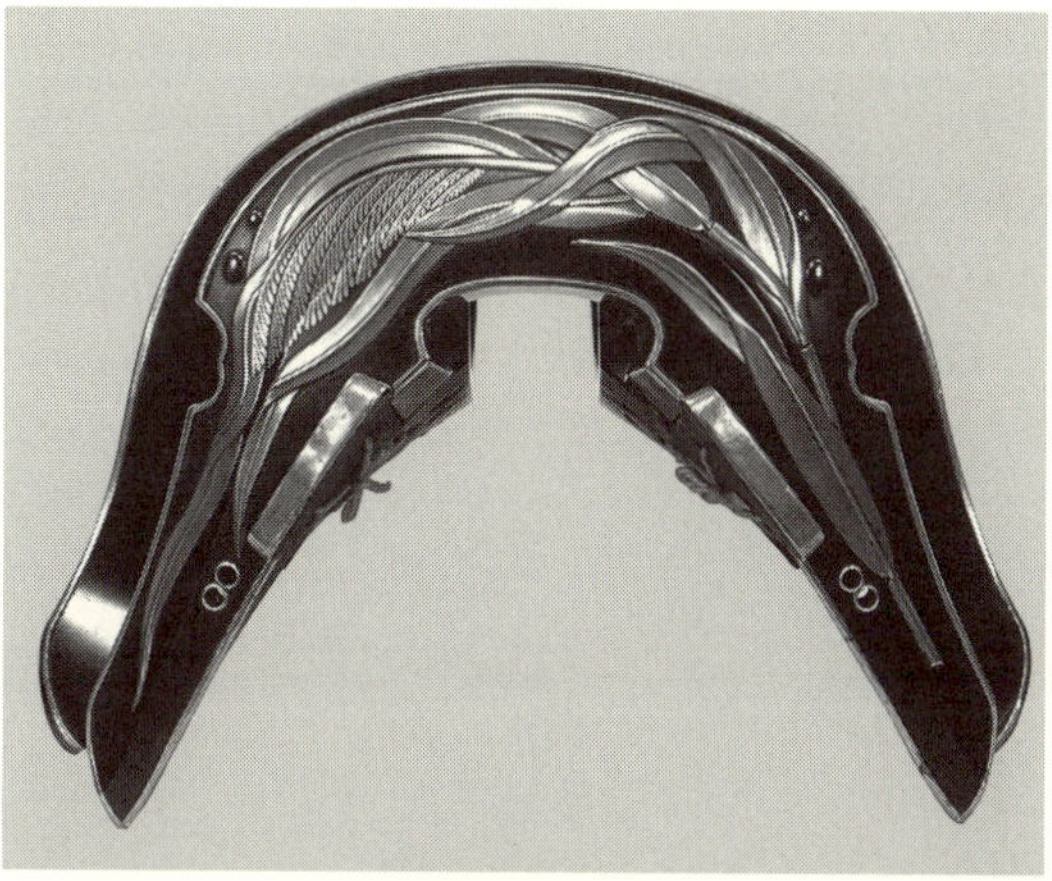

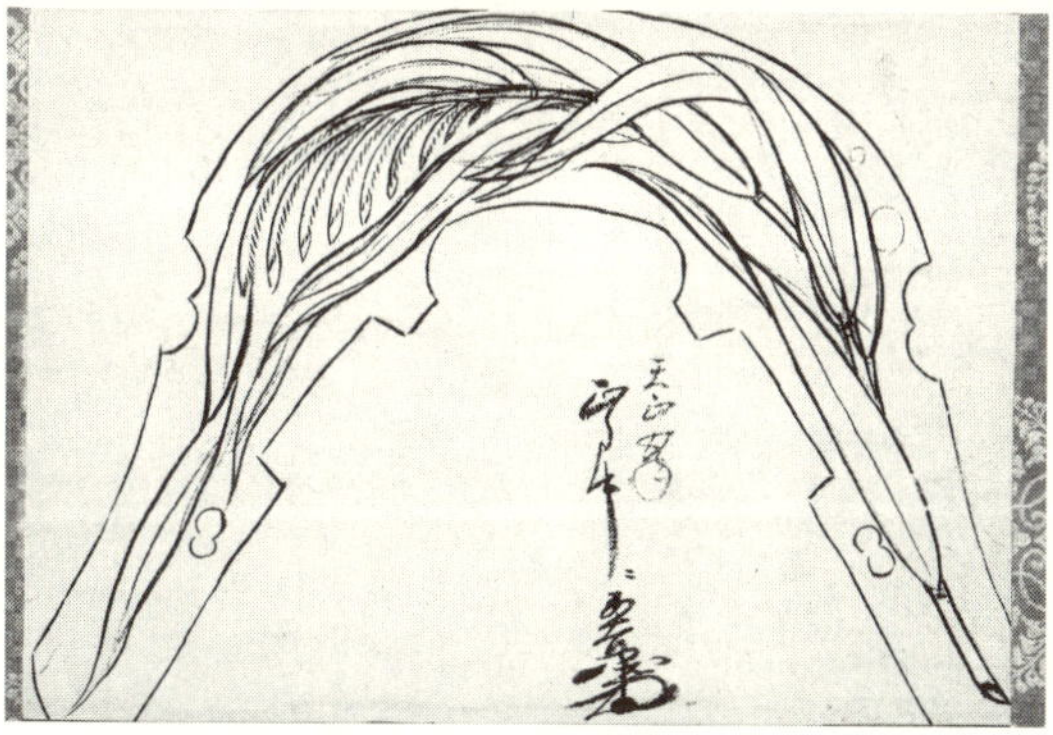

下絵

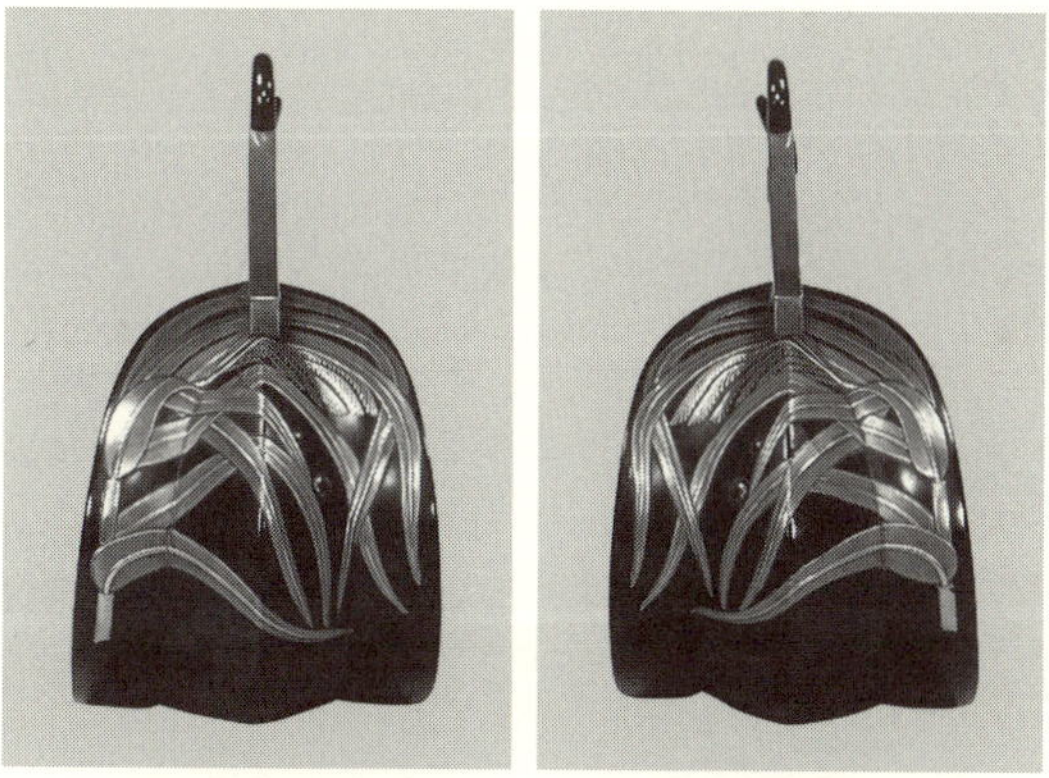

芦穂蒔絵 鞍・鐙(東京国立博物館蔵)
Image:TNM Image Archives

第五章　秀吉の陣羽織

功名と生死を賭けた武将の晴着姿

陣羽織は、変り兜の発生と時を同じくして戦国時代から作られ、桃山から江戸初期にかけて盛期を迎え、幕末まで用いられている。

陣羽織は具足の上に着用し、戦場では寒さや雨露を防ぐ実用本位のものから、やがては示威性の強い装飾的なものへと変わり、奇抜なデザインを競い合うほどのものとなる。家紋をはじめ龍、獅子、鹿から孔雀の羽、柏葉、紅葉などの動植物。蝶、勝虫（トンボ）、毛虫などの昆虫。一ノ谷、富士山、波涛など自然風物に関するもののほか、日輪や三ヶ月など多種に及び、奇装ともとれる造形をみることができる。それは戦国の世に功名と生死を賭けて戦った武将たちの〝晴着姿〟にほかならない。

陣羽織のモチーフの中には、敵を威嚇するのとは別種の現代にも通じる図案化された文様のもの、幾何学的なもの、同じ桐紋でも風になびくような動きをみせたもの、意味不明ながらユーモラスな造形のものなどがあって、戦国武将の美意識の中に一種の余裕にも似た心が込められているように思われる。陣羽織を飾ったデザインには、殺伐とした戦いの中に死を怖れることのない武将の生への執念が描き出されているようである。

陣羽織は具足の上に羽織って「一領」と数えられる。具足と調和した美装が求められ、威厳が込められたものでもあった。戦国時代はヨーロッパからもたらされた羅紗、ビロード、更紗などが用いられ、秀吉の所用品と伝える鳥獣文様陣羽織はペルシャ絨毯《じゅうたん》の一部で仕立て、貴重品を惜しみなく裁断して用いるなど、稀少な高級品を素材にしたもので作られている。

秀吉の所用品には、秀吉好みといわれる太閤桐、瓢箪《ひょうたん》を紋様化し、背いっぱいに大きく配したものが目を引き、大胆なデザインと配色の妙を得た格調の高いものがみられる。いま残されたものの多くは、秀吉が恩賞として臣下に与えたもので、それが拝領品として伝え残されてきたものである。陣羽織が恩賞の役割を担っていたことは、刀剣や甲冑と同様なものがあるが、陣羽織は秀吉が身に纏《まと》っていたものであり、これを手ずからさげ渡されることは、恩賞を受ける者にとって、なによりの名誉だったに違いない。武将にとって、陣羽織は戦場の実用品であるばかりか、戦後に華を添える誉の象徴でもあった。

一　ビロードマント（名古屋市秀吉清正記念館 蔵）

陣羽織は鎧の上から着用した羽織であり、マントは衣服の上にまとう外衣である。ビロード（天鵞絨）は羅紗や更紗などとともにヨーロッパから輸入された高級品であり、信長、秀吉ほか多くの武将が珍重している。特にビロードマントはポルトガル、スペインが覇をとなえていた大航海時代にあって、

ビロードマント（名古屋市秀吉清正記念館蔵）

南蛮貿易によりもたらされたものであり、南蛮文化の影響を抜きにしては考えられない。

表布が茶のビロードのこのマントは、陣羽織に仕立て直したもので、秀吉着用と伝えている。秀吉の正室・高台院（北政所）のもとにあり、のち高台院の兄・木下家の孫木下利次へ引き継がれたという。

襟に龍と唐草、表裏に猿・鹿・唐草が金糸、紺糸などで縫箔されており、裏地には萌黄絹地が施されている。桃山時代に花開いた南蛮風俗の一典型を示して華美である（口絵92頁参照）。

二 重文 鳥獣文様綴織陣羽織（高台寺蔵）

鳥獣文様綴織陣羽織（高台寺蔵）

秀吉着料の陣羽織として、高台寺に伝えられてきたものである。金・銀などの色合いが豊富で、絹の綴織《つづれおり》で鳥獣を織り出している。南蛮貿易によりヨーロッパから日本にもたらされた品にビロード、羅紗、更紗などのほか、ペルシャからの絹地もあって、ペルシャ絨毯を改装して陣羽織に仕立てたものともいわれる。華やぎ、しかも重厚感のある陣羽織である（口絵90頁参照）。

太白字鳥毛植陣羽織（東京国立博物館蔵）
Image:TNM Image Archives

三　太白字鳥毛植陣羽織〔伝 榊原康政拝領〕（東京国立博物館蔵）

全体を山鳥毛で覆い、背の中央に大きく、山鳥の白い羽で〝太白〟の二字をあしらっている。太白星は金星で、明けの明星を象徴したものであり、また純白であり、いさぎよさをも示したものである。〝太白〟を背負うその心情には戦国の余香が色濃く残されているかのようである。

天正十四（一五八六）年五月、朝日姫入輿のおり、挨拶の使者として上洛に従った榊原康政に、秀吉が下賜した陣羽織と伝承している。

麻地に羽毛を隙なく植え込んだ陣羽織は数点が残されているが、素材が貴重であり、工法が入念さを要することから、現存するものがすこぶる少ない（口絵91頁参照）。

四　桐紋陣羽織〔伝 毛利輝元拝領〕（毛利博物館蔵）

桐紋陣羽織（毛利博物館蔵）

上部と裂地の下部とを接ぎ合わせた仕立てが斬新な形式である。背面と上部は菊紋地に大きな桐紋を切付けに、下身頃《しもみごろ》は赤の緞子に牡丹唐草文様を織り出した華麗な一領である。

本品は毛利輝元が豊臣秀吉から拝領したものと伝承する（口絵91頁参照）。

五　瓢紋鳥毛植陣羽織〔伊木忠次拝領〕

天正十七（一五八九）年、備前池田家の家老、伊木忠次が、豊臣秀吉から拝領したものと伝える。麻地に鶏毛を丹念に隙間なく植え込んだもので、羽毛は瓢紋《ひさごもん》の円弧に添って丸味をもたせ、肩・腰などになびきをしめすなどの配慮がゆきとどく。大きな白色の瓢紋が浮き立ち立体的である。

この手の陣羽織は数点が残されているが、中でも本作は襟や胸紐に補修はあるものの、保存状況がすこぶる良好である。

六　太閤桐紋陣羽織〔伝　溝口秀勝拝領〕

白羅紗地で仕立て、背面中央に黒羅紗で桐紋を大きく切嵌めた構成が大胆である。越後新発田《しばた》藩祖・溝口秀勝が秀吉より拝領した陣羽織である。この太閤桐を用いた陣羽織には加賀前田家四代・光高所用のものと、現伊沢家の蔵品とがあり、後者には裾全体に十六条の山形模様を同じ黒羅紗で切嵌めている。いずれも桐の葉がふくらみ豊かで、大きいのが共通している。桃山時代作。

切嵌《きりは》めは、地を切り抜いて、別製の紋様を嵌め込むもので、表裏に縫目が出ることなく、輪郭が鮮明に浮き立つ特殊な手法である。羅紗は布とはことなり、裁ち目がほつれることなく、切嵌めには相応しい素材である。色は黒白のほか緋が多く、紺、紫などがあり、武将の趣向を反映して多彩である。

七　豊臣秀吉像（大阪・豊国神社蔵）

曲彔《きょくろく》に坐した秀吉の画像である。あまり痩せた顔立ちではないが、頬骨とエラが張り、目は切れ長で大きめ、鼻が大きく、厚い唇に、あごは三角形に小さめ、うすい鼻ひげとあごの山羊《やぎ》ひげが特徴的で、比較的に信頼性が高いとされる肖像に共通した顔立ちである。画像の上部に秀頼が賛を書いている。長大な大太刀が描き添えられた画像はこれが唯一のもので、目を引く。刀身は抜いてみなければ誰の作かは知りえないが、あえて想像をたくましくしてみれば、秀吉の愛刀中で屈指の「一期一振」であろうと思われる。この太刀は山城国の粟田口吉光作で、常には短刀ばかりを作る名工が一生にただ一振の傑作となる大太刀を作り上げたもの。室町将軍家重代の一振で、義昭が秀吉に贈り、秀吉が日ごろから愛蔵してやまなかった名刀である。

刃長二尺八寸三分あったものを、秀吉が後に磨上げて二尺二寸八分に直したのは自身の力量に合わせて使い易い寸法にしたためである。秀吉の蔵刀中の名刀を押形に記録した『光徳押形』の一巻（毛利本）に文禄三（一五九三）年の奥書きがあり、これには二尺八寸三分の生ぶのままの太刀が載っている。同じく元和元（一六一五）年の奥書きがある一巻（寿斎本）には、この太刀が磨上げられ額銘になった二尺二寸八分のものがみられる。これによって考えるに、この大太刀が磨上げられたのは文禄三（一五九三）

豊臣秀吉像（大阪・豊国神社蔵）

年から元和元年の間であり、二尺八寸三分の長寸であったのは文禄三年以前のこととみられてくる。それはとりもなおさず、この大太刀を描いた秀吉像は文禄三年以前の姿のものということになる（口絵47頁参照）。

　これほどに長寸であり、名作である大太刀は秀吉の愛刀中で「一期一振」をおいては他に見ることがない。この太刀は大坂落城（元和元年）のさい多くの名物とともに焼けたが再刃され、家康から尾張徳川家に伝わり、同家から明治天皇に献上され、いま宮内庁に保管されている。

第六章　秀吉がスペイン王へ贈った甲冑

マドリードに伝世する奇装と美麗の二領を追って

それは、関白秀吉が海外の貴賓に高価な贈物をした最初で、唯一の事例となった。秀吉が甲冑と刀剣を主とする進物の調達を始めたのは、天正十九（一五九一）年一月のことである。ポルトガル王国インド副王から親交の印として進物を受けたことへの返礼の贈答品としてである。

予はインド副王に贈物をしたいのだが、副王から贈られたものより立派で優れたものにしたい。

といって、秀吉は為し終える時間を限り、調達に着手させた。秀吉の信任厚い前田玄以が一切をとりしきり、その年の内にすべてが調えられ、進物の品々は十二月にはいって京から長崎に運ばれた。翌文禄元（一五九二）年十月、長崎を出帆してインド・ゴアへ向かった。

贈物を受け取ったインド副王は、スペイン王フェリペ二世（ポルトガル王兼任）にすべてを献上することにしたため、進物の品々はゴアからポルトガル・リスボンに運ばれ、さらにスペインのマドリード郊外にあるエル・エスコリアル宮の国王のもとへと届けられた。

マドリード王宮武器庫陳列物図録の
仁王胴具足銅版画（天保10〔1839〕年）

甲冑二領を含む五棚の品々が国王に披露されたのは、文禄三（一五九四）年十二月十八日のことで、一つ一つの品についての説明は二時間に及び、国王は大いに満足し、王子、王女ら宮廷の高官一座の人たちは、遠国からもたらされた品々を賞賛してやまなかった。

これらの事情は、ルイス・フロイスの『日本史』に詳細に描かれている。贈物の品々は日本から船出する前、長崎に繋留されている間に、フロイス自身が実見し、品々の形状、様態を克明に記し、とくに二領の甲冑の記録は二重の鎧櫃に収まっている状態まで詳述されている。

スペイン王宮武器庫の保管記録によると、秀吉から贈られた甲冑二領と刀剣四振は、文禄四（一五九五）年六月十三日に国王宝庫から王宮武器庫に移管され、それ以降は同武器庫に伝世し、陳列されてきている。二領の甲冑を収載し陳列の状態が知られる最初の図録は、天保十（一八三九）年刊行の王宮武器庫主要陳列物図録で、仁王胴具足と色々威胴丸の二領が銅版画写真で掲載されていて、その原形に近い姿をみることができる。

それから四十五年ほど後の明治十七（一八八四）年、王宮の火災に遭い、秀吉が贈った二領の甲冑は無残な態をなすのであるが、残された部品はボードにはりつけられ、再び武器庫に提示され陳列されてくる。残された鉄板の彫技、金・銅の金具、威糸などから名作のただならぬさまがうかがえ、秀吉が贈った甲冑であることの検証とともに、作品の原形とその全貌が明らかにされたのである。

マドリード王宮武器庫陳列物図録の色々威胴丸銅版画（天保10〔1839〕年）

天正十二（一五八四）年の天正少年渡欧使節、元和元（一六一五）年の支倉常長とによってフェリペ二世に贈られた日本からの甲冑は、マドリード王宮武器庫の目録に記録されながら現物の行方が知れない。日本から甲冑や刀剣が西欧にもたらされた数量は幕末にいたるまで、かなりの数にのぼる。しかし、記録や伝承が残されているものの現品の所在が確かめられた話はほとんど聞くことがない。それらの中にあって、秀吉が贈った二領の甲冑は、確かな資料と現存する実物との照合ができた稀な例である。

秀吉は天正十八(一五九〇)年十一月、北条氏を征伐し、翌年九月には朝鮮征討の令を出すなど国内での権勢は国中に浸透していた頃である。次の軍事目標は「唐入り」にあって、明の征服を目指し、そのための先導を朝鮮に求めたのが朝鮮侵攻であり、秀吉の「近攻」の意図が文禄の役の始まりである。秀吉は天正十五(一五八七)年、バテレン追放令を出すなどキリスト教の国内浸透を警戒する一方、南蛮との交易になみなみならぬ関心を寄せ、「遠交」の象徴として、副王への贈物に特別な意を注ぐことになったという一面は見逃すことができない。

秀吉が贈った甲冑はインド副王からフェリペ二世に献上されたことにより、日本の関白から世界に覇権をもつスペイン王へ親交の印がもたらされたことになる。「太陽の昇る国」日本から、「太陽の沈まぬ国」スペインへと運ばれたこの親交の印は、東西交流の歴史の上にも一点の閃光をもたらすものとなったのである。

インド副王から秀吉への贈物

秀吉がインド副王に進物をしたのは、副王から親交の印として贈呈された品々があって、その返礼のための贈答品として調達されたものである。

「インド副王ドン・ドゥアルテ・デ・メネーゼスより天下の主、関白殿への書状」が天正十五（一五八七）年にしたためられ、その書状に添えて次の品々が秀吉のもとに届けられた。

ミラノ製の甲冑二領。太刀二振り。新種の銃二挺。短銃付き短剣一挺。金飾りの掛布四枚。馬具付きアラビア馬二頭（内日本到着は一頭）。野戦用天幕一張り。

聚楽第《じゅらくてい》の建設は天正十四（一五八六）年二月に始まり、翌年九月に完成している。進物の披露が行われたのは四旬節の三月三日第一日曜日であり、その年は天正十五（一五八七）年のことであった。聚楽第は町並みの整備が完全には整っていなかったが、金箔瓦に覆われた五層の天守が威厳を誇って完工していた。邸宅から聚楽の城へ向かう巡察師の一行は、副王からの贈物を先列に粛々と行列して進んだ。日本ではみることもない大きく美しい毛並みの一頭の馬を先頭に、絹の長衣で装い、頭にターバンを巻いた二人のインドの馬丁、騎馬のポルトガル人、その後に貴公子が続き、いずれも立派な衣服をまとい金モールの縁飾りの付いた黒ビロードの長袍を着用していて、観衆を驚かせるほどのものが

聚楽第図屏風（部分・三井記念美術館蔵）

あった。彼らの後には巡察師、司祭が修道服である長衣と外套をまとって進む姿に、見物する人は数限りなく、この珍しい光景に見入った。

聚楽第でとりおこなわれた饗宴は厳粛な儀礼のもとで、次々と進物が披露された。副王の代行をする巡察師、司祭ほか遣欧使節の貴公子ら一行二十六名が荘重で豪華な衣装をまとった姿は、日本人には新奇で異様なものに映った。巡察師、司祭は盃と肴《さかな》を供せられ、その立ち居振る舞いはヨーロッパ風の拝礼に日本風の儀礼を交じえての丁重さに、臨席していた人々から好感をもたれ、かつ賞賛された。

大広間の一段と高い玉座に坐っていた秀吉は秀次をはじめ右大臣、門跡のほか毛利輝元ら諸大名を脇の座敷に従え、終始、喜悦と満足の態を表し続けた。

秀吉は公家を通じて巡察師に伝言していった。

貴師の来訪は予にとり大きな喜びである。貴師が持参された贈物に対して謝辞を述べたい。それらはいずれも立派であり、日本では新奇なもので喜んで見るに足るものである。

今後はいっそう歴代のインド副王と交際する希望をもつものだ。

秀吉は四名の公子によるポルトガルの楽器による演奏を聞き、彼らと話をしながら長時間を過ごした。贈られた馬の美しさや大きさに驚嘆し讃美し、とくに甲冑と刀剣に興味を示してジョアン・ロドゥリーゲス修道士と伊東ドン・マンショに好奇心に駆られた無数の質問をした。そして巡察師に再び告げていった。

インド副王と厚誼《こうぎ》を結びたい。副王へはすこぶる立派な贈物をすることにした。

副王から贈られたものより立派な品にしたい。ただし、それらは贈られた馬と書状の飾りに関する限り劣るけれども、その他はすべて返礼の品の方が優れたものになるだろう。

進物目録の刀剣四振

秀吉からインド副王への贈答品の調達は、それから四年後の天正十九（一五九一）年一月に実際のものとなる。その間、秀吉から副王に贈られる書簡内容の修正や、秀吉自身が進物をすることへ逡巡《しゅんじゅん》することなどがあったが、同年七月には副王への進物をすることに対する秀吉の態度はかたまる。

関白秀吉からインド副王に宛てた返礼書簡写し(「山中山城守文書」)は、キリスト教国への日本の外交姿勢を示す重要資料として早くから注視されてきている。この秀吉書簡は天正十九(一五九一)年七月二十五日付けのもので、のちイエズス会側の要請で書き直される以前の案文といわれているが、ここでとりあげるのは書簡に付されている「進物目録」である。この目録には秀吉がインド副王に贈った甲冑と刀剣の内容が記されている。秀吉が贈った甲冑の記録は、日本では早くからポルトガル語から邦訳され、紹介されてきている。ここではルイス・フロイス報告、ヴァリニャーノ書簡、ヒル・デ・ラ・マタ書簡を主として採用していくことにする。

「山中山城守文書」(巻五)の進物目録には、

太刀 国房、腰剣 光忠、脇刀 貞宗、長刀 秋広、
甲冑 弐領、頬当、袖、鉄蓋、臑当

刀剣四振、甲冑二領が記されており、これをルイス・フロイスの『日本史』などと照合すると、なお詳細な内容が知られる(カッコ内は筆者注)。

一、太刀 **国房**

日本人が太刀と称している刀剣一振り、われらヨーロッパ人の刀のような柄は付いていないが、双手《もろて》で用いる大きい剣

（注：越中国宇多国房作であろう。鎌倉後期）

一、腰剣　**光忠**

刀と称する別の普通の剣

（注：備前長船光忠作、鎌倉中期、剣のことであろう）

一、脇刀　**貞宗**

脇差と称する、さらに短い短剣の代わりに用いるもの

（注：相模国貞宗作、南北朝期、脇差はいまの短刀を指す。古くは小脇差（長さ一尺まで）のものを刀と総称していた。刃長一尺余の平造寸延び短刀であろう）

一、長刀　**秋広**

所持者が自身の前方にたえず携えて歩く武器の一種である。鉾《ほこ》の柄よりもはるかに長い柄のある大身の刀のように作られている。刀身が納まる鞘はその形態と細工とが異なっており、黒い銅とすこぶる立派な金で一様式に作った留め金、鋲、鋲飾りを有する

（注：相模国秋広作、長刀《なぎなた》は江戸時代の薙刀《なぎなた》の古語、南北朝期。黒い銅は赤銅で、金と赤銅を用いた金具の拵が付いている）

長刀は、それ一本だけで長い箱に、刀はいずれも一緒にして別の箱に収められたが、箱はどれ

も立派に造られている。またそれらの品は一つずつ、関白の書簡を収めた袋と同様に、金銀の花模様がついた絹袋に入れられた。
四振の刀剣は、日本では立派なものとして尊重されている著名な刀匠の作品であり、すべて天下の主の命令で、日本で作られた最優秀の工芸品が選ばれており、外見でも製作技術でも非常に立派であり、美麗である。

秀吉から副王への贈答品を見た数名の重臣は、

これほど優れた刀身の長刀や刀を贈っても、先方ではその鑑識眼がなく、相応の価値を認めないであろうし、ポルトガル人は刀身よりも刀の装飾の方を重んじる。従って価値の低い別の刀身を贈っても同じことだろう。

と語った。しかるに関白秀吉は、それに答えていった。

ポルトガル人が刀剣を鑑定する能力がなくても、予の地位にあるものとして、優秀でない品物を副王に贈るのは不都合である。
また日本で価値がどれほど高いものか知られている品を贈ったという予の評判が、永久に残ることを望んでいる。

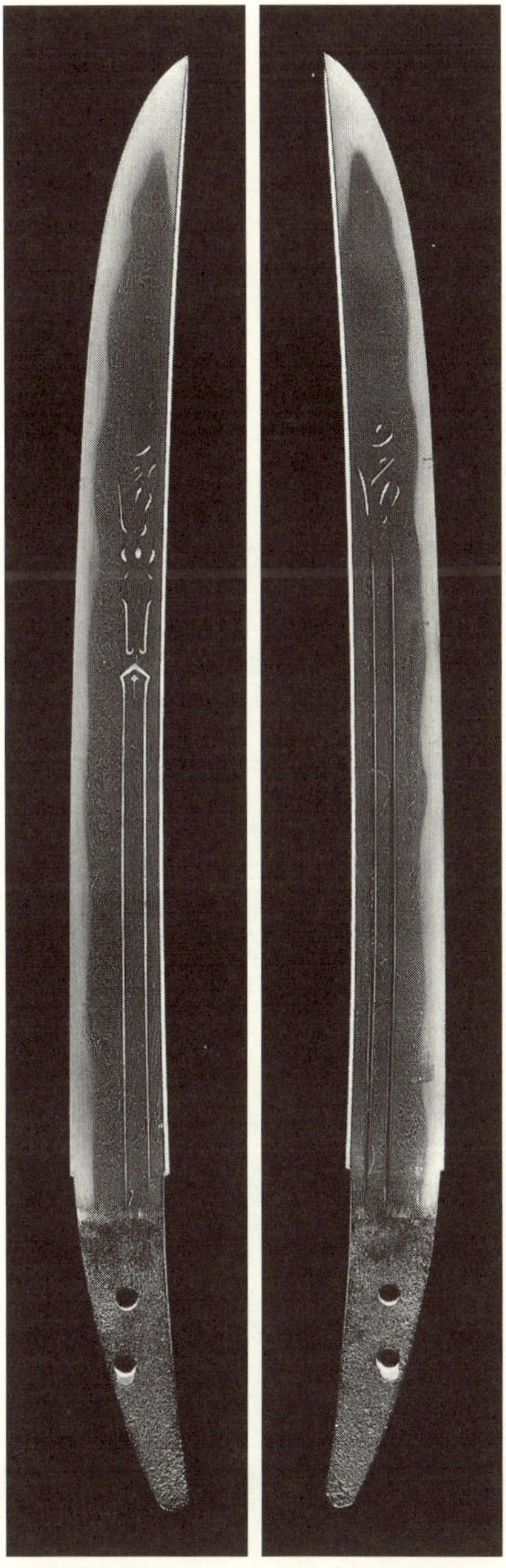
（参考作例）重文 寸延短刀 無銘石田貞宗

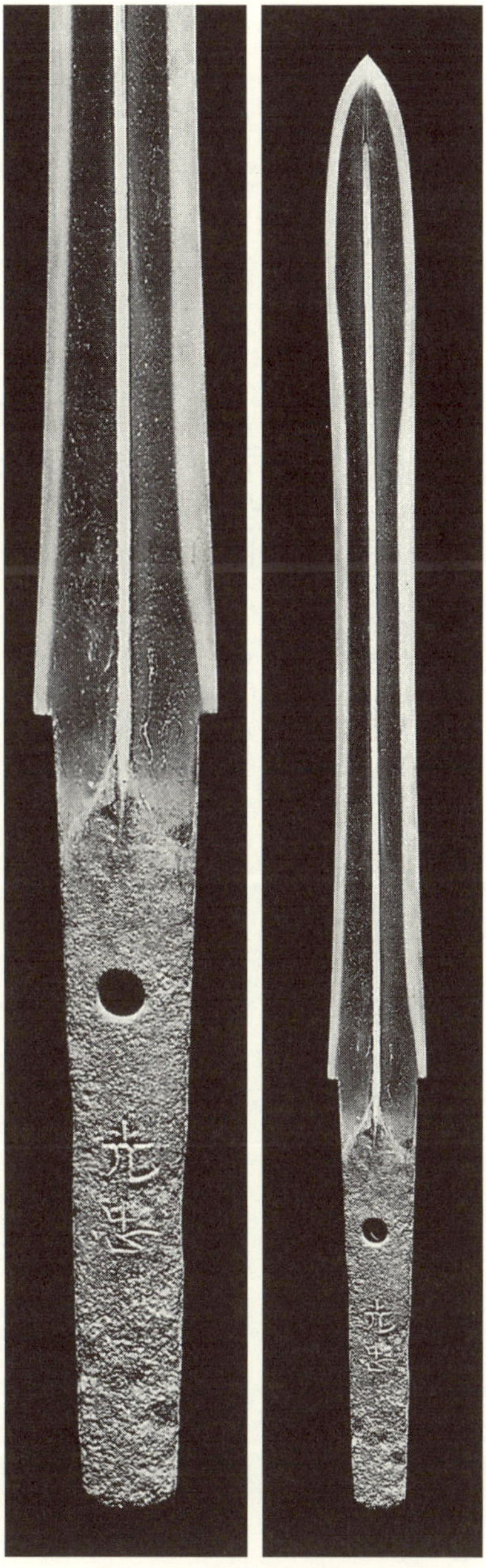
（参考作例）国宝 剣 銘光忠

価値のない粗悪な刀剣を異国人に贈ったなどと噂されることを好まぬ。

かくて秀吉はその言葉どおりに実行してみせた。

秀吉が選んだ刀剣四振は、どれも、当時としても、いわゆる「古刀」で、いずれも南北朝期を遡る古作であって、秀吉の時代の世評が古刀偏重であったことを示している。南蛮人から見た日本人の日本刀観の一端を巡察師ヴァリニャーノが本国への書簡にしたためたものによって知ることができる。

日本人が武器、特に優秀な刀剣を尊重することは、はなはだしく度を越している。大友宗麟が四千五百ドゥカートで購入した刀を見せてもらったが、その鐔は黄金ではなく、単なる鉄製に過ぎないことに驚いた。ヨーロッパ人は新しくても非常に立派な刀剣ならば尊重するが、日本人はともかく古刀でなければ評価しない。

進物目録と王宮武器庫の古記録

秀吉進物目録およびフロイス報告の進物内容の描写によって、二領の甲冑の様態を知ることができる。文禄元（一五九二）年八月二十六日、フロイスからの長崎発年報には、長崎出帆前に進物を直接みた上での詳細な甲冑の描写記録がある。その内容はポルトガル語から邦訳された諸書がある中、『フロイス日本史5・豊臣秀吉篇Ⅱ』（松田毅一・川崎桃太訳）から二領の甲冑について引用し、次のように整理してみた（カッコ内は筆者注）。

第一に彼（注：秀吉）は甲冑二領を贈った。日本で用いられる様式で、互いに異なった体裁である。胴身がはなはだ脆弱であるから、実際には、われらヨーロッパ人の槍に対抗できるようなものではないが、すこぶる珍しく、かつ眼を喜ばせるに足るのである。その装飾の故に立派であり、価値も高い。何故ならすべて日本にいる最良の工匠の手で、極めて自然に彫り込んだ薔薇（注：牡丹）や花（注：菊・桐）や二、三の動物（注：獅子）を象った板金を被せたからである。

その甲冑の一領は、いかにも自然の顔と髪とを有する頭を出して、日本風の兜を冠り、腰から上の半身は裸体の一日本人が、さながら生きているように造ってある。

また他の一領は、きらびやかに武装した、猛々しい男子を象ってある。これらの甲冑も一つずつ絹の袋に収められ、またさらに日本人が戦争に出陣するとき、背に背負うて運ぶように特に造った櫃の内へこれを別々に入れられた。

その櫃は、非常に清らかで艶のある黒色の石に似た、黒色の漆という塗り方で、すべて塗られている。さればこれを見る人は、鏡を見るように自分の顔の映るのを認めうる。櫃にはすべて鍍金され綺麗に細工した銅の金具が付いている。それはヨーロッパでは聖遺物を収める櫃として立派に役立つことが確かであろう。櫃はさらに別の袋に包まれ、二領共に一緒にしてより大きな箱に入れられた。

この高価な進物は文禄元（一五九二）年十月九日、長崎を出帆してゴアに運ばれた。この旅は巡察師ヴァリニャーノに司祭デ・ラ・マタが同行していた。ところがポルトガル王国インド副王は、進物の品々を国王フェリペ一世（スペイン国王フェリペ二世兼任）に献上することにしたので、ゴアからリスボンまでデ・ラ・マタが携行した。文禄三（一五九四）年半ばにリスボンに到着した品々は、マドリード郊外のエル・エスコリアル宮殿の国王のもとへと運ばれた。同年十二月十八日、国王は王子、王女をはじめ宮廷の高官たちを従えて、品々の一つ一つについて説明を受けた。謁見は二時間に及び、国王は大いに満足の意を表し、一座の人々も遠国からもたらされた品々を賞賛してやまなかった。

秀吉がポルトガル王国のインド副王に贈った進物のすべては、スペイン王フェリペ二世に献上されたのち、その行方はどうなったであろうか。

王宮武器庫の保管記録によると甲冑二領と刀剣類が国王宝庫から王宮武器庫に移管されたことがわかる。文禄四（一五九五）年六月十三日に国王宝庫から武器庫上長フランシスコ・ベル・ドウゴのもとに移管された甲冑二領と刀剣類は、それ以降、同武器庫に保管され、伝世してきている。

マドリード王宮文書館にある王宮武器庫古記録を平成十八（二〇〇六）年に的場節子氏が調査（『日本歴史』六九九号、吉川弘文館）したものによると、次のようであり、二領の甲冑の様態と刀剣類の行方が知られる（カッコ内は筆者注）。

一、日本国王が国王陛下に贈った鎧二領。

一、ひとつは鉄製で黒と金の塗の仕上げ。

胴と脇下は赤味がかった漆塗りで、小手と臑当も同様の漆塗り。

鉄兜はアザラシの毛（注：ヤクの毛）を引き回しに用いており、前頭部と喉輪および頬当も胴・脇下と同じく漆塗り。青地の緞子の膝甲と下着の上は、黒漆に金色模様の鉄板細工を重ねた草摺と袖が覆う。アザラシの毛（注：ヤクの毛）が飾りについている。

一、別の鎧は鉄製の胴の表面を紫・白・緋色の細紐（注：威糸）で覆ったもので、金色の細い鉄の飾りが付いている。

鉄色の喉輪のついた鉄製兜は金色があしらわれて（注：筋兜の金覆輪）、細工のある二本の鹿角が前立に付けられている。紫色の布と鎖に続く小手には花形の金鋲（注：菊・桐紋）がついている。袖も黒地緞子の膝甲を覆う草摺や胴と同じく、鉄札の色々威となっている。臑当は金色がかった漆塗りである。

一、新月刀のような穂先と漆塗りの柄がついた槍（注：長刀のこと）。黒と金色で装飾された柄と同様の漆塗りの鞘がつき、二つの袋に入れられて漆塗りの長い箱に入っていた。

緞子や多彩な絹地の袋が二十八個入っていた箱の中には、刀剣類が収められていた。

この刀剣類の全てを、第十一番目の窓の空き間、すなわち第十番の引き出しに入れ、槍（注・長刀のこと）は他の槍類と同様に天井の槍置き場にしまった。

以上の甲冑二領と刀剣類の内容記述をみると、王宮武器庫古記録と秀吉進物目録およびフロイス報告の進物記録とが整合し、秀吉が贈った進物の品々がインド副王からフェリペ二世に献上され、さらにマドリード王宮武器庫に保管されたものであることが判然とする。

王宮武器庫で現物を検証

スペイン王宮内　王宮武器庫（美術館）

マドリード王宮の広い中庭を横断すると、王宮武器庫（美術館）の小さな入口がある。内部に広がる展示場は地上と地階いっぱいに世界各地から蒐集された武器が展覧され、かつての世界帝国を築いた栄華が偲ばれ、絢爛《けんらん》眼を奪うばかりである。

秀吉が贈ったと古記録にある二領の甲冑と四振の刀剣の現存を確かめ、現物によって検証するためマドリード王宮武器庫を訪ねた。王宮国家財産局長グアルディア・ガルシャ氏（当時）より当方からの調査依頼に対する快諾を受け、平成元（一九八九）年三月二十一日、同武器庫の地下展示室に降り立った。別室に並べられた四振の刀剣は、手にして鑑査したところ古記録の記載するところとは全く異なる別物であることがはっきりとした。

一、来国俊（金粉銘）の刀　刃長二尺三寸一分。直刃。金粉銘の極は肯定でき、比較的に地刃健全。江戸後期の飾り太刀が付属する。

二、長船康光の二字銘の刀　刃長二尺一寸。互の目乱刃。菊紋金具一作の糸巻太刀拵が付属。一八八三年（明治十六）有栖川《ありすがわ》（熾仁《たるひと》）親王が、イスパニア国王アルフォンソ二世に贈ったものとの伝承がある。

三、無銘の刀　作位の上らない作。

四、現代刀

秀吉が贈ったとされる王宮武器庫の刀剣は数量だけは四振と同数であったが、作銘も作位も全く該当するものではなく、それは〝幻の刀剣〟におわったのであった。見上げた高く広いドームの天井に、日本刀が裸のままいくつもぴたりとはりつけて飾られているのが、遠くに見えたのは、手の届くはずのものではなく、むなしくもまた印象的な光景ではあった。

四領の甲冑が混合した中の二領が該当

刀剣調査のおり、地階展示場奥の壁面に四枚のボードにはられ展示されている甲冑を実見する機会を得た。

展示中の甲冑は、バラバラに配置され、火災にあっていて痛ましいほどであったが、残されている金具の本体や威糸などから時代性と高い質に着目し、これが古記録にある秀吉が進物とした甲冑である可能性が高いとの印象をもった。

本格的調査に筆者が王宮武器庫を再訪問したのは、翌平成二(一九九〇)年一月二十二日。調査団に小笠原信夫、河端照孝、三浦公法各氏らの他日本からの関係者が同行。王室側は国家財産管理局修復局長フェルナンデス、同修復庶務長ゴメス、学芸員カルロスの諸氏が協力。二十三日までの二日間にわたり詳細な調査にかかりきった。

まず表裏ばらばらに甲冑各部が混合して組み合わされているボードをおろし、配置がえすることから始めた。仁王胴具足、色々威胴丸、色々威腹巻、萌葱糸威胴丸の四領分が混じり合っていることがわかり、これらを適正に配分して組み替え、さらに各部を精査した結果、仁王胴具足と色々威胴丸の二領が、これまでの古記録を裏付ける二領の甲冑に該当する充分な証が認められた。時代性、製作手法と技術面などからみて秀吉が贈った甲冑であることが実証された。

四領の甲冑の内容を要約すると次の通りである。

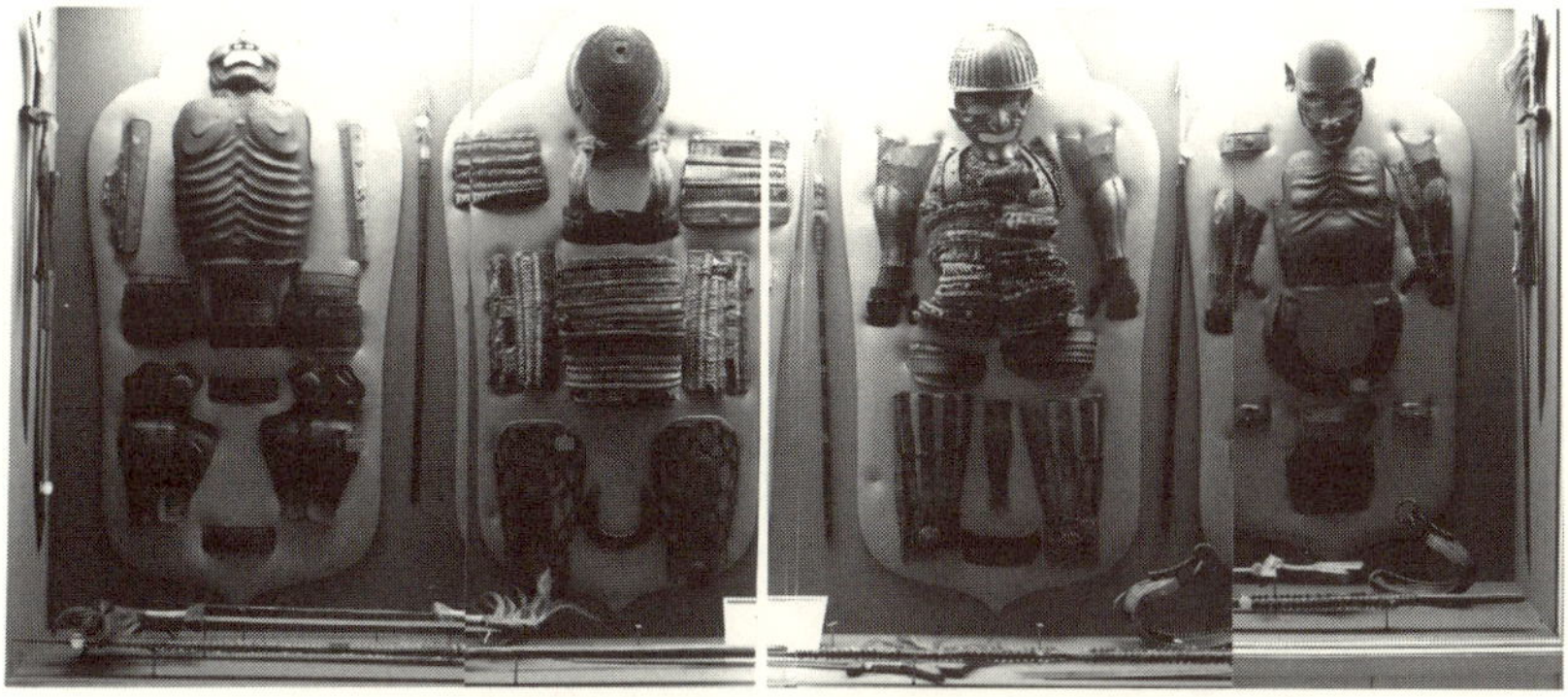

マドリード王宮武器庫に展示中の甲冑（1990年撮影）
（4領が混合、うち2領が秀吉が贈った甲冑）

一、**仁王胴具足**（王宮武器庫目録No・二三九六号）
原形は野郎髷の兜、鉄板の胴二枚を打延べ、裸形の上半分を表した姿形、菊・桐の蒔絵紋、金据文の装具がある。桃山時代。

二、**色々威胴丸**（同No・二四五九号）
紫・白・緋の三色で威した色々威。獅子・菊・桐の金蒔絵と金据文がある。桃山時代。

三、**色々威腹巻**（同No・二四八九号）
三十二間筋兜、胴は前立挙二段、長側四段、草摺七間五段、壺袖本小札七段、喉輪、丸に井桁紋⊕の金具が付く。室町時代。

四、**萌葱糸威胴丸**（王宮武器庫目録火災後No・一三五）
面頬、胴、草摺の一部のみ残存。胴裏は金箔押革張で、黒漆銘「文久元辛酉年八月日八十三翁補作之　田中暁信（花押）」がある。江戸時代。

㈢色々威腹巻と㈣萌葱糸威胴丸は、秀吉の贈答品中のものとは無関係である。マドリード王宮武器庫に入った伝来経路をつまびらかにしないが、天正十二（一五八四）年の天正少年使節、元和元（一六一五）年の支倉常長がスペイン国王へ甲冑を献上したとの伝承記録にもとづけば、この二領の甲冑が、あるいは関与することがあったかもしれない。また明治十六（一八八三）年には、有栖川（熾仁）親王が、アルフォンソ二世に刀剣と共に甲冑を贈っているとの伝えがあるので、火災後にこれらの部品が混入したことも考えられなくはない（口絵82頁参照）。

明治十七（一八八四）年の武器庫の火災ののち、損傷した甲冑類はばらばらになったあと、整理はされたものの、各部品が混合し合うこととなった。秀吉が贈った甲冑二領は、他の二領の甲冑と混じったまま四枚のボードにはりつけられて保存され、武器庫に展示されてきた（口絵74・75頁参照）。

次に（一）仁王胴具足・（二）色々威胴丸具足を検証することに移ろう。

仁王胴具足

前出した天保十（一八三九）年刊、王宮武器庫陳列物図録が掲げる銅版画写真（138頁参照）によって、仁王胴具足の原形をほぼ知ることができる。

佩楯、臑当を欠くが、これは後出の写真でどのようなものであったかがわかる。日根野形の頭形鉄鉢に植毛があり、野郎頭形に造り、鞠廻りに白色のヤクの毛を垂らす。両眼の上部眉庇に眼球を象嵌するのが異色であり、大きな福耳を仕付ける。

嘉永二（一八四九）年刊、王宮武器庫目録掲出の表向きの立姿は、胸の肋骨《ろっこつ》もあらわに、乳首と臍《へそ》を突出させて写実的である（138頁参照）。左手に中国もしくはモンゴルのものと思われる藤編みの丸楯、右手には棒状の木製鉾を持つのは不自然で、さらに明治十二（一八七九）年刊の目録掲載品は胸前から大振りな房を垂れ下げている（138頁参照）。それらの付属品をとり除いて見直してみると、仁王胴の原形に近い武者姿が浮かび上ってくる。

仁王胴具足について、『甲製録』は「二王胴之事」として次のように様態を記している。

下地佛胴にして、形少しいかり、胸にアバラ骨、乳の形、腹臍の形、勢いをあらせて打出し肉置きする也。塗包鉄地など佛胴に同金具廻りを一枚にも別にもする也

同書は仁王胴の異製として「肉をすかせて腹を大きく打出したのを〝餓鬼腹胴《がきばらどう》〟と称するものがある」としているが、仁王胴の類であり、いまでは呼称として用いることがない。同類のものに〝片肌脱胴《かたはだぬぎどう》〟があるが、この名称は江戸時代にはみられず、近世に名付けられたものであろう。

仁王胴具足は裸形の武者の上半分を表したもので、ルイス・フロイス報告にみる「腰から上は半裸体の一日本人をまるで生きているように作ってある」との記述と一致し、また王宮武器庫陳列物図録にみる写真姿にそのまま該当する。

では次に、仁王胴具足が王宮武器庫に残存する各部分と古資料とを照合し、原姿形をたどりつつ、検証をすすめていくこととする（口絵76〜78頁参照）。

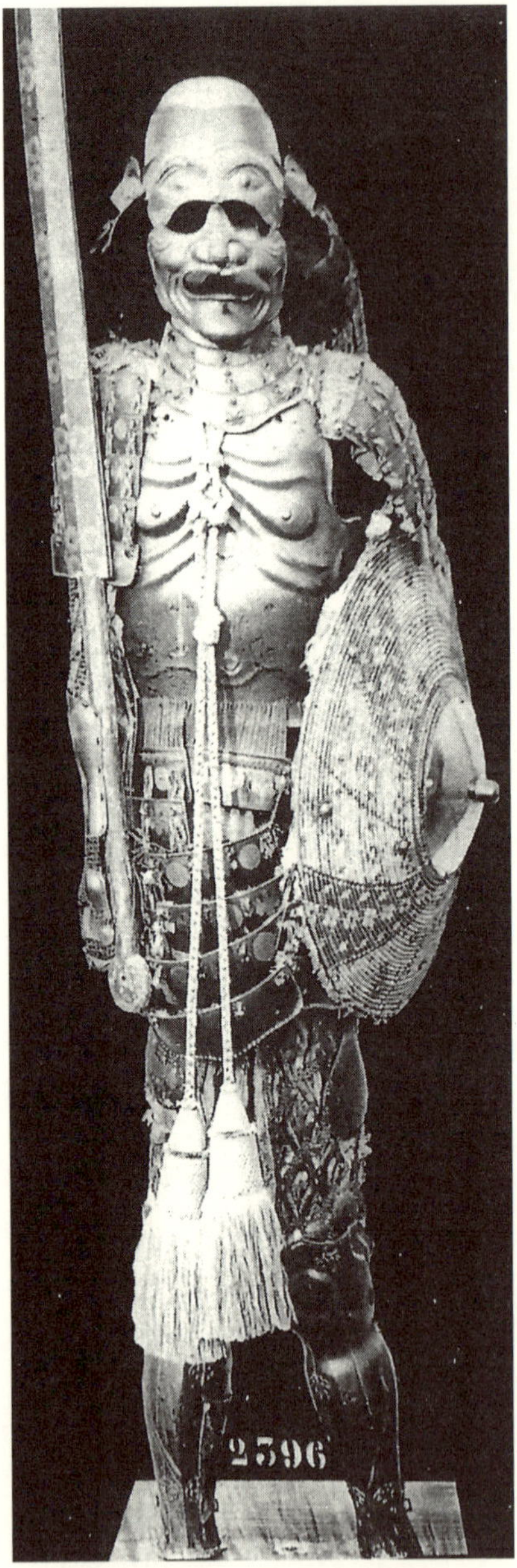

仁王胴具足(明治12〔1879〕年撮影)
(マドリード王宮武器庫目録)

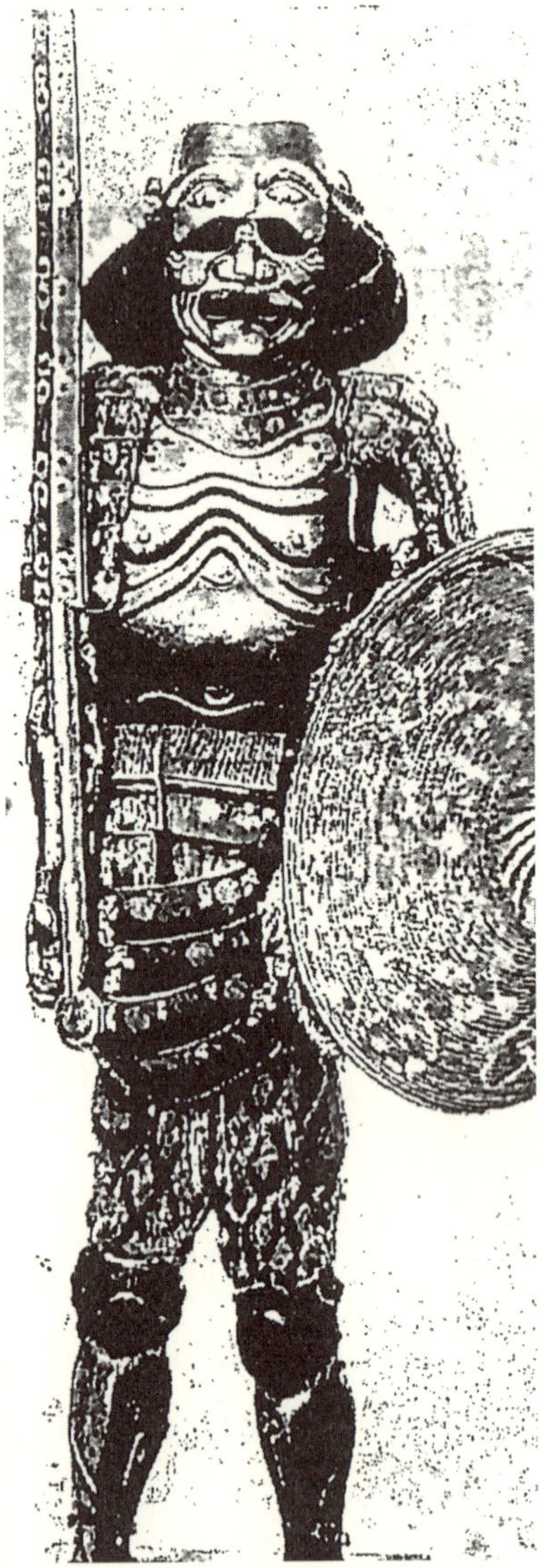

仁王胴具足(嘉永2〔1849〕年撮影)
(マドリード王宮武器庫目録)

仁王胴具足の兜は、日根野形の頭形鉄鉢に植毛、野郎頭形に造る。現況は植毛は全くなく、鞠の威糸はない。古目録には「アザラシの毛を引き回しに用いる」との記録どおり白毛が鞠を覆うように垂れ下っている。アザラシの毛とはヤク(犛牛)の毛であろう。

眉庇は、兜に仕付けて接続し、眉毛を打出し眼窩の凹みの中に〝大きな眼〟があって、眼球を金具で据文した、その孔跡が残る。耳を仕付ける。

板鞠三段が残るが、元は五段下がりであったろう。一段付きの吹返しに桐紋を金で据文する。吹返しの片方の桐紋は欠失する。

目の下面は、鉄烈勢形の打出しで肉色漆塗、垂三段、菊・桐紋を金蒔絵と金据文する。

袖は、壷袖で五段、啄木《たくぼく》糸素懸威、菊・桐紋を金蒔絵する。

胴は、鉄打出し二枚胴で胸、肋骨、乳房、臍を打出し、肉色に漆塗し、背面は背骨が長く、椎骨《ついこつ》を打出し、同じく肉色塗。二枚胴の胴表は二枚、胴裏は三枚の鉄板がはぎ合わせ(接合)されて、それぞれ一枚の胴板を構成した形跡が残る。王宮武器庫の移管時の記録に「胴は赤味がかった漆塗で、籠手と臑当も同様の漆塗」とあり、また「肉色に塗られている」ともあって、仁王胴の鉄色が赤味のある肉色を呈していたことが知られる。

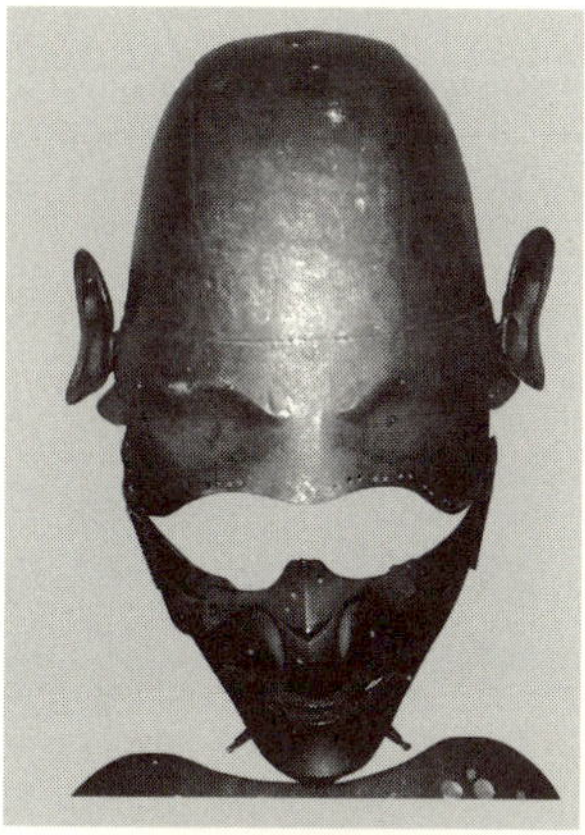
日根野形頭形兜
(眉庇に眼球の跡が残る)

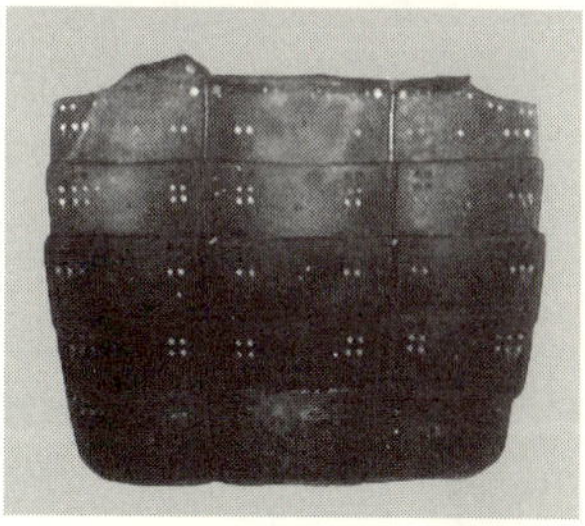
袖(片方)

草摺は、七間五段下り、草摺は現在二十七枚、内三枚には沃懸地《いかけじ》に菊・桐蒔絵がはっきりと残る。

糸欠失、小鰭《こびれ》、右肩上欠。

籠手は、鉄二枚筒、金沃懸地に菊・桐紋を金蒔絵、格子鎖繋で腕に太い血管を走らせ、手の甲には菊・桐紋を金据文する。家地なく鎖ほつれ、ほぼ欠失。

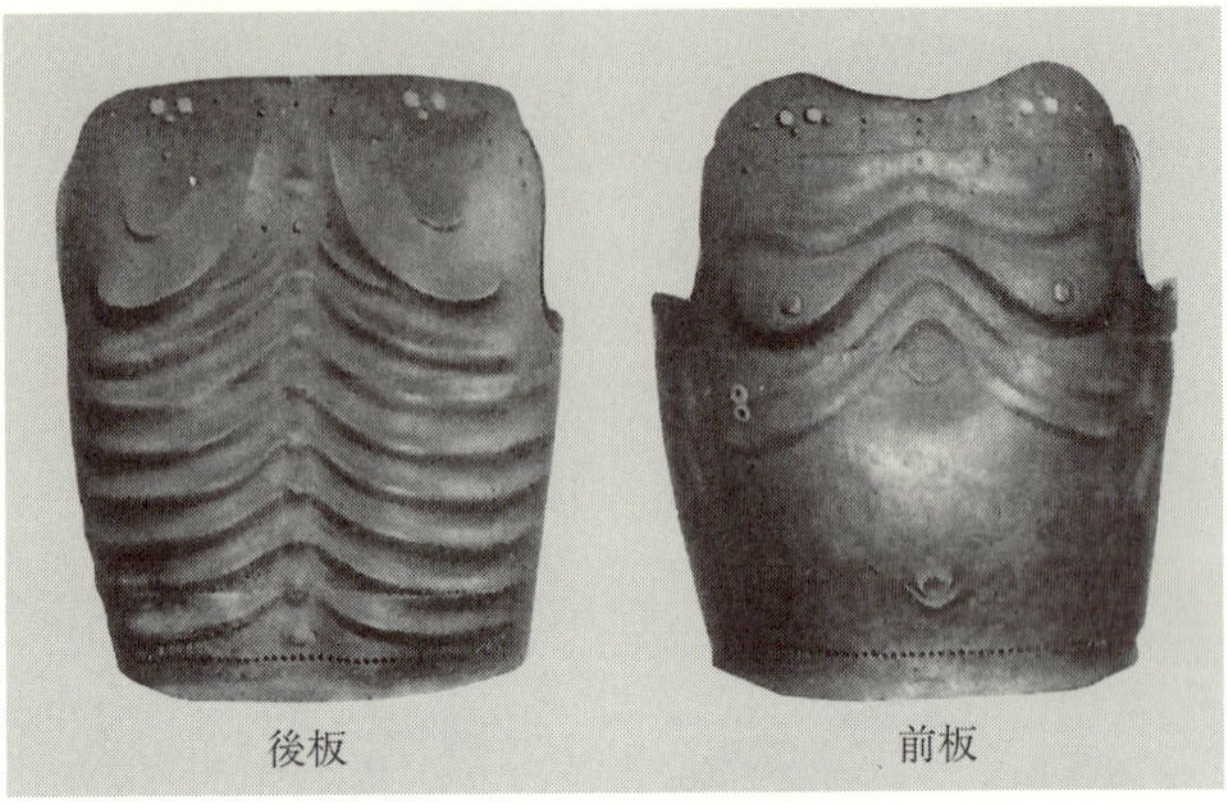

胴

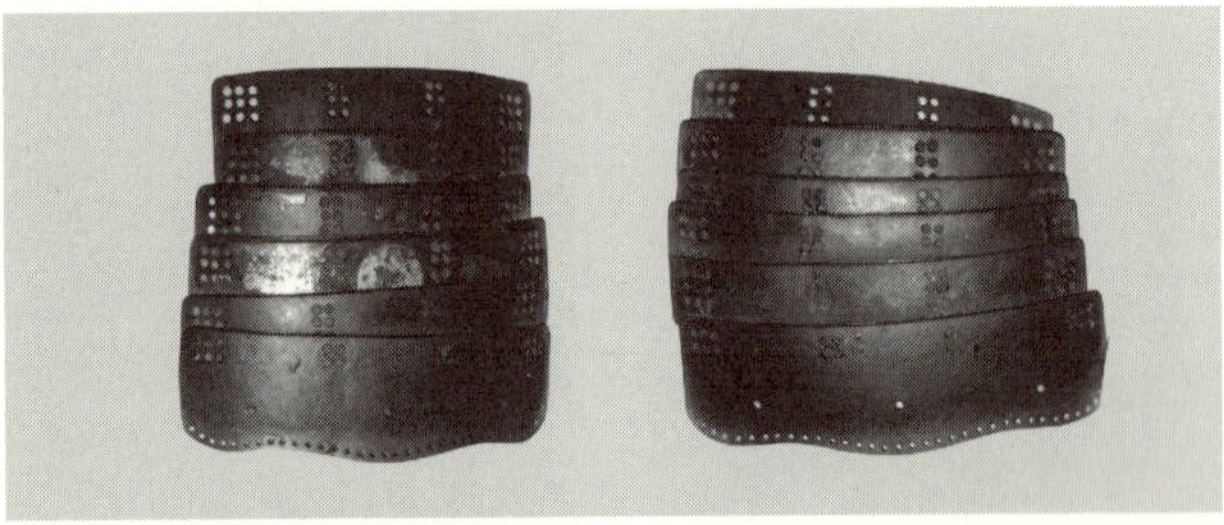

草 摺（菊・桐金蒔絵）

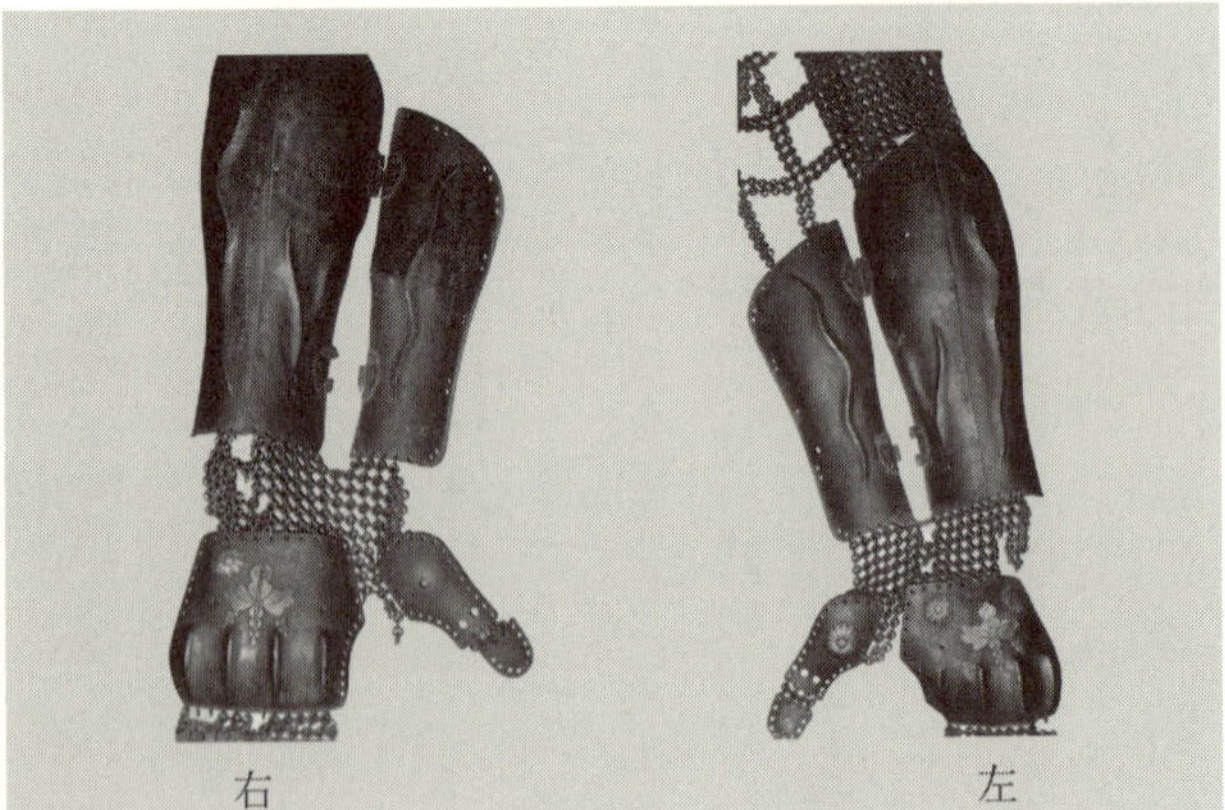

籠 手

佩楯は、鉄菱形格子に瓢の膝金物を打出し肉彫透しとする。家地なく、鉄の部分のみ残る。瓢の文様が秀吉好みの趣向をのぞかせる。

臑当は、鉄地立挙、蝶番付き、肉色に漆塗し、腕に彫込みの深い片切彫で筋肉をうねらせる。菊・桐紋を金蒔絵する。

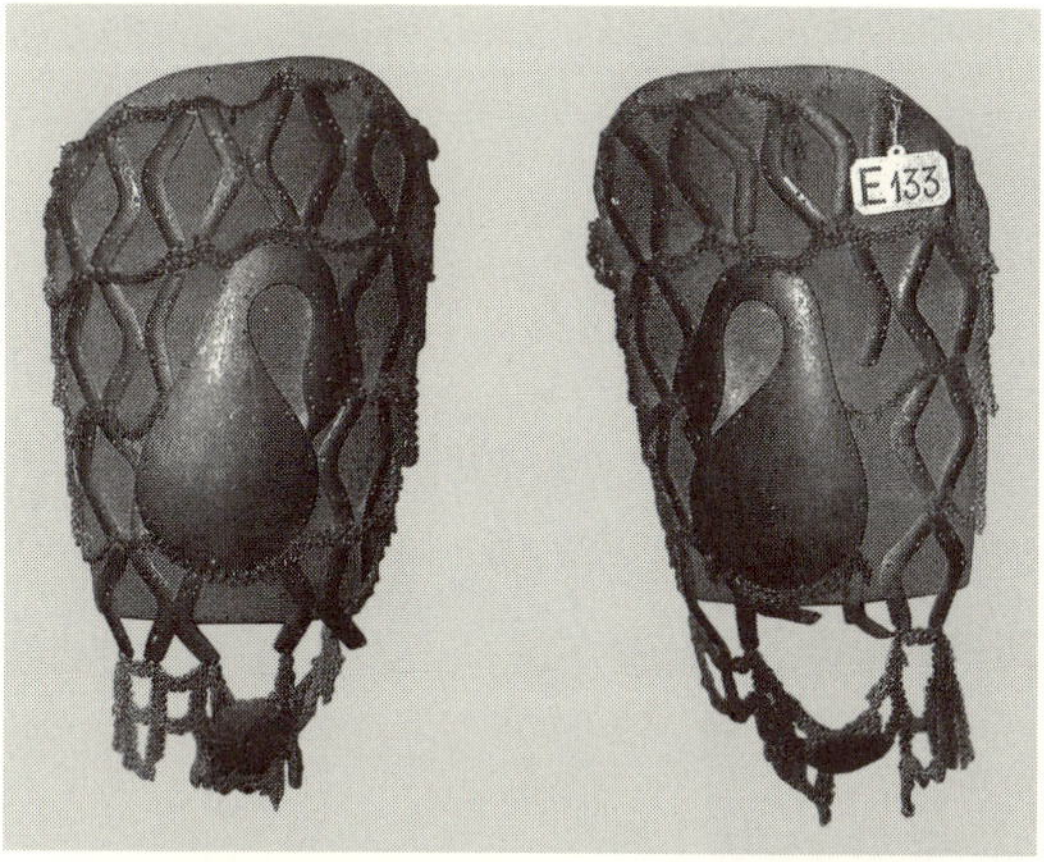

佩楯（瓢文金具付）

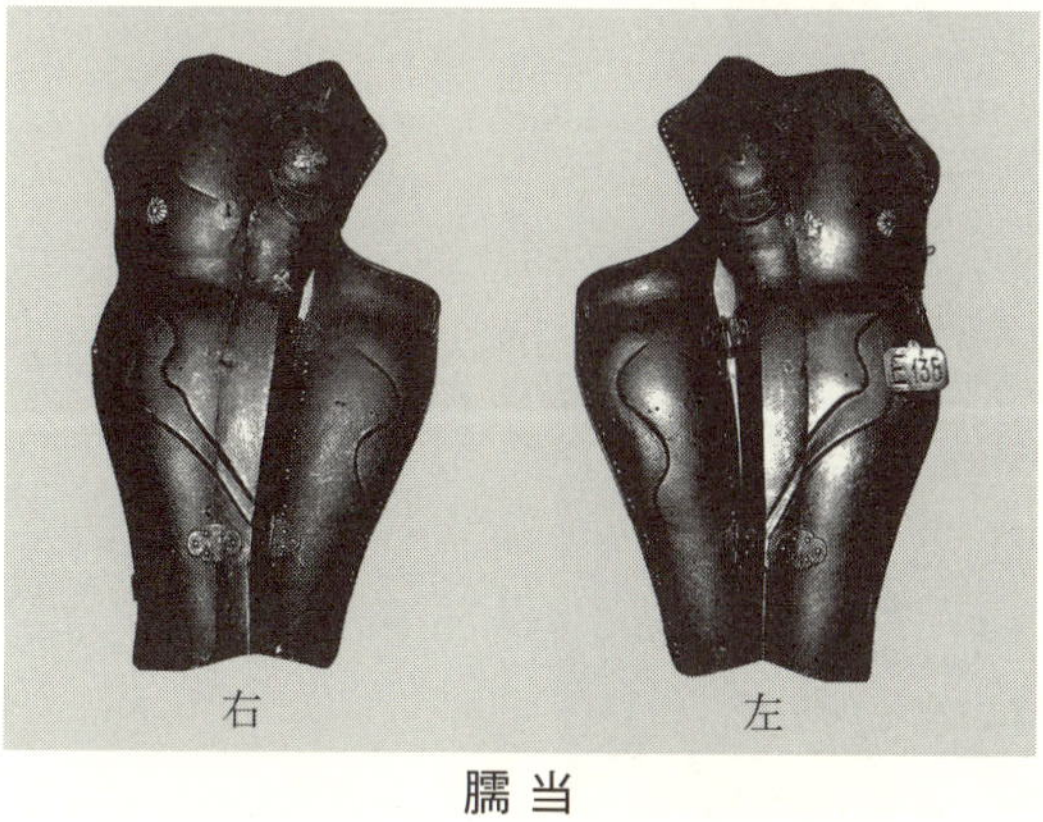

臑当

仁王胴全体が肉色の塗りで仕立てられていて、蒔絵と据金物のある部分は総じて金沃懸地の技法が施されている。菊・桐紋がかくも多く使用されている作例は、現存する甲冑類のどれにも、秀吉の有縁の菊・桐紋を使用した類品にもみられない。秀吉が好んで菊・桐紋を多くに使用したことについてはさらに後述しよう。

仁王胴具足と同類の一領が東京国立博物館にあり、類似のものに片肌脱胴が現存し、江戸前期のものだがいずれも製作技法が合致する。当該の仁王胴具足には、兜の鞆廻りにヤクの毛を垂れ下げていたことが確かで、眼の上の眉庇にまた大きな眼球を据文していて、その孔跡を残していることが異色であり、また腕に太い肉色の血管を打出しで表しているなどの仕様は、同類で現存する仁王胴具足にみることがない。奇想天外な風貌は秀吉の念入りな特注によるものに違いなく、打出し技から彫法、金蒔絵、象嵌など優れた技法が発揮された名作の面影をみる思いがある。

（参考作例）仁王胴具足（東京国立博物館蔵）
Image:TNM Image Archives

色々威胴丸具足

色々威胴丸具足は、仁王胴具足と同じく明治十七（一八八四）年に火災に遭っているが、威糸、据金物などある程度の部分が残存して、製作時の様態を想定することができる。

（参考作例）片脱二枚胴具足（東京国立博物館蔵）
Image:TNM Image Archives

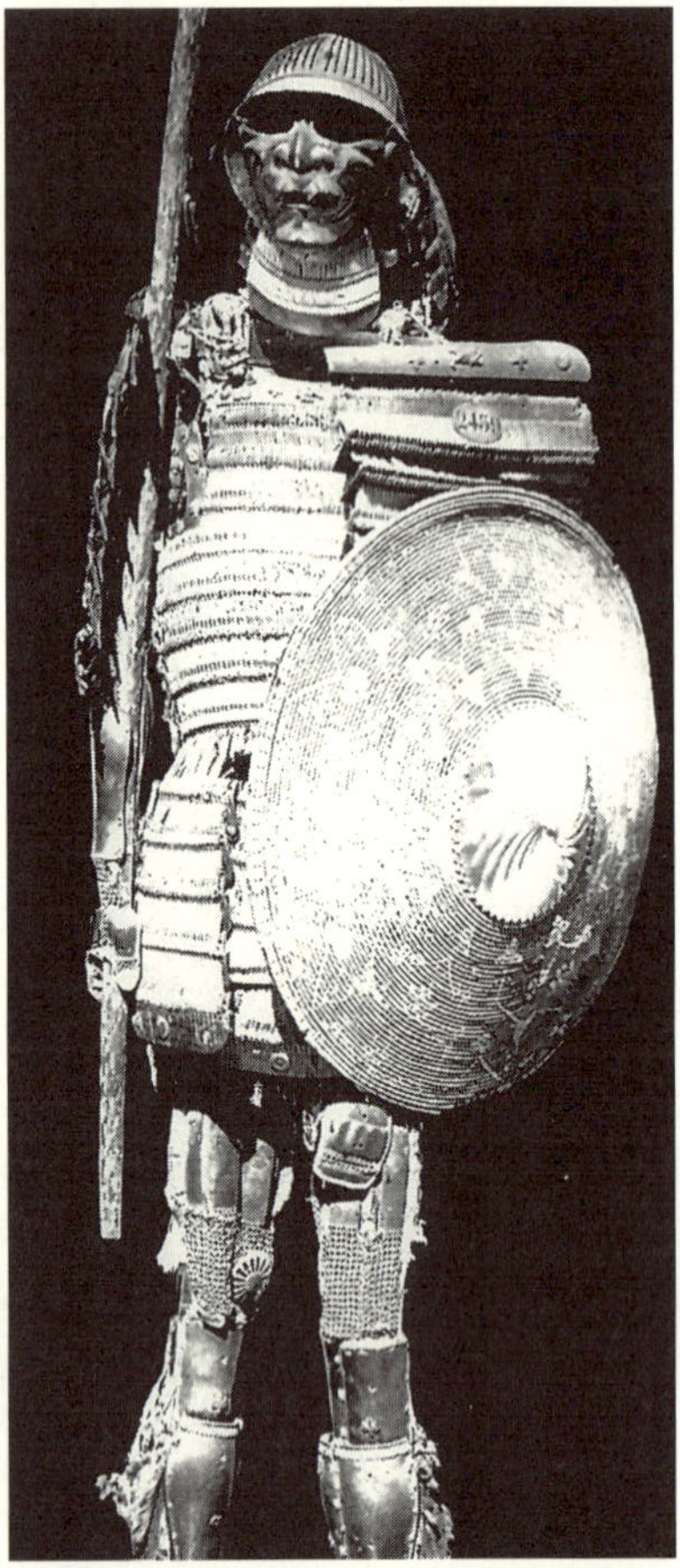
色々威 胴丸具足（明治12〔1879〕年撮影）
（マドリード王宮武器庫目録）

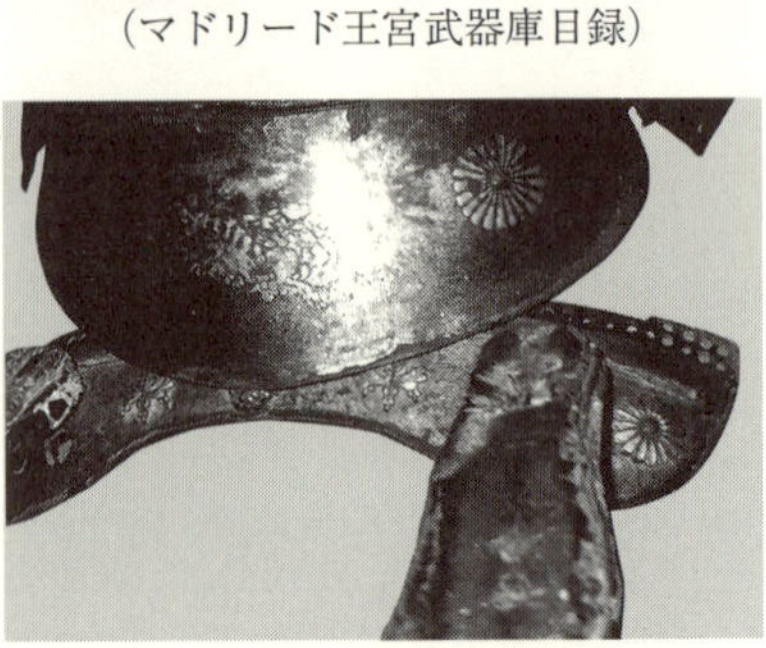
眉庇に菊・桐紋に牡丹獅子を金蒔絵

王宮武器庫の移管記録によると「紫・白・緋色の細紐で覆った」という威色が、変色はしていても、三色の色々威であることは、残存する胴、袖などをみることで判然とする。菊・桐紋が金沃懸地に金蒔絵、獅子などを金据文した金具廻りで加飾され、金小札が明るく、威糸は配色の妙を極め、作技の高さと時代性を如実に示したものであり、桃山芸術の華麗さを発揮したさまが偲ばれる。

色々威胴丸は、天保十（一八三九）年に撮影のものであり、色々威胴丸具足は、それより四十年後の明治十二（一八七九）年に撮影され王宮武器庫目録に掲載されたもので、色々威胴丸具足の原姿に近い造形をみることができる。

写真には前立がみられないが、王宮の古記録では「二本の鹿角が付けられていた」とある。また「鉄製兜は、金色があしらわれていた」とあって、この金色とは兜六十二間に加飾した金銅檜垣とその下側に付した金銅覆輪であろう。眉庇には左右に菊・桐紋の金蒔絵、中央に足を踏ん張った大きな獅子とその上に立ち牡丹花の金蒔絵がみられる。

現存する各部分と古資料を照合しつつ、色々威の原姿形をたどり、検証をすすめると、次のようである。

兜は、黒漆を塗った六十二間星兜、金銅の檜垣を付け、金銅覆輪をめぐらす。眉庇は向かって右に菊、左に桐紋を金蒔絵、中央に一匹獅子を、その上方に牡丹花を同じく金蒔絵する。鉄板鞠五段に毛引威とする。吹返しは片方が残り、桐紋を金据文する。前立には二本の鹿角が付けられていて、何か特殊な細工があったらしい。

目の下面は、烈勢形で、打出しの高低が深く、肉色塗り鼻髭と顎髭をたくわえる。裾板に菊・桐・獅子紋を金蒔絵する（現存しない）。

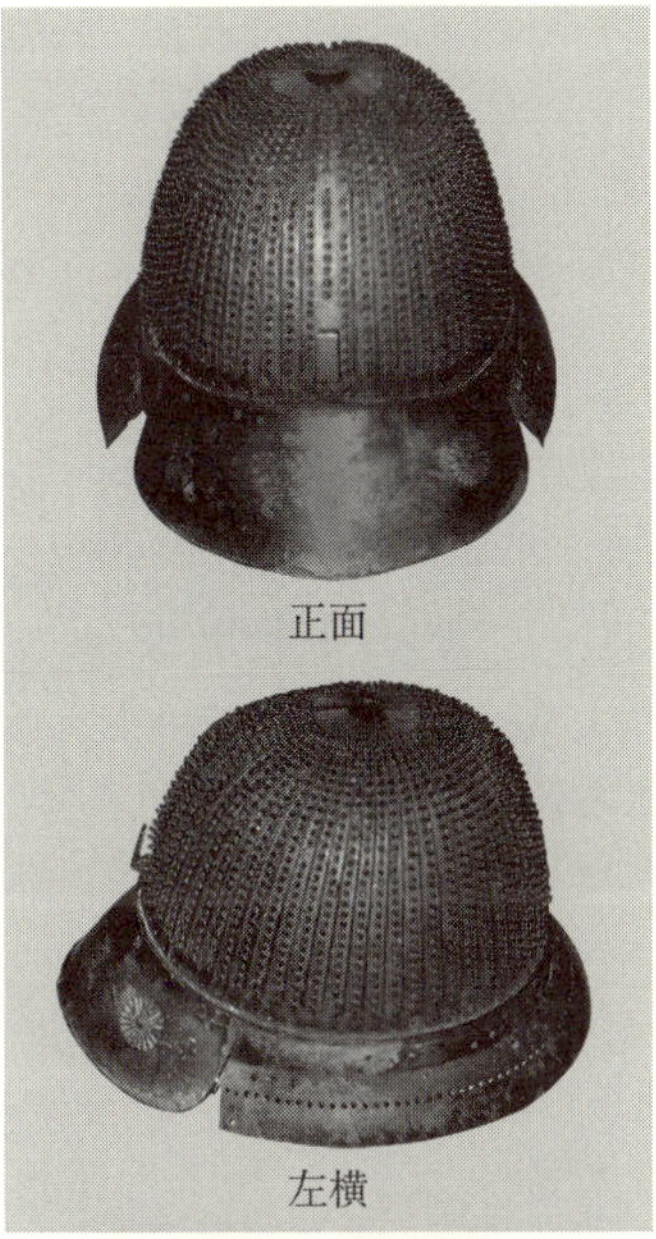

六十二間星兜

押付の板と肩上（上）胴の背（下）

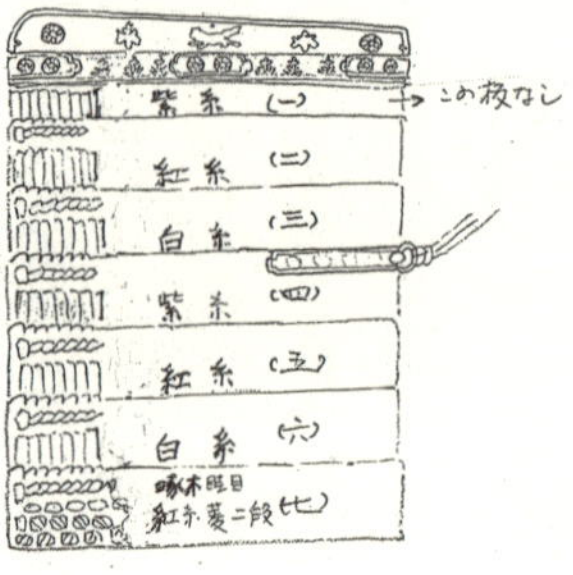

スケッチ

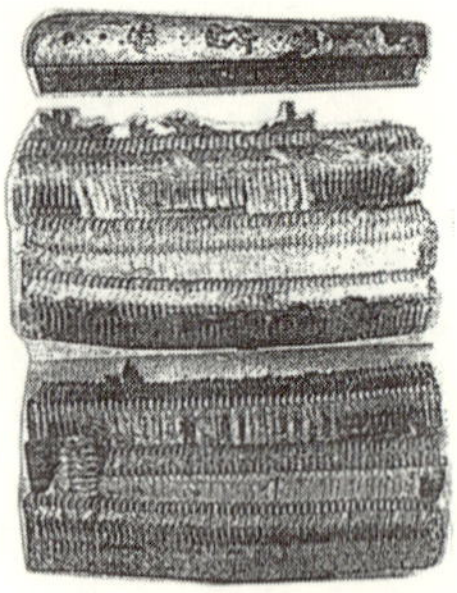
冠板と左大袖

胴は、本小札、革と鉄小札を交互に交え、威毛は紫・緋（紅とも）・白の三色糸で威す。前立挙三段、後立挙四段、長側五段。草摺は、八間五段、革小札に色々威で配色し、裾板は菊・桐・牡丹・獅子紋を金蒔絵と金据文で飾る。

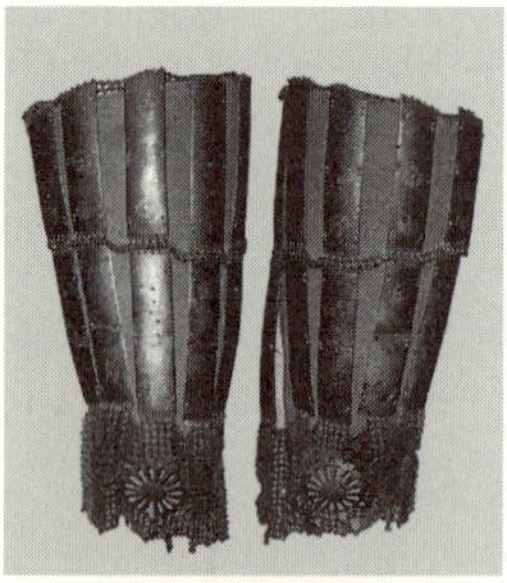
佩楯

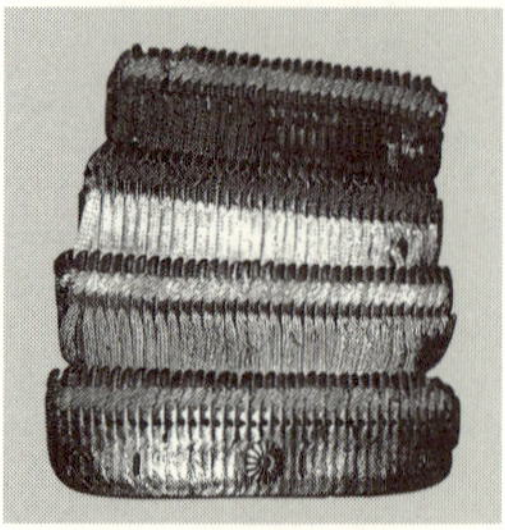
草摺

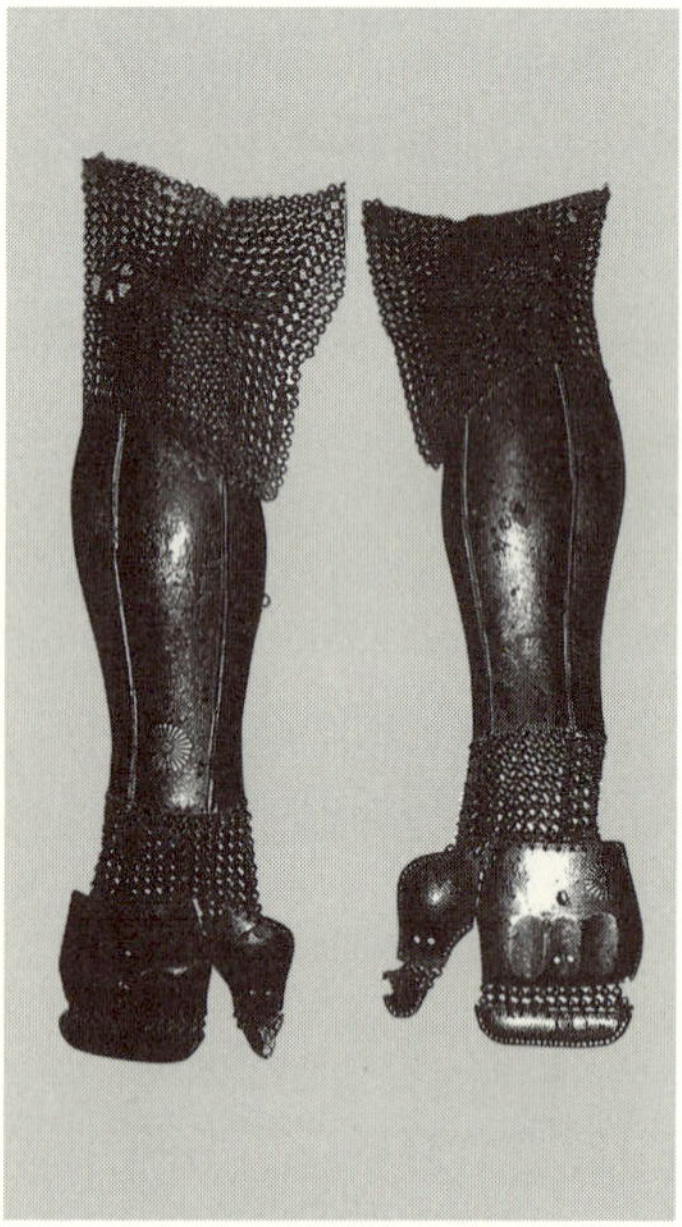
籠手

袖は、本小札、色々威の大袖で七段、冠板に菊・桐・獅子紋を金据文する。革本小札で紫・紅・白糸で威す。**籠手**は、鉄地金沃懸地に菊・桐紋を金蒔絵と金据文する。比較的によく保存されている。**佩楯**は、長方形のイカダ鉄金具が付き、金具に菊・桐紋の金蒔絵、下側の鎖中央に菊花を透彫する。**草摺**は、紫・白・紅色の威糸が残り、桐・菊紋の据金物が付く。**臑当**は、欠失しているが、目録の写真からみて立挙付の筒臑当らしい。武器庫の古記録では「臑当は金色がかった漆塗」としていて、金沃懸地らしく、その上に高蒔絵が施されていたようである。

残された金具廻りをはじめ、金蒔絵や金紋所など各部位をみることで、色々威胴丸具足がいかに加飾に意を注いで製作されたかが知られる。フロイスはこの胴丸について「華美に武装した勇姿」と評し、

その装飾ゆえに立派であり価値も高い。なぜならば、すべての日本にいる最良の工匠の手で作られたからである。

と、甲冑を実査したフロイスを感嘆せしめた。このことは、日本の甲冑工の技の高さを、よく内外に示したものであり、日本外交史上で日欧をつなぐ懸け橋となった、生き証人がここに存在し残されてきたこととなる。また同時に、秀吉の進物目録にある甲冑二領が、フロイス報告、並びに王宮武器庫の古記録、保管記録との整合に加えて、現品との照合がなされたことにより、色々威胴丸が、秀吉が贈った甲冑の一であることが確かめられる（口絵79〜81頁参照）。

鎧櫃の二脚の角柱

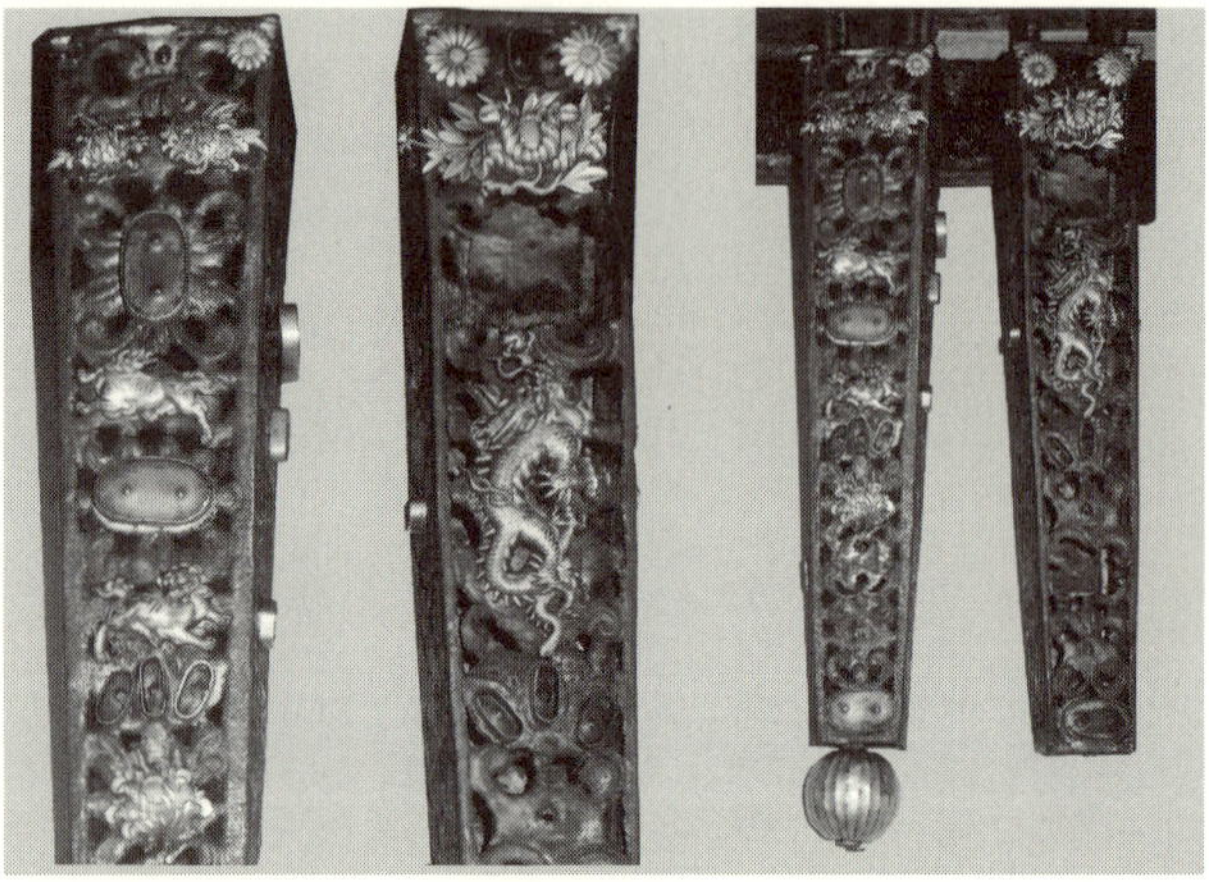
鎧櫃の二脚

鎧櫃の脚とみられる二脚の角柱が王宮武器庫に現存する。従来、ほとんどかえりみられずにきたのであるが、据文金具に欠落部分はみられるものの、金据文が残され、菊・獅子・牡丹、それに珠追龍《たまおいりゅう》の彫技にみるべきものがあって注目に値する。二脚の角柱は下地にみる花模様の彫技が鏨深く、頑強な造りである。

櫃についての記録は、かなり詳述されていて、黒漆塗が鏡のように人の顔を映して見ることができるといい、

　櫃にはすべて鍍金され美しく細工された銅の金具がついている。

　櫃は更に別の袋に包まれ、二領共に一緒にして、より大きい箱に入れられた。

このことからみて、櫃は内櫃と外櫃の二重にしつらえてあり、鍍金された銅金具で飾られていたようである。その飾り

金具を二脚の角柱にみるのであるが、菊・獅子・牡丹の金具は、当該の甲冑金具と相似の同作である。珠追龍は甲冑の金具廻りにはみられなかった構図の作であるが、刀装具の金具には、とくに後藤家歴代の作に比較的に多く用いられており、菊・獅子・牡丹文とともに後藤家上代の作と鑑じられる。とくに牡丹・獅子文は後藤宗家五代、徳乗の作に通じるものがある。

なお、王宮武器庫の調査を一通りすませた直後のこと、〝ひつ〟(櫃)が王室別邸にあると告げられた。早々に三時間ほどかけて車で馳せ向かった先は、秀吉が贈った甲冑などの品々をフェリペ二世に披露したエル・エスコリアル宮(現在は武器武具の美術館)であった。入口正面に飾られてあった〝ひつ〟なるものは、実は〝いす〟(椅子)であり、発音違いの〝いす〟はまぎれもなく〝椅子〟であって、われらが目指す〝ひつ〟(櫃)は見つかるものではなかった。その椅子は古式で頑強な、格調の高い作であった。

徳乗桐と獅子文について

秀吉は、勲功のある諸将に菊・桐の紋、特に桐紋を与えたほかに、賞賜されたとして僭称《せんしょう》する者もあって、諸家の間に、かなり流用されていた。そのため、秀吉は天正十九(一五九一)年六月、ついで文禄四(一五九五)年八月と二度にわたり、菊・桐紋のみだりな使用を禁止する令を発している。

天正十九年六月の禁止令が出された年の初めはインド副王宛の進物を用意する旨、秀吉が令しており、同じ年の翌七月には、前田玄以と進物の扱いを話し合っている時期に当たる。そうした中で調製

冠板（上）と押付板（下）に
獅子・菊・桐紋を据える

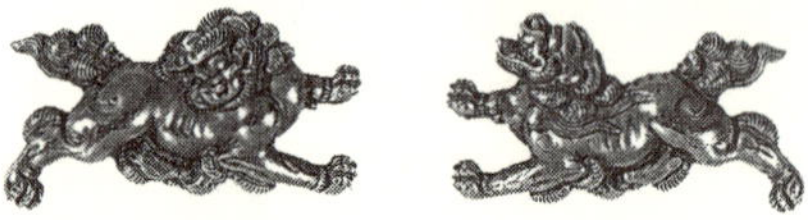

徳乗作　獅子目貫　金容彫

された進物の甲冑金具などの菊・桐紋が、いま王宮武器庫に残された宝物の実物の一部と符合するとみることは、かなり自然な時代背景をもたらすものであり、それは、金具類を精査することで首肯されてこよう。

菊・桐紋を多用し加飾

桐紋は、仁王胴具足には五七桐（籠手など）を、また九七の桐（草摺など）を金蒔絵と金据文で施している。色々威具足の五三桐（冠板など）の金据文は後藤徳乗作とみられる太閤桐の一つである。

秀吉は、桐紋と共に朝廷より菊紋も許されて用いたのであるが、ここにみる菊紋には十六葉菊をはじめ十二葉菊、また二十四葉菊（色々威胴丸の佩楯）があり、十五葉菊を透彫（同）したものもあって多種多様にわたっている。

仁王胴具足と色々威胴丸具足とはともに菊・桐紋が多く用いられ、金沃懸地に金蒔絵と金据文の技が施されている。とくに色々威胴丸具足は、仁王胴具足より火災による被害が多少とも少なかったため、据金物が各部に残されている。菊・桐紋と獅子文は金高彫で据文されている。素材が金具であるため火災にあっても変色はしているが、形姿をはなはだしく損なうほどには変形することなく、いまに時代性と作技に作家の個性をとどめている。

桐紋の特殊鏨は後藤作

五三桐紋は鏨使いの技法と特殊鏨のあとから後藤宗家の作と認められる。なお、さらに時代性と彫技を加味してみると後藤徳乗の作になる桐紋の可能性が高い。

拡大図
徳乗桐には楕円形の特殊鏨を10個打ち込んでいる。

徳乗作の鐔と目貫の桐紋（銘「徳乗作 光昌（花押）」）

徳乗作の桐紋小柄（銘「徳乗作 鋥乗（花押）」）

桐紋の鐔と小柄は現存する徳乗の作。まま同作の桐紋の作品が残されていて、〝徳乗桐〟の称がある。〝徳乗桐〟には、桐の各所に楕円《だえん》形の特殊鏨（隠し鏨）が十個打ち込まれているのが通例である。

大袖の冠板や背押付けの板にみる一匹獅子の彫法と鏨の動きは、徳乗作と極められている一匹獅子と一脈通じることが認められる。

フロイスが「動物」としたのは「獅子」のことで、これはすでに前述して確かめられたことである。

紋所の中で、桐紋は秀吉が特に好んだものであり、仁王胴の佩楯に彫り込まれた瓢箪文もまた同様である。

秀吉は、副王へはすこぶる立派な贈物をするのだといって、天正十九（一五九一）年一月から、わざわざ特別な品々を調製させていた。刀剣四振は太刀・長刀・短刀・剣の各種類別に、高位の古作を選抜しているし、甲冑は仁王胴という同種の中でもとくに奇抜な造形のものと、三色の威糸の華麗な作品である色々威胴丸具足を選定している。具足金具は菊・桐と獅子文が飾り尽くされるほど多用されていて、これほどに多く念入りに施された作品を現存作にみる例はない。とくに桐紋は使用禁止令が出されている最中で、製作品がこの時期であるとしたら、秀吉をおいて他に、これほど十二分に使用できる人がいたとは考えられない。

刀剣は、鎌倉中期から南北朝期にかけての古名刀を選び、拵外装を新調していたらしく、また甲冑の調製は、金蒔絵や金金具を含めて新調するものが多かったようである。鎧櫃を含め、これらの品々の調製が短期間でなされた。天正十九（一五九一）年一月に調製を始め進物のすべてが整い、京都から運ばれて長崎へ到着したのが、翌天正二十（一五九二）年二月十五日であったことがヴァリニャーノ書簡の同日付文書で知られる。すると京都出発が天正十九年の末頃としても、進物の調製は一年たらずの間、おそらくは天正十九年八月頃までには完成していたこととなる。

前田玄以が刀剣選定と甲冑の調製

甲冑金具を製作した金工は、秀吉の経済面を司る側近の一人であり、後藤宗家のときの頭領、徳乗をおいて他になく、その証として王宮武器庫に伝来する甲冑金具に徳乗作と鑑じられる獅子文金具があり、徳乗桐が残されているとみることができる。

秀吉が刀剣・甲冑をインド副王に贈ることは、天正十五（一五八七）年一月にいい出しており、その調製を天正十九（一五九一）年一月に令したことは前述したところであるが、調製の担当者は誰であろうか。有職故実にくわしく、のちの秀吉五奉行の一人となるなど、秀吉の信任が厚かった前田玄以（一五三九～一六〇二）は、フロイス書簡にしばしば登場して、イエズス会との交渉の窓口となっている。刀剣を選定し、甲冑の調製の一切をとりしきったのは前田玄以であったろう。

むすび

秀吉が海外の高位の人に進物をした最初が、ポルトガル王国のインド副王に対してであり、その進物について、古記録と実物とが一致した例は、他にほとんどみることがない。

秀吉が、すこぶる立派な贈物をするのだといって特別に調製させた進物の中心をなすのが刀剣と甲冑であり、それは「古の著名な工匠の手になる日本刀」と、鮮やかな色彩と、紋所など金蒔絵と金物細工の贅をつくした「華美と奇装を兼ね備えた甲冑」であった。仁王胴具足の奇抜な迫力と、色々威胴丸具足の美麗ぶりは、現存する同類の他作にほとんどみることがない。

秀吉が贈った刀剣と甲冑は、インド副王から贈られた好意への贈答の品々であった。ポルトガルは植民活動をもっぱらアジアに向け、インドを占拠してゴアに進出しており、日本へは鉄砲を伝えたといわれる天文十二（一五四三）年にポルトガル人が種子島に漂着したのをきっかけに、平戸に通商を開き、対日交易を開始している。カトリック系キリスト教の布教とのかかわりにおいて、秀吉への贈品はそれらの活動の一環をなすものであるが、その好意への秀吉からの答礼品が、インド副王からスペイン王へ献上されたのが文禄三（一五九四）年のことである。この年より遡る十四年前の天正八（一五八〇）年に、フェリペ二世はポルトガルを併合しており、すでにスペイン絶対主義の最盛期を迎えている時期にある。秀吉が贈った進物は、インド副王を経てポルトガルからスペインへと運ばれ、かくてフェリペ二世のもとへと届けられることとなった。

これらの進物が、天正二十（一五九二）年に秀吉書簡に添えられてインド副王に贈られたいきさつは、キリシタン禁制の時代にあって複雑な動静の中で実現したのであり、そうした時代背景や経緯については、ほとんど触れずにきたのは、刀剣と甲冑の実質価値と古記録との照合を本旨としたからである。

従来、マドリード王宮武器庫の甲冑二領が、秀吉がインド副王に宛て、書簡とともに贈った別紙目録と同一品であるとの確証が得られていたとはいえなかった。資料の上からは整合されていたのであるが、甲冑そのものの実地検証が定かではなかったからである。

天正十九（一五九一）年インド副王宛秀吉書簡の別紙目録にある甲冑二領が、火災に遭いながらも王宮武器庫に伝世されてきた事実を、古記録と実物とを照合しつつ追跡した結果、秀吉からインド副王へ贈った品と同一物であることが確認され、その原形もほぼ明らかとなった。

キリスト教国の外交史の上でも、日欧通商史上にとっても、秀吉が贈った刀剣と甲冑が、特別な役割をもって、その一翼をになっていたことはいうまでもなく、その意味からも刀剣と甲冑が、必ずしも特殊なものではなく、日本からの進物の代表的な存在価値を有するものとして、いまさらながらここに改めて注目されるのである。

秀吉がインド副王を経てフェリペ二世に贈った名甲と名刀は、まさに親交の印として関白とスペイン王を結びつけるものとなったが、秀吉が贈った意図の中には己の権勢を誇示しようとするものがあったことも見逃しえない。一方、秀吉からの友好の証を受けたスペイン王は、進物の品々が日本における布教活動の成果を証するものとの認識をもっていたことも否めない。日本のイエズス会士の布教努力が実った証ととらえてのことである。

秀吉が求めた外交と通商関係は世界に覇権をもつスペインとの間に確かに樹立したとみられるのであるが、その後の秀吉とスペイン王との間には交流をもつ機会が訪れることはなかった。文禄四（一五九五）年、甲冑二領と刀剣が王宮武器庫に移管された年から三年後の慶長三（一五九八）年八月十八日に秀吉は没し、その日より五日前にフェリペ二世は世を去っている。ほぼ時代を同じくした両雄は、片や幼い子ドン・フェリペ、片や秀頼の行く末をひたすら案じつつ逝ったのである。

秀吉が贈った二領の甲冑は武器庫移管の直後から展示場に飾られたと伝え、四百十余年の間、脈々として伝世し、明治に入ってから火災に遭いながらも、本体の主要部分を残し、その生命を保ち続けて、いまマドリード王宮武器庫に現存する。同武器庫はこの二領の甲冑を国宝級の扱いとして保存していると聞く。

秀吉が贈った甲冑年表

和暦	西暦	スペイン事項	日本事項／甲冑の姿形の変遷
天正4…			
5			
6			
7			
8	一五八〇	8月　スペイン、ポルトガル侵攻	
9	一五八一		2月　ヴァリニャーノ信長に謁見
10	一五八二		1月　天正少年使節渡欧 6月　本能寺の変
11	一五八三		フロイス『日本史』執筆を始める
12	一五八四		
13	一五八五		7月　秀吉関白に任官
14	一五八六		
15	一五八七	インド副王から秀吉へ賜物	6月　バテレン追放令
16	一五八八	スペイン無敵艦隊敗れる	7月　秀吉の刀狩
17	一五八九		
18	一五九〇		11月　後北条氏征討
19	一五九一	1月　インド副王へ進物用意令 12月　進物京都発	9月　朝鮮征討令
文禄元	一五九二	2月　進物長崎着 10月　進物長崎出帆	3月　文禄の役
2	一五九三	進物、インド・ゴア着	

	3	一五九四	中頃　リスボン着 12月　エル・エスコリアル宮で披露（18日）	7月　畿内大地震
	4	一五九五	6月　国王宝庫から移管、武器庫で甲冑陳列	8月　サン・フェリペ号事件
慶長	元	一五九六		
	2	一五九七		2月　慶長の役
	3	一五九八		8月　秀吉没
	4	一五九九		
	5	一六〇〇		9月　関ヶ原の戦い
	…			
天保	元	一八三〇		
	2			
	3			
	4			
	5			
	6			
	7			
	8			
	9			
	10	一八三九	王宮武器庫主要陳列物図録第二巻（パリ版）掲載版画	王宮武器庫陳列物図録に甲冑の銅版画掲載
	11			
	12			
	13			
	14			
弘化	元	一八四四		
	2			
	3			
	4			

<仁王胴具足>

⬅1839年発行の王宮武器庫陳列物図録に掲載された仁王胴具足銅版画。製作当時の原形をとどめており、野郎兜の毛髪や、鞆を覆うように垂れる白熊の毛もよく残っている。（天保10年撮影）

<色々威胴丸具足>

⬅1839年発行の王宮武器庫陳列物図録に掲載された色々威胴丸具足の銅版画。兜の前立物は欠失しているものの、製作当時の姿をほぼ完璧に伝える。3色の色々威の様子もわかる。

年号	西暦	事項
嘉永元	一八四八	
2	一八四九	王宮武器庫目録
3		
4		
5		
6		
安政元	一八五四	王宮武器庫目録（改版）
2		
3		
4		
5		
6		
万延元	一八六〇	
文久元	一八六一	
2		
3	一八六三	王宮武器庫目録（改版）
元治元	一八六四	
慶応元	一八六五	
2		
3	一八六七	
明治元	一八六八	王宮武器庫目録（改版）
2		
3		
4		
5		
6		
7		
8		
9		
10		
11		
12	一八七九	写真再掲目録

王宮武器庫目録に写真掲載

王宮武器庫目録に甲冑の写真掲載

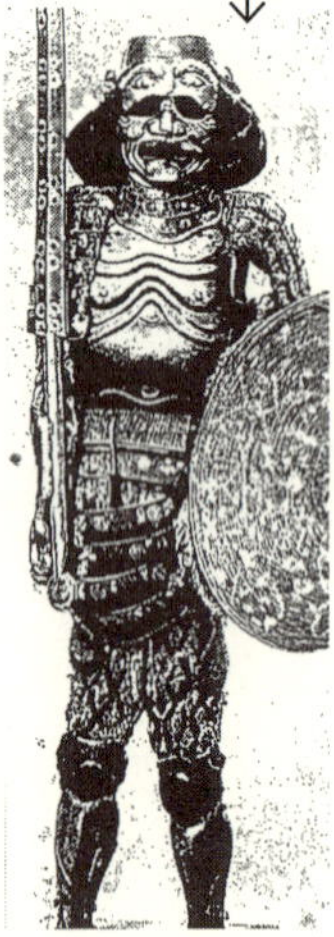

⬆1879年発行の王宮武器庫目録に掲載された仁王胴具足の写真。左手に中国もしくはモンゴルのものと思われる丸楯、右手に棒状の木製鉾を持ち、首には大振りな房をかけた奇妙な姿形となっているが、それらを除くと、仁王胴の原形をとどめている。（明治12年撮影）

⬅1879年発行の王宮武器庫目録に掲載された色々威胴丸具足の写真。仁王胴具足と同じく、左手に丸楯、右手に鉾を持つが、色々威胴丸の原形をとどめている。この頃には鉾や楯など東洋の武具類と混合して展示されていた。

13		
14		
15		
16		
17	一八八四	王宮武器庫火災
18		
19		
20		
……		
31	一八九八	王宮武器庫目録
……		
平成元	一九八九	第一回調査
2	一九九〇	第二回調査

王宮武器庫の火災により損傷を受ける

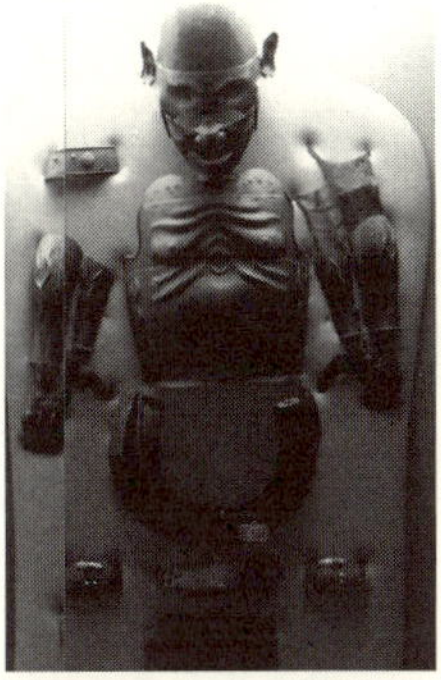

⬆1884年の焼失によりバラバラになった仁王胴具足の展示。表側。兜の鞠や袖部分が胴の下に置かれるなど配置に混乱がみられる。

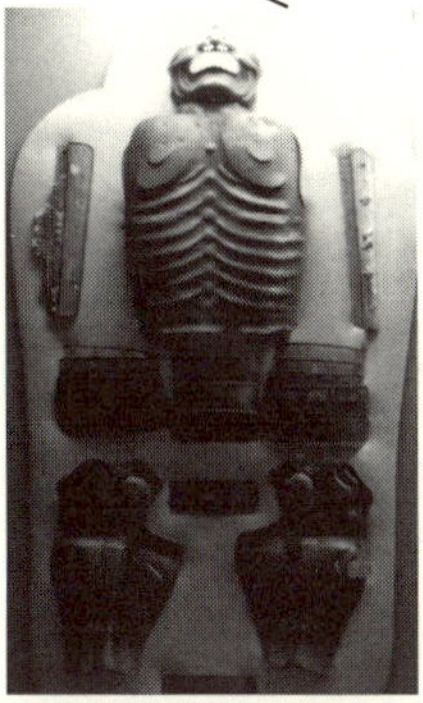

⬆裏側。面頬が誤って背面に付されている他、関係ない部品も混在している。

⬅1884年の焼失によりバラバラになった色々威胴丸具足の展示。面頬、籠手、佩楯などを欠き、仁王胴具足の佩楯が混在している。展示ボードは計４枚あり、そこに秀吉贈答品とは別の江戸期のものも含めて４領の甲冑の部品が混在していた。

新資料『光徳刀絵図』石田三成本をめぐって

『光徳刀絵図』は、太閤秀吉の蔵刀を本阿弥光徳が実写した刀絵図である。刀剣の鑑識をもって名高い光徳が太閤御物を払拭するおりに、その刀絵図を作成して自家の控えとしていたものを、書写して献じ、また所望に依って大名に、あるいは門人に与えるなどしたものである。

その描かれた刃文図は写意に徹して、沸匂いの個性をよく表わし、書銘は写実的で鏨跡の特徴をよく描出している。刀絵図はこれらの刃文図と書銘の妙味を堪能するばかりでなく、大坂落城と明暦の大火によって焼身となった名刀の往時の刃文と形姿をうかがい知ることができて貴重である。

『光徳刀絵図』は原本二巻、写本二巻の計四巻が知られてきたが、今回他に石田三成本（模写本）一巻が残されていることが知られ、ここに全刀絵図七十二口を紹介する機会となった。

『光徳刀絵図集成』（本間順治編）は昭和十八年・同四十五年に刊行された大著であり、『光徳刀絵図』全四巻の刀絵図が収められている。四巻の内の、光徳自筆の原本一（毛利本）は防府毛利報公会が保存し、文禄三年六月十四日の奥書きがあり、光徳が毛利輝元に献じたものである。刀絵図六十五口を収載する。原本二（大友本）は石川県立美術館蔵。文禄四年五月十二日奥書き、四十口収載。写本一（寿斎本）は埋忠寿斎の書写本で元和元年十二月十一日奥書き、七十二口収載。写本二（中村本）は中村覚太夫の旧蔵本で慶長五年二月廿二日奥書き、四十五口収載。

石田三成本の天正十六年極月三日の奥書きは、これまでに知られる刀絵図中で最も古く、この年は毛利本の文禄三年より六年前に遡る。石田治部少輔（三成）殿宛てで、本阿弥又三郎益忠（光徳）の署名がある。従前にみる四巻の刀絵図には埋忠寿斎本をのぞき、いずれも「本阿弥光徳（花押）」の署名があるが、これには「本阿弥又三郎益忠」とあって、本阿弥光徳の実名が署されている。

石田本の原本は蜂須賀家に伝来したものと伝えるが、いまその所在は明らかでない。昭和四十年代後半のころ模写された巻物が筆者の手元にあり、これによれば収載刀絵図七十二口、毛利本と照合して互いに重複する刀絵図の数三十八口、毛利本になくて石田本にあるもの二十九口であり、石田本になくて毛利本にあるもの二十五口がある。これによってみれば両本が同じく所載しないものの数が半数近くに及ぶ。石田本は刀絵図の巻頭に「屋けん吉光」（薬研藤四郎）短刀を掲げていて他本と異なる。大友本は骨喰藤四郎（吉光）太刀、毛利本は鷹巣（三条）脇指を掲げている。薬研藤四郎は信長の愛刀だったものを、本能寺の変で焼身となってのち、見い出され、再刃して秀吉の愛刀となったものであるが、秀吉の愛刀を集成した『光徳刀絵図』の巻頭に信長御物の薬研藤四郎を掲げてあるのは注目してよい。石田本が描かれた天正十六年は本能寺の変から六年後のことである。

秀吉の愛刀の筆頭に位置する一期一振（吉光）太刀は、毛利本、大友本のいずれにも収載があるが、石田本にみられないのは、天正十六年に光徳が一期一振の刀絵図を未だ描いていなかったらしくみられるし、あるいはこの頃は未だ秀吉の愛刀には加わっていなかったためかとも思われてくる。一期一振は足利将軍家の重宝で、義昭から秀吉に贈られたとのみ伝えていて、『名物帳』の記録も詳細を欠く。

秀吉の愛刀の筆頭は粟田口吉光で十一口（大友本は十二口）が載っている。山城物は比較的に多く三条物四口、粟田口物四口、来物七口であり、相州物のうち正宗・貞宗は八口。備前刀は光忠一、長光二をふくめ十二口。信長は光忠・長光を特段に好んでその愛刀が多かったのと比べて秀吉の蔵した数は少ない。江は三口、大和物は則長と包氏の二口であり、大友本が当麻《たいま》、千手院、包永、保昌など七口を載せている品揃えからみて、石田本が描かれてのちに大和物が増えたことによるものか、あるいは単に絵図の描写に選抜された蔵刀が大和物であったということなのかもしれない。

石田本は『光徳刀絵図』中で最も早い時期に描かれたもので、秀吉が小田原城を囲む二年前の年に当たる。光徳が恐らく最初に描き献じた刀絵図が石田三成宛てであったことは興味深い。

【付録】秀吉所持刀剣押形①「光徳押形　石田三成所有巻」（『光徳刀絵図　石田三成本』）

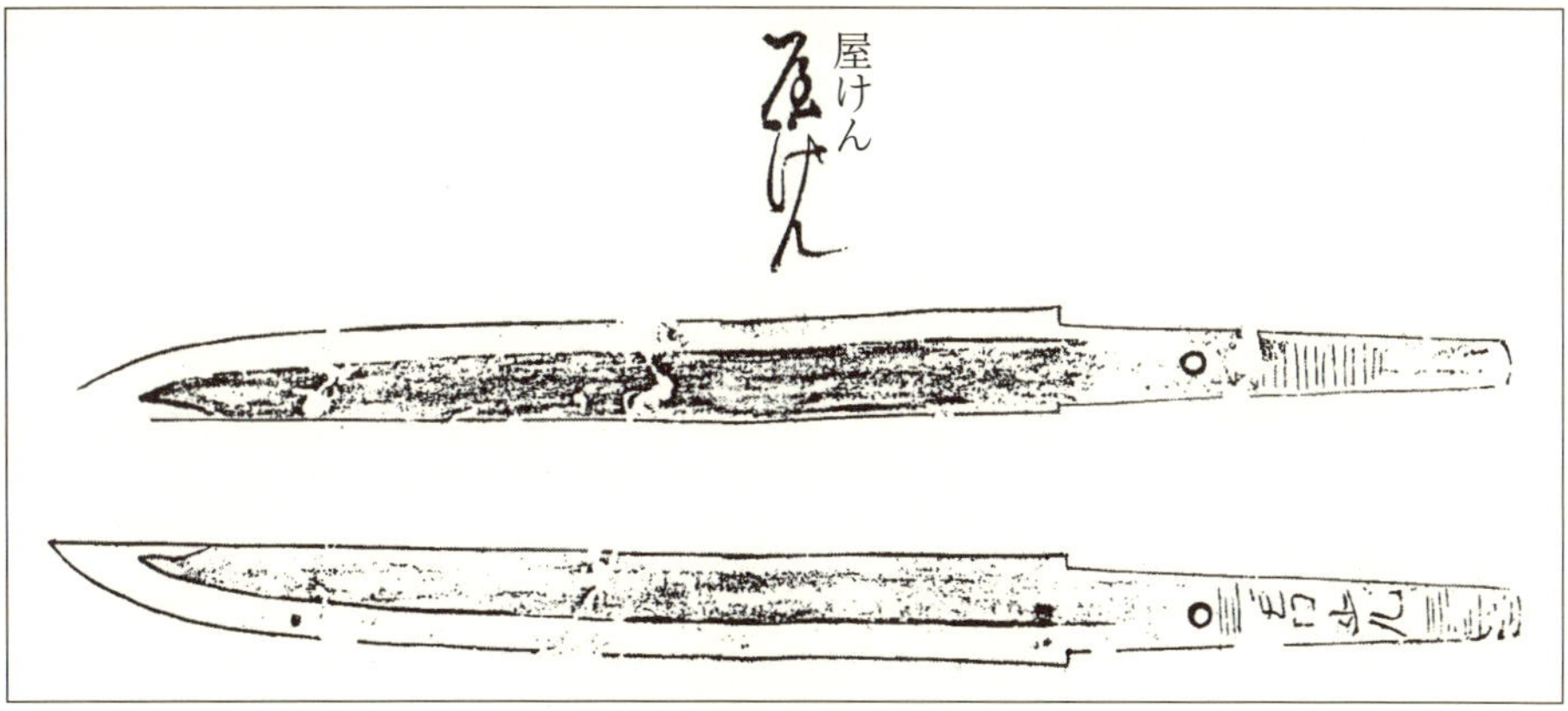

① 短刀　薬研藤四郎　銘吉光

※屋けん（薬硎）…薬硎藤四郎（薬硎通吉光）

② 短刀　無銘藤四郎　無銘

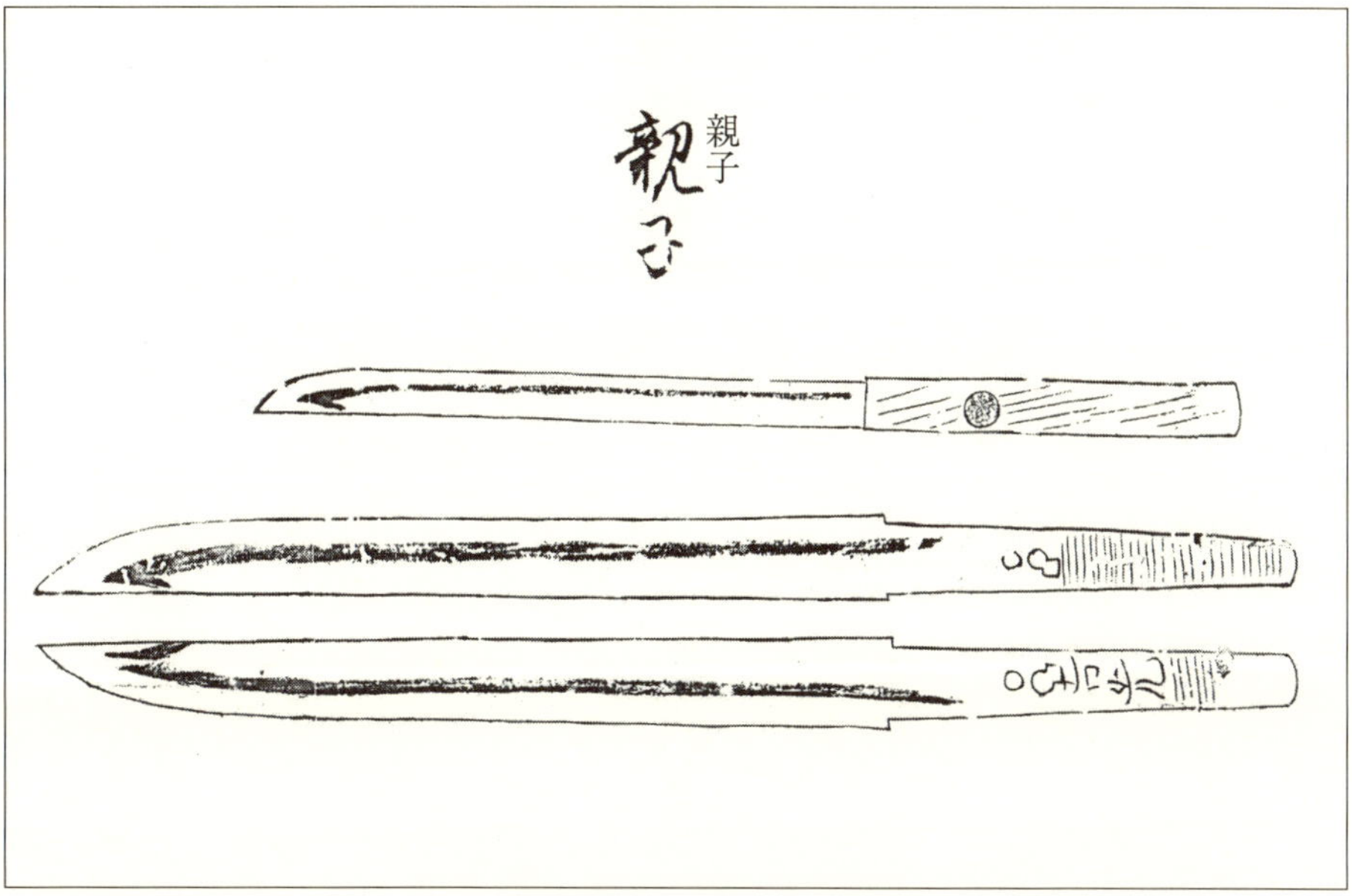

③ 短刀　親子藤四郎　銘 吉光

※親子…親子藤四郎

※北野…北野藤四郎

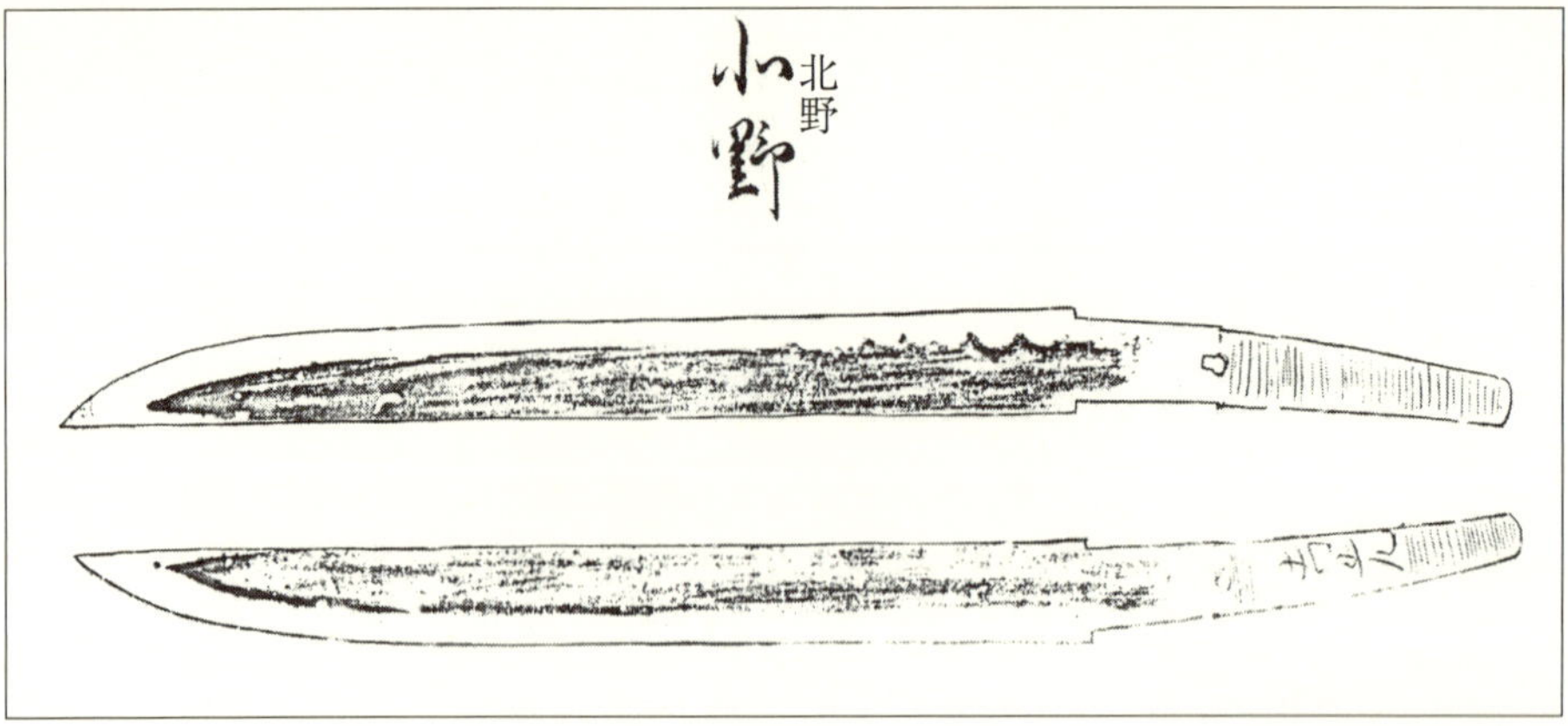

④短刀 北野藤四郎 銘吉光

※ミたれ（乱）…小乱藤四郎

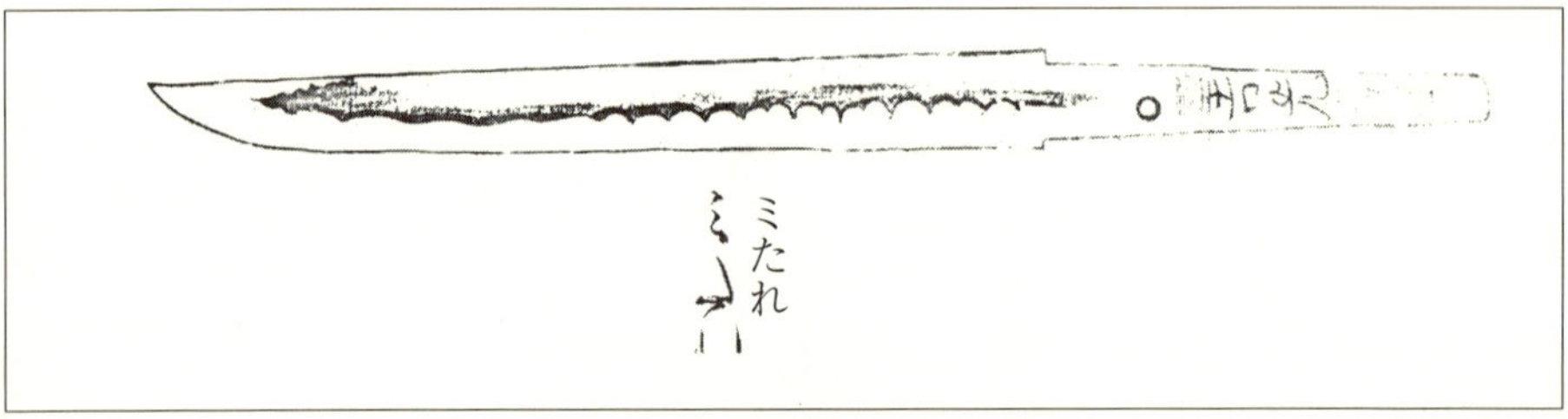

⑤短刀 小乱藤四郎 銘吉光

※庖丁…庖丁藤四郎

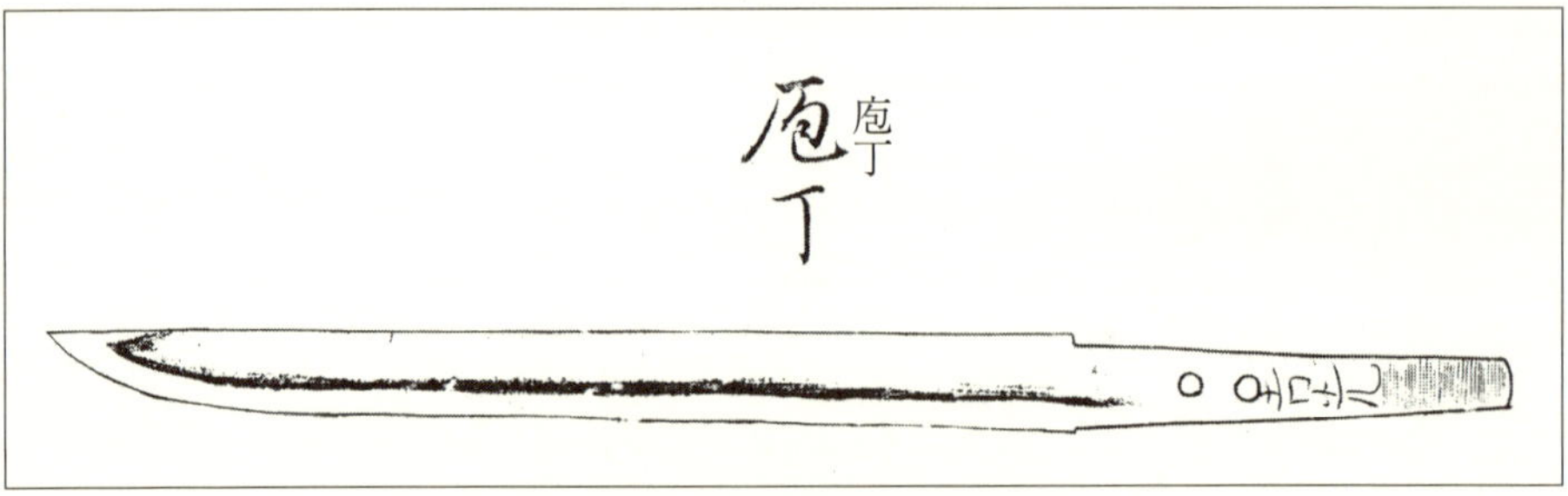

⑥短刀 庖丁藤四郎 銘吉光

※しのき（凌）…凌藤四郎

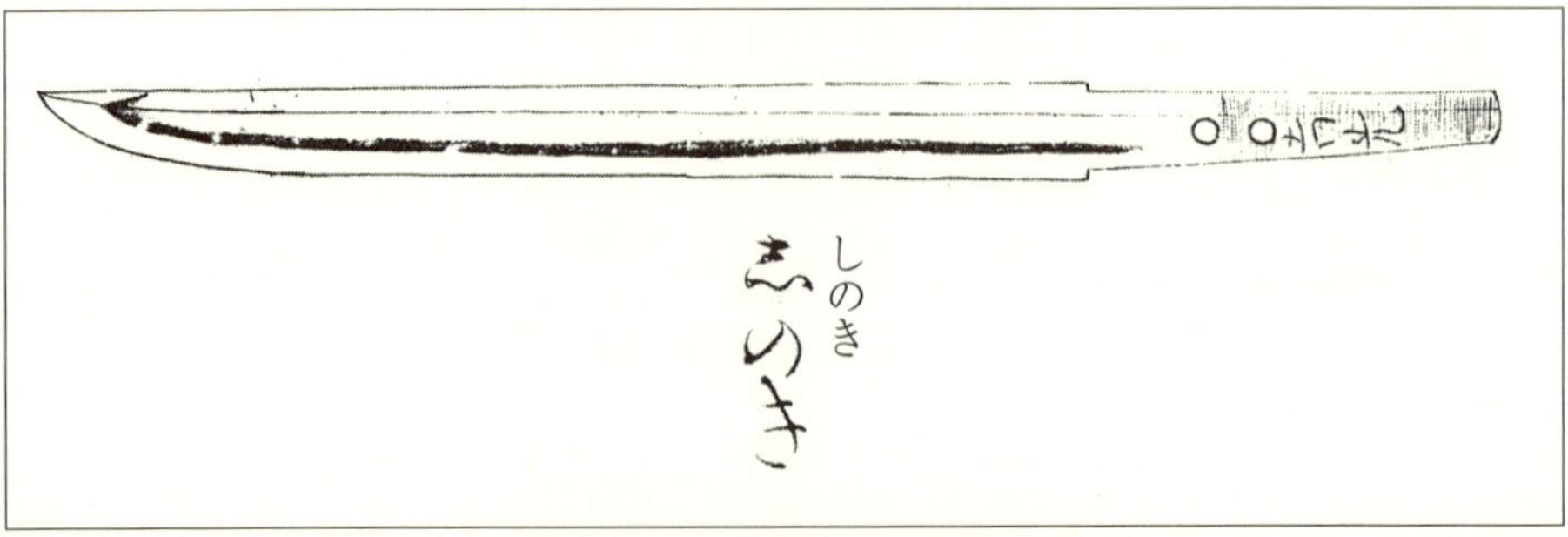

⑦短刀 凌藤四郎 銘吉光

※鯰尾…鯰尾藤四郎

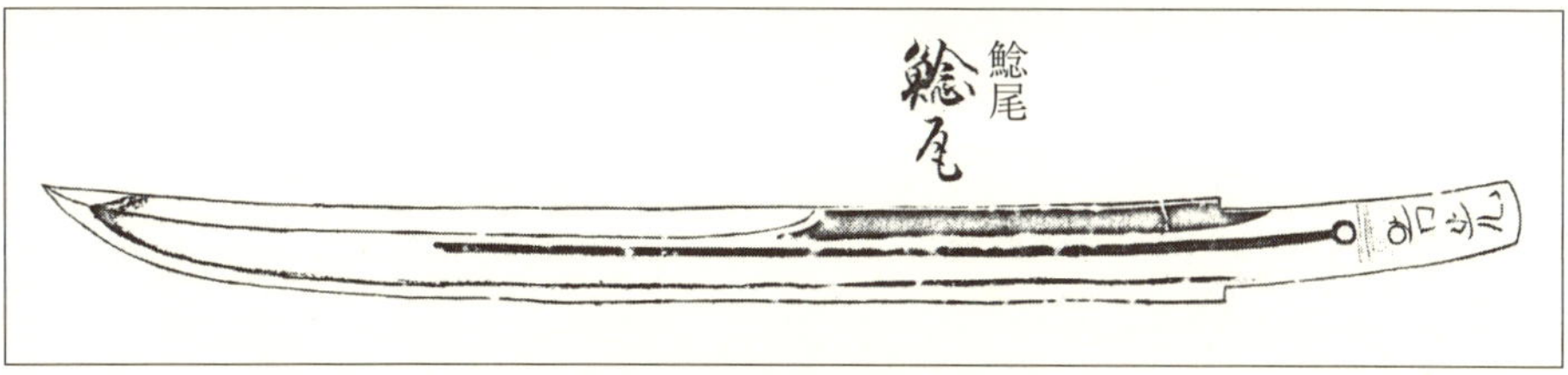

⑧脇指 鯰尾藤四郎 銘吉光

※あらミ（新身）…新身藤四郎

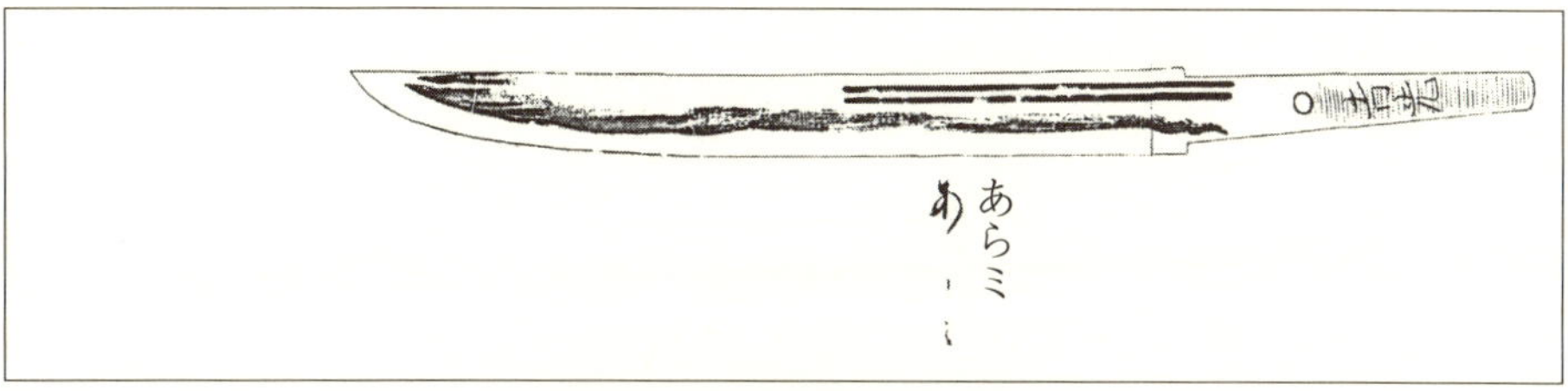

⑨短刀 新身藤四郎 銘吉光

※豊後…豊後藤四郎

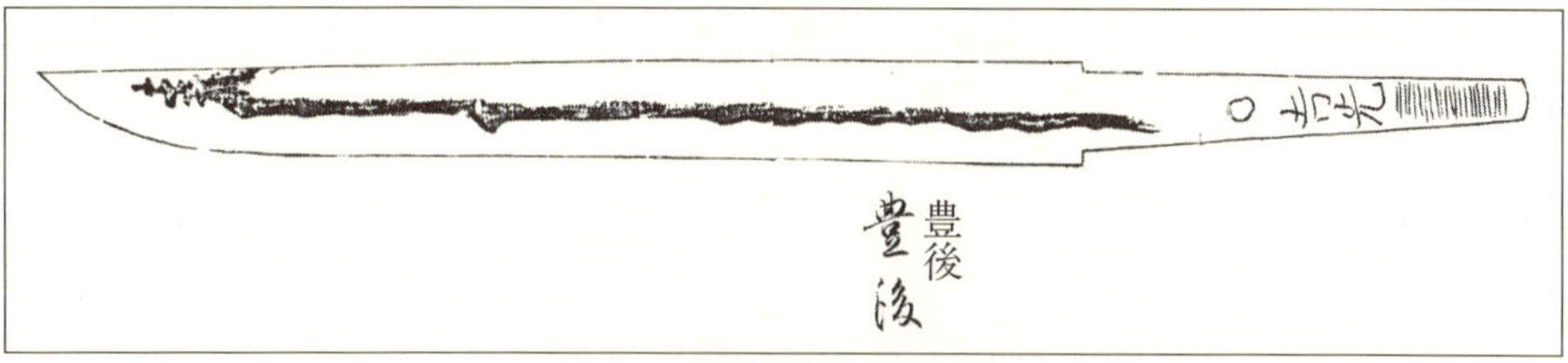

⑩短刀 豊後藤四郎 銘吉光

※骨喰…骨喰藤四郎

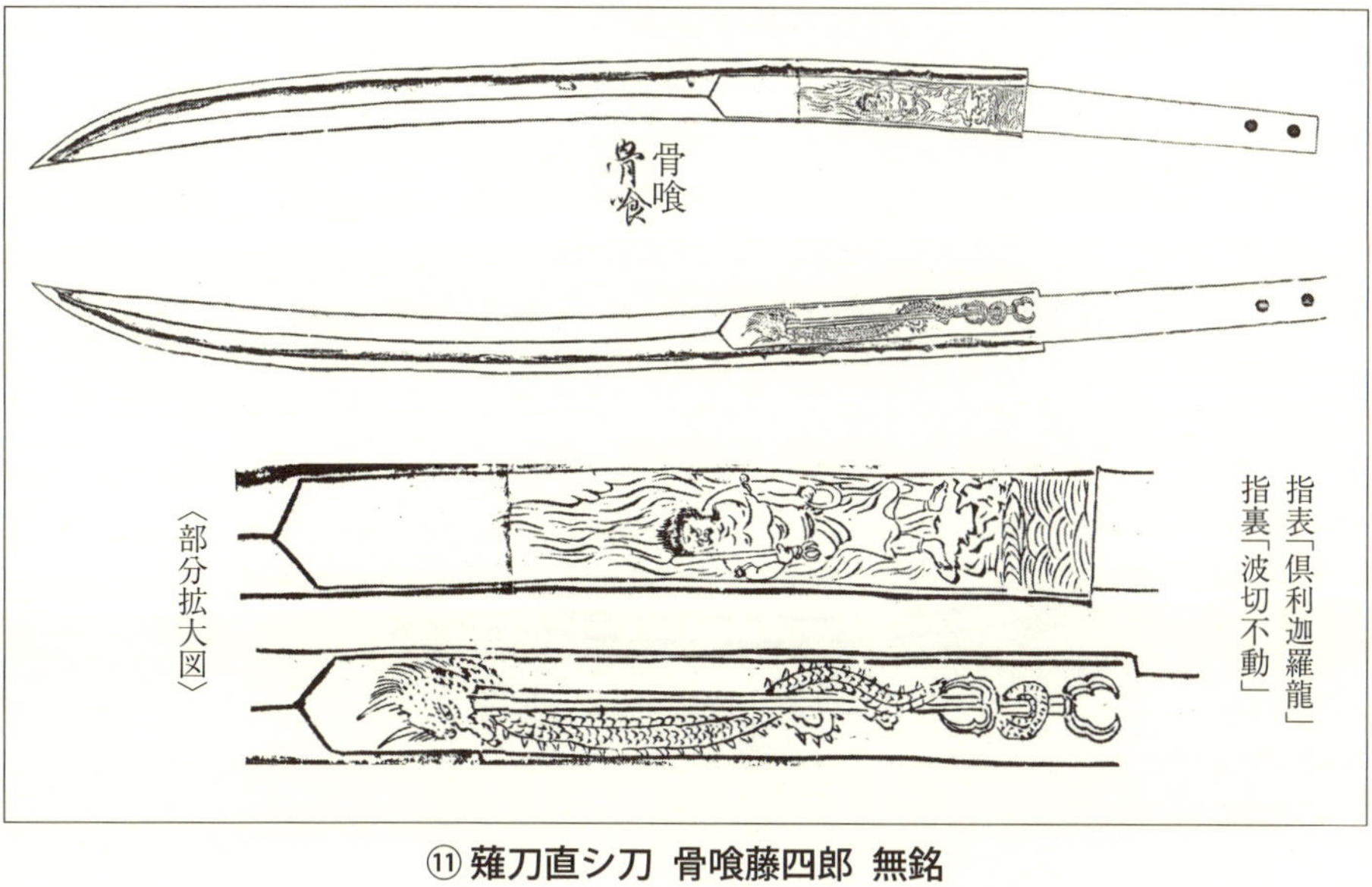

⑪薙刀直シ刀 骨喰藤四郎 無銘

※鬼丸…鬼丸国綱

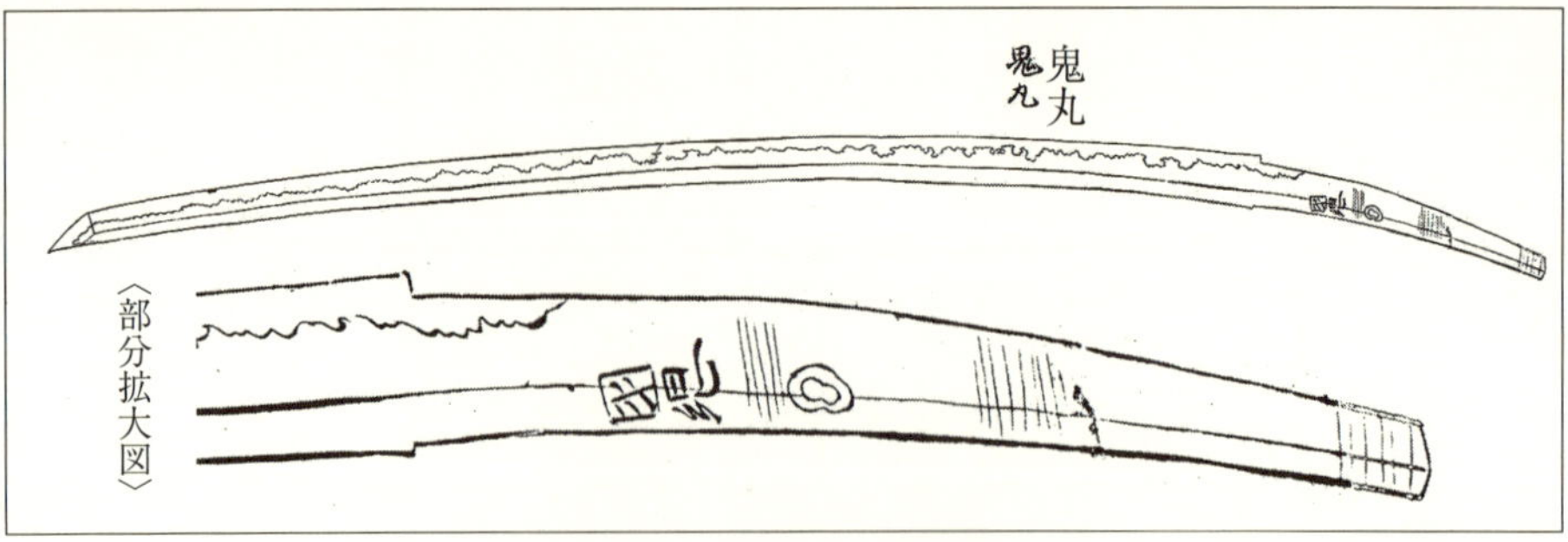

⑫ 太刀 鬼丸国綱 銘国綱

※ぬけ（抜け）…抜国吉

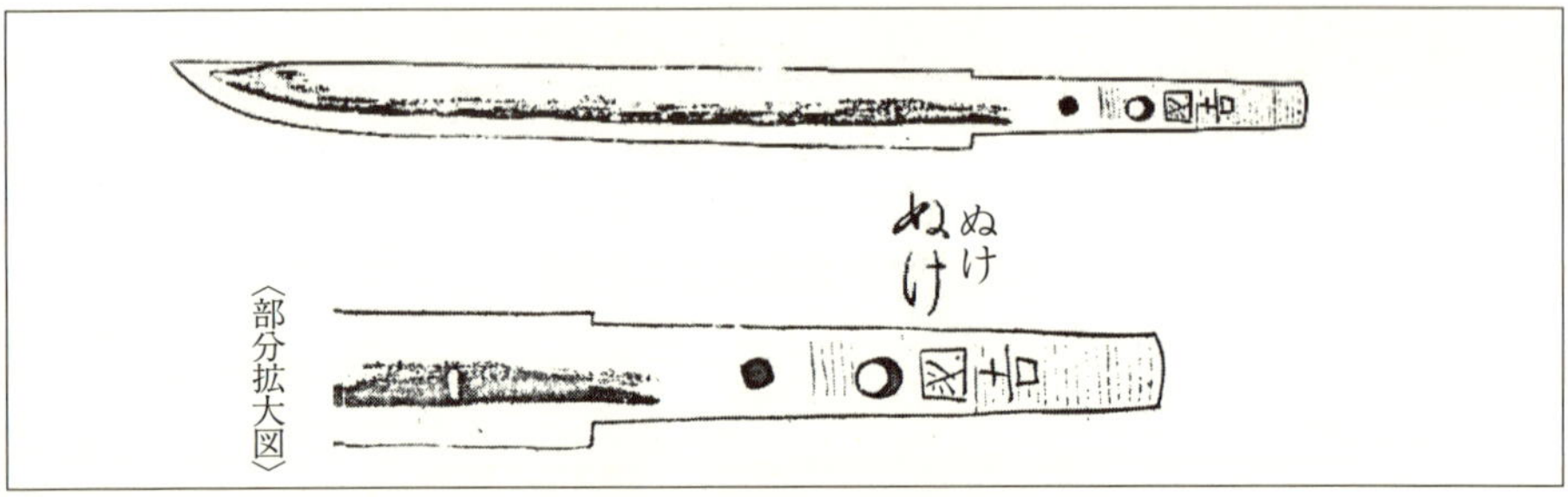

⑬ 短刀 抜国吉 銘国吉

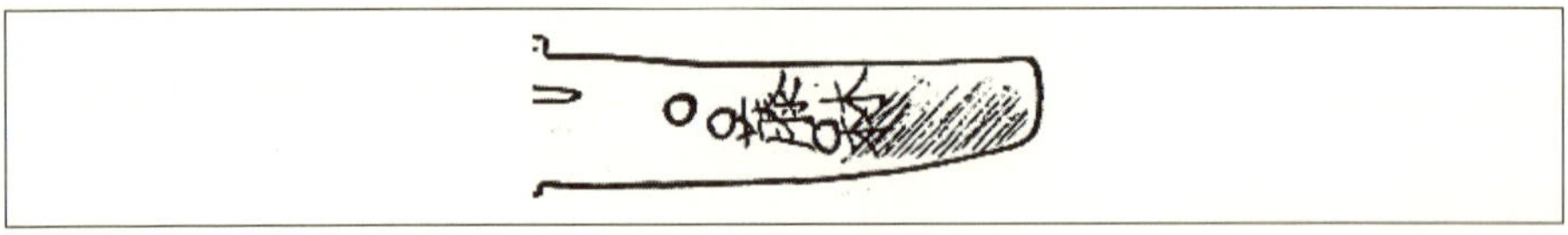

⑭ 茎押形 銘藤林

※鷹巣…鷹巣宗近

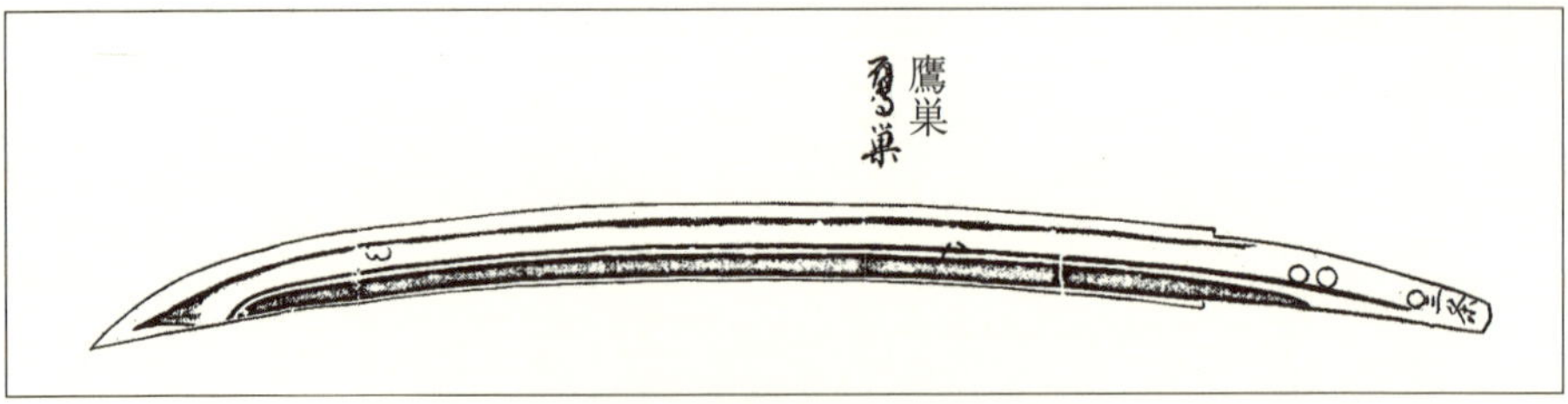

⑮ 脇指 鷹巣宗近 銘三条

※えひな小鍛冶（海老名小鍛冶）…海老名宗近

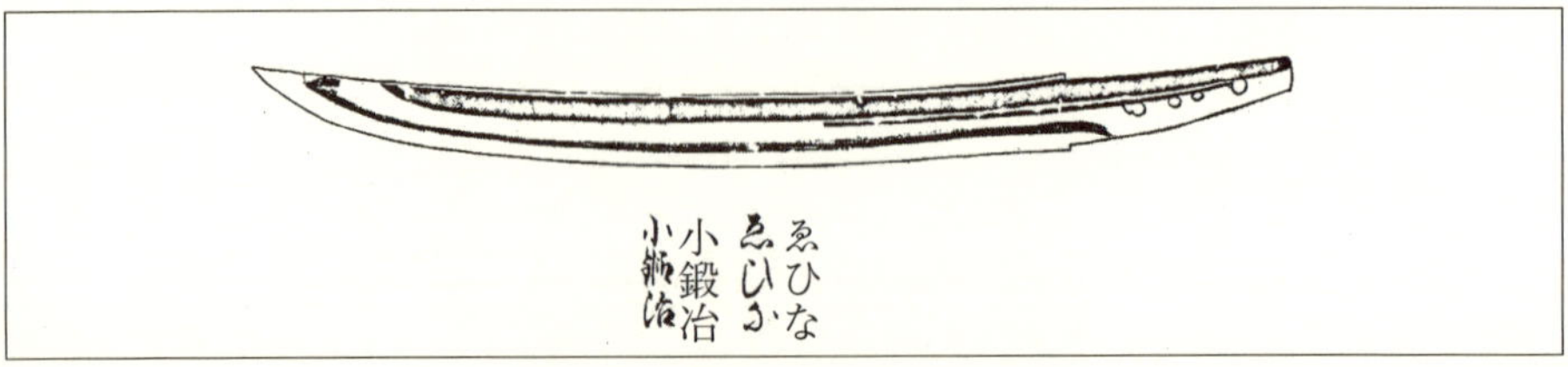

⑯ 短刀 海老名小鍛冶 銘宗近

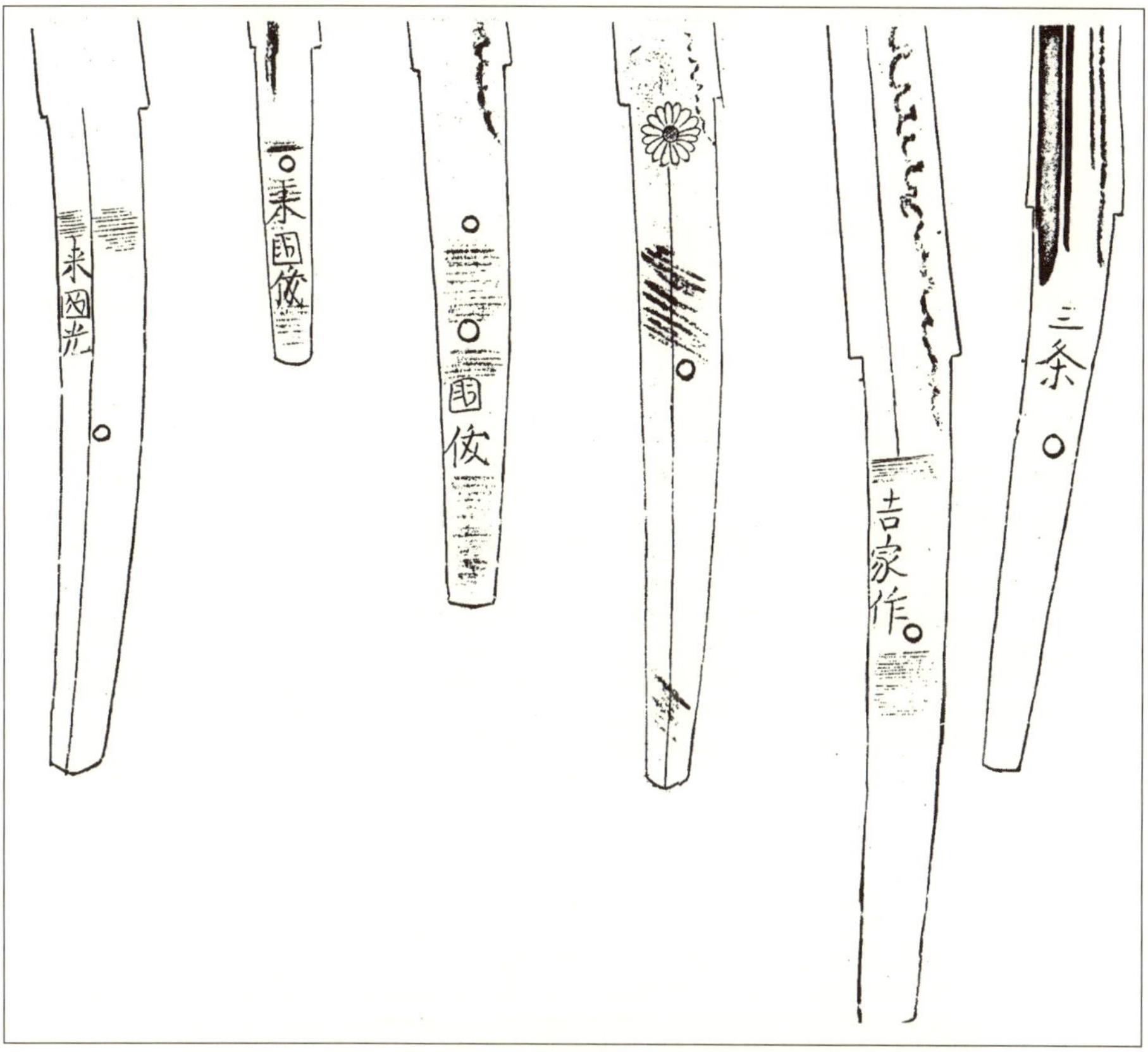

⑰ 茎押形　三条宗近・吉家・菊御作・二字国俊・来国俊・来国光

※不動…不動国行

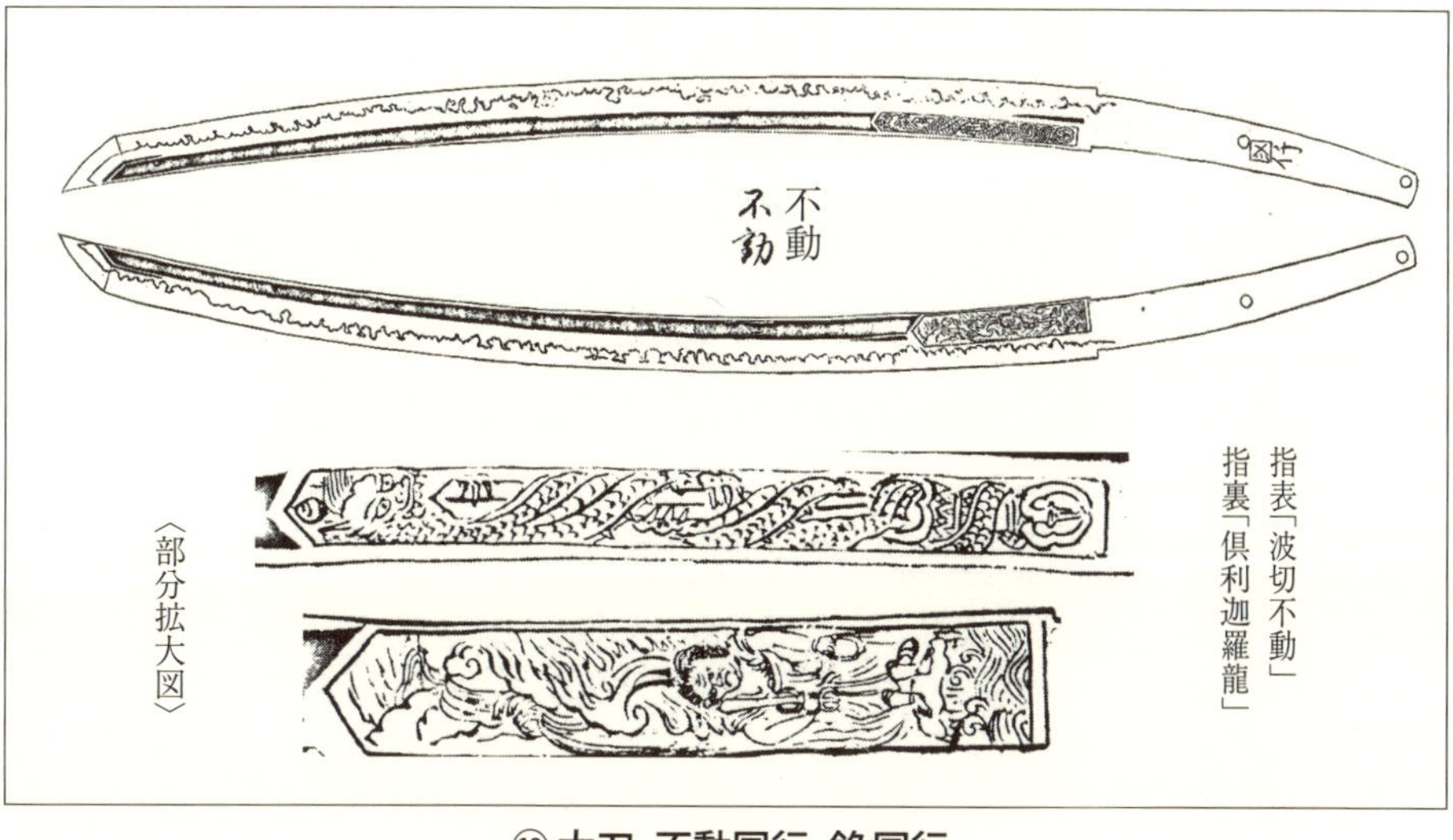

⑱ 太刀 不動国行 銘国行

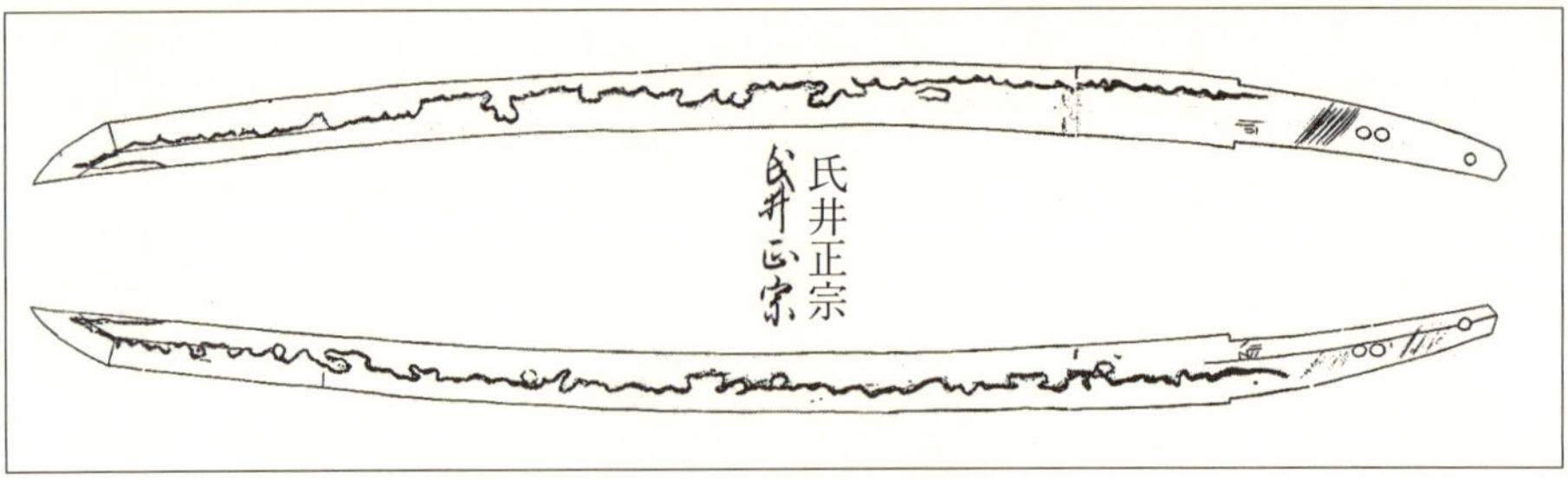

⑲刀 氏井正宗 無銘

※十川…若江十河正宗

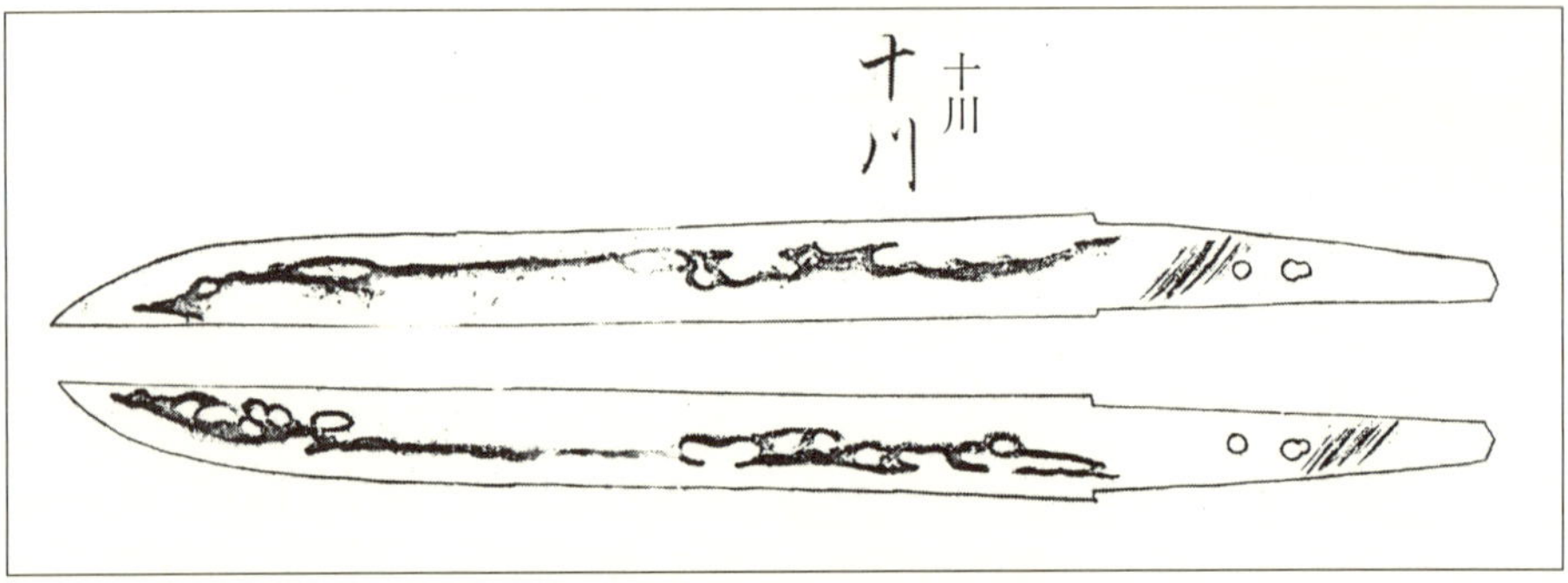

⑳短刀 若江十河正宗 無銘

※鍋とをし（鍋通）…鍋通正宗

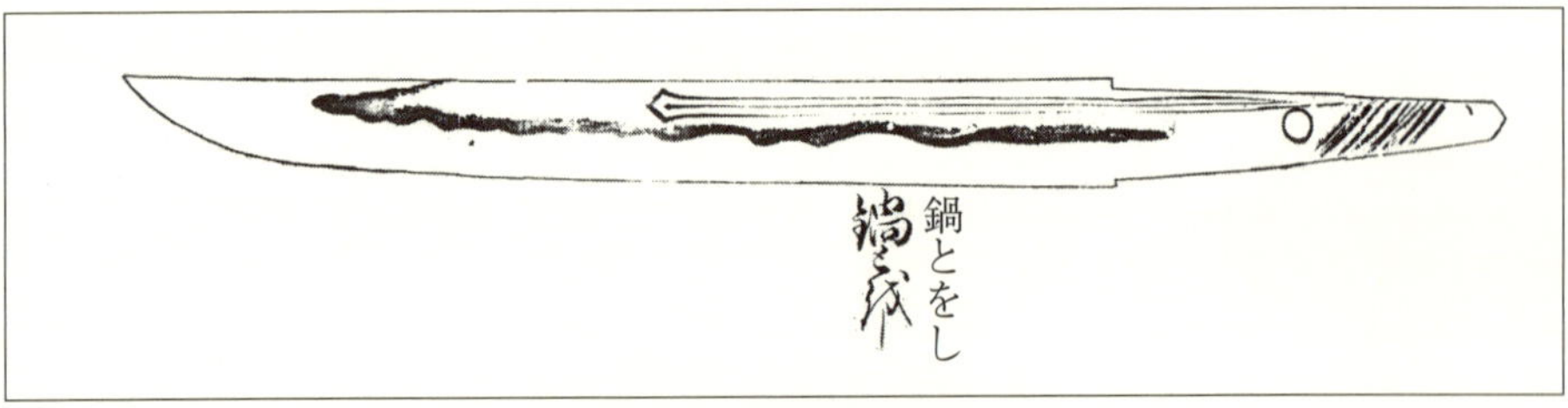

㉑短刀 鍋通正宗 無銘

※三好…三好正宗

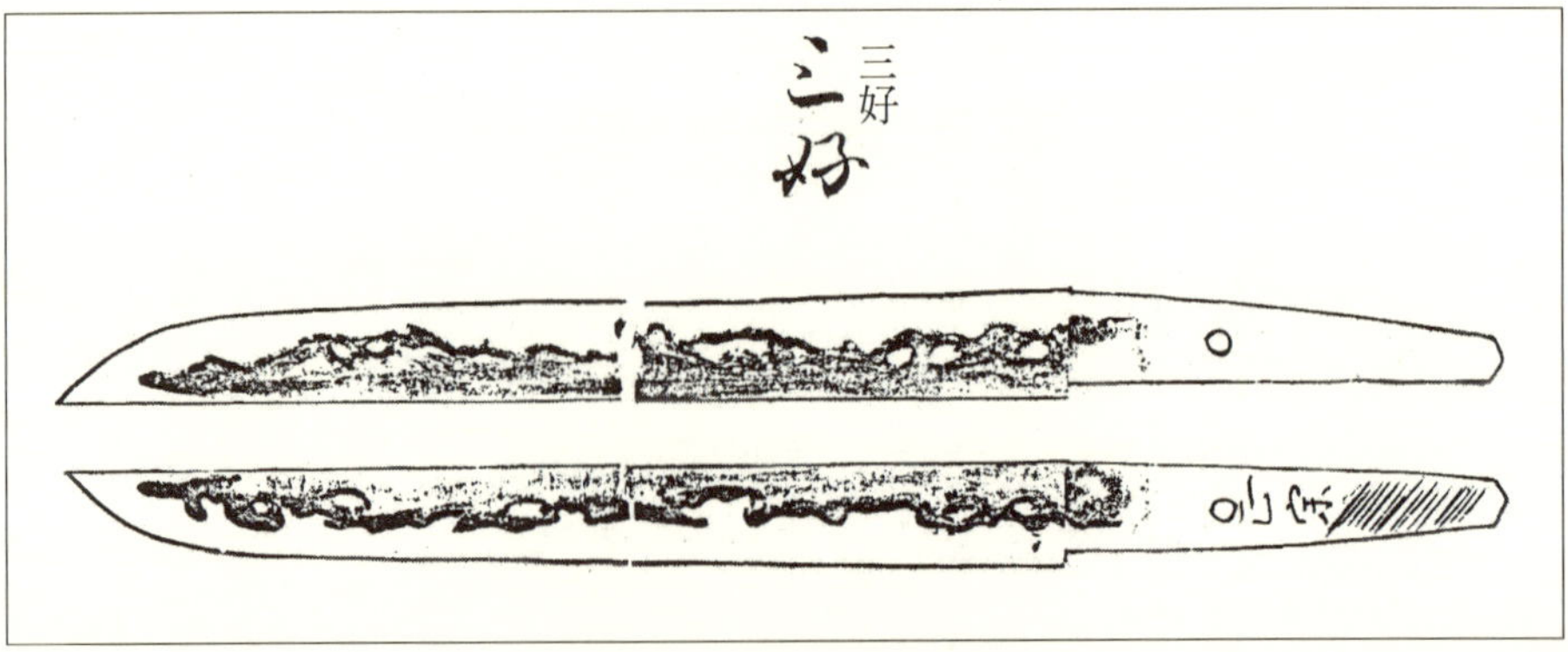

㉒短刀 三好正宗 銘正宗

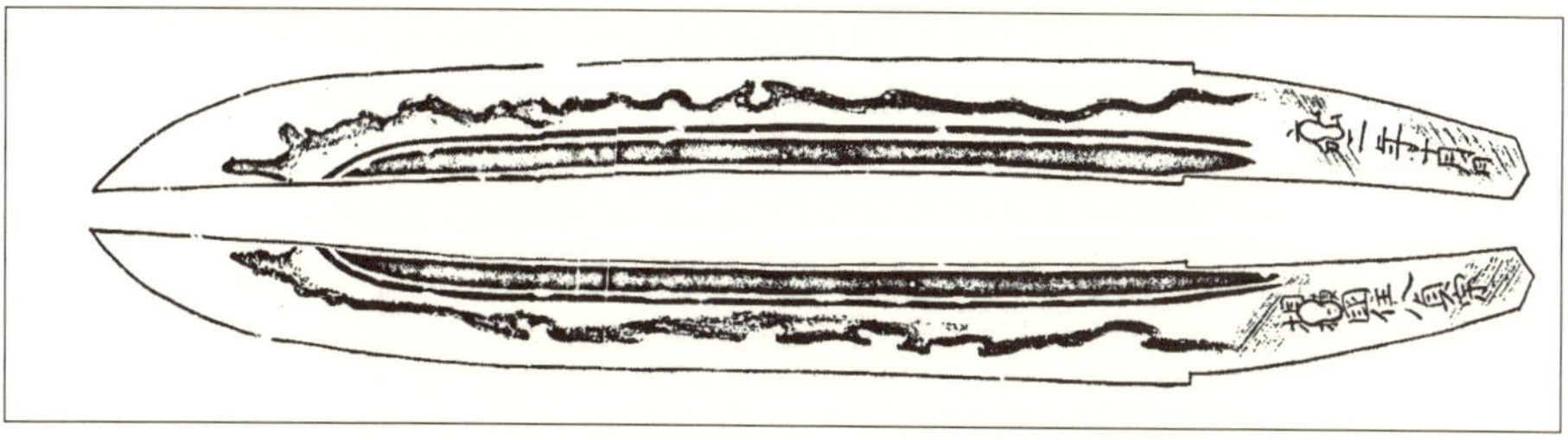

㉓短刀　貞宗　銘相模国住人貞宗　元弘二年十月日

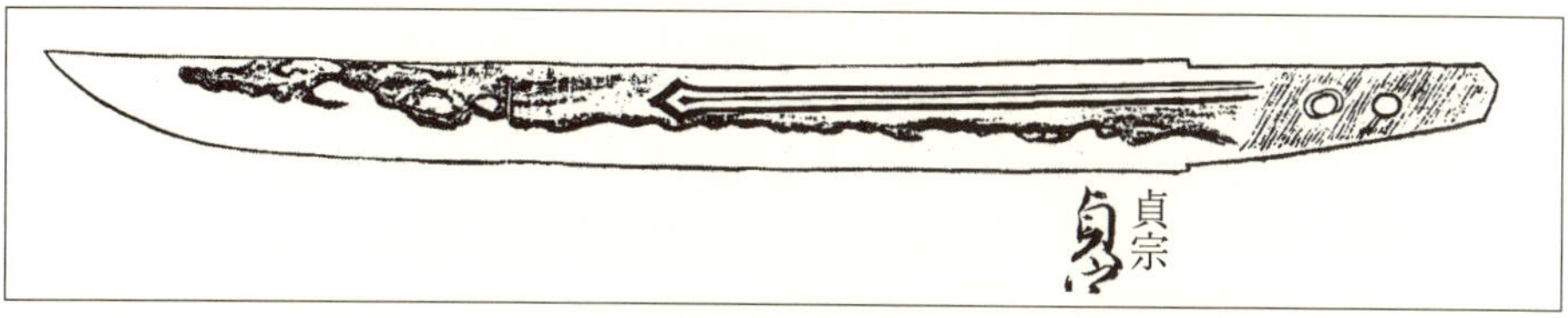

㉔短刀　貞宗　無銘

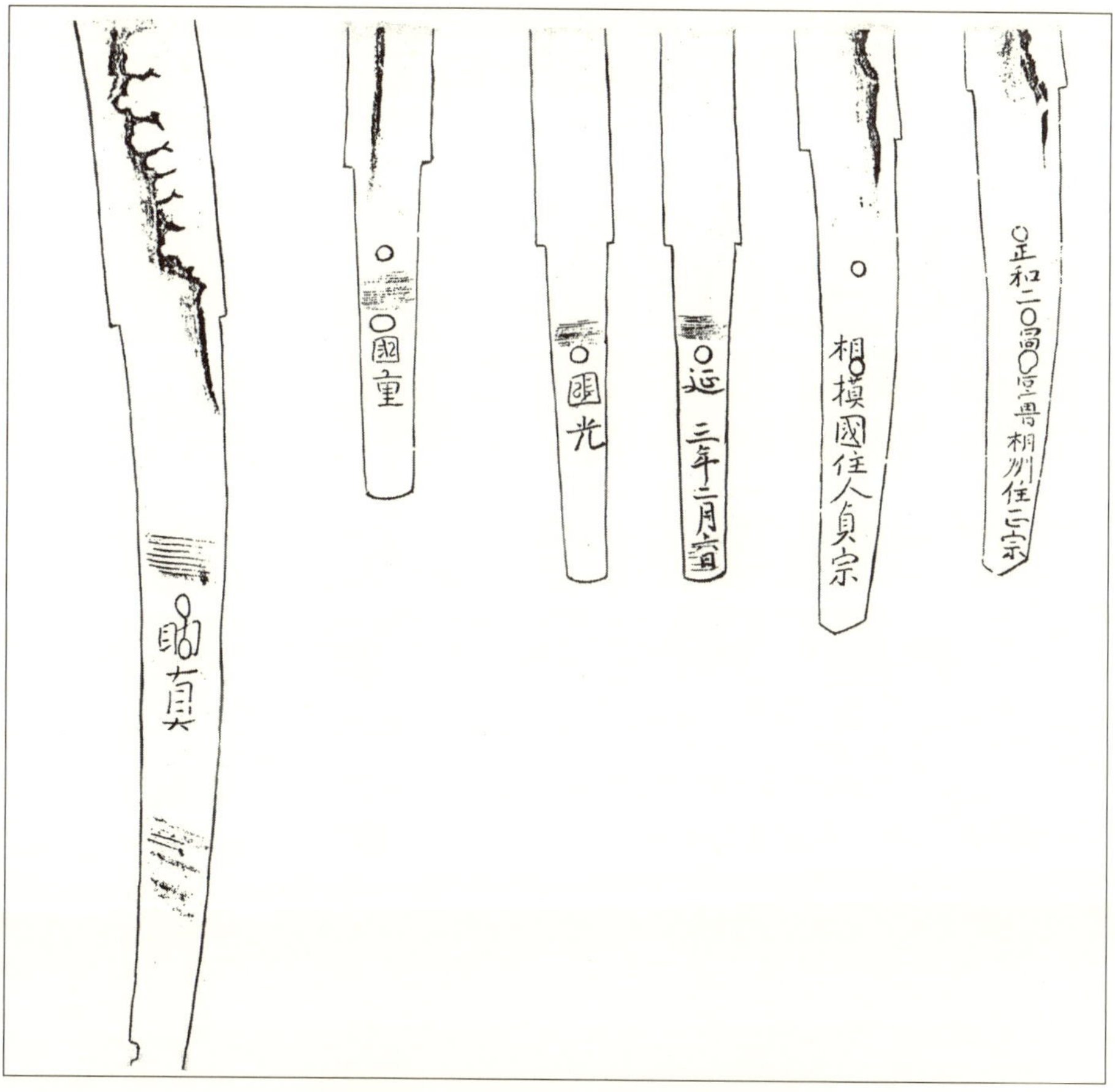

㉕茎押形　正宗・貞宗・国光・国重・助真

※あをや（青屋）…青屋長光

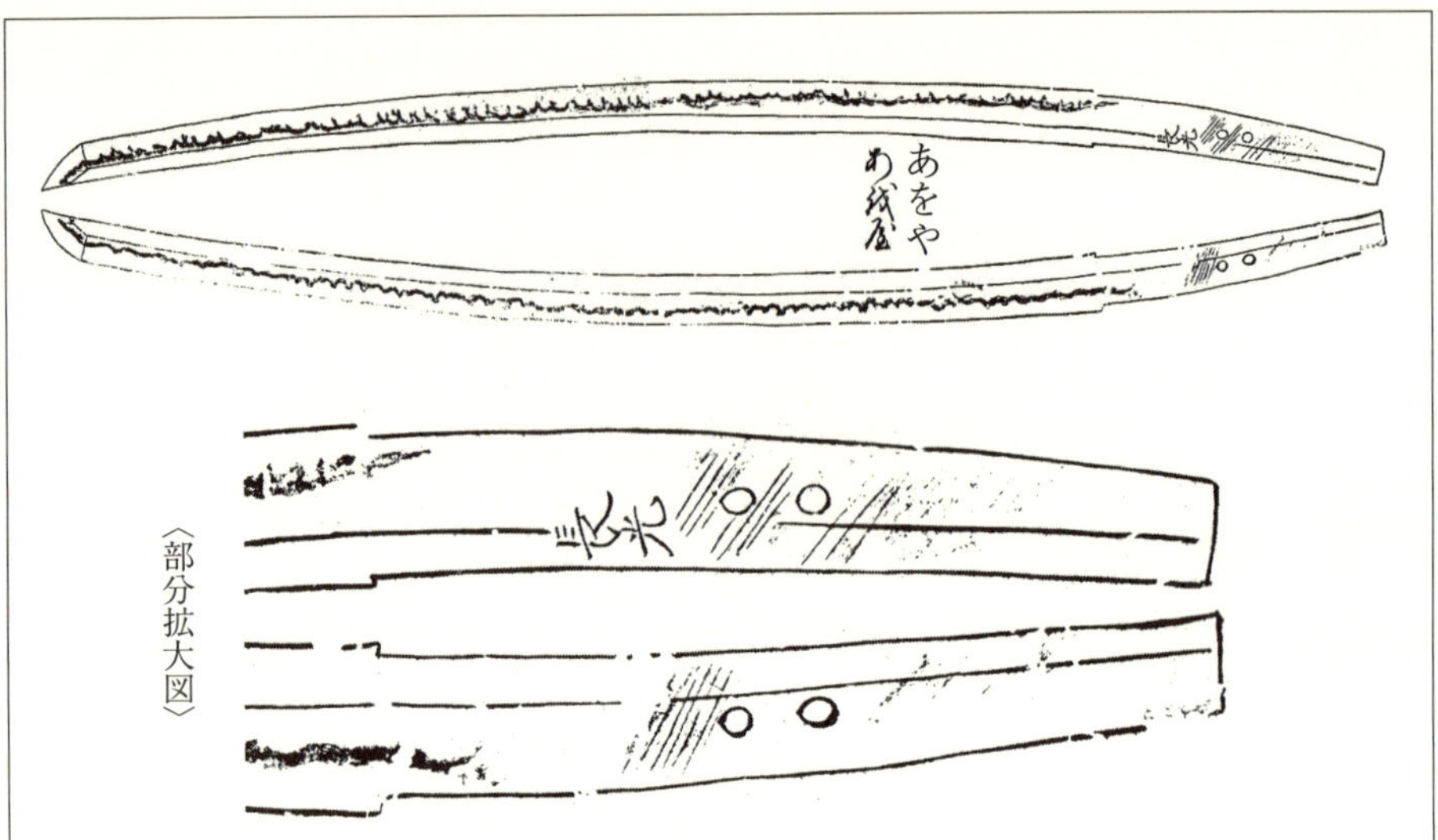

㉖ 太刀 青屋長光 銘長光

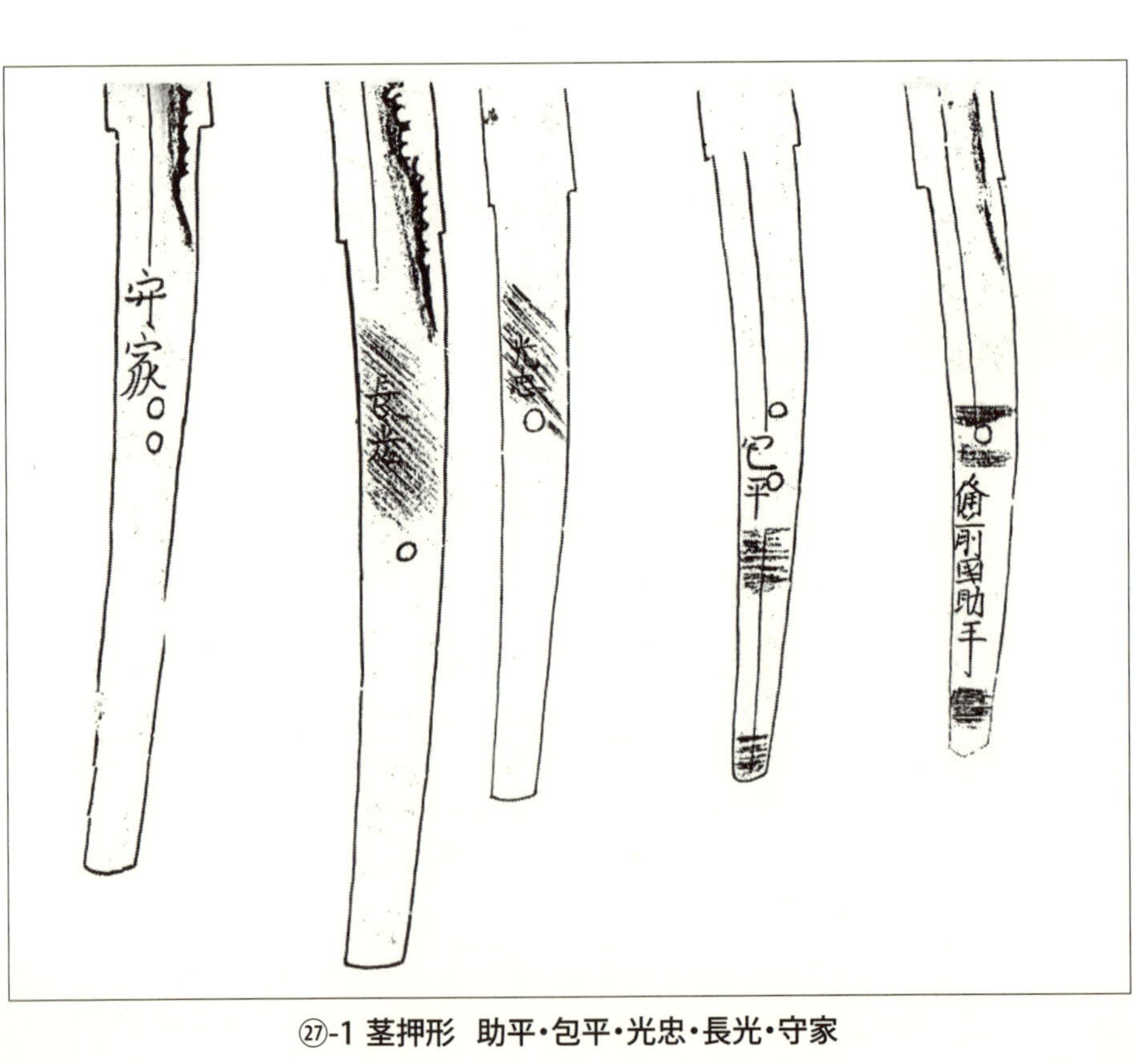

㉗-1 茎押形 助平・包平・光忠・長光・守家

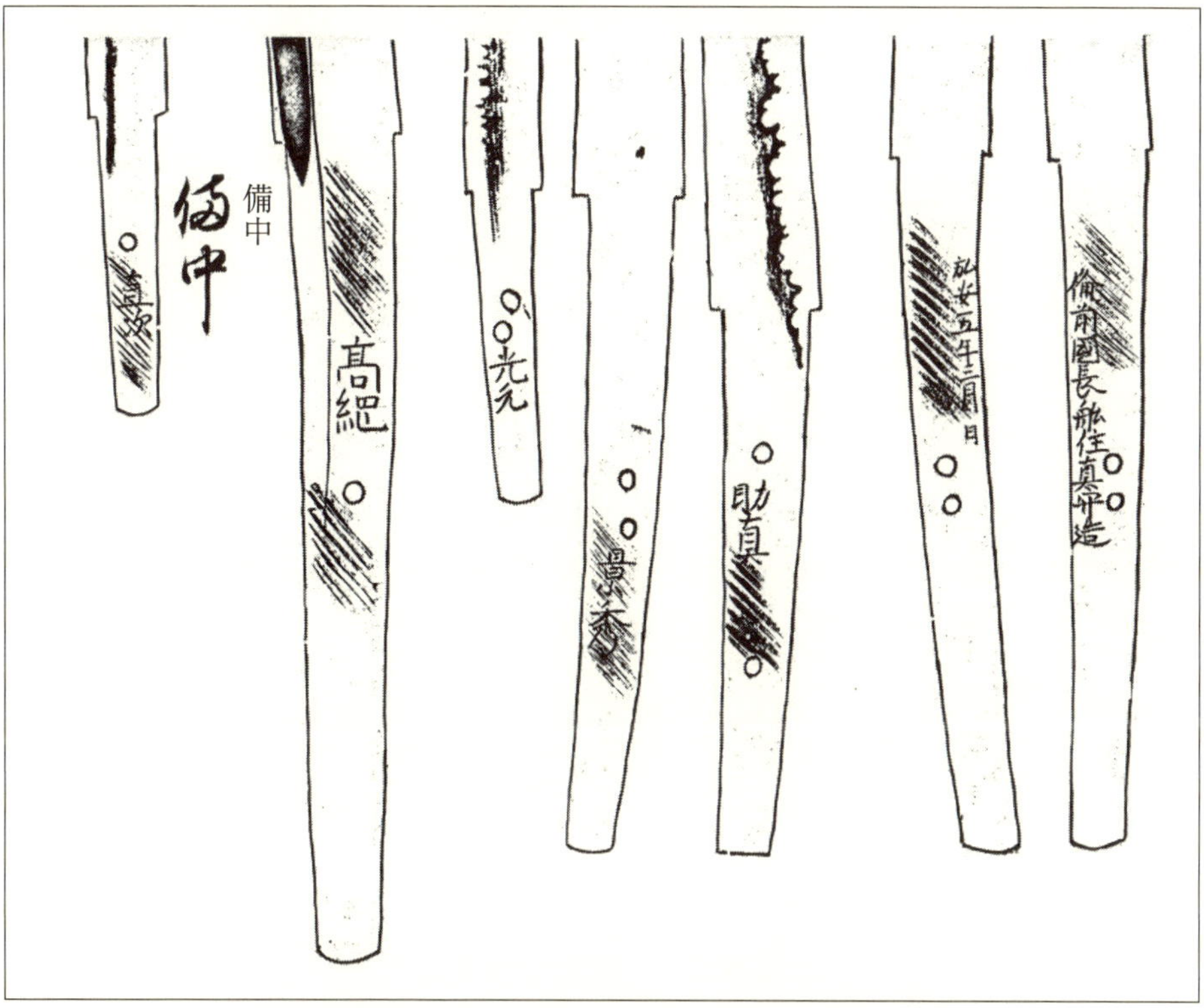

㉗-2 茎押形　真守・助真・景秀・光元・高縄・(備中)直次

※にしかた江…西方江

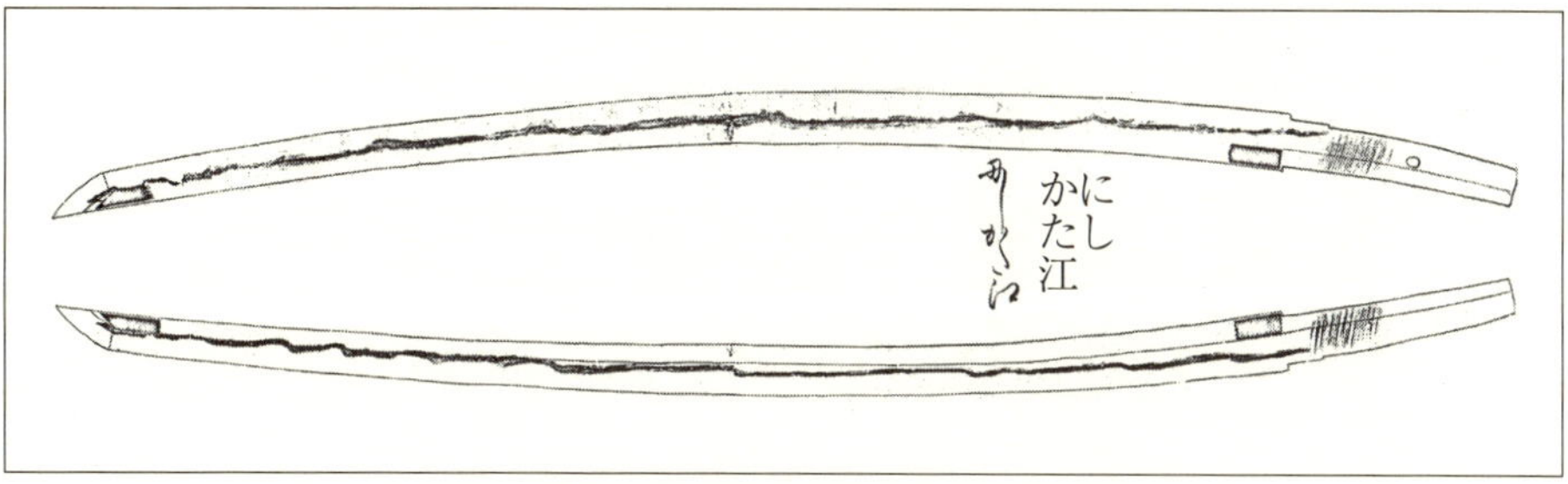

㉘刀 西方江 磨上無銘　短刀 江 無銘

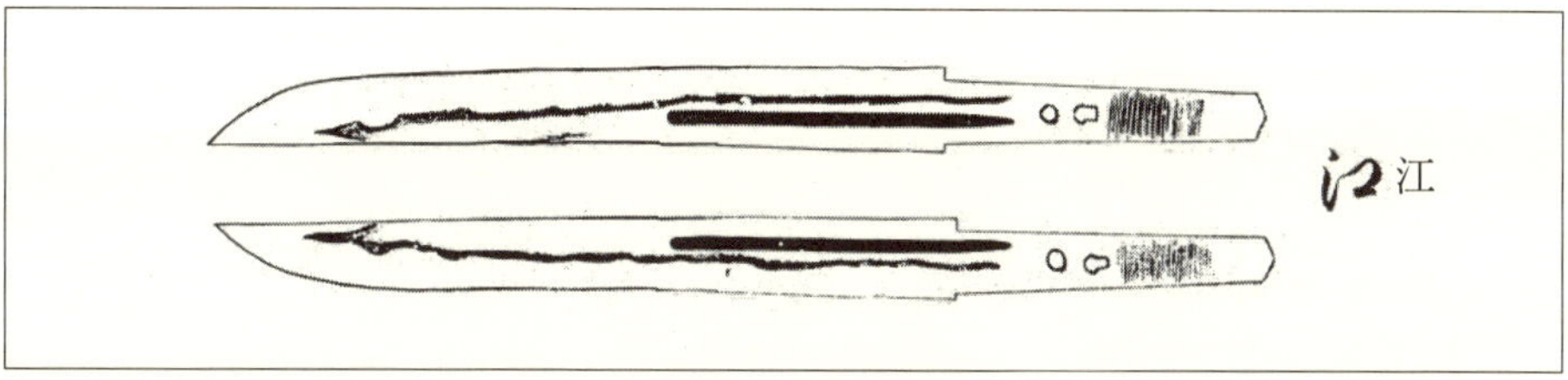

㉙短刀 江 無銘

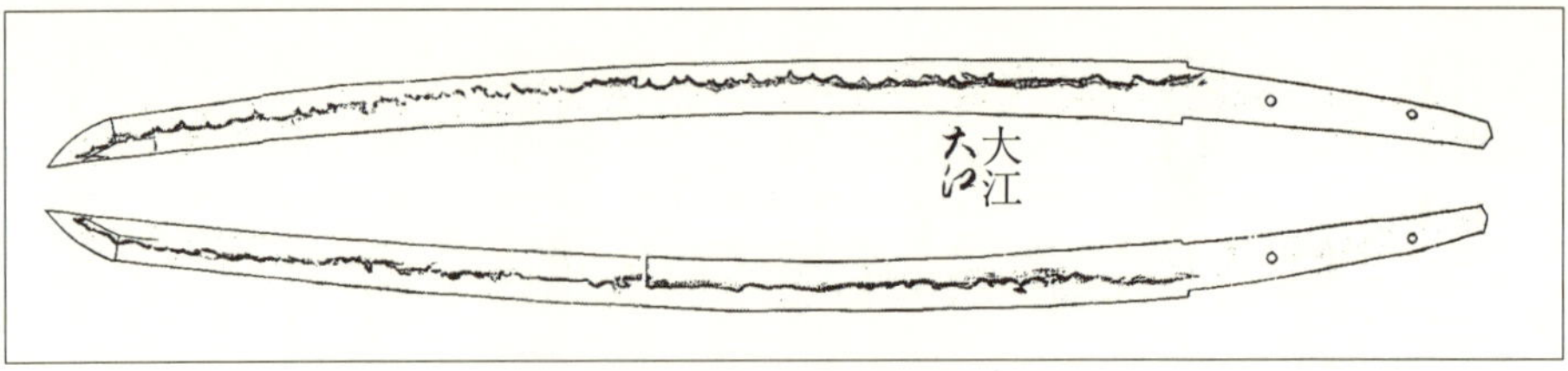

㉚刀 大江 磨上無銘

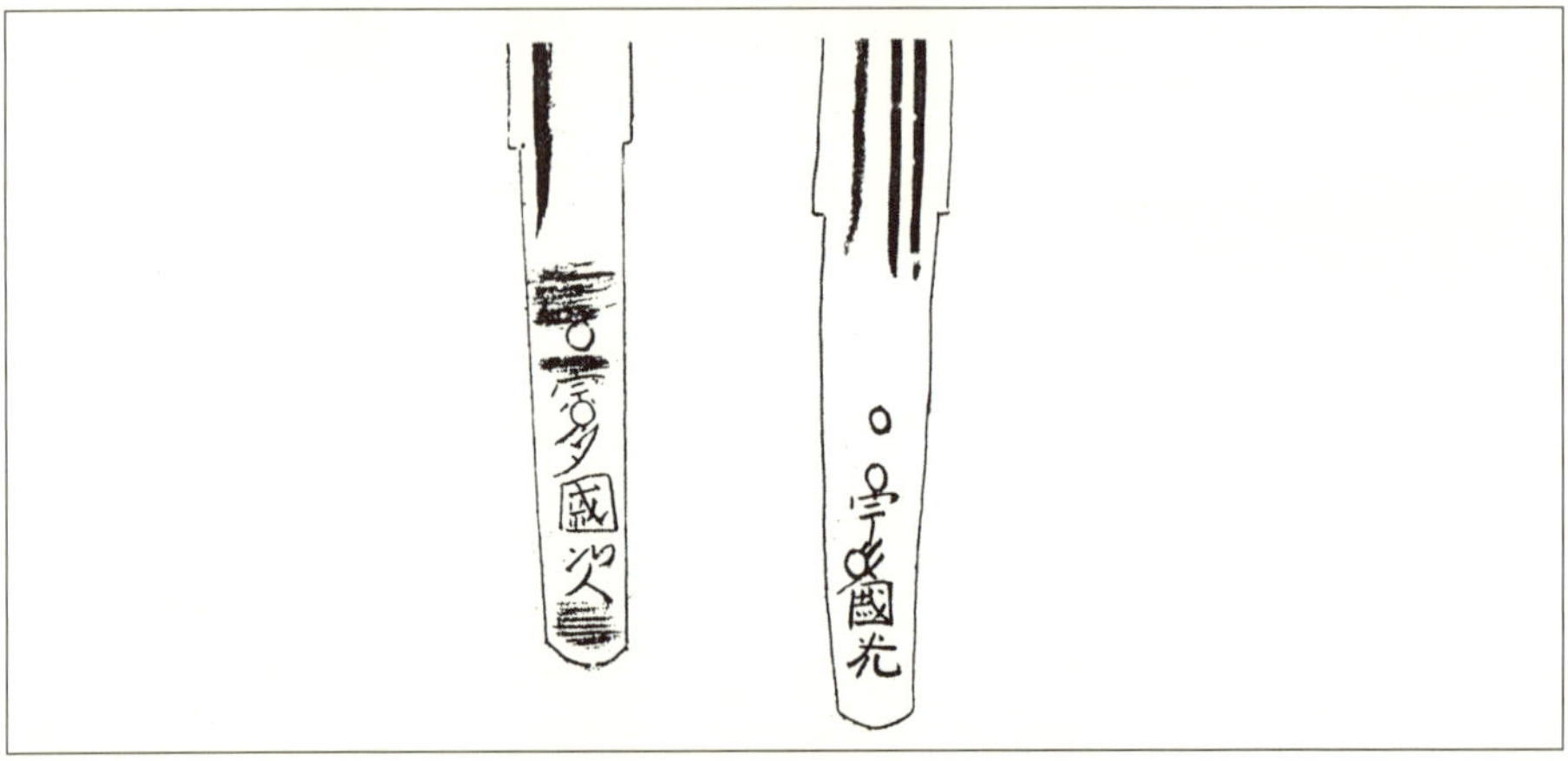

㉛茎押形　宇多国光・宇多国次

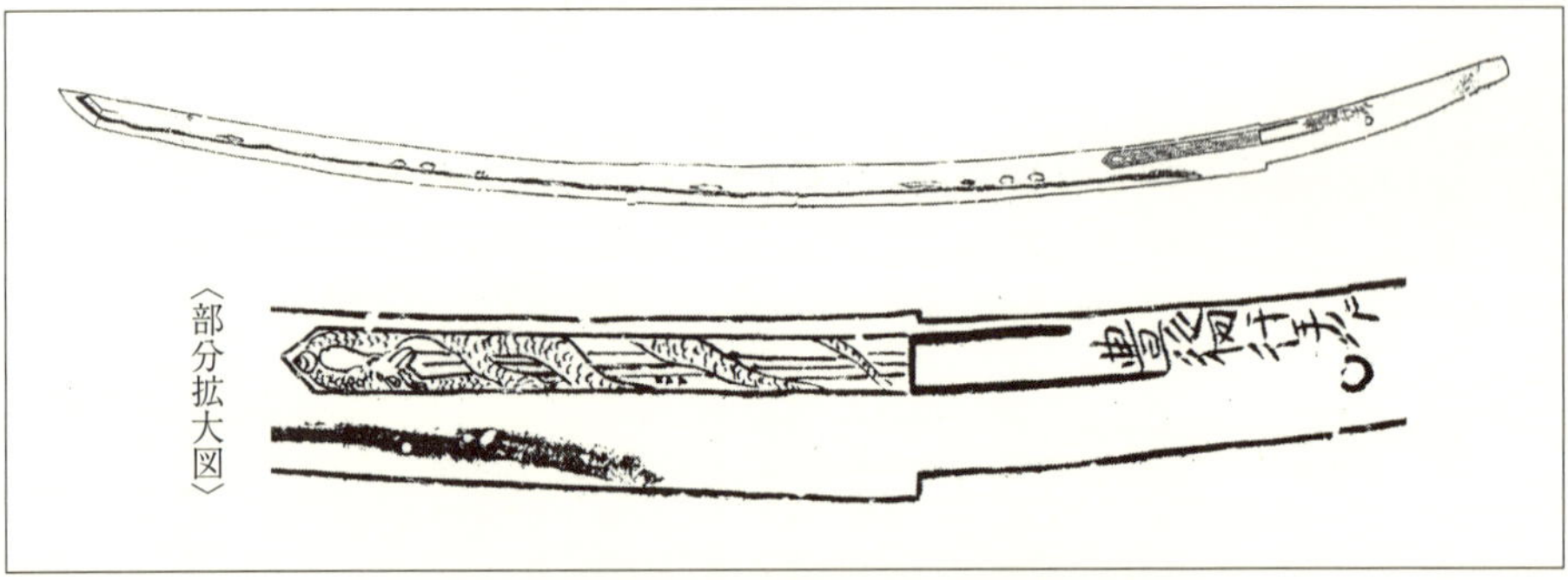

㉜太刀 北野紀新大夫行平 銘 豊後国行平作

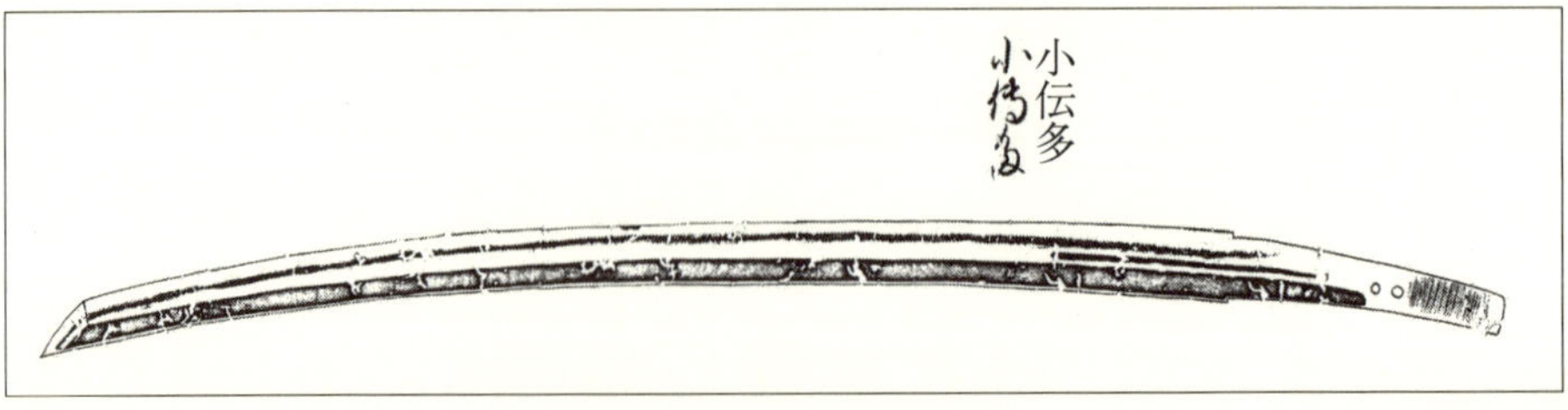

㉝刀 小伝多 磨上無銘

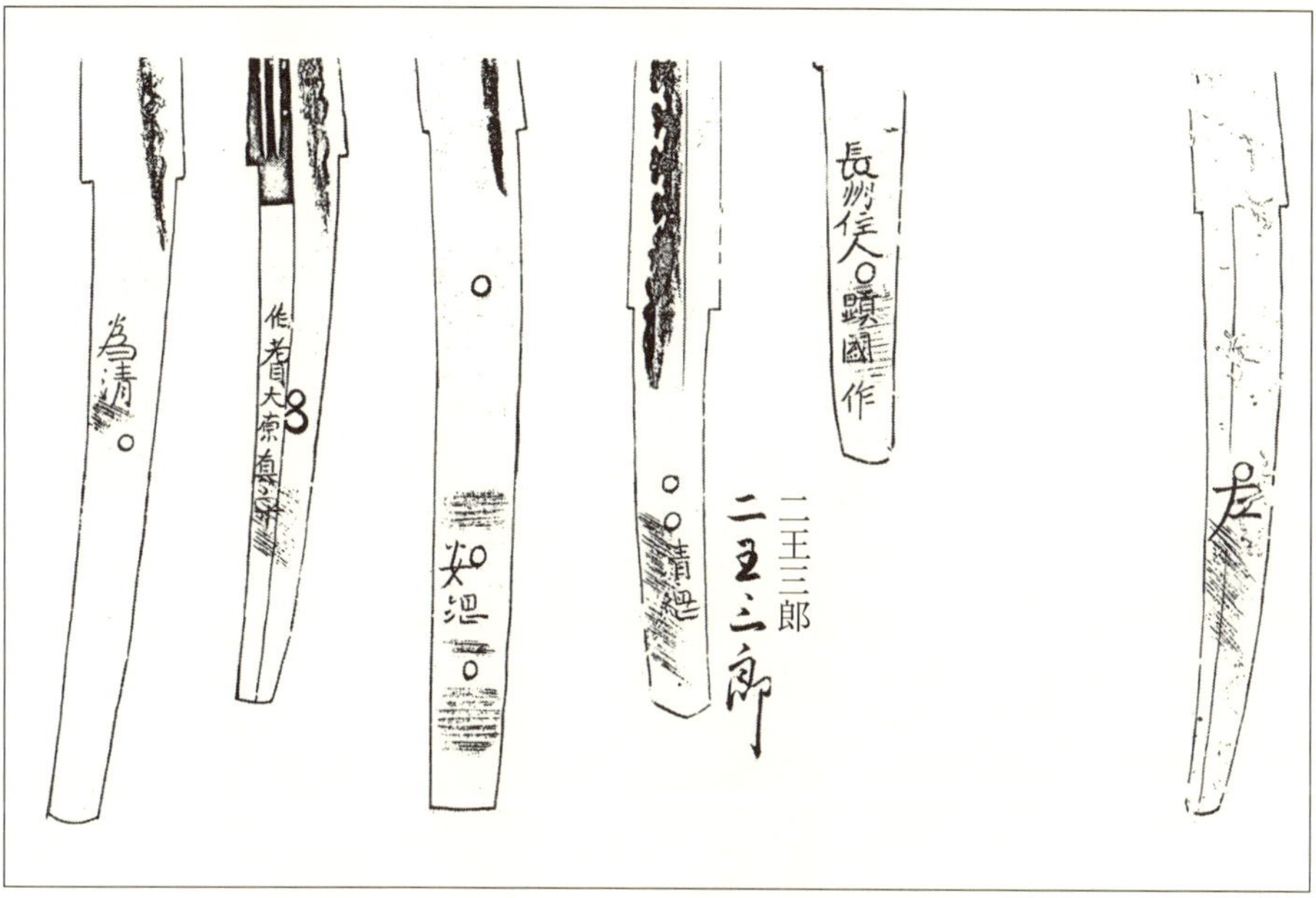

㉞ 茎押形　左・顕国・(二王三郎)清綱・安綱・大原真守・為清

※益忠は本阿弥光徳の実名

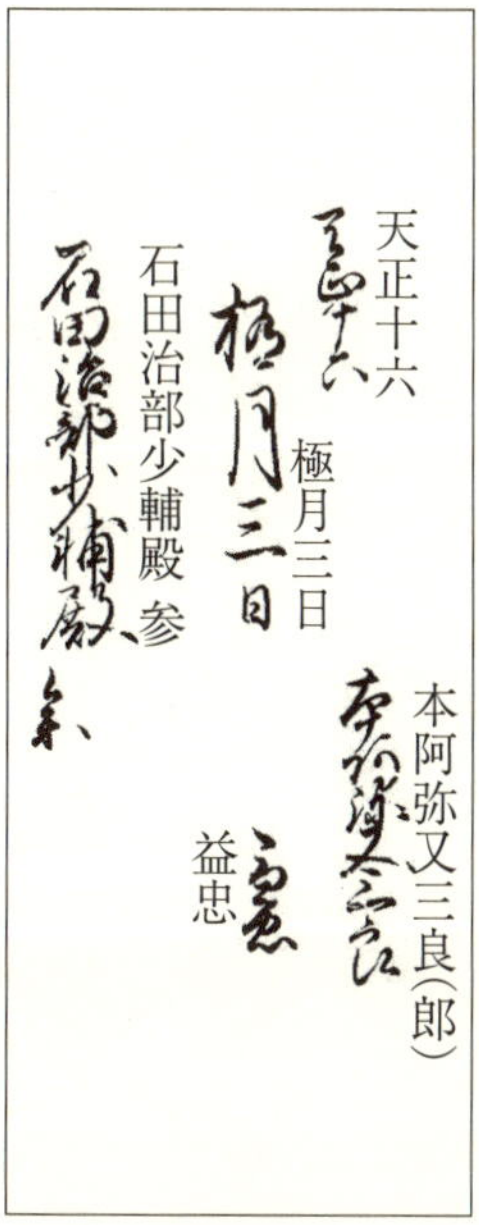

奥書

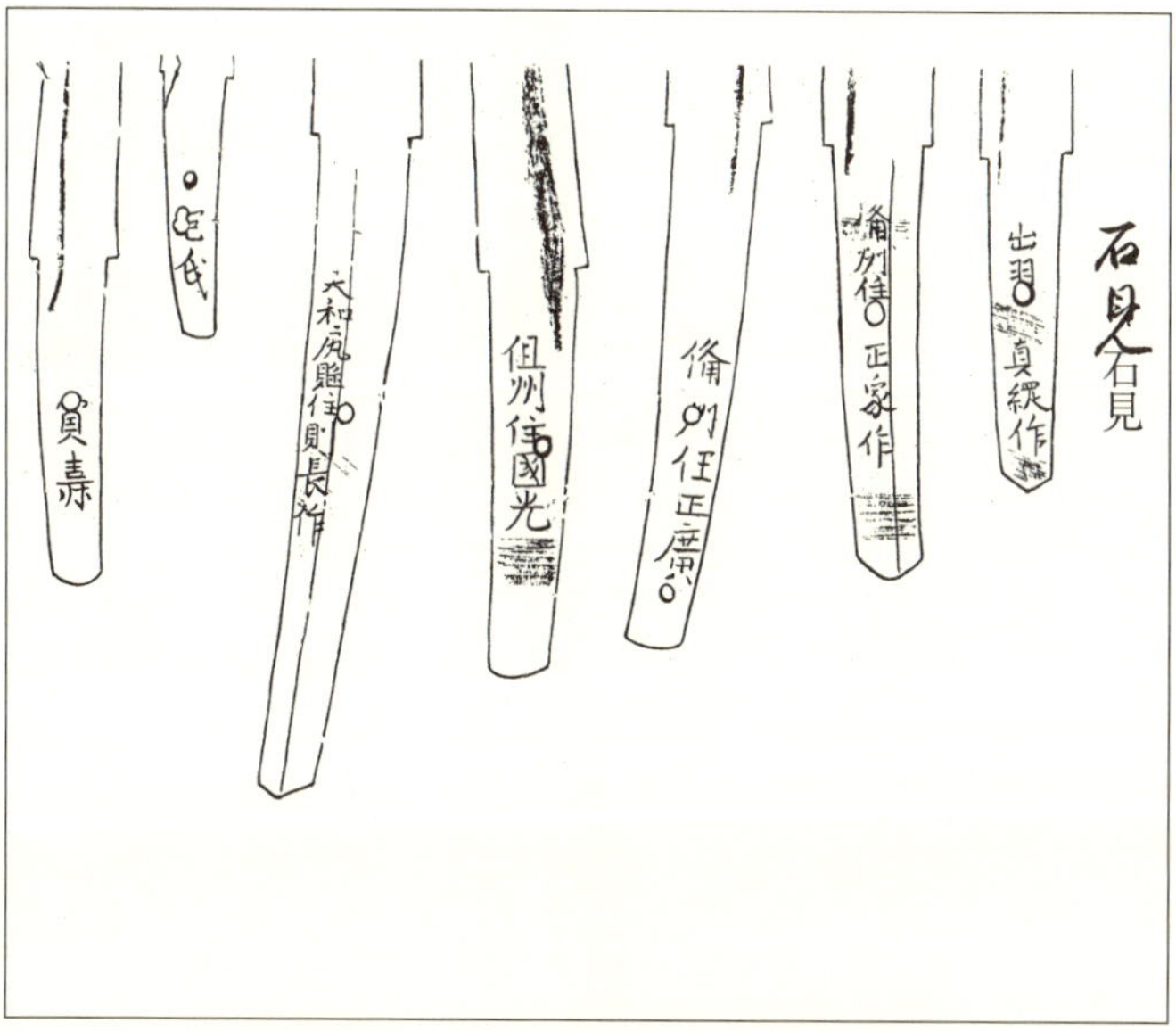

㉟ 茎押形　(石見)出羽真綱・正家・正広・
国光・尻懸則長・包氏・宝寿

【付録】秀吉所持刀剣押形② 「光徳押形　毛利輝元・大友義統・埋忠寿斎写・明甫所有巻」(『光徳刀絵図集成』)

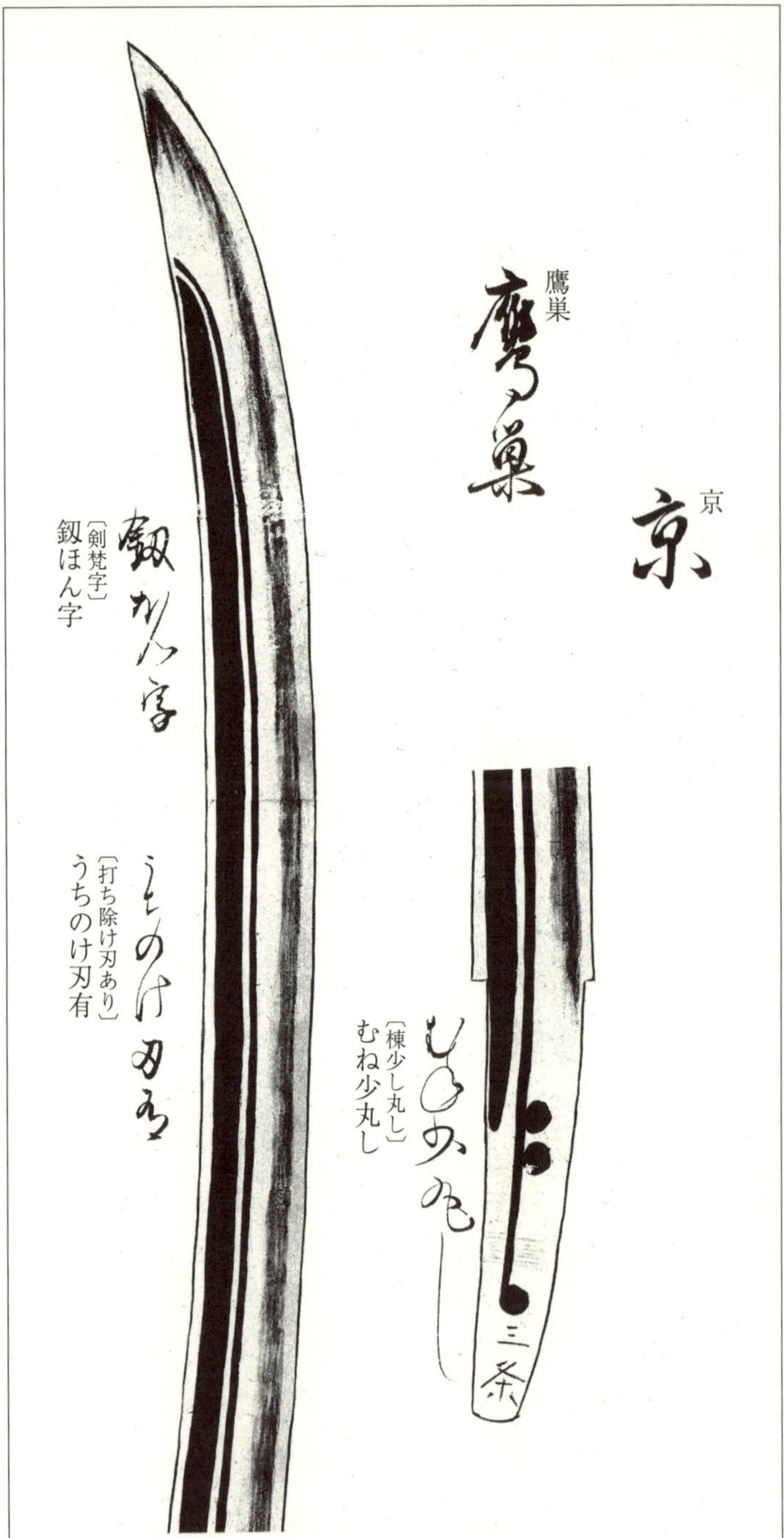
鷹巣
京
〔剣梵字〕
釼ほん字
〔打ち除け刃あり〕
うちのけ刃有
〔棟少し丸し〕
むね少丸し

① 脇指　鷹巣宗近　銘三条

※**棟少し丸し…**棟(峰＝刃の逆側)が少し丸みを帯びている。以下、茎の脇の表記は茎の棟の形状を「切り」(平面)か「丸い」(曲面)かで分類しているように思われる　※剣梵字…装飾として剣や梵字が彫られている。　※打ち除け刃あり…打ち除けは刃縁に表れる模様の一種

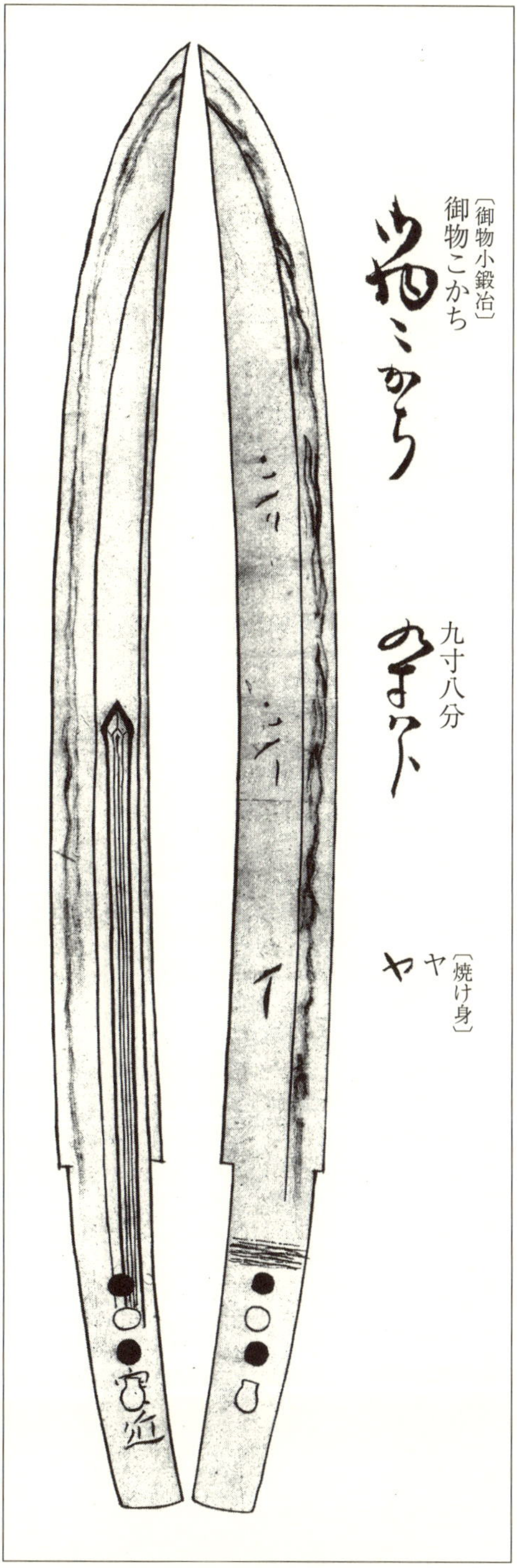
〔御物小鍛冶〕
御物こかち
九寸八分
〔焼け身〕
ヤ
ヤ

② 短刀 海老名小鍛冶 銘宗近

※ヤ…「焼け身」の記号＝この押し型集がまとめられた時点での焼身（火災等で刀身が火に焼かれてしまった刀剣を表す記号と見られる）

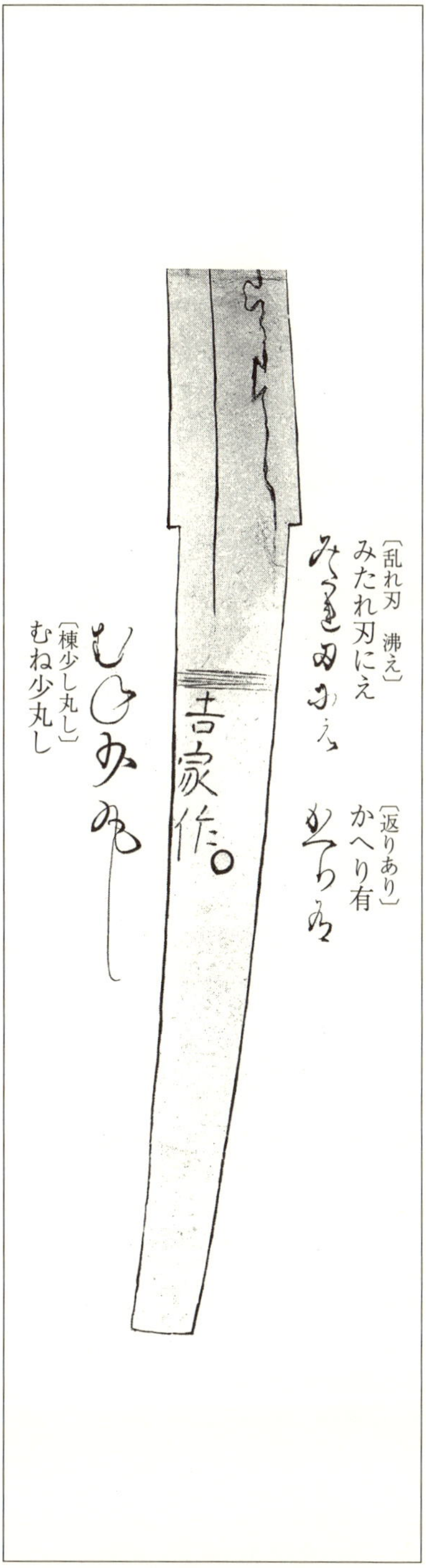
〔乱れ刃 沸え〕
みたれ刃にえ
〔返りあり〕
かへり有
〔棟少し丸し〕
むね少丸し
吉家作

③ 太刀 吉家 銘吉家作

※乱れ刃 沸え 返りあり…刃紋は乱れ刃で沸えがあり、鋩子（切先の刃紋）が返っている

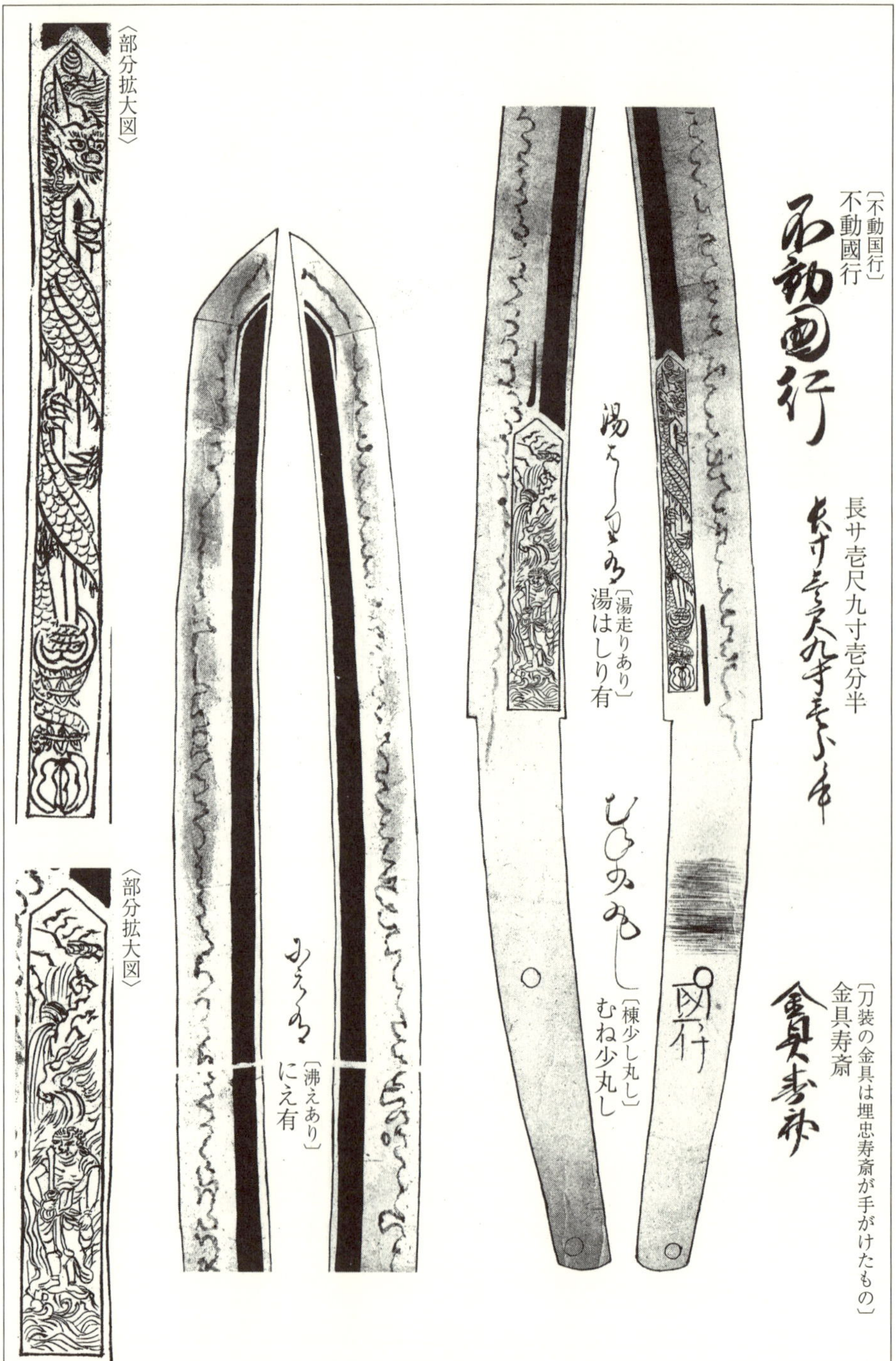
〔不動国行〕
不動國行
長サ壱尺九寸壱分半
〔刀装の金具は埋忠寿斎が手がけたもの〕
金具寿斎
〔湯走りあり〕
湯はしり有
〔棟少し丸し〕
むね少丸し
〔沸えあり〕
にえ有
〈部分拡大図〉
〈部分拡大図〉

④ 太刀 不動国行 銘国行

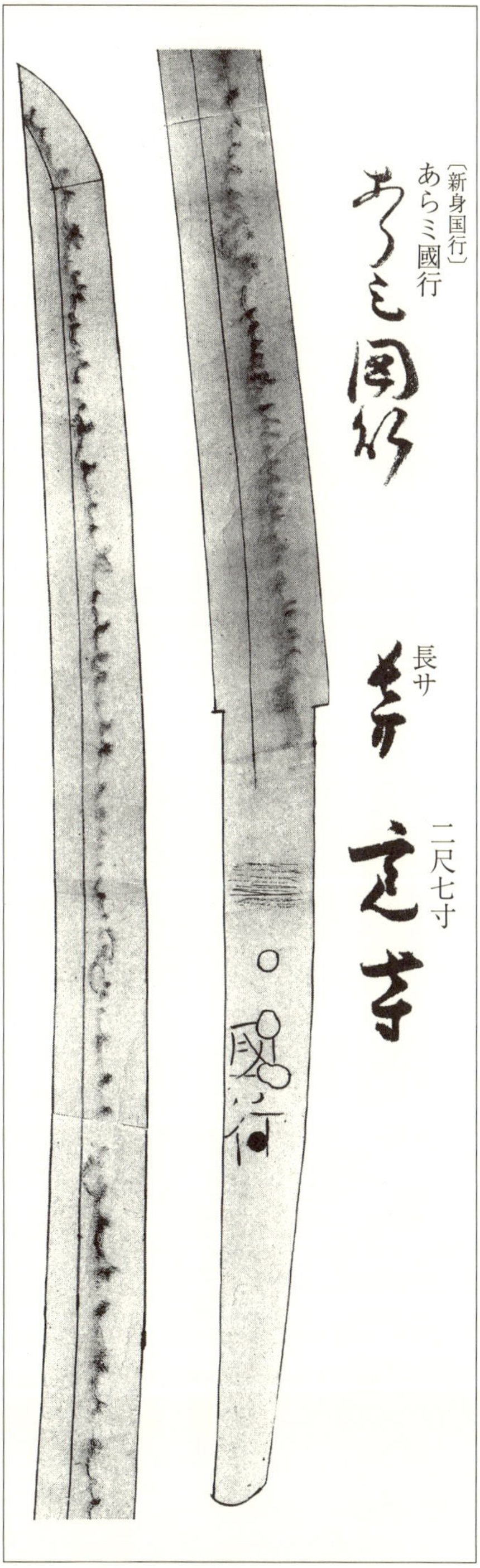
〔新身国行〕
あらミ國行
長サ
二尺七寸

⑤ 太刀 新身国行 銘国行

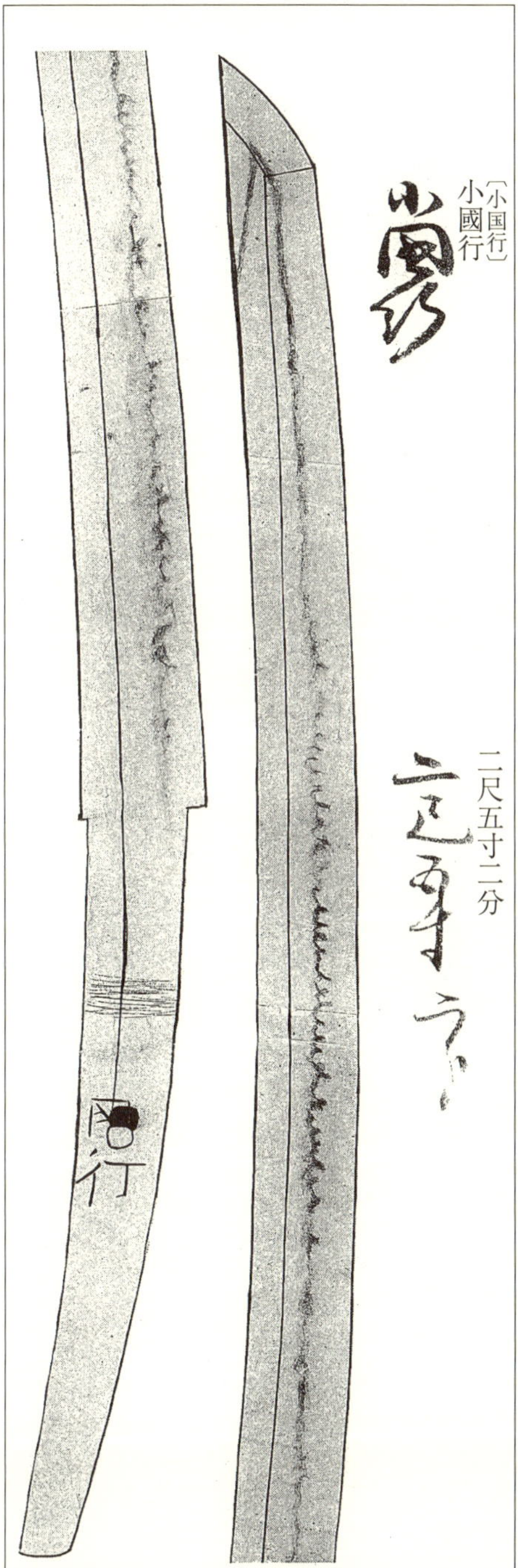
〔小国行〕
小國行
二尺五寸二分

⑥ 太刀 小国行 銘国行

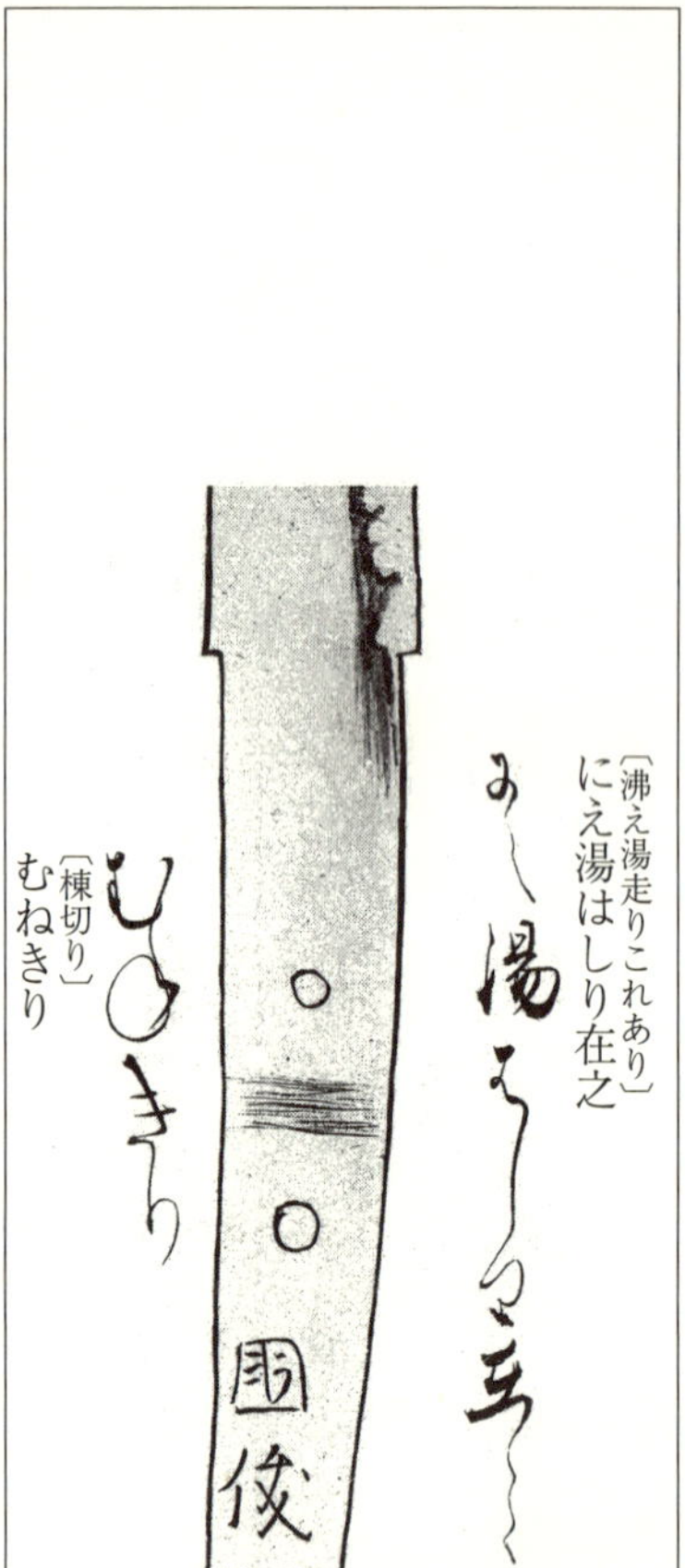
〔沸え湯走りこれあり〕
にえ湯はしり在之
〔返り少し丸し〕
かへり少丸し
〔棟切り〕
むねきり
国俊

⑦太刀 国俊 銘国俊

※沸え湯走りこれあり…沸え・湯走りがある

※返り少し丸し…鋩子がやや丸く返っている

※棟切り…丸棟の逆で、棟の上部に丸みがなく平らであることを示すと見られる。以下同じ

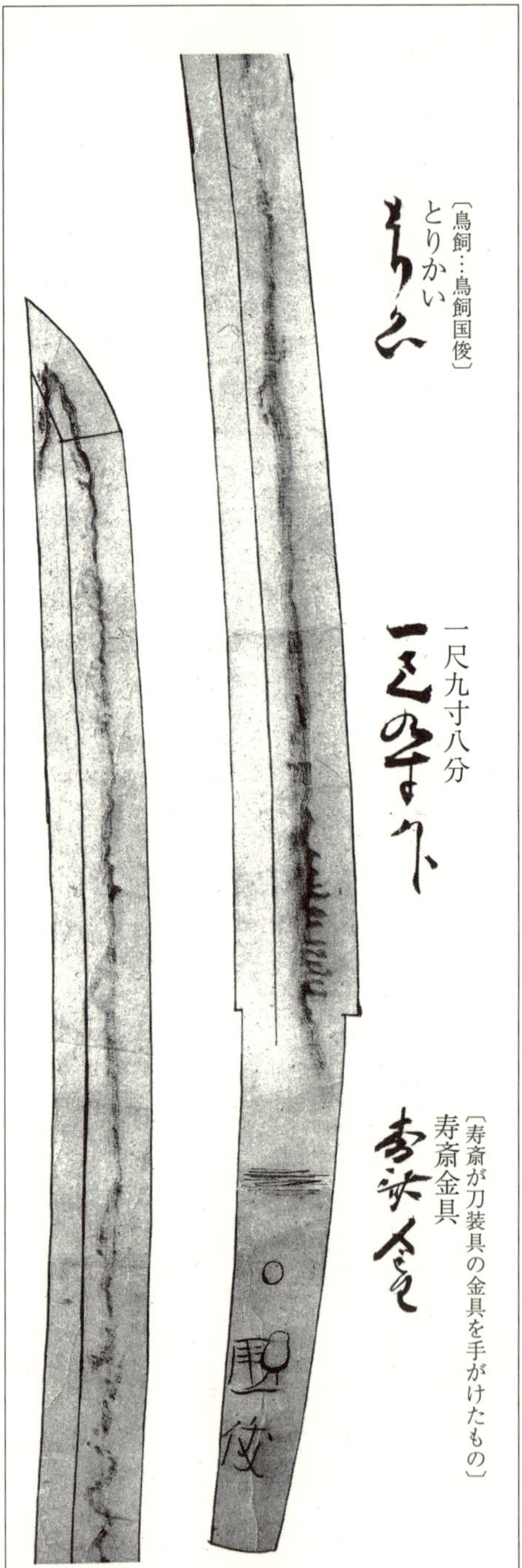
〔鳥飼…鳥飼国俊〕
とりかい
一尺九寸八分
〔寿斎が刀装具の金具を手がけたもの〕
寿斎金具
国俊

⑧太刀 鳥養国俊 銘国俊

※剣樋これあり…装飾として剣や樋がある

※棟切り…〔茎の〕棟が平面である

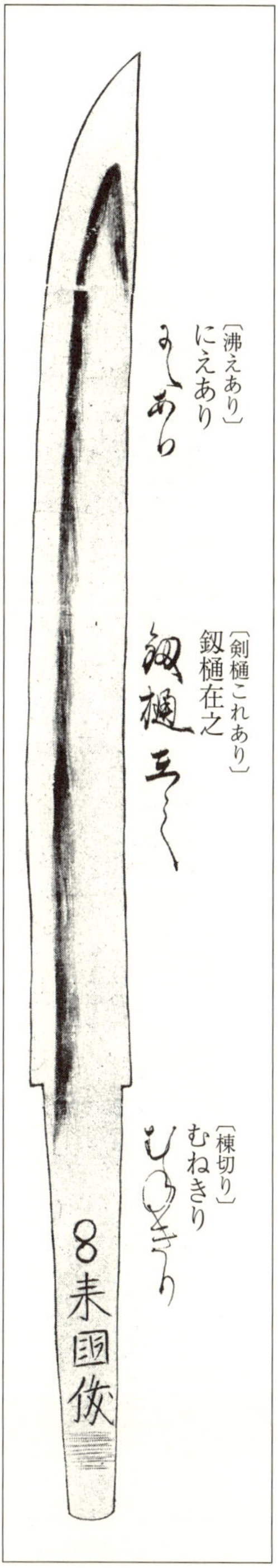
〔沸えあり〕
にえあり
〔剣樋これあり〕
釼樋在之
〔棟切り〕
むねきり
来国俊

⑨ 短刀 来国俊 銘来国俊

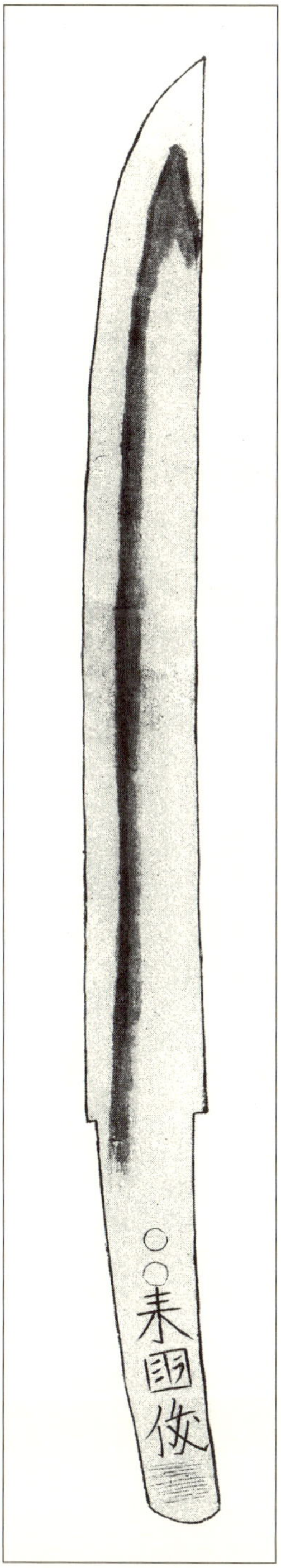
来国俊

⑩ 短刀 来国俊 銘来国俊

※国俊より肌荒し…来国俊よりも地鉄の肌が荒い

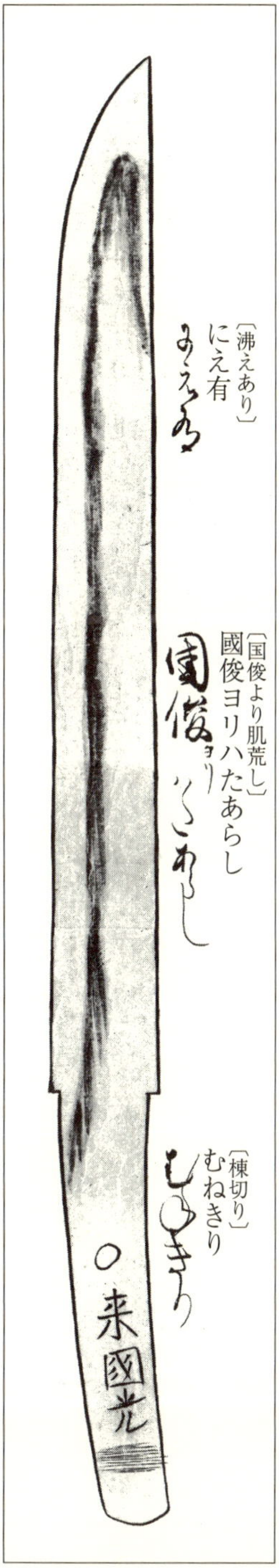
〔沸えあり〕
にえ有
〔国俊より肌荒し〕
國俊ヨリハたあらし
〔棟切り〕
むねきり
来國光

⑪ 短刀 来国俊 銘来国光

※鳥飼…鳥飼国次。「井」は「ゐ」の変体仮名

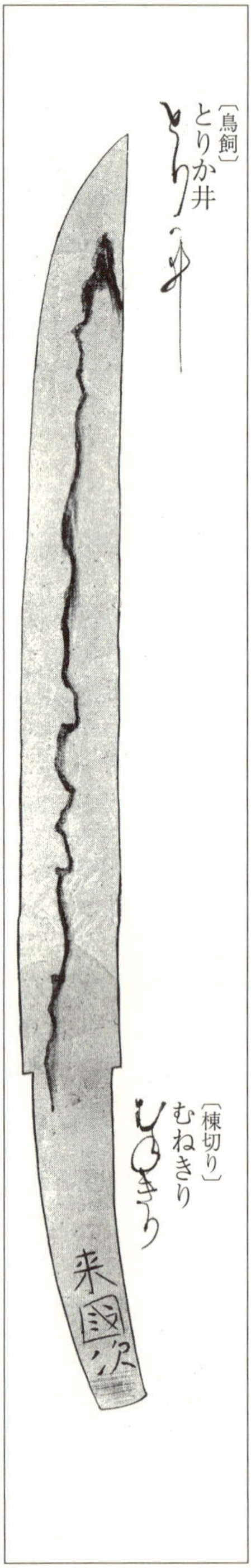
〔鳥飼〕とりか井
〔棟切り〕むねきり

⑫短刀 鳥養国次
銘来国次

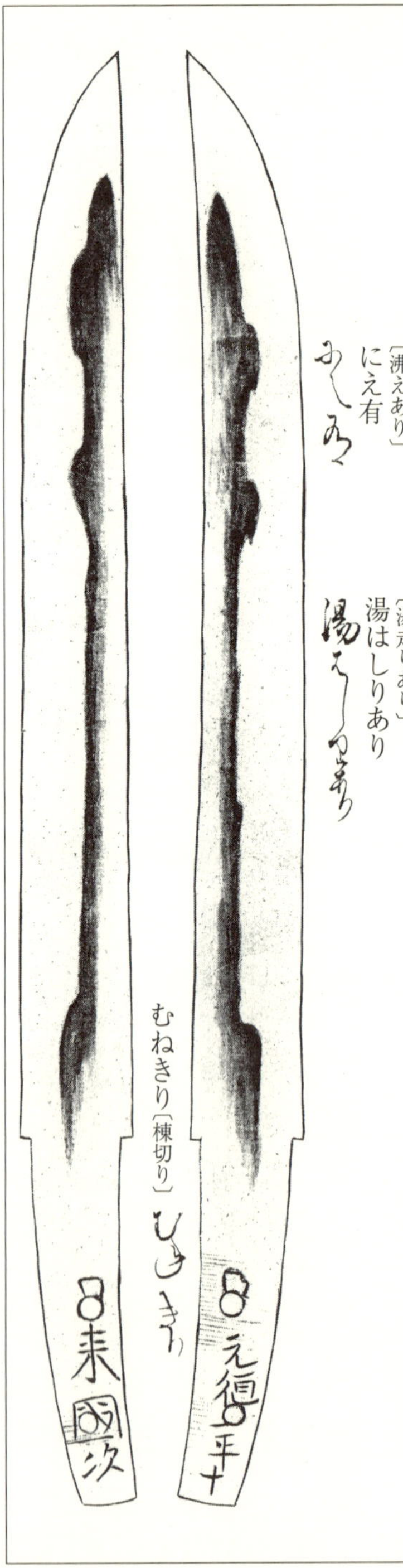
〔沸えあり〕にえ有
〔湯走りあり〕湯はしりあり
むねきり〔棟切り〕

⑬短刀 来国次
銘来国次 元徳□年十

※肌国俊より白くる…地鉄の肌が来国俊のものよりも白みがかっている

※剣梵字あり…装飾として剣や梵字が彫られている

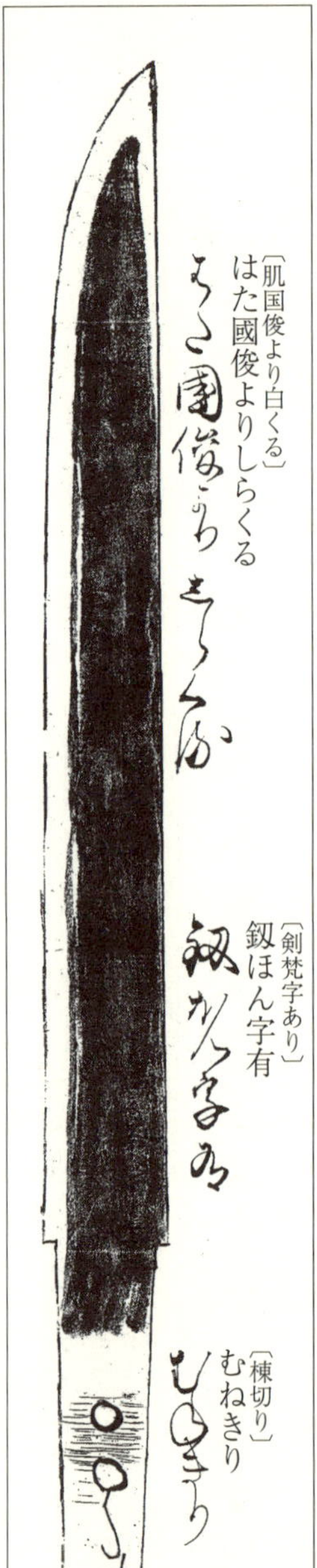
〔肌国俊より白くる〕はた國俊よりしらくる
〔剣梵字あり〕釼ほん字有
〔棟切り〕むねきり

⑭短刀 了戒 銘了戒

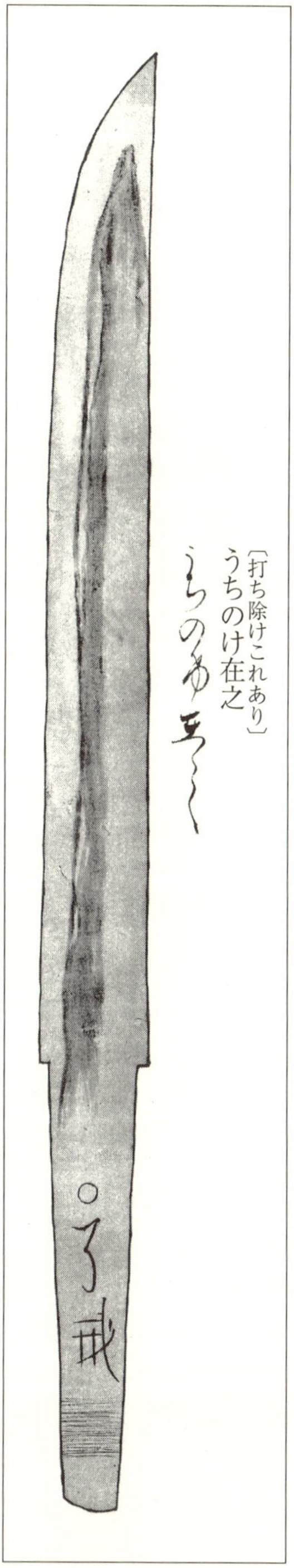

⑮短刀 了戒 銘了戒

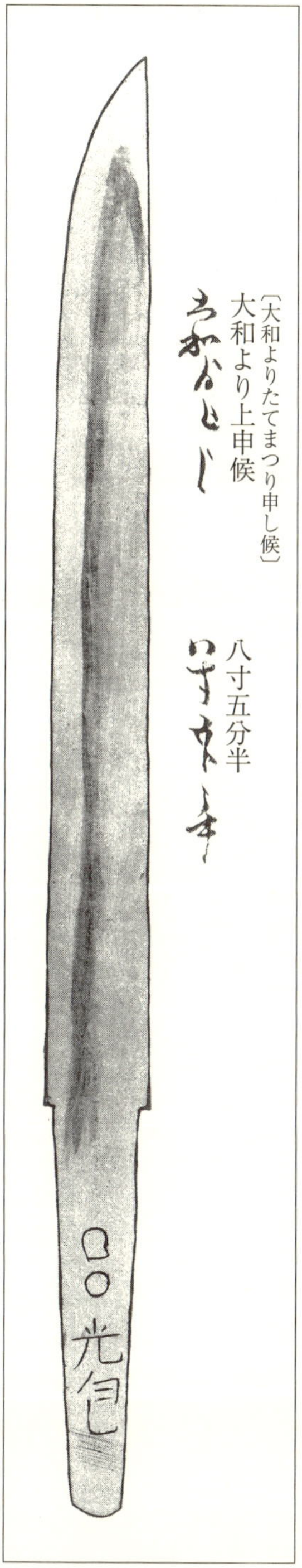

⑯短刀 光包 銘光包

※大和よりたてまつり申し候…大和（人名）から献上されたものです

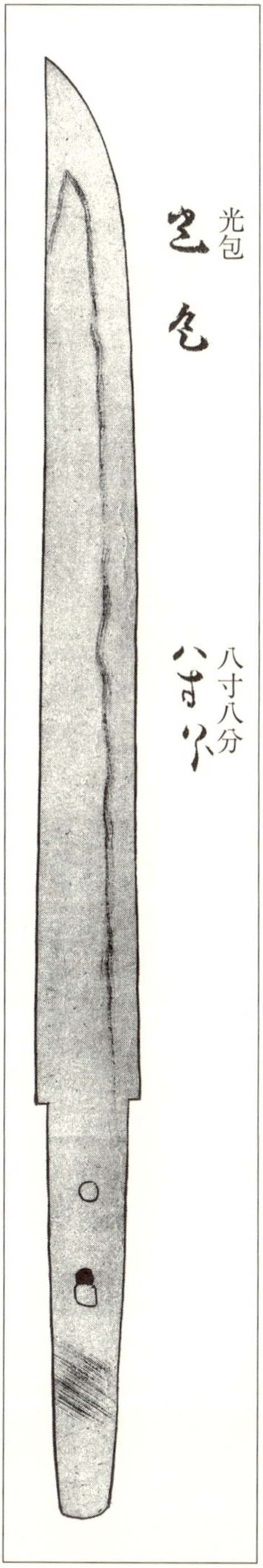

⑰短刀 光包 無銘

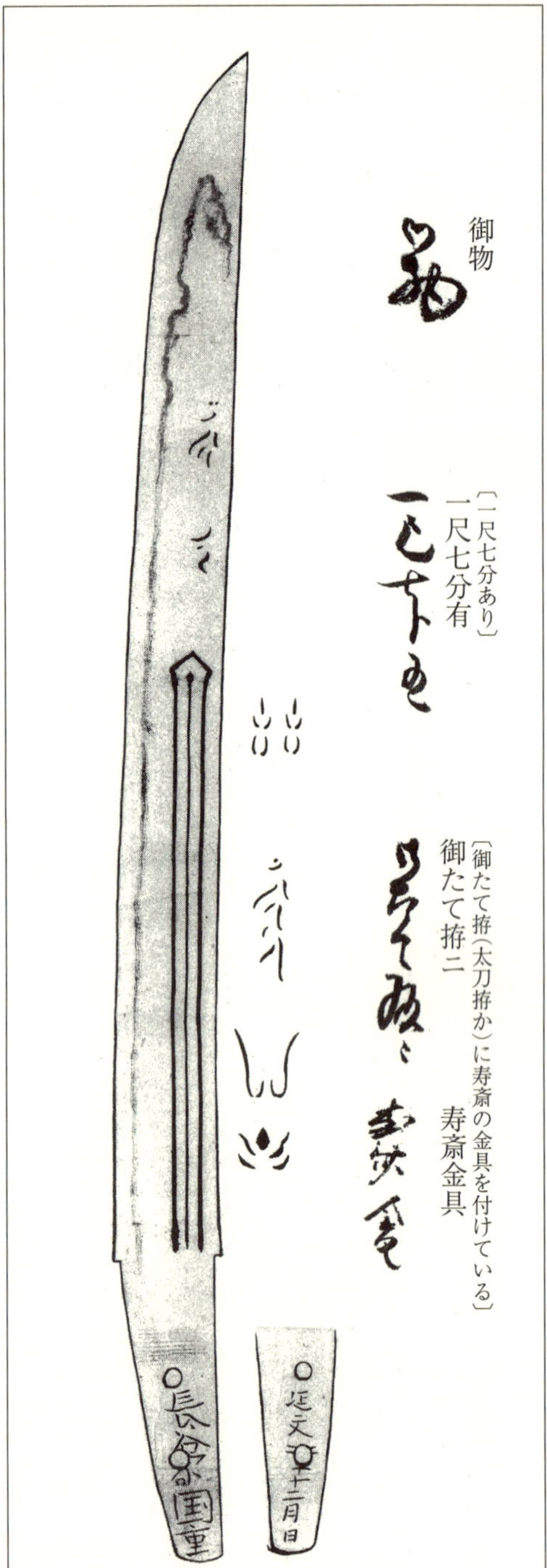

⑱ 短刀 長谷部国重
銘 長谷部国重　延文四年十二月日

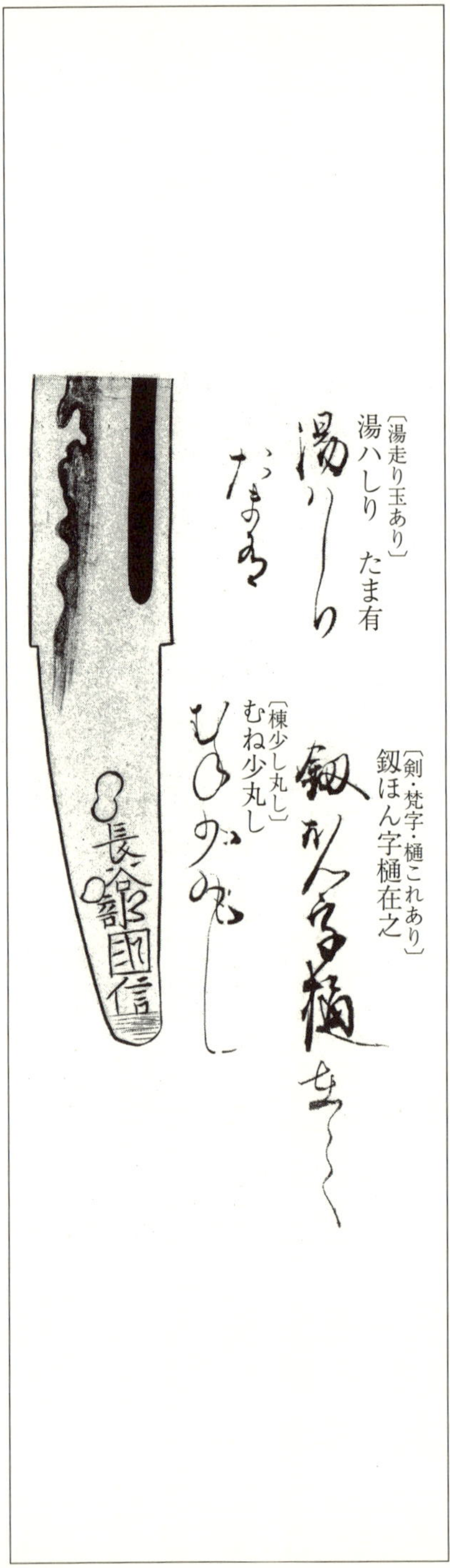

⑲ 短刀 長谷部国信 銘 長谷部国信

樋ほん字鈫色々ほり物在之
〔樋・梵字・剣などが彫り物これあり〕

直刃みたれやきは在之
〔直刃、乱れ焼き刃これあり〕

いほりぬるし
〔庵ぬるし〕

むね少丸し
〔棟少し丸し〕

⑳太刀　信国　銘信国

※直刃、乱れ焼き刃これあり…刃紋は直刃で（一部に）乱れ刃がある

※庵ぬるし…庵の角度がゆるやかである

長岡与一郎上
〔長岡与一郎たてまつる〕

長サ

一尺九寸

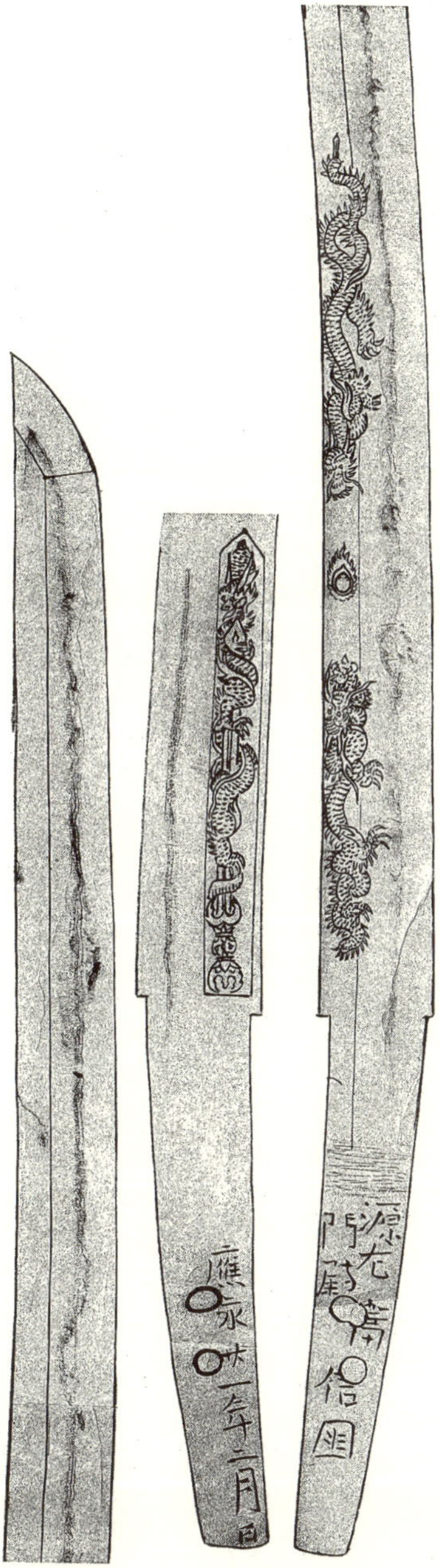

㉑太刀　信国　銘源左衛門尉信国
応永廿一年二月日

〈部分拡大図〉
〈部分拡大図〉

※長岡与一郎たてまつる…長岡与一郎（細川忠興）が献上したもの

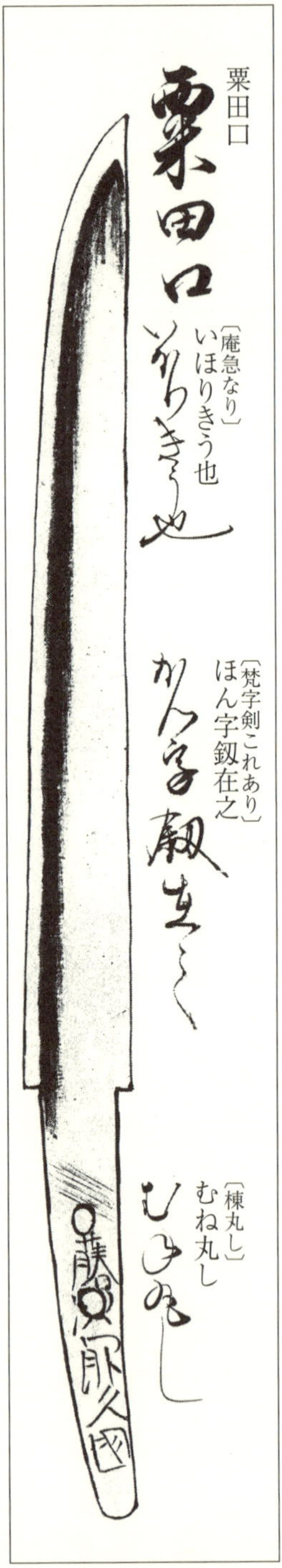
粟田口
いほりきう也〔庵急なり〕
ほん字釼在之〔梵字剣これあり〕
むね丸し〔棟丸し〕

※庵急なり…庵が高く急である
※梵字剣これあり…梵字と剣が彫られている

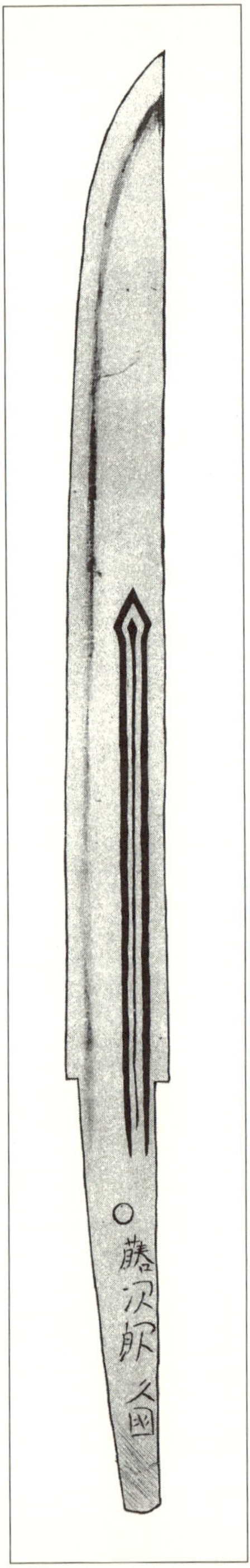

㉒ 短刀 久国
銘 藤次郎久国

㉓ 短刀 久国
銘 藤次郎久国

※**鬼丸**…鬼丸国綱　※**御太刀拵寿斎**…太刀拵で寿斎が手がけたもの

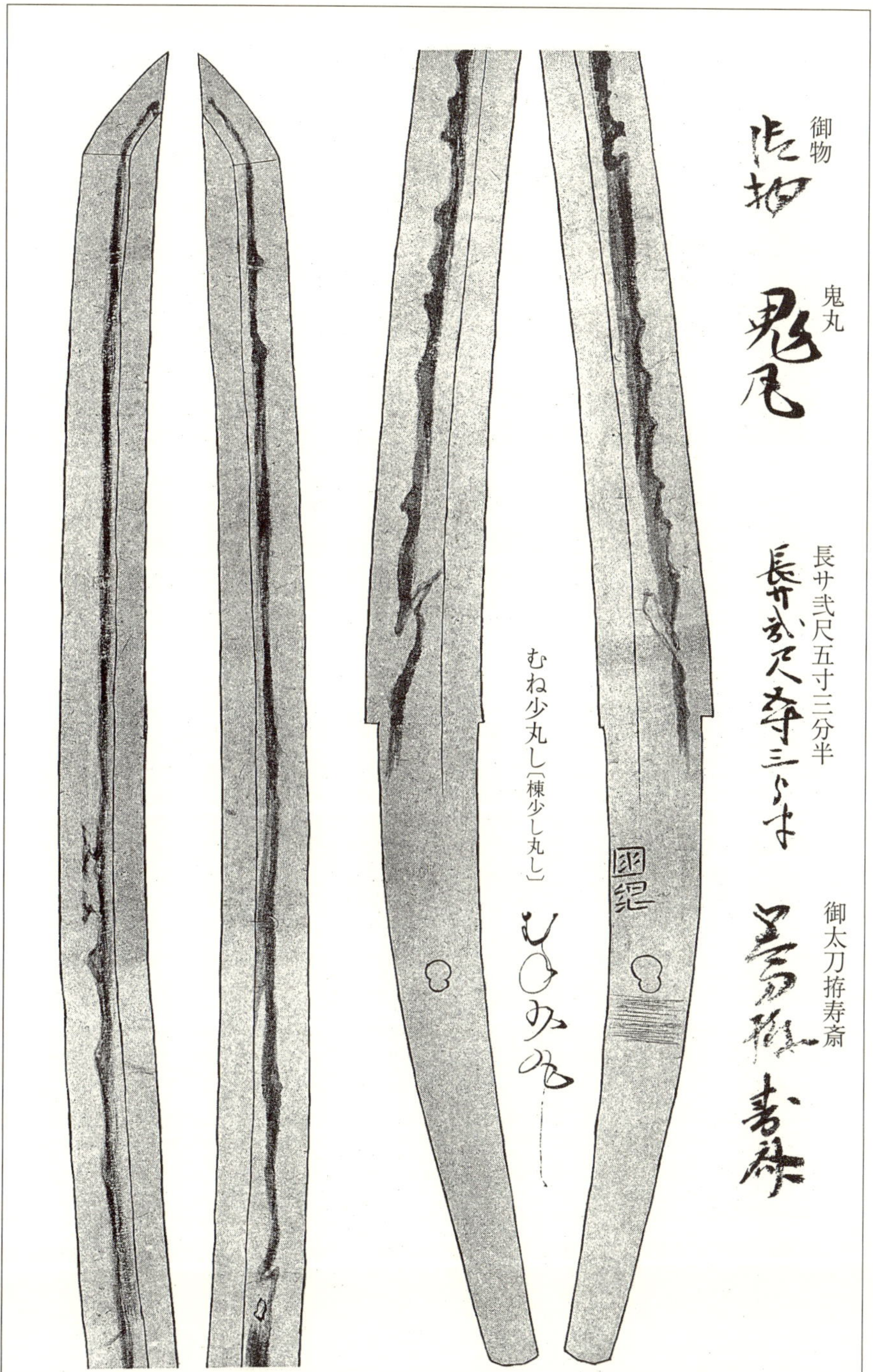

御物
鬼丸
長サ弐尺五寸三分半
御太刀拵寿斎
むね少丸し（棟少し丸し）

㉔太刀　鬼丸国綱　銘国綱

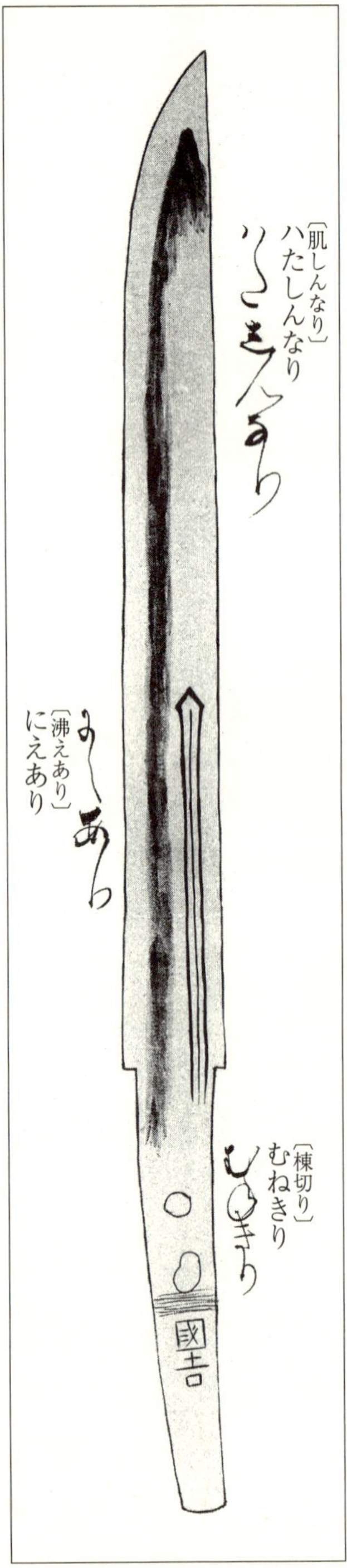
〔肌しんなり〕
ハたしんなり
〔沸えあり〕
にえあり
〔棟切り〕
むねきり
國吉

※肌しんなり…「しんなり」の語義未詳

㉕短刀　国吉　銘国吉

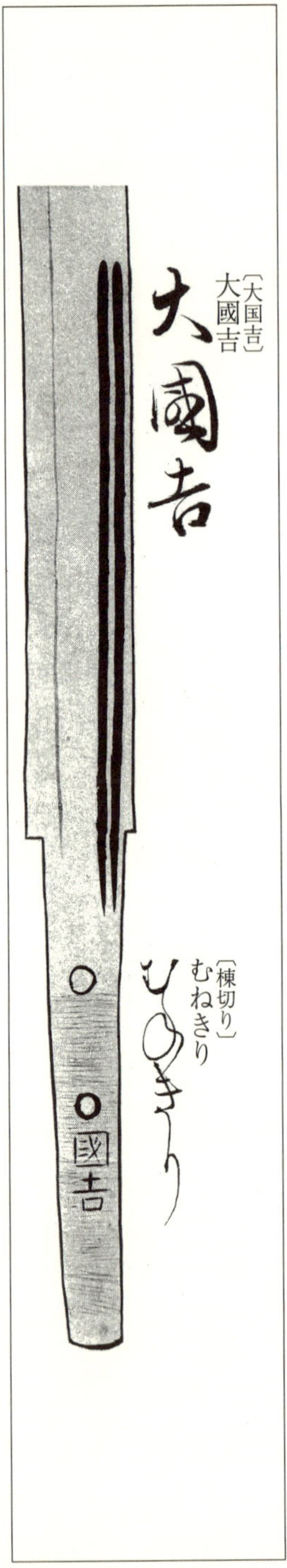
〔大国吉〕
大國吉
〔棟切り〕
むねきり
國吉

㉖短刀　大国吉　銘国吉

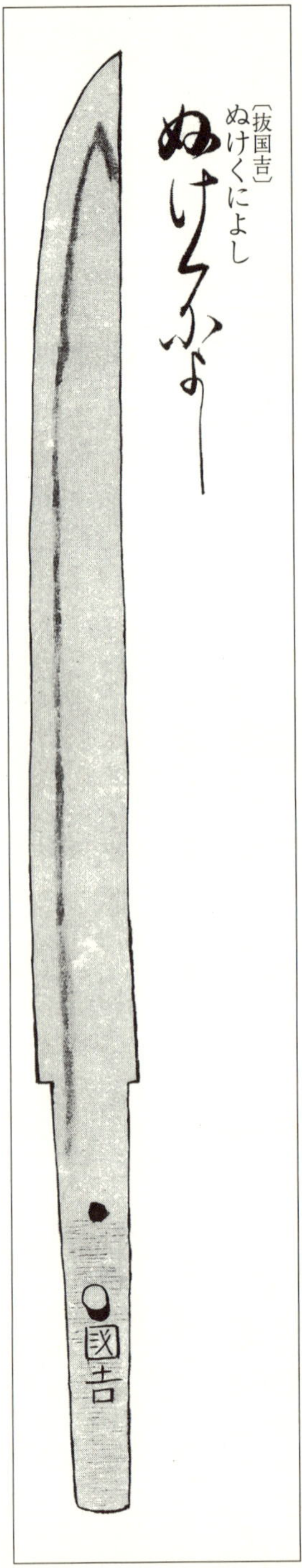
〔抜国吉〕
ぬけくによし
國吉

㉗短刀　抜国吉　銘国吉

※一振…一期一振（いちごひとふり）藤四郎

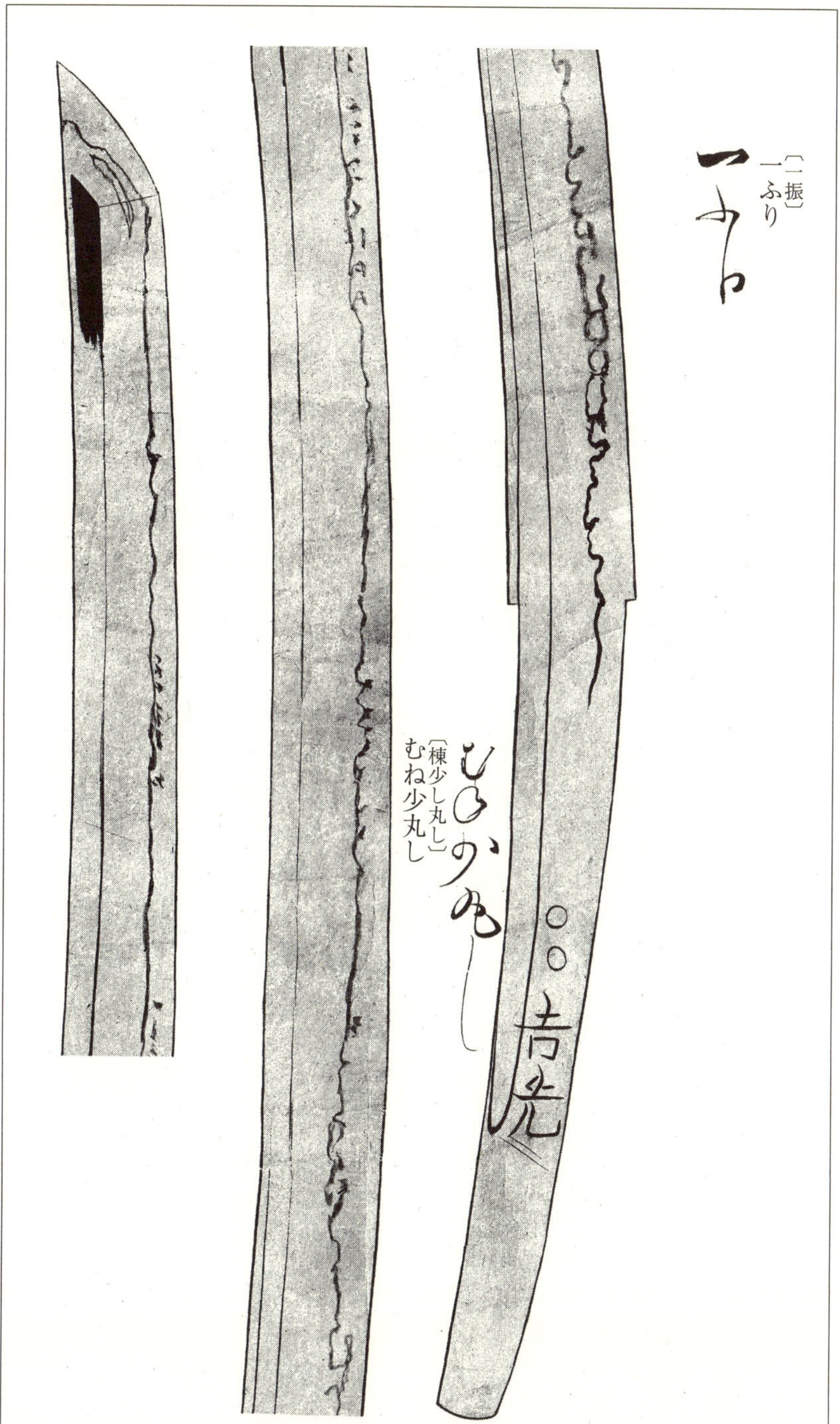
〔一振〕
一ふり
〔棟少し丸し〕
むね少丸し
吉光

㉘ 太刀 一期一振藤四郎 銘吉光

※一期一振…一期一振藤四郎　※ヤ…焼身

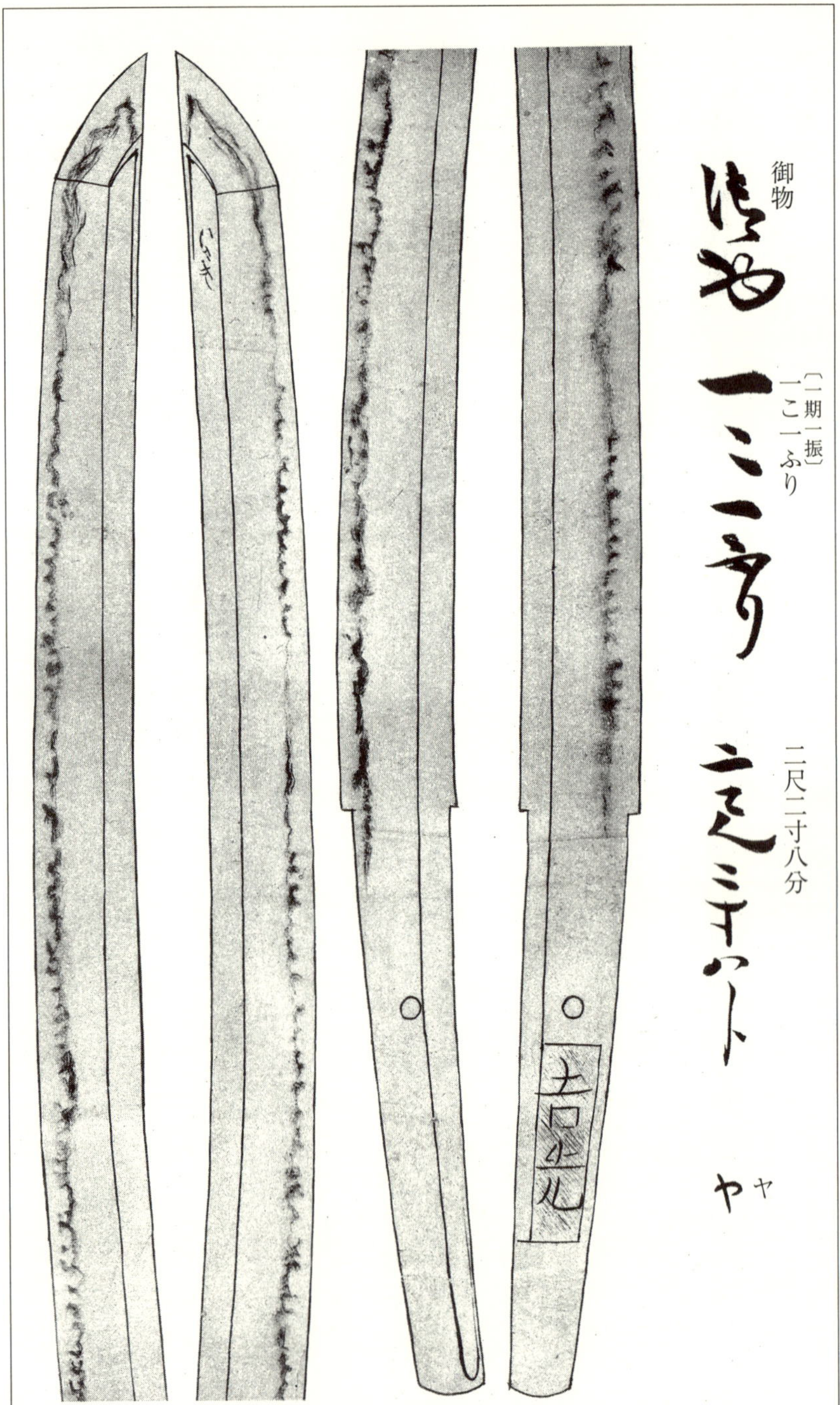

㉙太刀 一期一振藤四郎 額銘 吉光

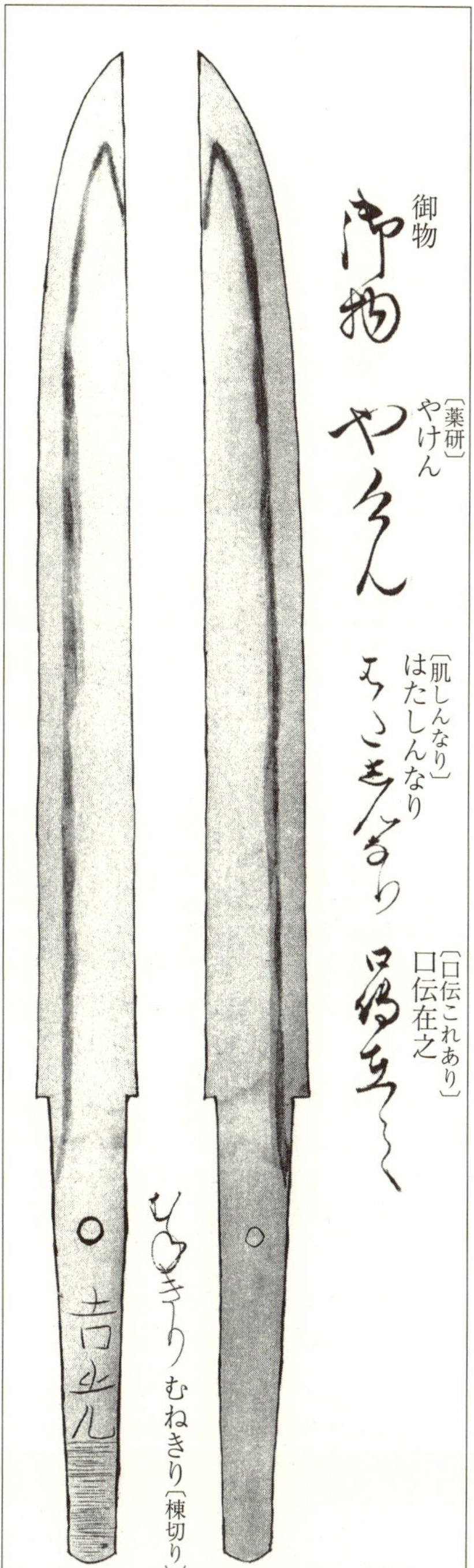
御物
〔薬研〕
やけん
〔肌しんなり〕
はたしんなり
〔口伝これあり〕
口伝在之
むねきり
〔棟切り〕

㉚ 短刀 薬研藤四郎 銘吉光

※**薬研**…薬研（やげん）藤四郎　※**肌しんなり**…「しんなり」の語義未詳。※**口伝これあり**…書き残すことが許されない、口頭でのみ伝えられる重要な情報（秘説・伝承など）があることを意味する

〔庖丁藤四郎〕
庖丁
むねきり
〔棟切り〕

㉛ 短刀 庖丁藤四郎 銘吉光

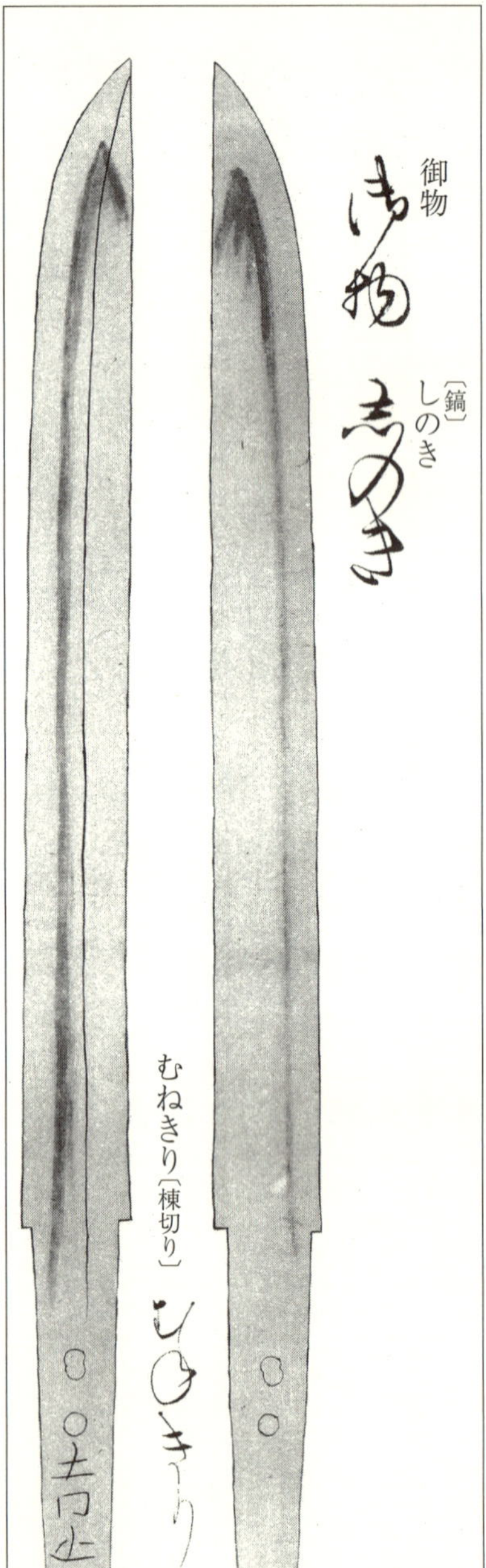
御物
〔鎬〕しのき
むねきり〔棟切り〕

※鎬…鎬（しのぎ）藤四郎

㉜ 短刀 鎬藤四郎 銘吉光

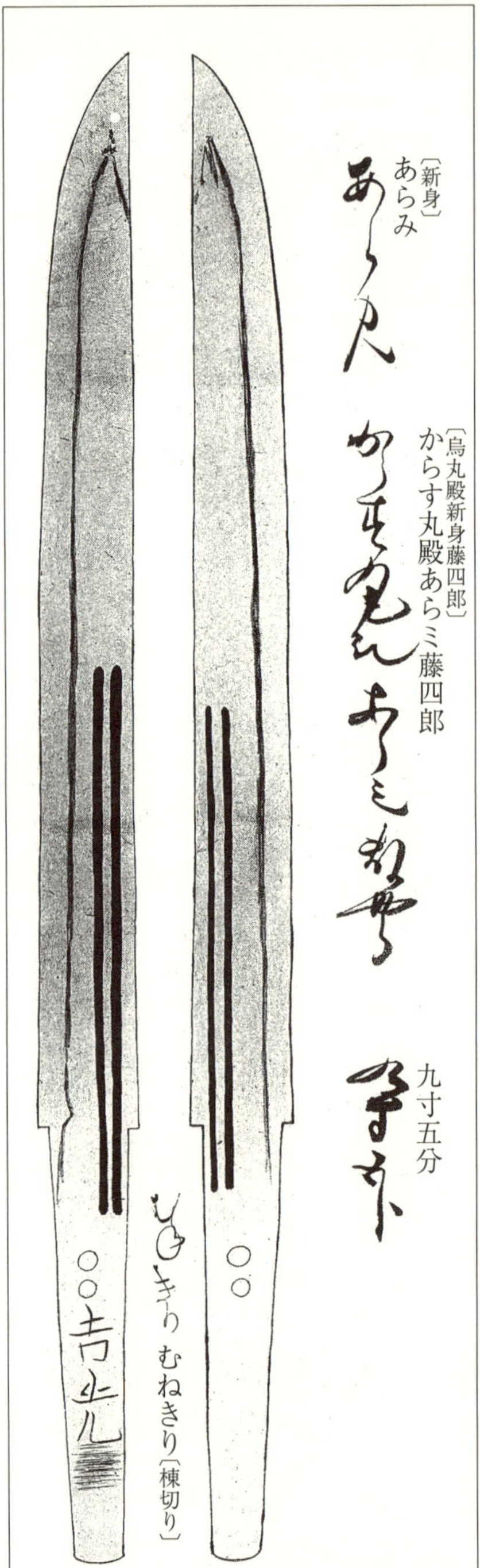
〔新身〕あらみ
〔烏丸殿新身藤四郎〕からす丸殿あらミ藤四郎
九寸五分
むねきり〔棟切り〕

※新身…新身藤四郎
※烏丸殿新身藤四郎…烏丸家が持っていた新身藤四郎と言う意味か

㉝ 短刀 新身藤四郎 銘吉光

御物

なまつ尾〔鯰尾〕

長サ　一尺二寸八分半

ヤ

御さし用
秀頼様相口

拵両度寿斎仕候

むねきり〔棟切り〕

㉞脇指　鯰尾藤四郎　銘吉光

※鯰尾…鯰尾藤四郎　※御さし用　秀頼様相口拵両度寿斎仕候…（豊臣）秀頼様が自ら着用したもの、合口拵で寿斎が二回、拵を制作しました

御物

ほねはみ〔骨喰〕

長サ

一尺九寸五分

㉟薙刀直シ刀 骨喰藤四郎 無銘

※骨喰…骨喰（ほねばみ）藤四郎

※茎切る…茎（なかご）の先を切って短くした

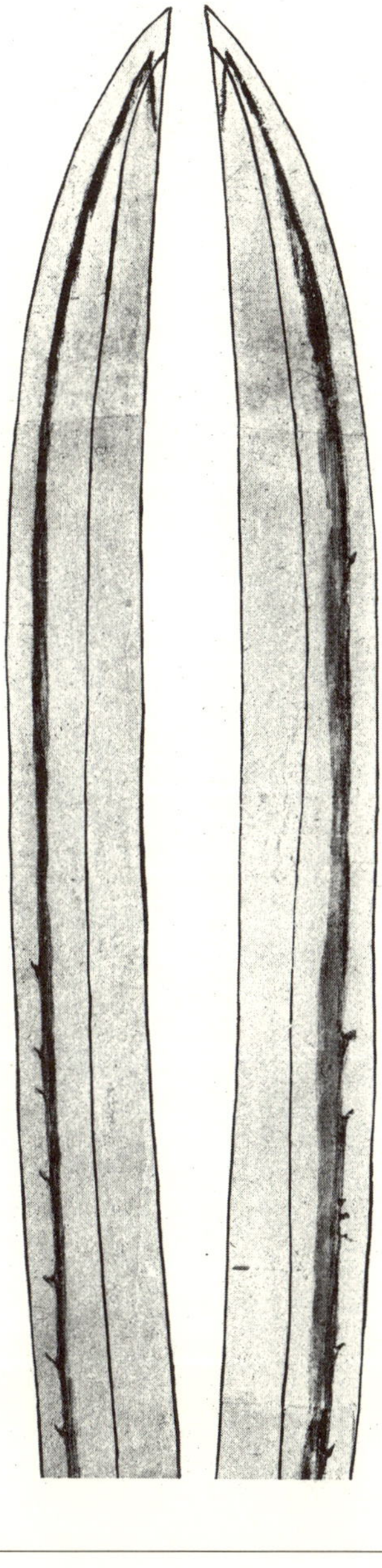

切物之内ニむら有之故
〔切り物の内にむらこれあるゆえ〕
さらへ申し金具寿斎仕候
〔さらへ申し、金具寿斎仕り候〕

此所ヨリ切申候
〔この所より切り申し候〕

〈部分拡大図〉

※切り物の内にむらこれあるゆえ…彫物の部分にむら（汚れ）があったので

※さらへ申し、金具寿斎仕り候…汚れを取り除き、拵の金具は寿斎が制作しました

※この所より切り申し候…この部分（図の横線）から先を切りました

㊱ 薙刀直シ刀　骨喰藤四郎　無銘

※新身…新身藤四郎

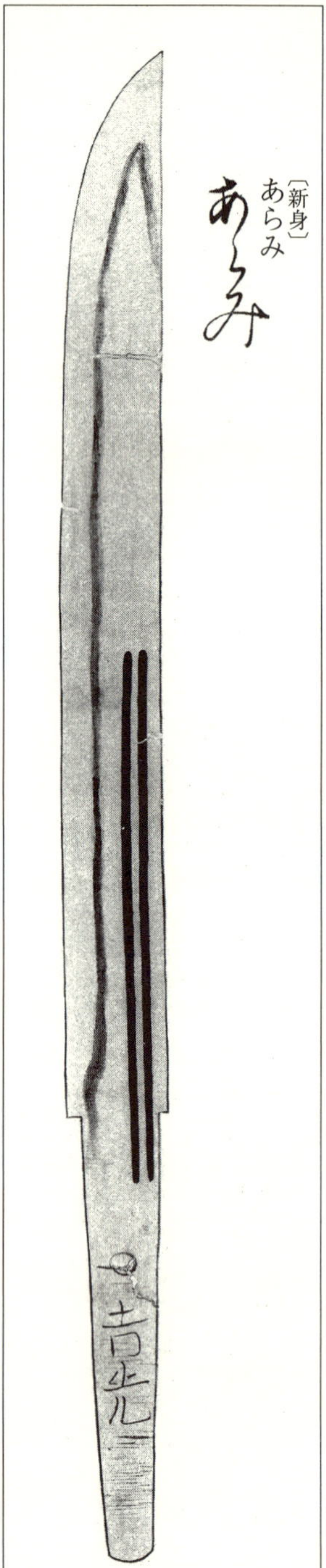
〔新身〕あらみ
吉光

㊲ 短刀 新身藤四郎 銘吉光

※ヤ…焼身

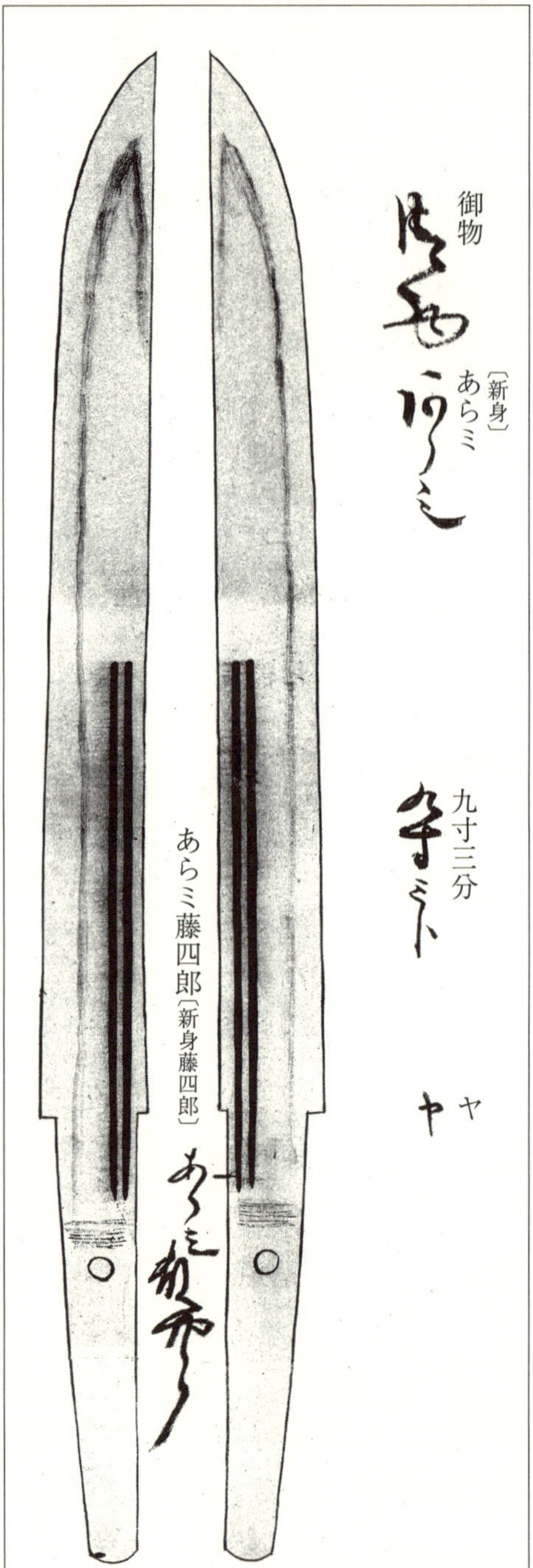
御物
〔新身〕あらミ
九寸三分
ヤ
あらミ藤四郎〔新身藤四郎〕

㊳ 短刀 新身藤四郎 無銘

※北野…北野藤四郎

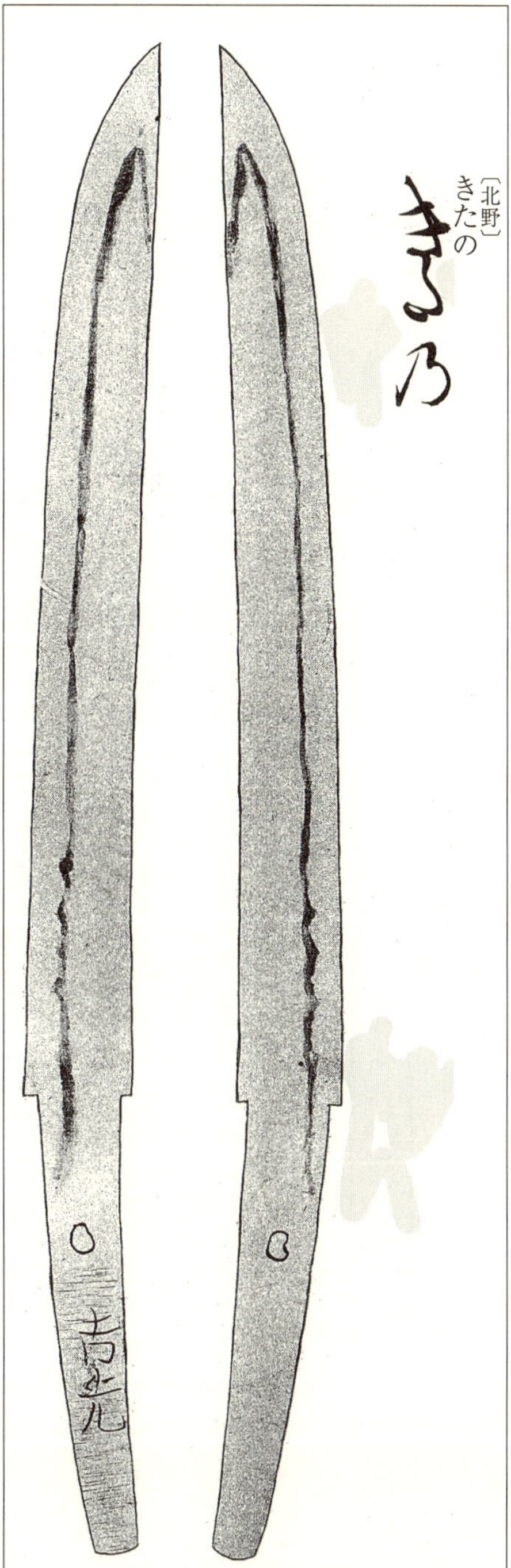

㊴短刀 北野藤四郎 銘吉光

※豊後…豊後藤四郎

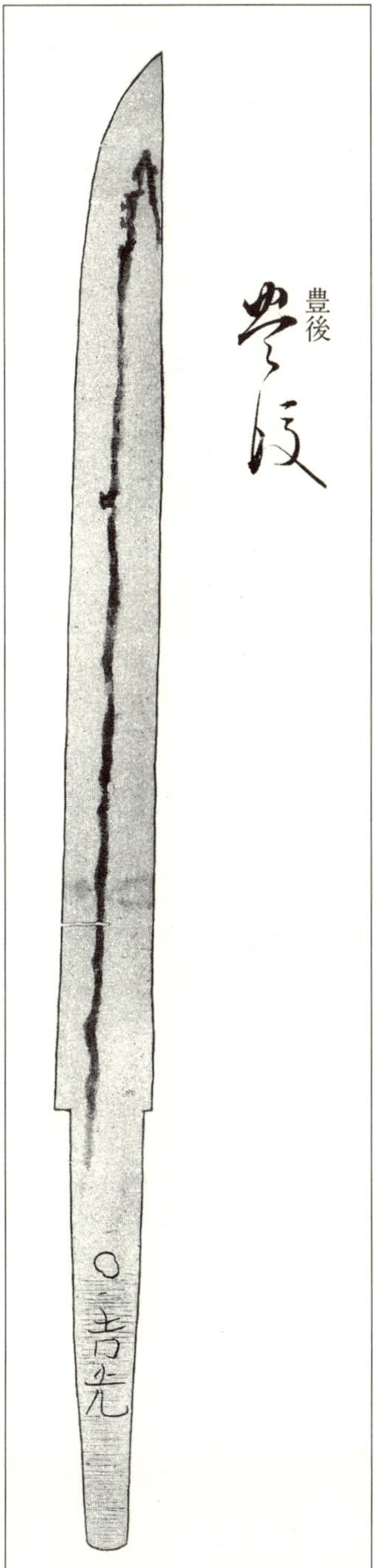

㊵短刀 豊後藤四郎 銘吉光

※小乱…小乱藤四郎

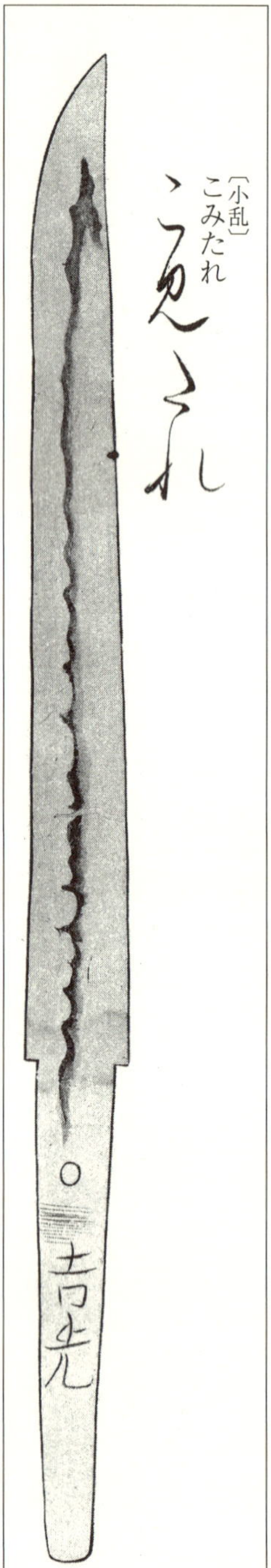
〔小乱〕こみたれ

㊶ 短刀 小乱藤四郎 銘吉光

※親子…親子藤四郎　※ヤ…焼身

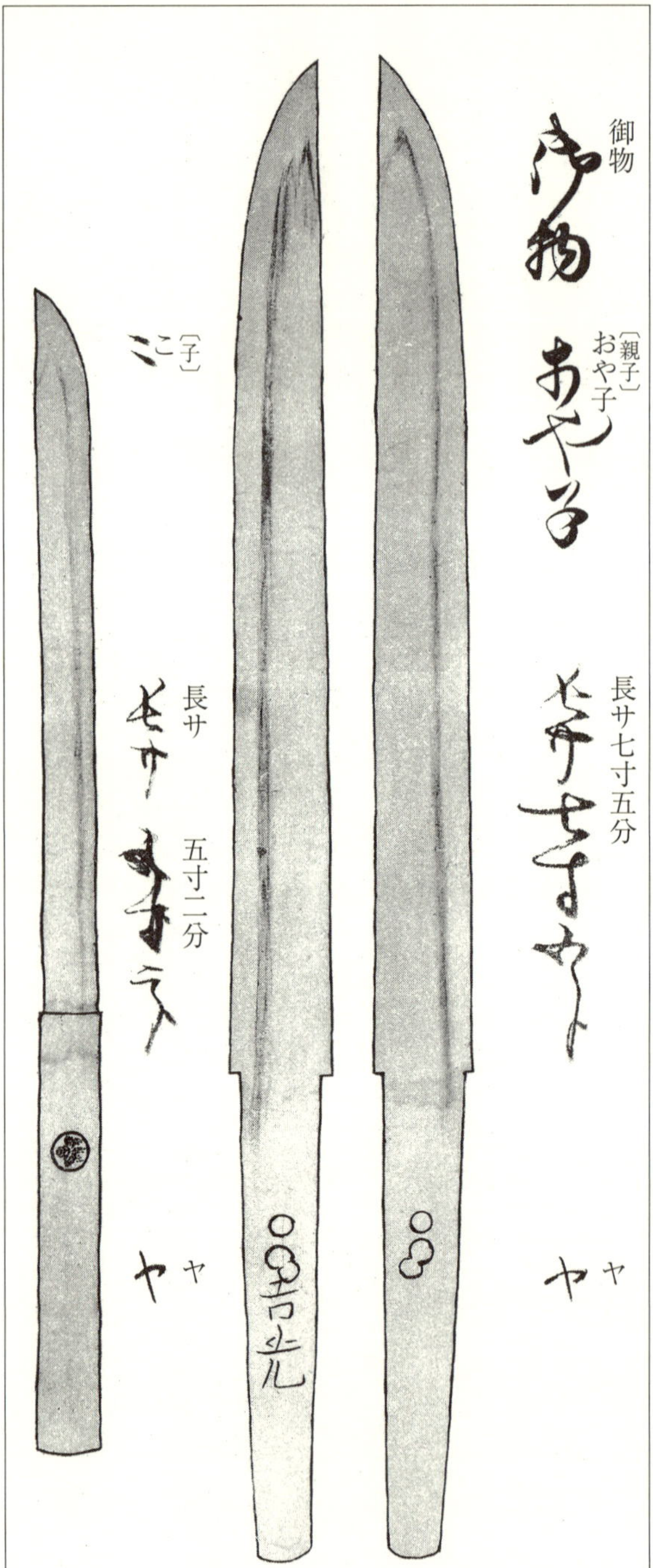
御物
〔親子〕おや子
長サ七寸五分
ヤ
〔子〕こ
長サ
五寸二分
ヤ

㊷ 短刀 親子藤四郎 銘吉光

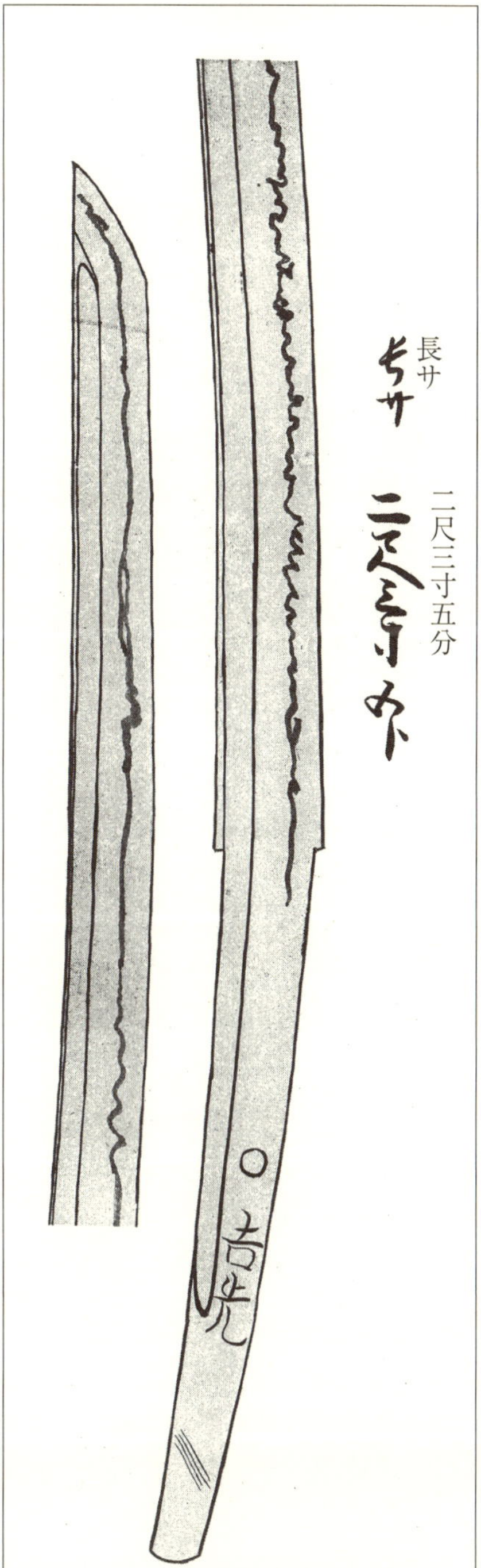

㊸ 太刀 吉光 銘吉光

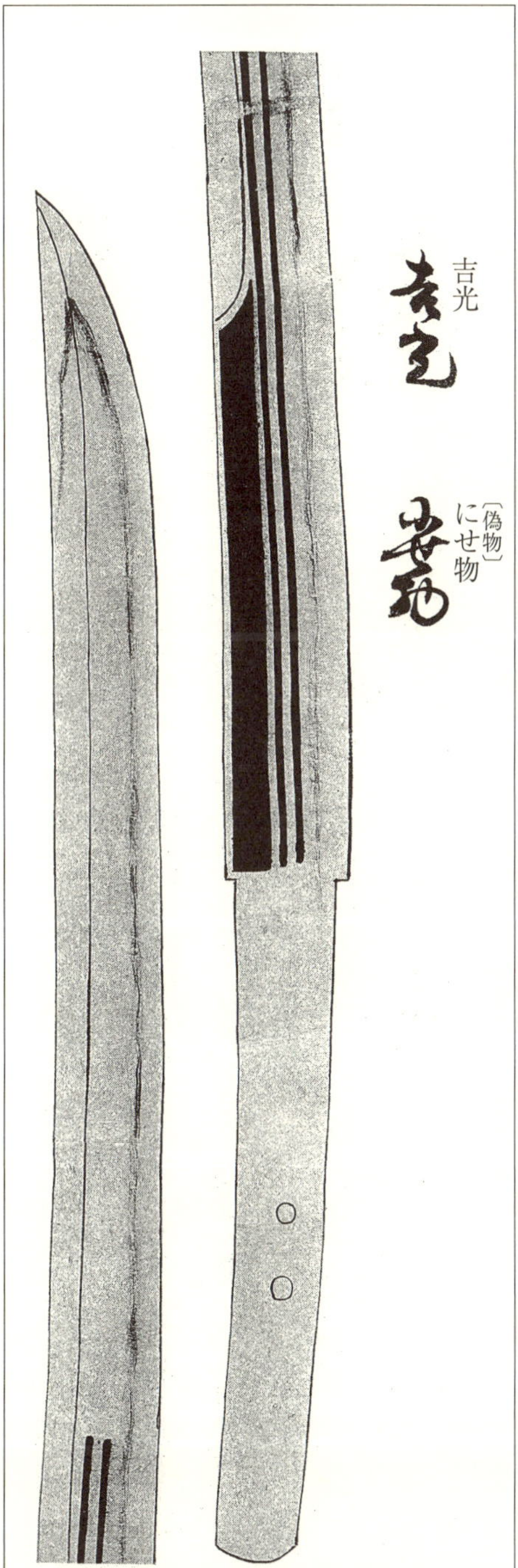

㊹ 薙刀直シ刀 吉光（にせ物） 無銘

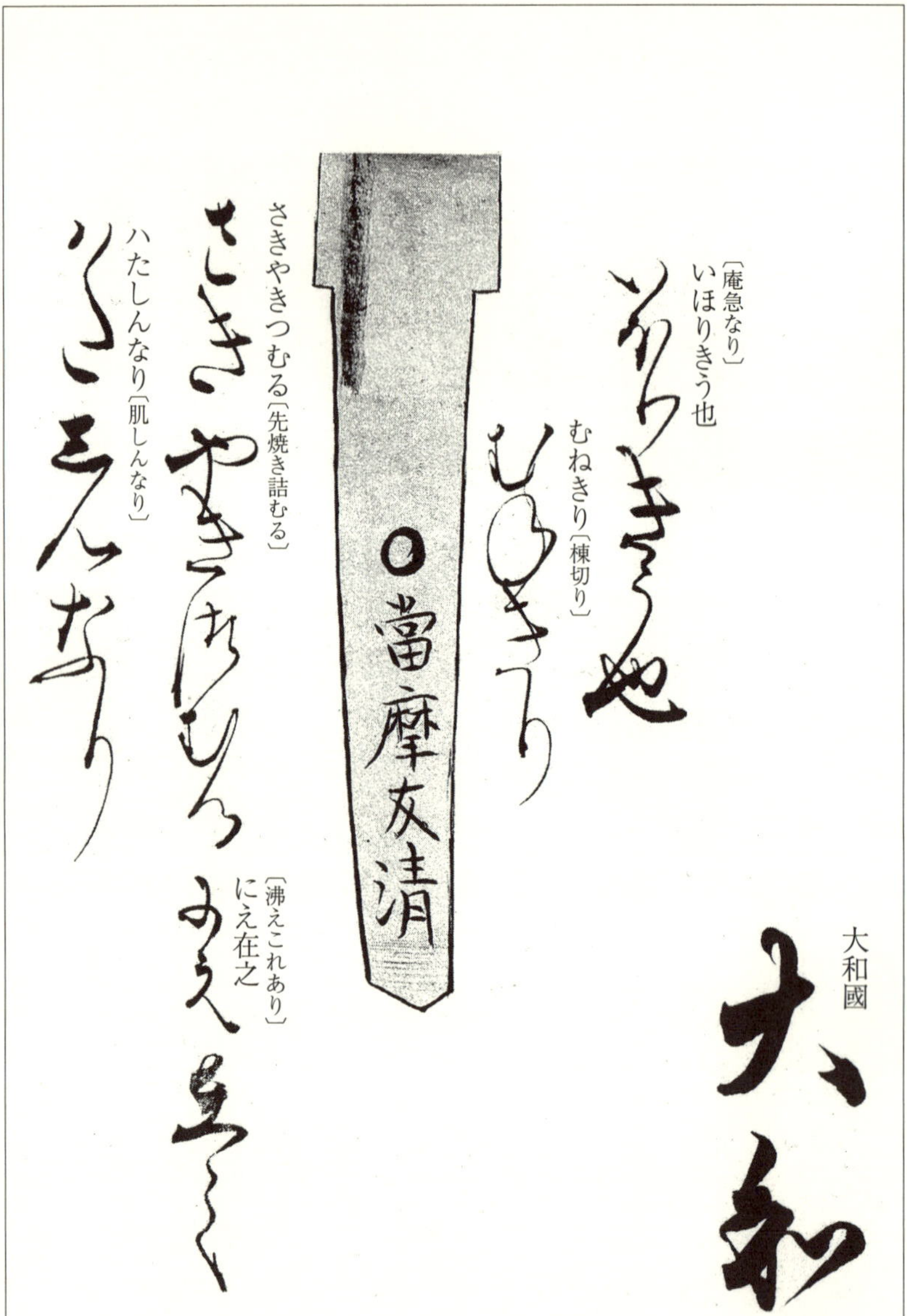
大和國
いほりきう也〔庵急なり〕
むねきり〔棟切り〕
當摩友清
にえ在之〔沸えこれあり〕
さきやきつむる〔先焼き詰むる〕
ハたしんなり〔肌しんなり〕

㊺短刀 友清 銘当摩友清

※**庵急なり**…庵の角度が急である　※**先焼き詰むる**…鋩子が焼き詰めになっている　※**沸えこれあり**…沸がある　※**肌しんなり**…「しんなり」の語義未詳。

※**肥前匠上る**…上が「たてまつる」（献上した）

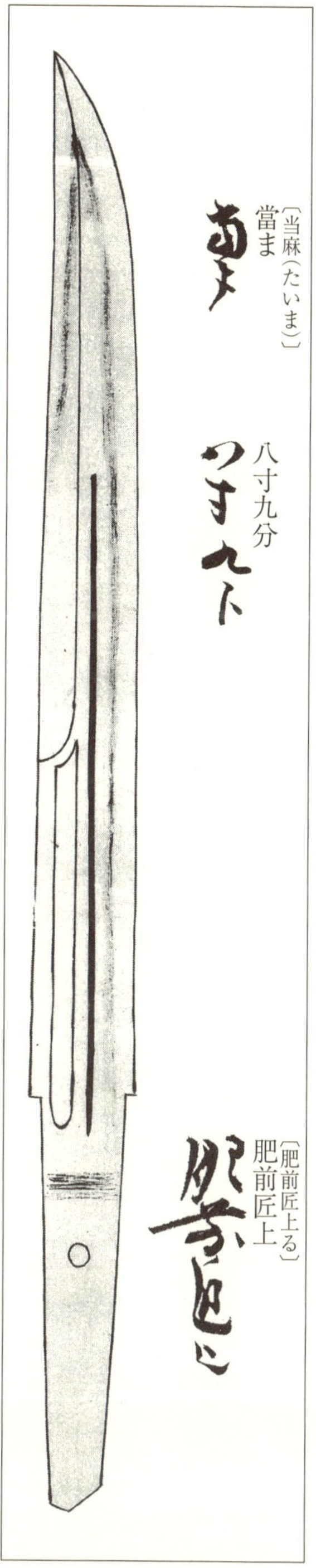
〔当麻（たいま）〕
當ま
八寸九分
〔肥前匠上る〕
肥前匠上

㊻ **短刀 当麻 無銘**

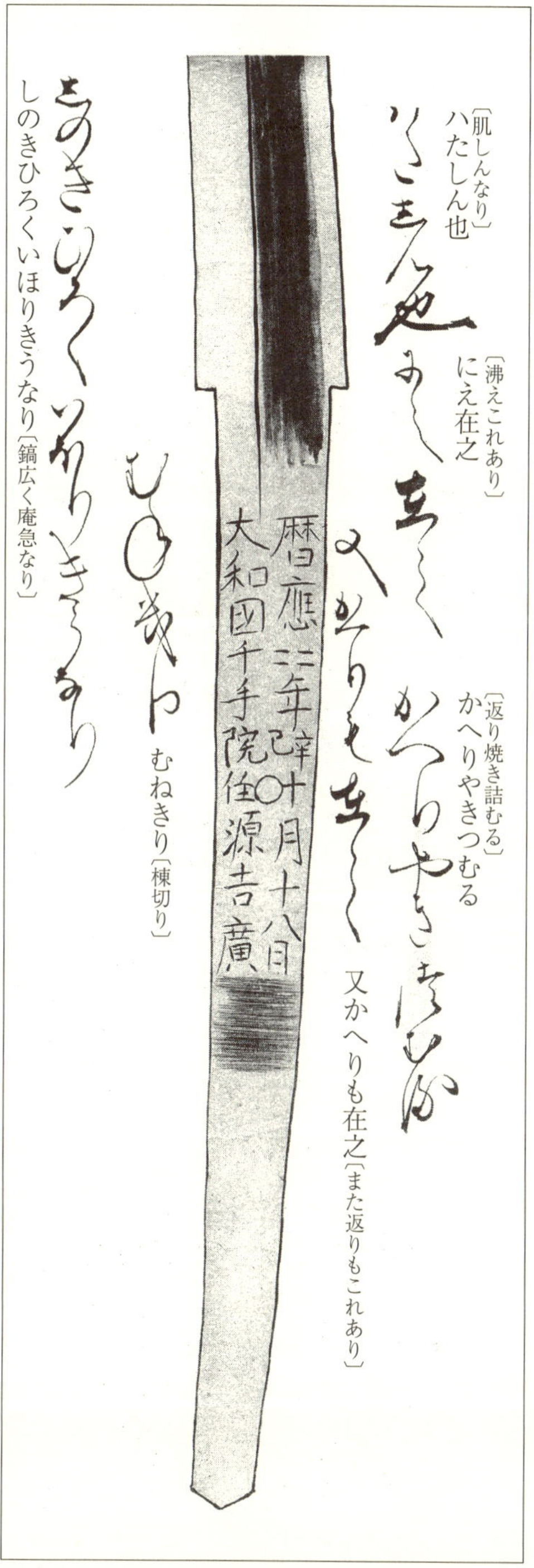
〔肌しんなり〕
ハたしん也
〔沸えこれあり〕
にえ在之
〔返り焼き詰むる〕
かへりやきつむる
又かへりも在之〔また返りもこれあり〕
むねきり〔棟切り〕
しのきひろくいほりきうなり〔鎬広く庵急なり〕

㊼ **太刀 吉広 銘大和国千手院住源吉広**
暦応四年辛巳十月十八日

※**肌しんなり**…「しんなり」の語義未詳。　※**返り焼き詰むる**…現在の用語では鋩子の返りが無いものが「焼き詰め」なので矛盾しているが、おそらく返りは鋩子を指すので、「鋩子が焼き詰めになっている」という意味かと思われる。　※**また返りもこれあり**…前文と更に矛盾するが、逆側の鋩子には返りがあるということか　※**鎬広く庵急なり**…鎬幅が広く庵の角度が急である。

〔大方直焼刃、また乱るることもあり〕
大かたすくやきは又ミたるゝ事もあり

〔沸え多し〕
にえおほし

〔返り焼き詰むる〕
かへりやきつむる

又かへりもあり〔また返りもあり〕

〔鎬広し〕
しのきひろし

〔棟丸し〕
むね丸し

〔棟急なり〕
むねきう也

※大方直焼刃、また乱るることもあり…刃紋のほとんどは直刃で、また乱れている部分もある　※鎬広し…鎬幅が広い　※棟急なり…棟の庵の角度が急である

⑱ 太刀 包永 銘包永

⑲ 短刀 包永 銘包永

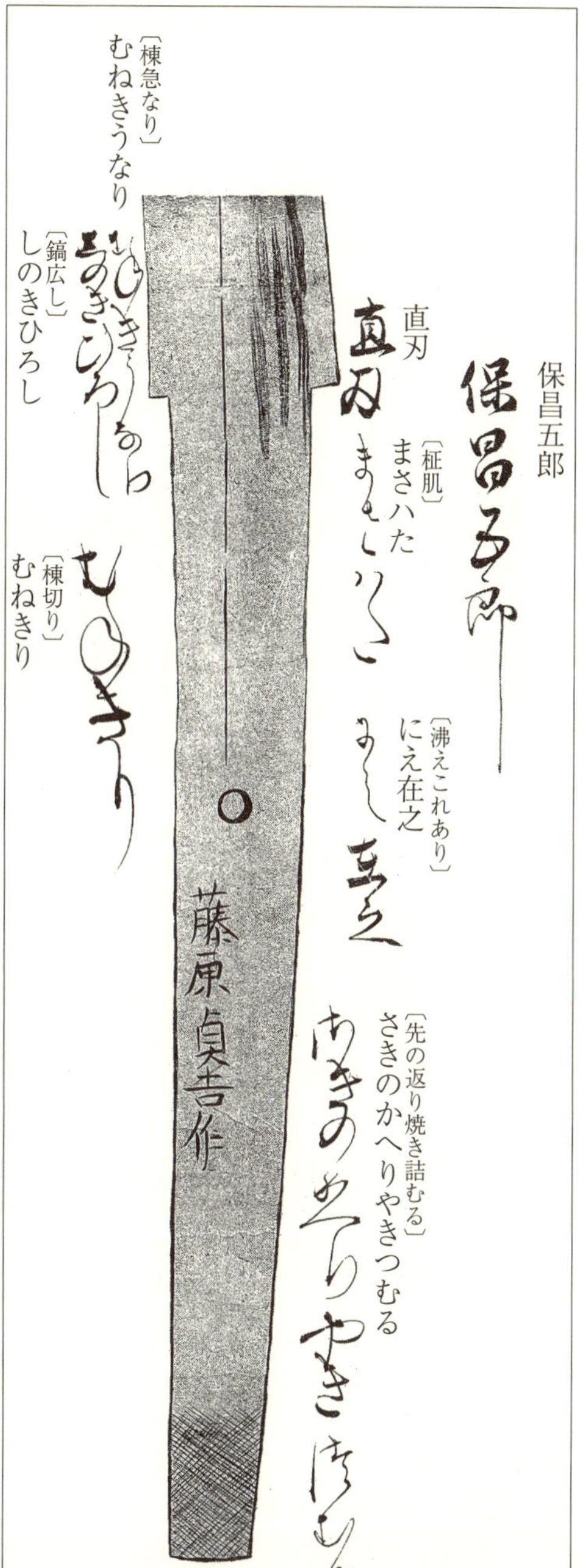

⑩ 太刀 保昌五郎 銘藤原貞吉作

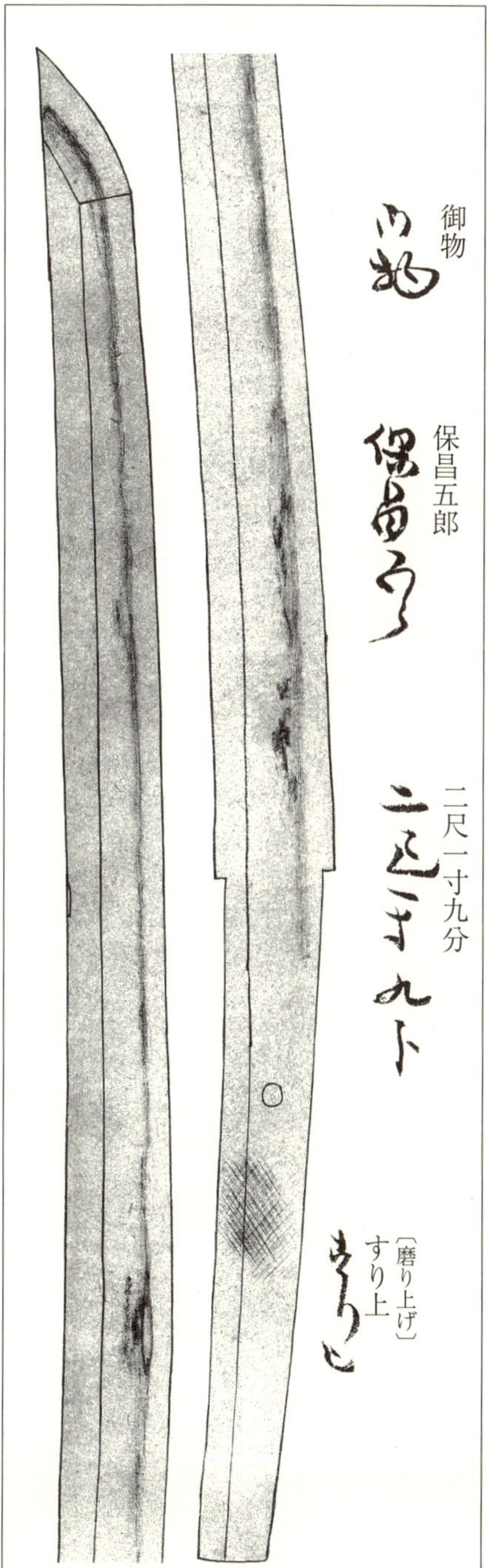

⑤ 刀 保昌五郎 磨上無銘

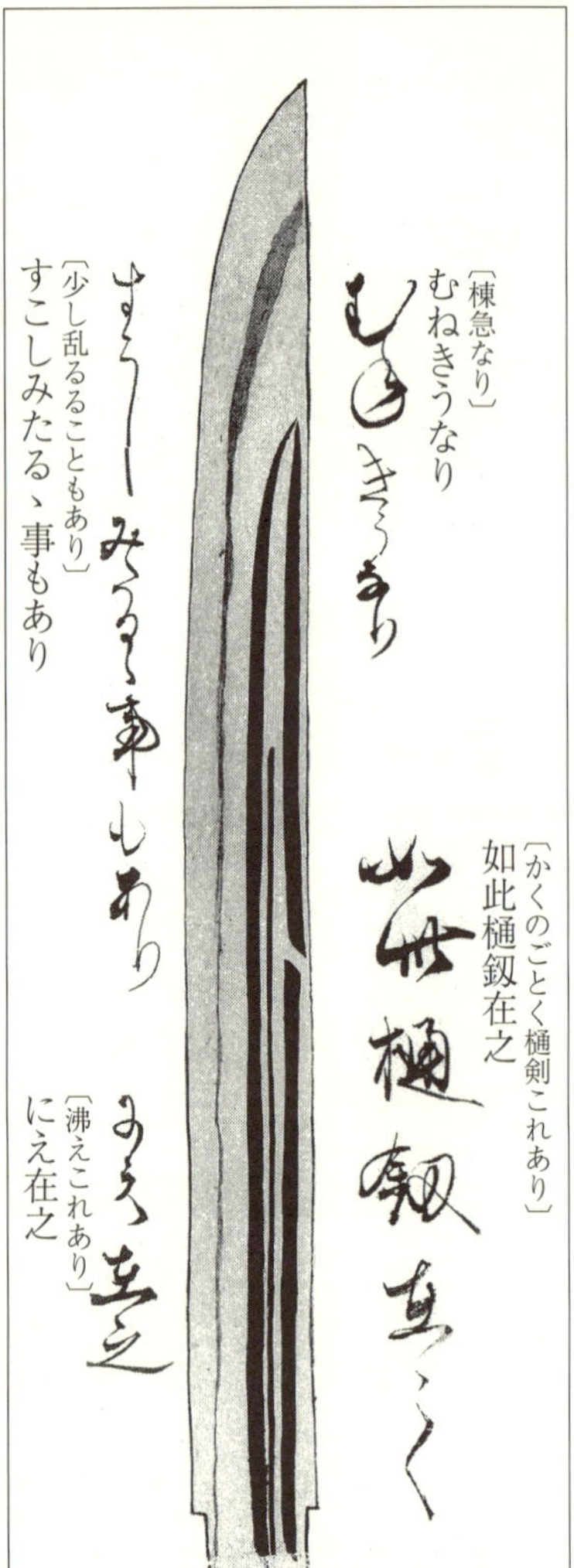
〔棟急なり〕
むねきうなり
〔かくのごとく樋剣これあり〕
如此樋鈫在之
〔棟少し丸し〕
むね少丸し
〔少し乱るることもあり〕
すこしみたるゝ事もあり
〔沸えこれあり〕
にえ在之

㊾52 短刀　則長　銘大和尻懸住則長

※棟急なり…棟の庵の角度が急である　※かくのごとく樋剣これあり…この図のような樋剣（樋先が剣先のように尖った樋）の彫りがある　※少し乱るることもあり…刃紋に少し乱れ刃がまじるところがある

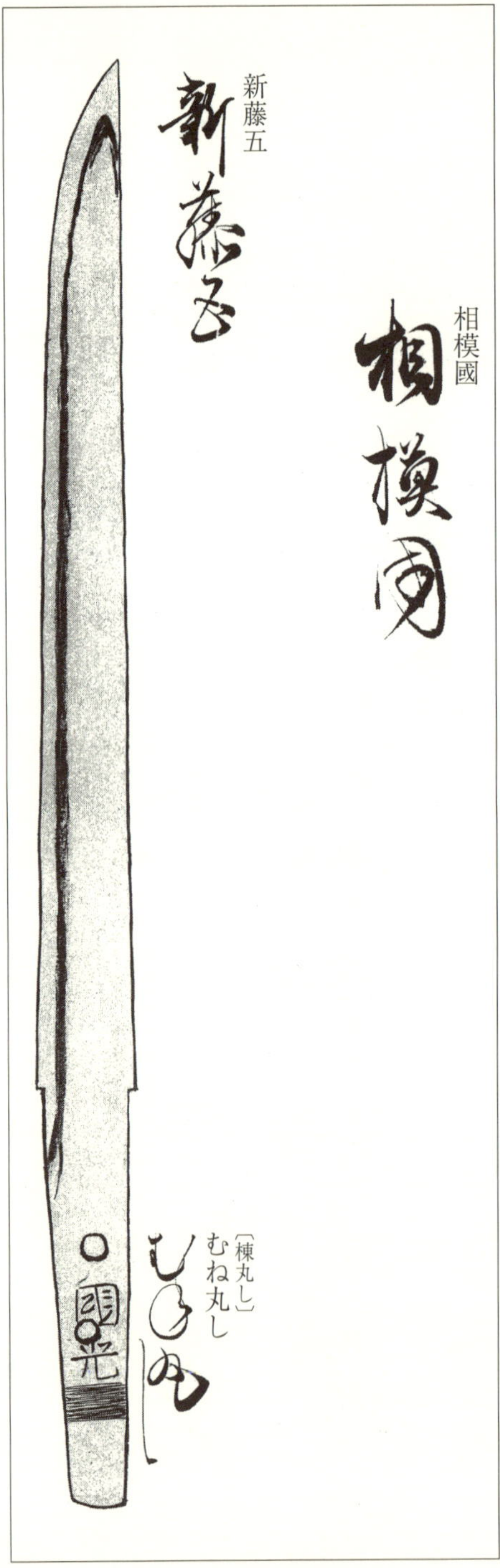
新藤五
相模國
〔棟丸し〕
むね丸し

㊿53 短刀　国光　銘国光

※小尻通し…小尻通し国光　※一尺半（分）半…一尺一分半の長さを一尺半と書き間違えたので半の横に分を書いて訂正したものと思われる　※ヤ…焼身

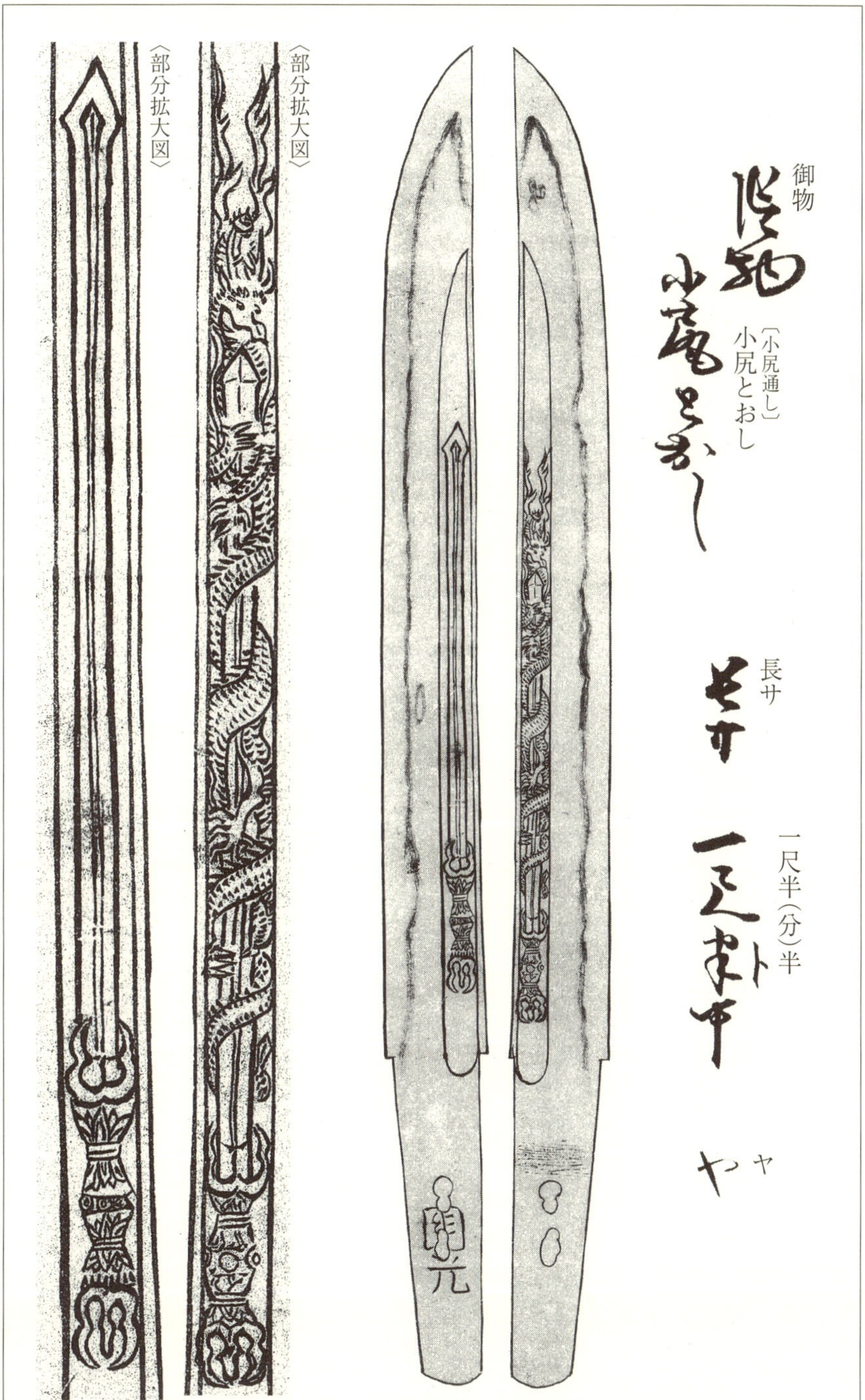
御物
〈小尻通し〉
小尻とおし
長サ
一尺半（分）半
ヤ
〈部分拡大図〉
〈部分拡大図〉

㊺ 短刀 小尻通国光 銘国光

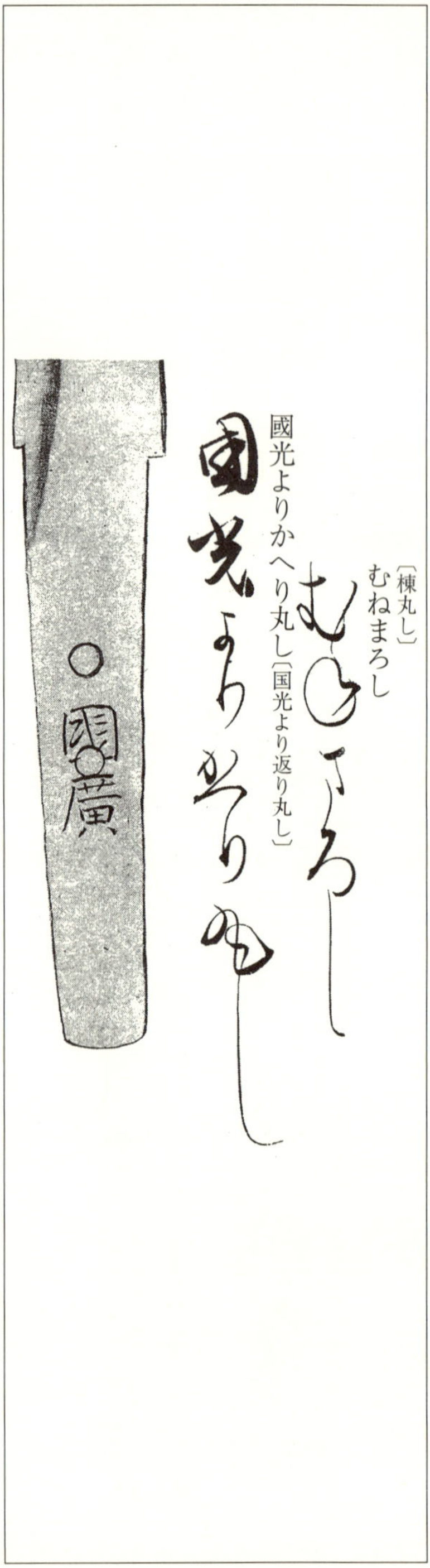
〔棟丸し〕
むねまろし
國光よりかへり丸し〔国光より返り丸し〕
國廣

※国光より返り丸し…国光の物よりも鋩子の返りが丸い

⑤⑤短刀 国広 銘国広

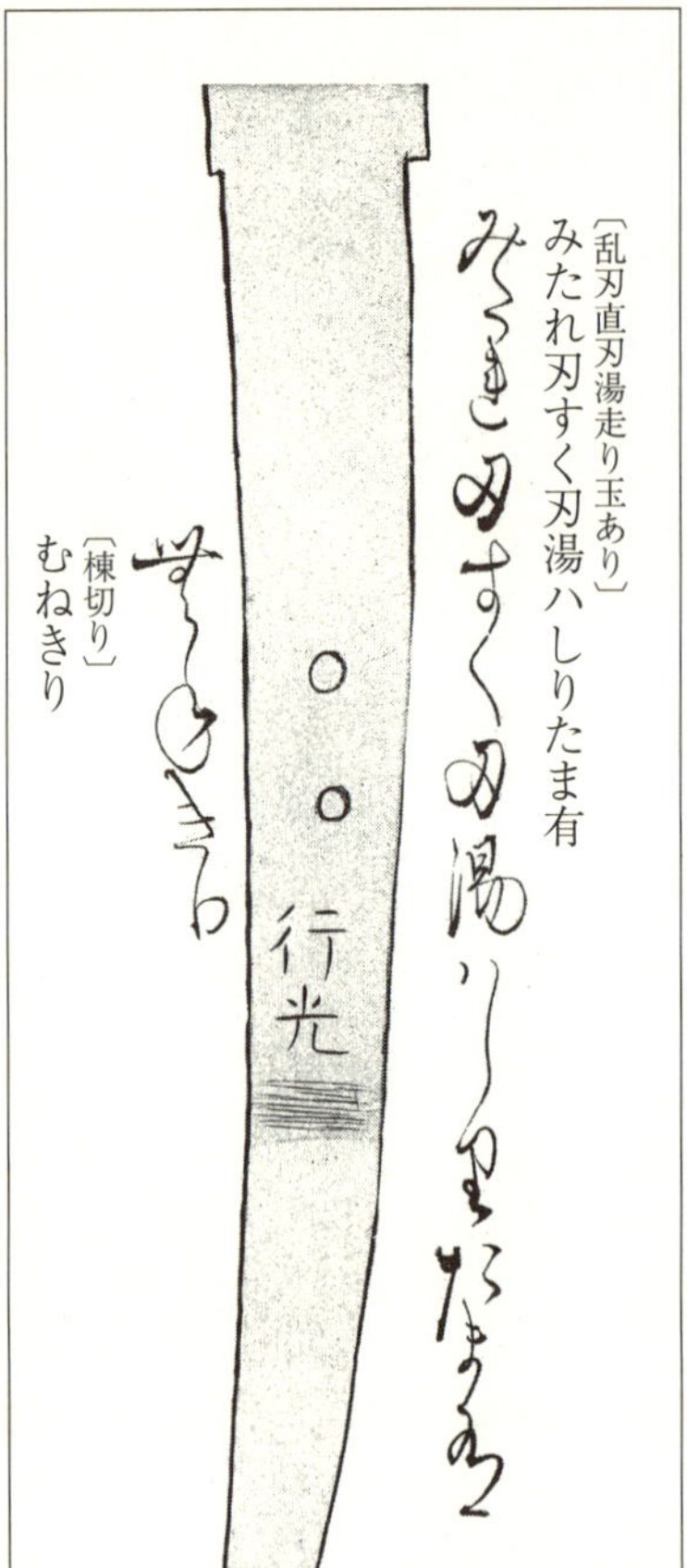
〔乱刃直刃湯走り玉あり〕
みたれ刃すく刃湯ハしりたま有
〔剣梵字樋これあり候〕
釼ほん字樋在之候
〔棟切り〕
むねきり
行光

※乱刃直刃湯走り玉あり…刃紋は乱れ刃と直刃の混ざったもので、湯走りや玉が見られる

※剣梵字樋これあり候…剣や梵字、樋の彫りがあります

⑤⑥太刀 行光 銘行光

※美濃匠上る…上が「たてまつる」（献上した）

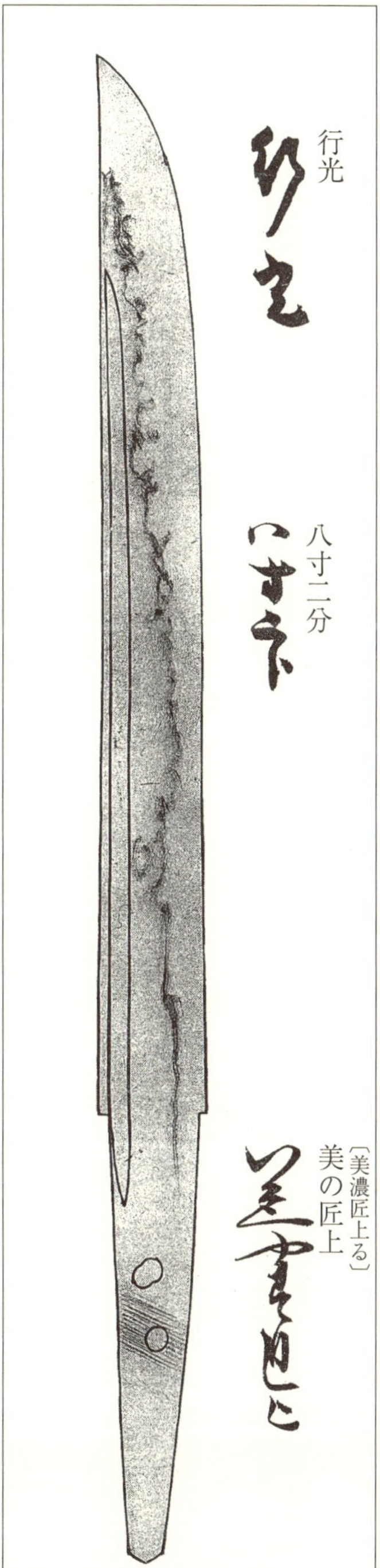
行光
八寸二分
〔美濃匠上る〕
美の匠上

⑰ 短刀 行光 無銘

※三好…三好正宗

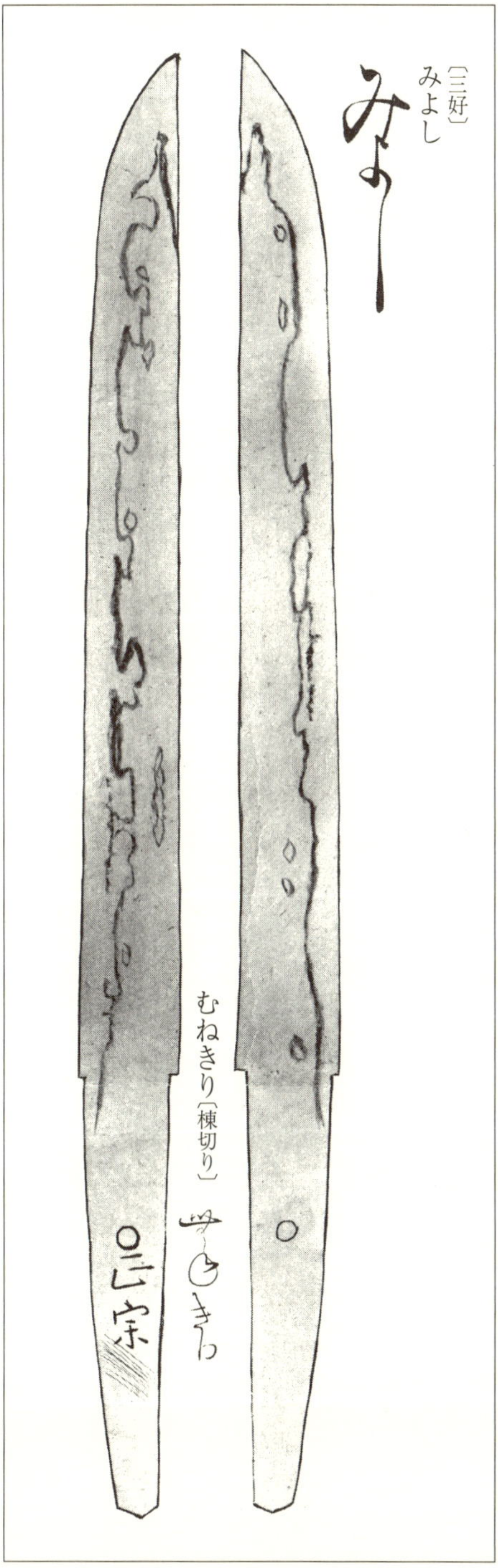
〔三好〕
みよし
むねきり〔棟切り〕

⑱ 短刀 三好正宗 銘正宗

※十河若江…十河若江正宗　※ヤ…焼身
※正宗　是を光徳老は玉と申され候…正宗の作。この一振りを本阿弥光徳老は玉（特に優れた作）と申されていた。あるいは、玉焼を正宗の見どころと申されていた。

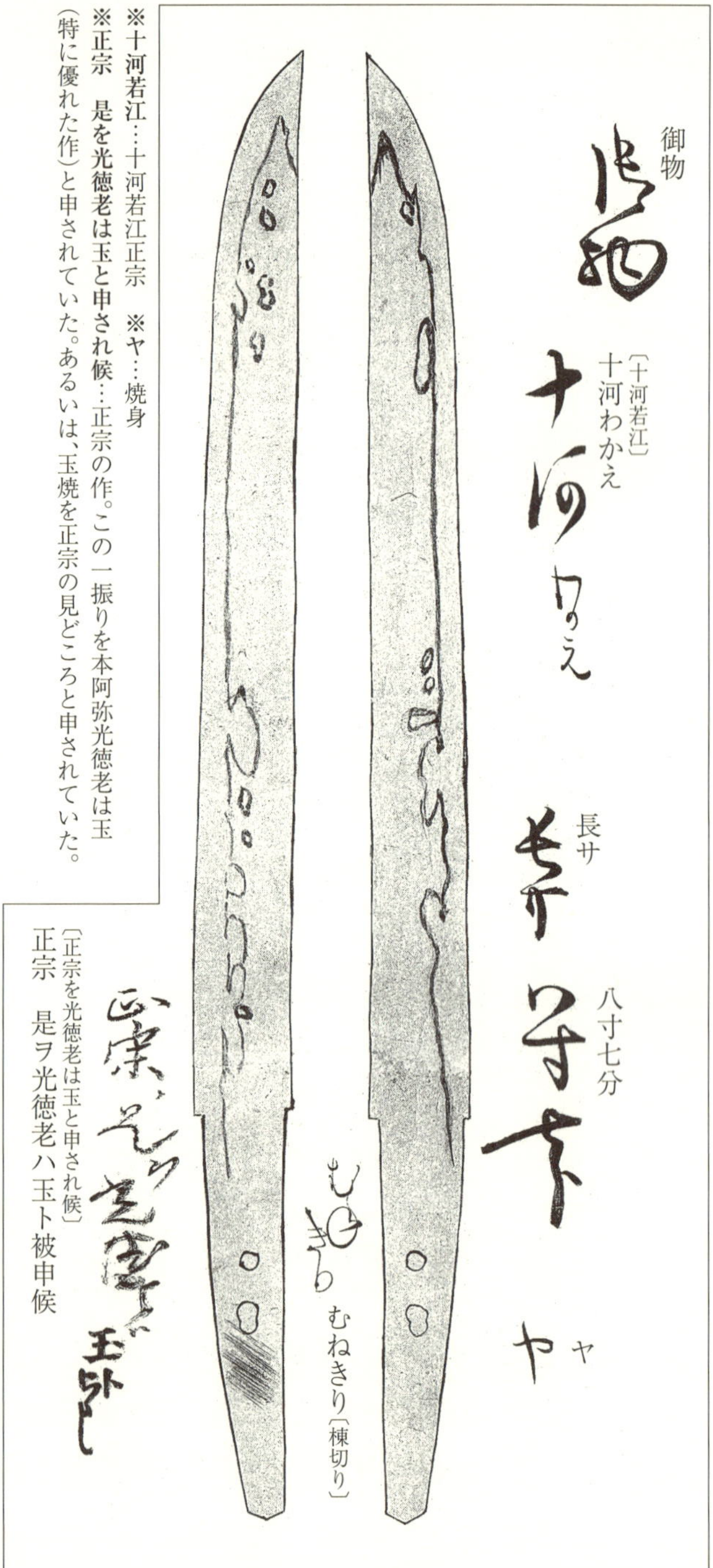
御物
十河わかえ〔十河若江〕
長サ
八寸七分
ヤ
むねきり〔棟切り〕
正宗　是ヲ光徳老ハ玉ト被申候
〔正宗を光徳老は玉と申され候〕

⑤⑨ 短刀 十河若江正宗 無銘

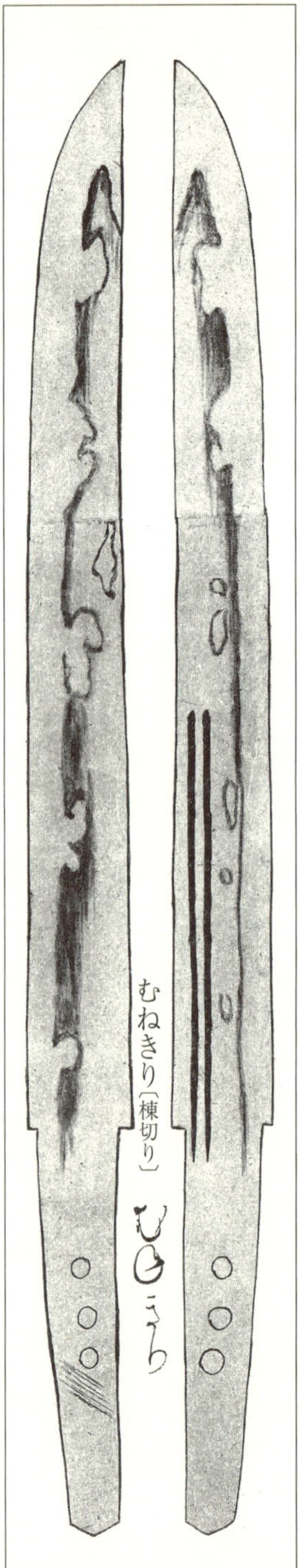
むねきり〔棟切り〕

⑥⓪ 短刀 正宗（日向）無銘

※上り龍…上り龍正宗（一般には上下龍正宗として知られる）
※ヤ…焼身

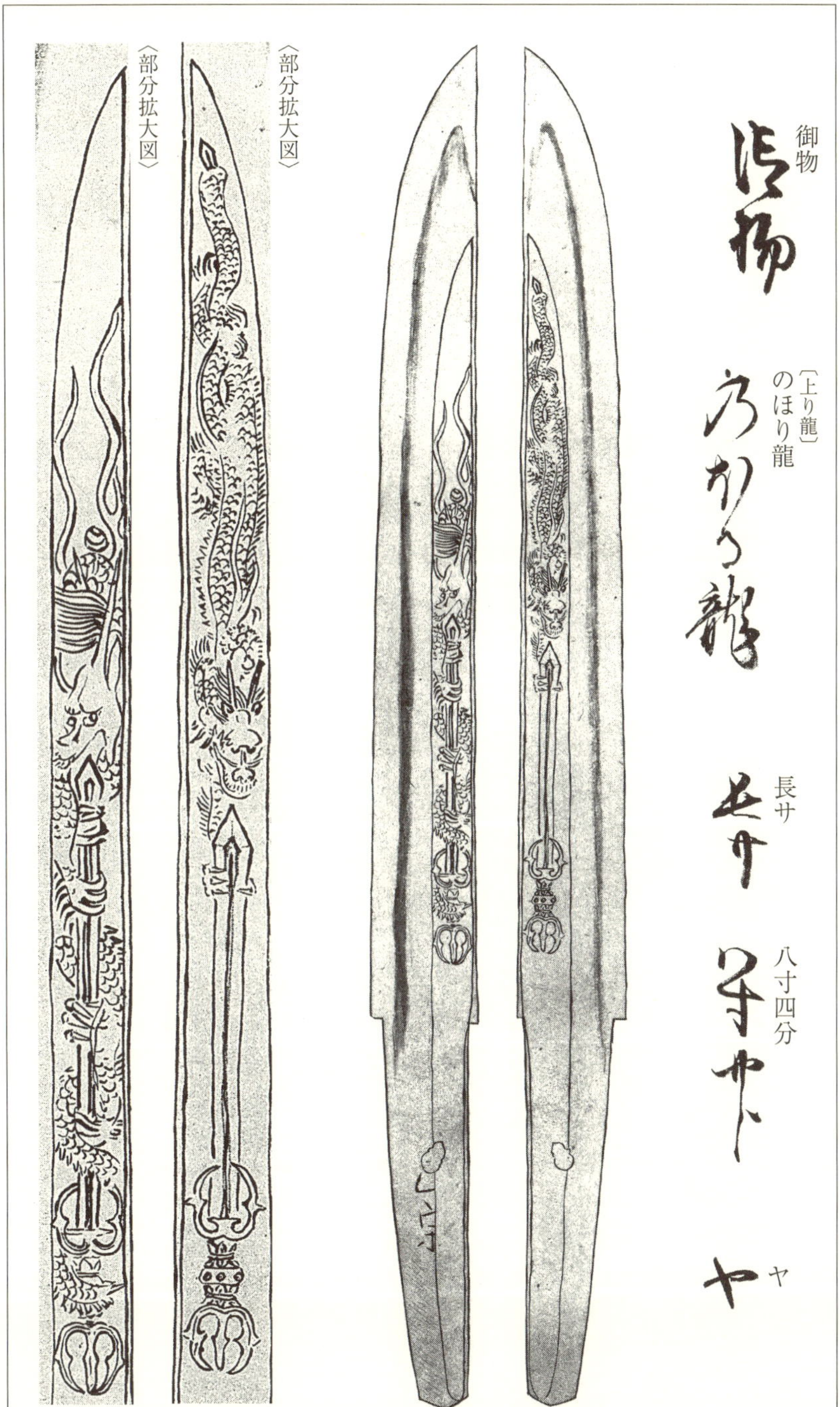
〈部分拡大図〉
〈部分拡大図〉
御物
（上り龍）
のほり龍
長サ
八寸四分
ヤ

⑹ 短刀 上り龍正宗 銘正宗

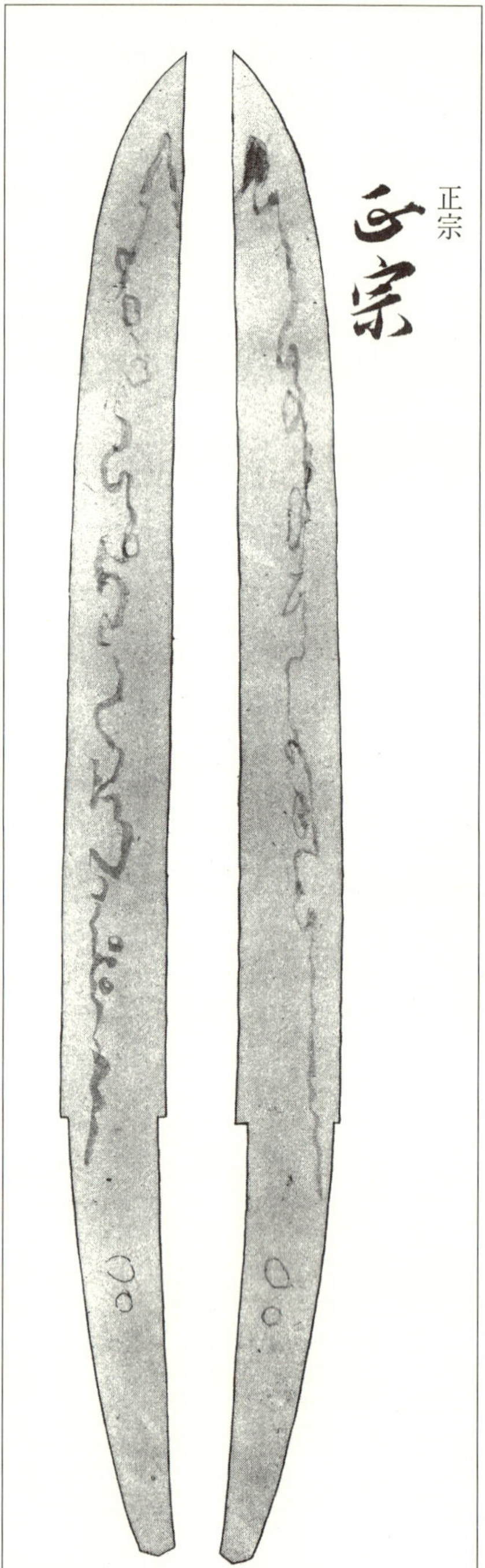

⑥② 短刀 正宗 無銘

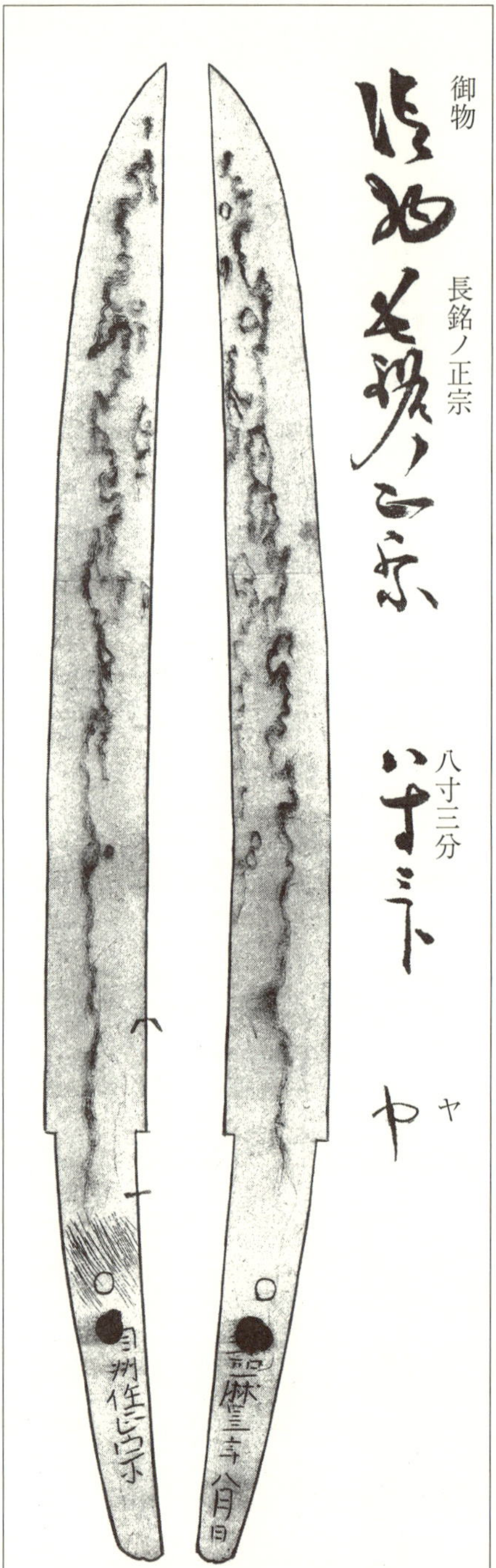

⑥③ 短刀 長銘正宗 銘 相州住正宗
嘉暦三年八月日

※長銘ノ正宗…長銘正宗　※ヤ…焼身

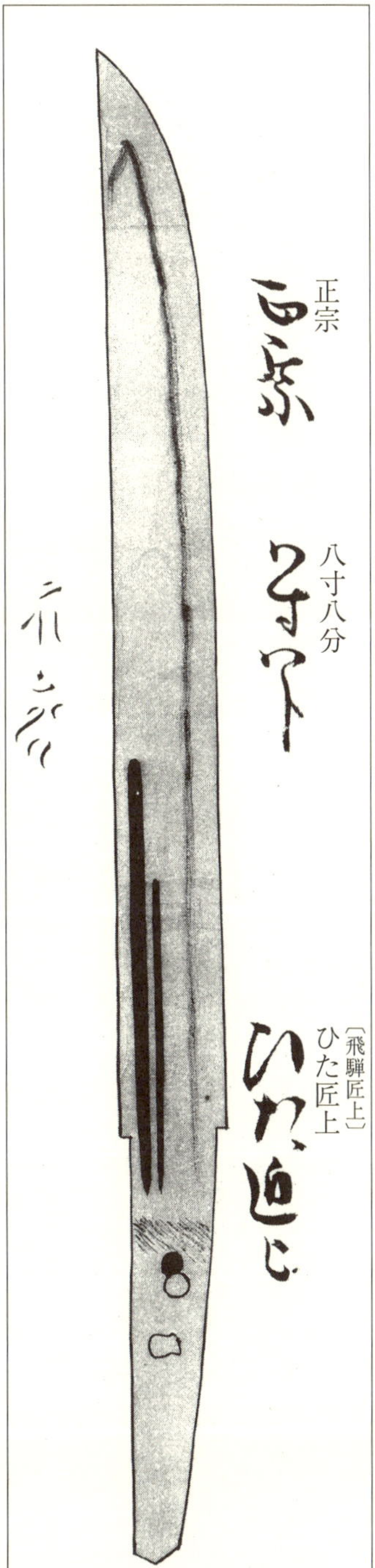
正宗
八寸八分
〔飛騨匠上〕ひた匠上

⑭短刀　正宗　無銘

※飛騨匠上…上が「たてまつる」（献上した）

※刀身の図の左にあるのは彫物の模写です

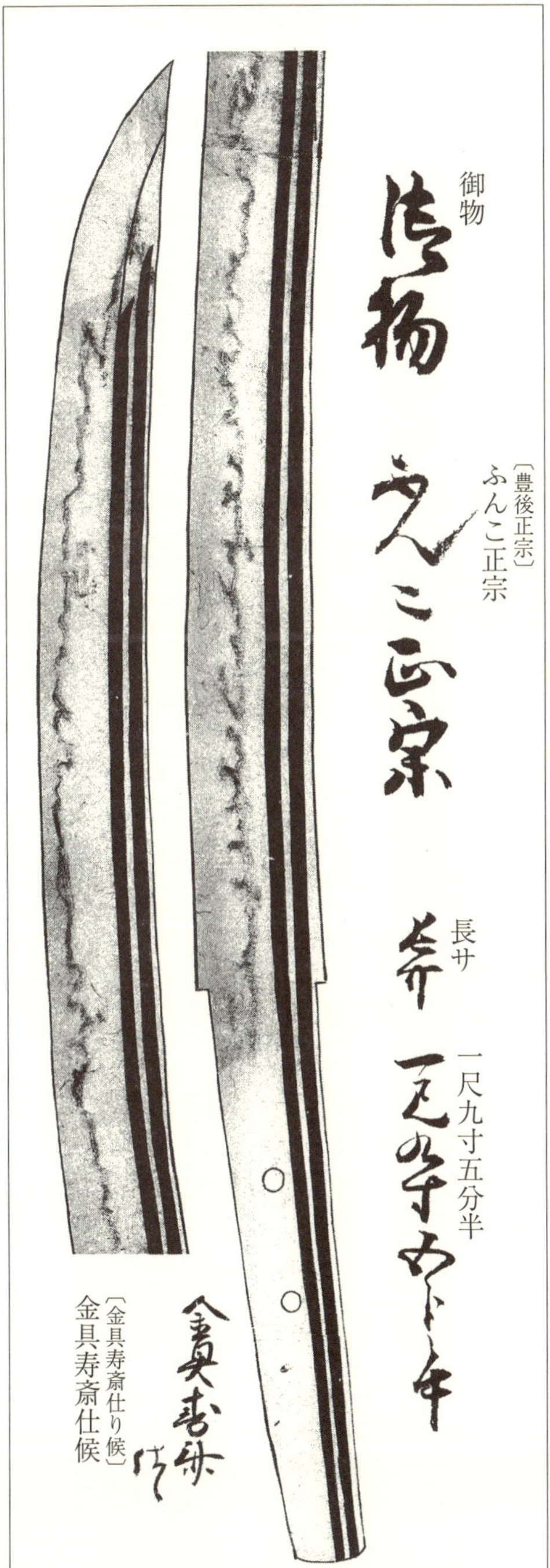
御物
〔豊後正宗〕ふんこ正宗
長サ
一尺九寸五分半
〔金具寿斎仕り候〕金具寿斎仕候

⑮刀　豊後正宗　磨上無銘

※金具寿斎仕り候…（拵の）金具は寿斎が制作したものです

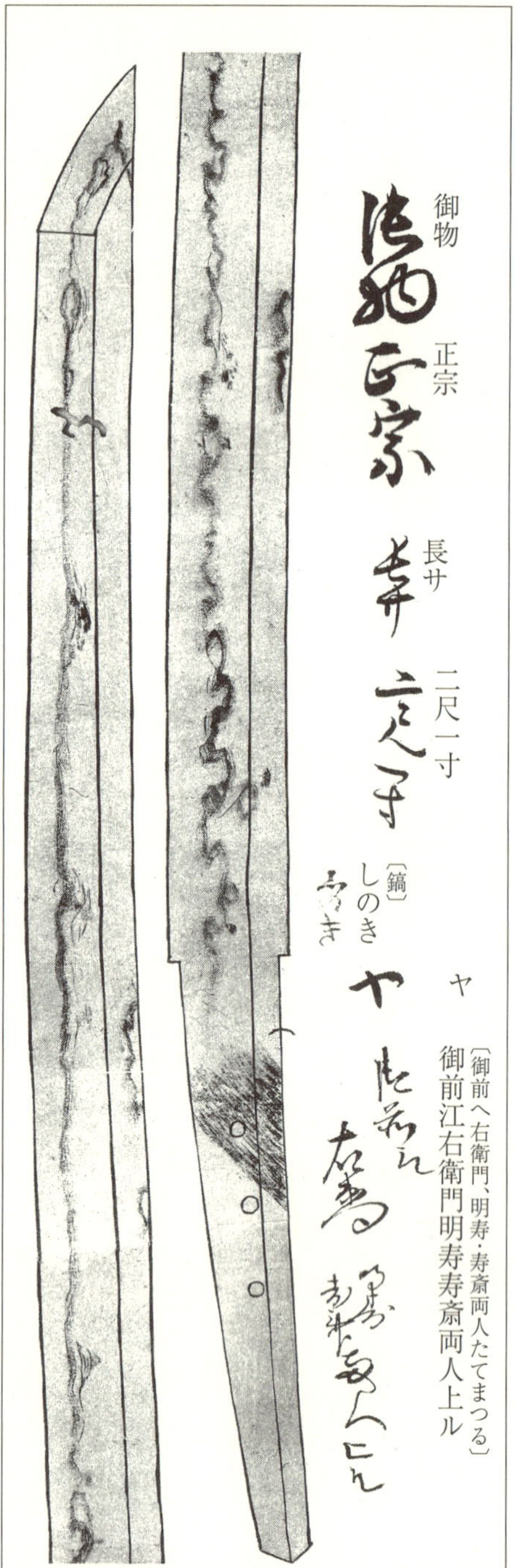

御物
正宗
長サ
二尺一寸
〔鎬〕しのき
ヤ
〔御前へ右衛門、明寿・寿斎両人たてまつる〕
御前江右衛門明寿寿斎両人上ル
⑯ 刀 正宗 磨上無銘

※鎬…鎬が特徴的である（おそらく高い）ことを示すと思われる　※ヤ…焼身　※御前へ右衛門、明寿・寿斎両人上…帝に右衛門（誰かは不詳・仲介役か）と埋忠明寿・寿斎の二人が献上した

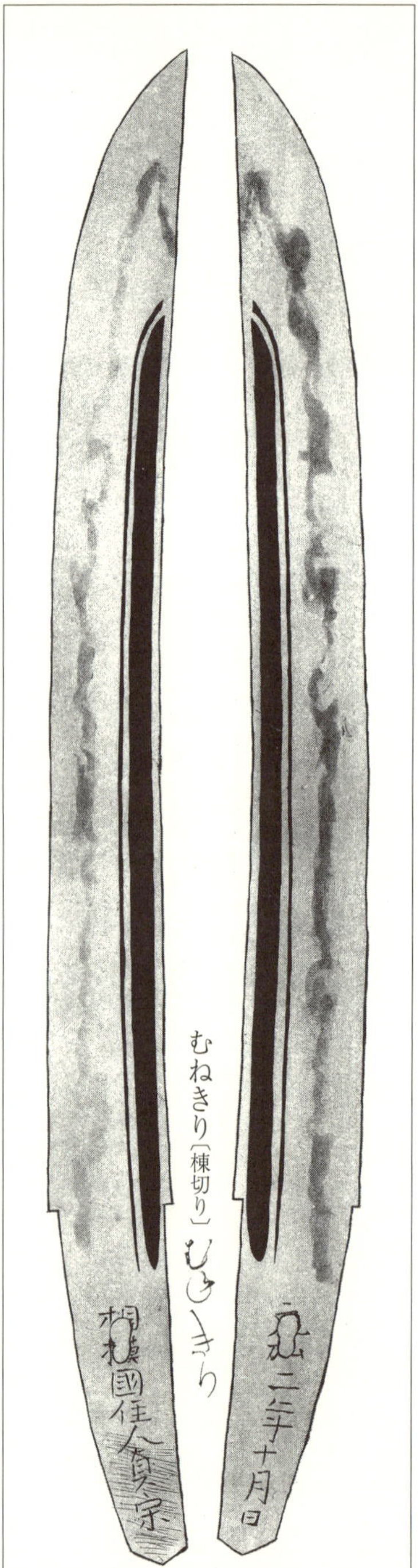

むねきり〔棟切り〕

⑰ 短刀 貞宗 銘相模国住人貞宗
元弘二年十月日

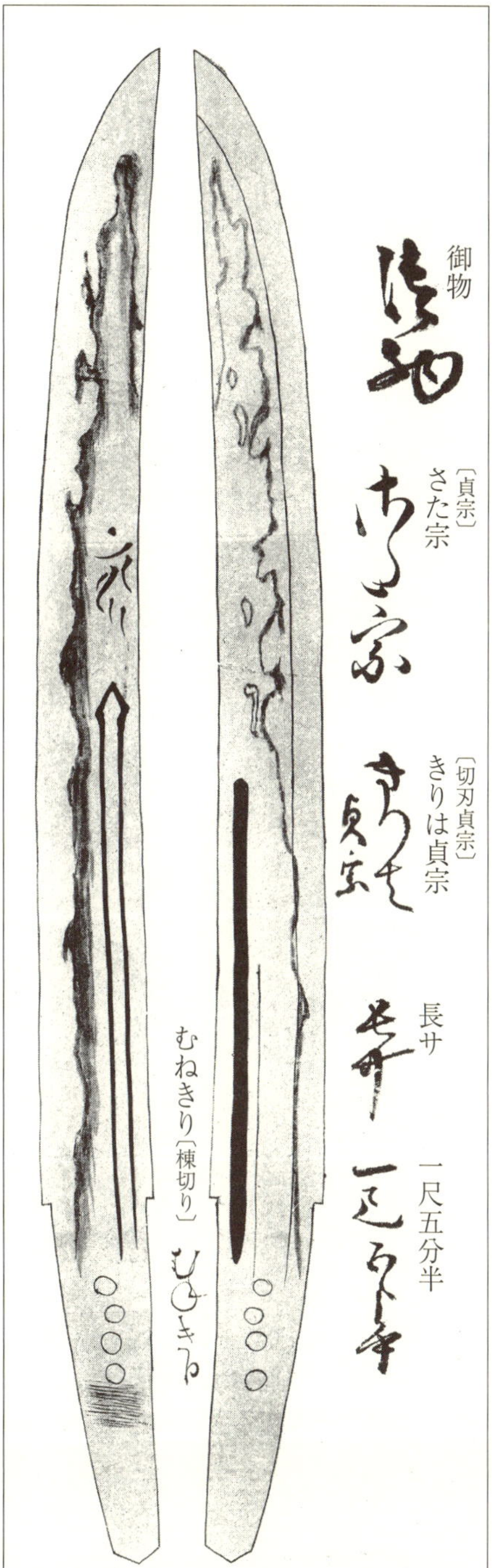
御物
さた宗
〔貞宗〕
きりは貞宗
〔切刄貞宗〕
長サ
一尺五分半
むねきり〔棟切り〕

⑱ 短刀 切刄貞宗 無銘

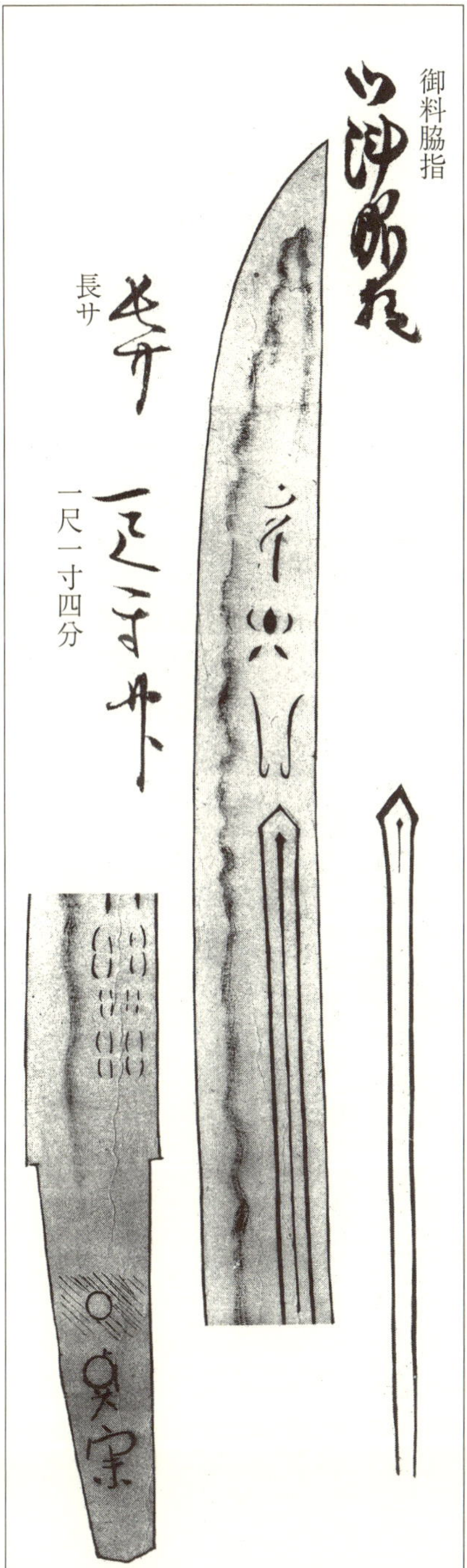
御料脇指
長サ
一尺一寸四分

⑲ 短刀 貞宗 銘貞宗

※御料脇指…「御料」＝帝が実際に佩用なさったもの

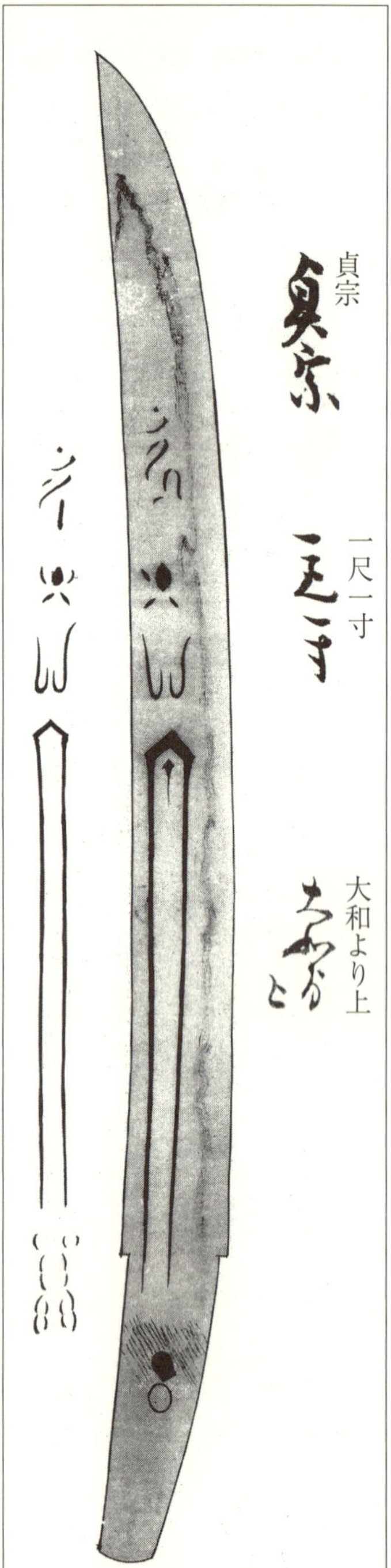

⑳ 短刀 貞宗 無銘

※大和より上…大和（人名）から献上されたもの

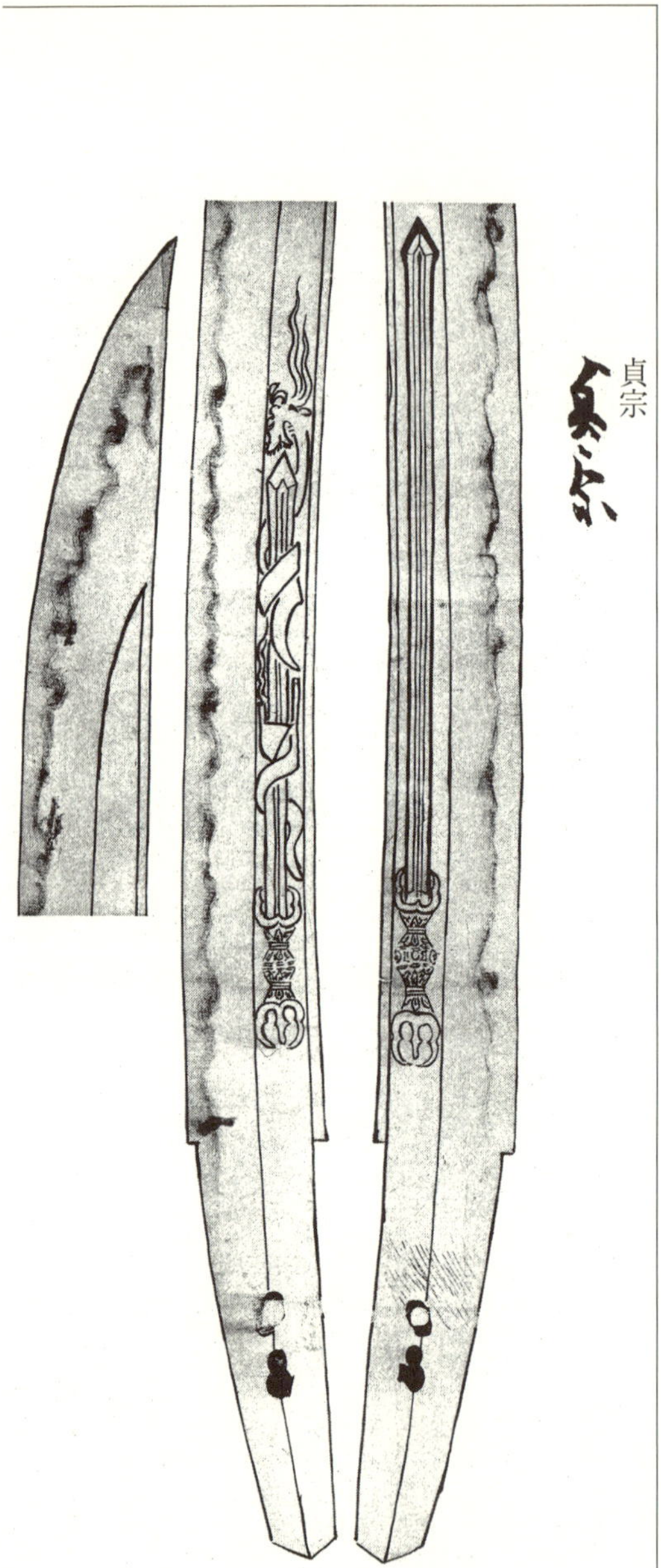

㉑ 短刀 獅子貞宗 無銘

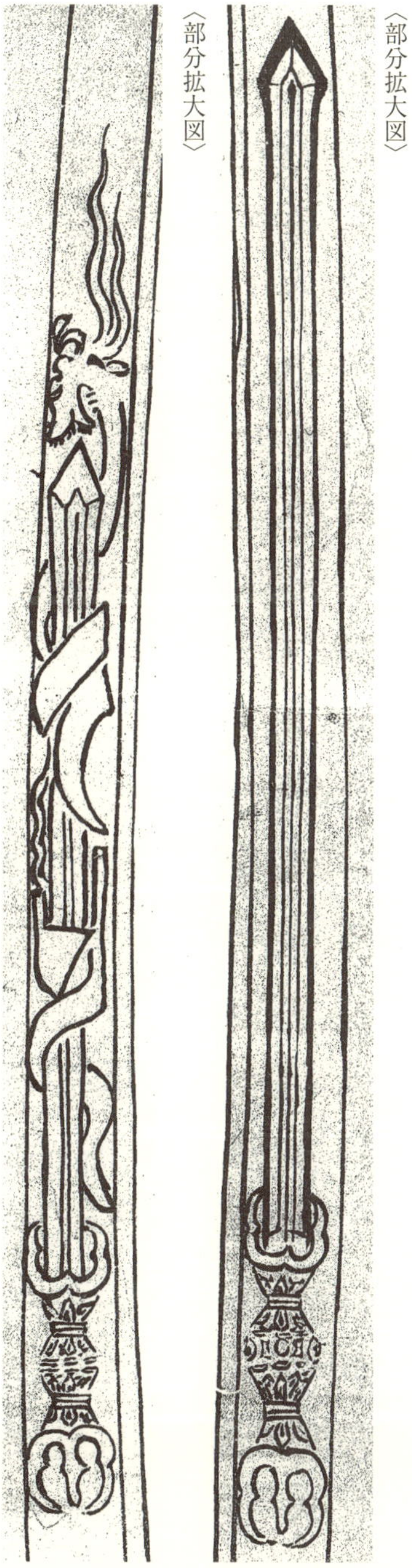

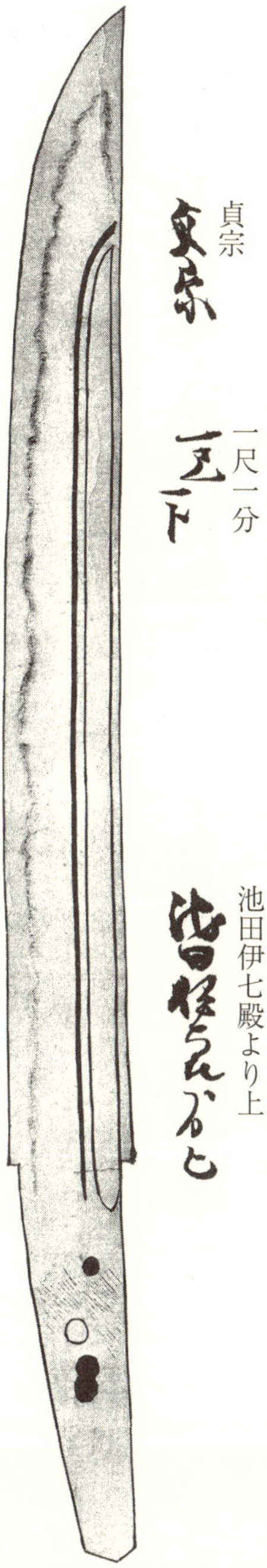

※池田伊七殿より上…池田伊七殿（不詳）から献上されたもの

⑫ 短刀 貞宗 無銘

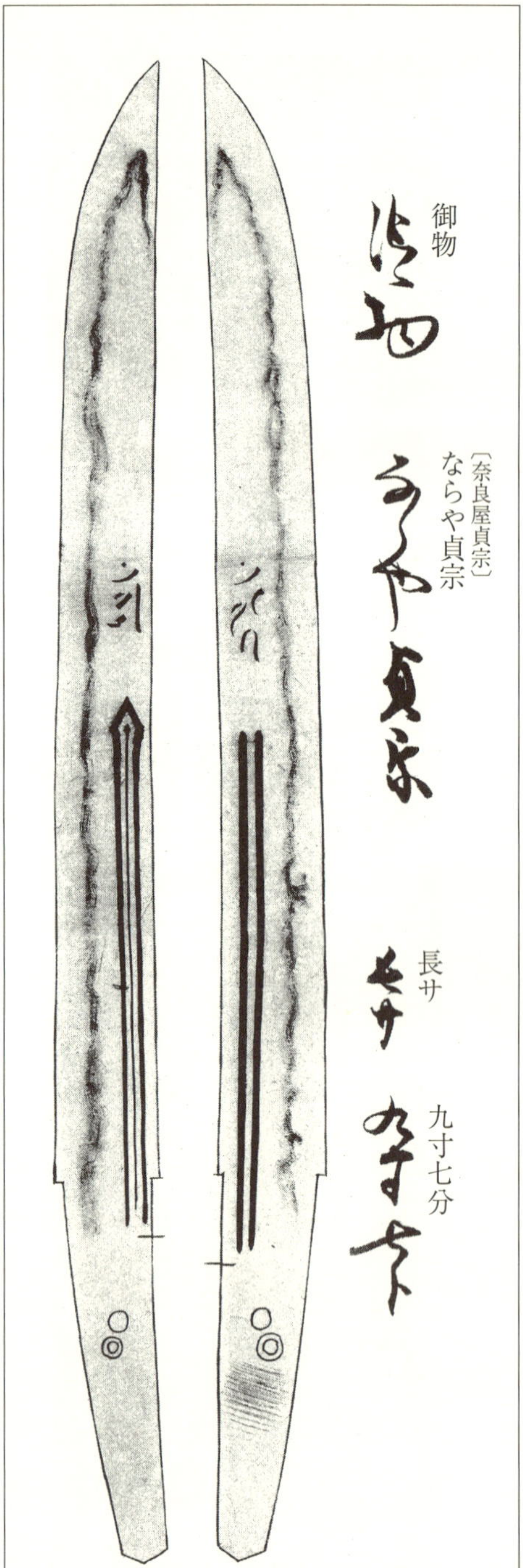

⑬短刀　奈良屋貞宗　無銘

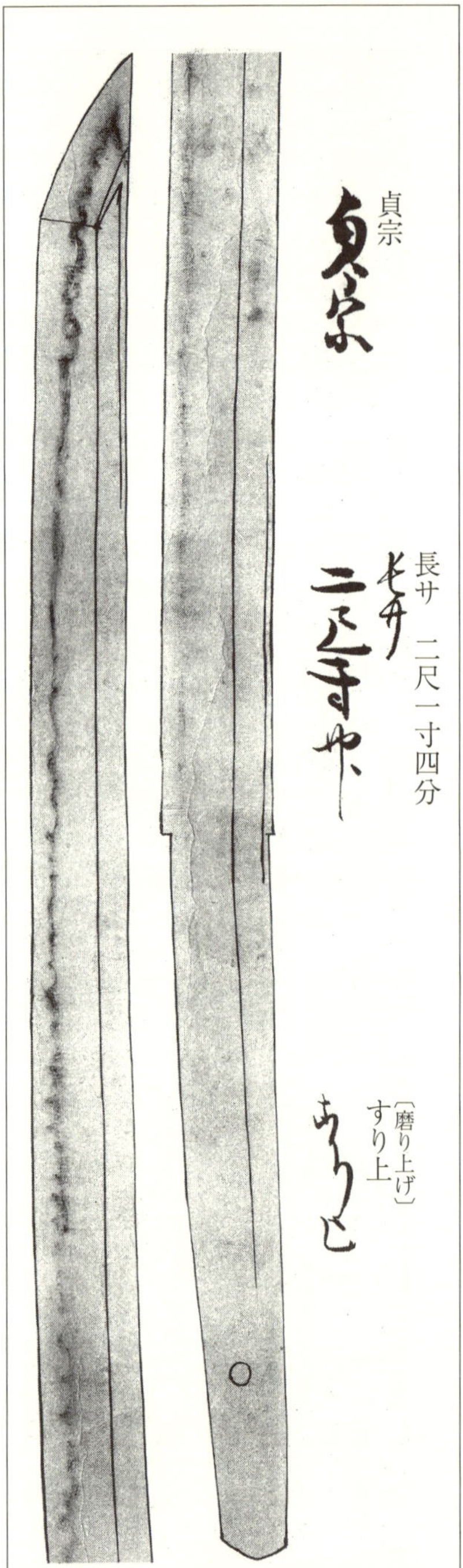

⑭刀　貞宗　磨上無銘

※たて拵…伊達拵か
※九寸有…長さが九寸ある

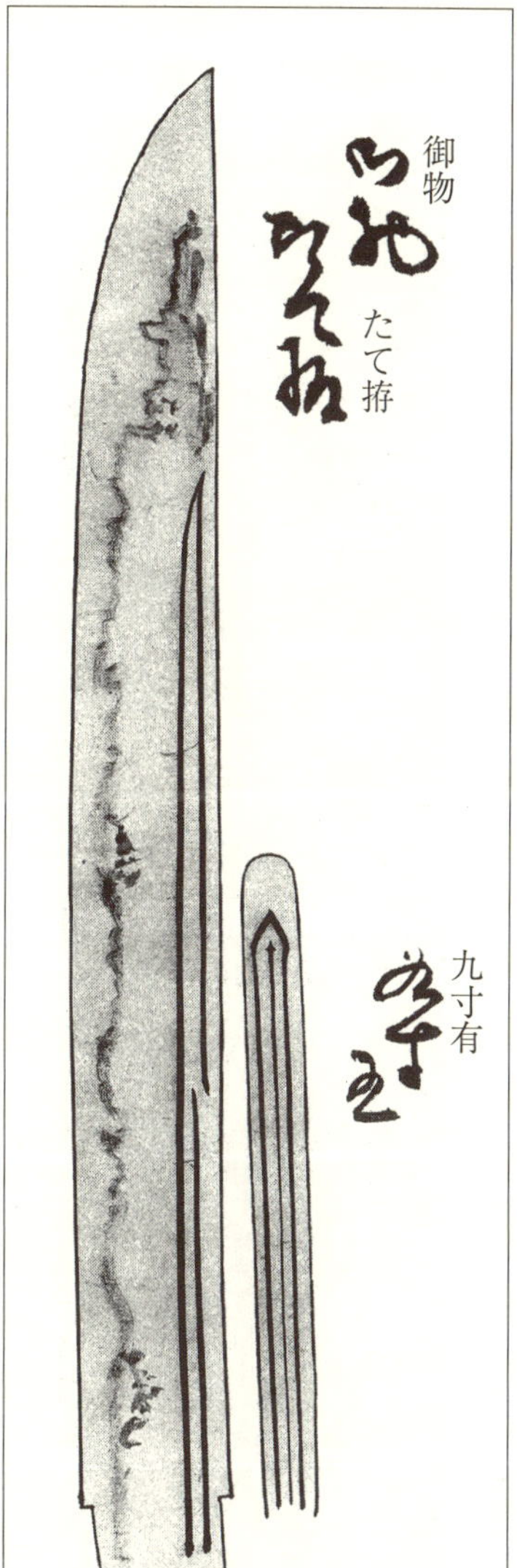

⑮ 短刀 高木貞宗 銘江州高木住貞宗

※御料わき指（御料脇指）…「御料」＝帝が実際に佩用なさったもの

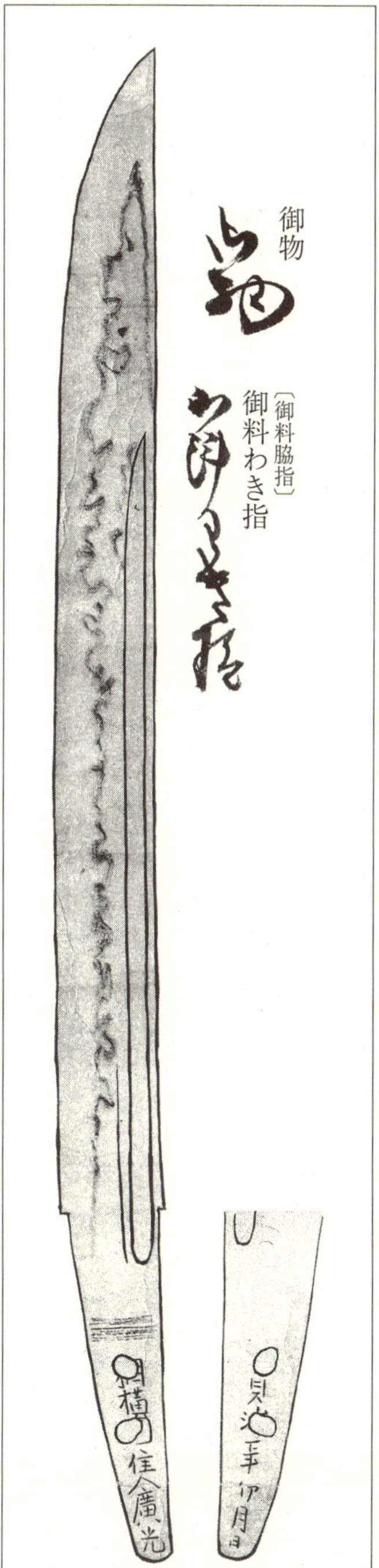

⑯ 短刀 広光 銘相模国住人広光
貞治□年卯月日

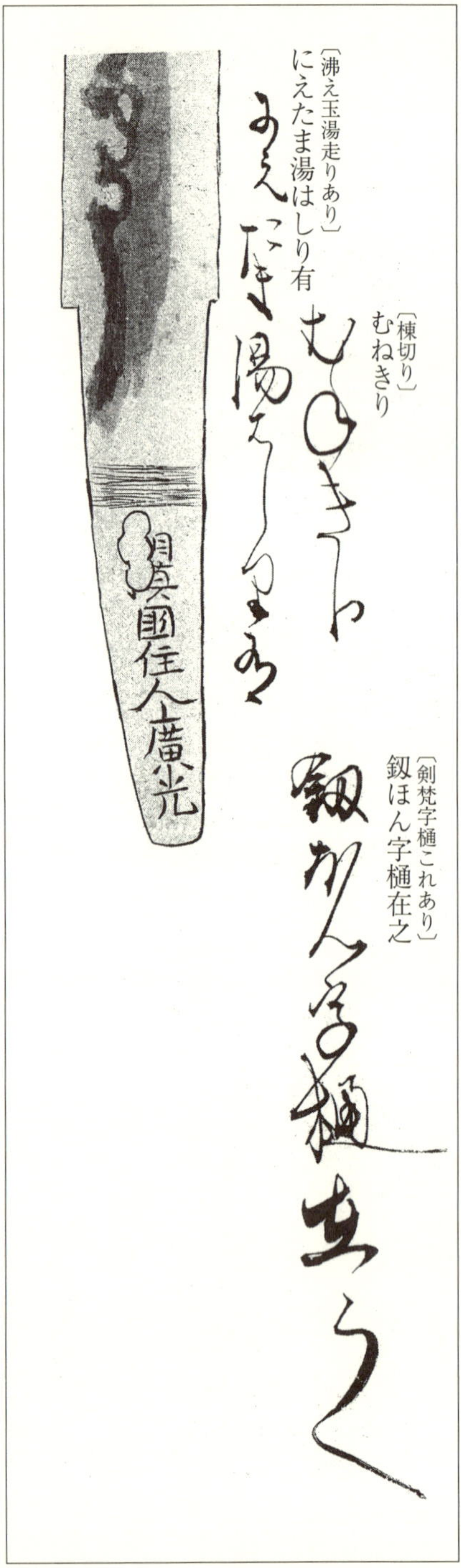
〔沸え玉湯走りあり〕
にえたま湯はしり有
〔棟切り〕
むねきり
〔剣梵字樋これあり〕
釼ほん字樋在之

⑰ **短刀 広光 銘相模国住人広光**

同前
〔棟切り〕
むねきり

⑱ **短刀 秋広 銘相州住秋広 貞治元**

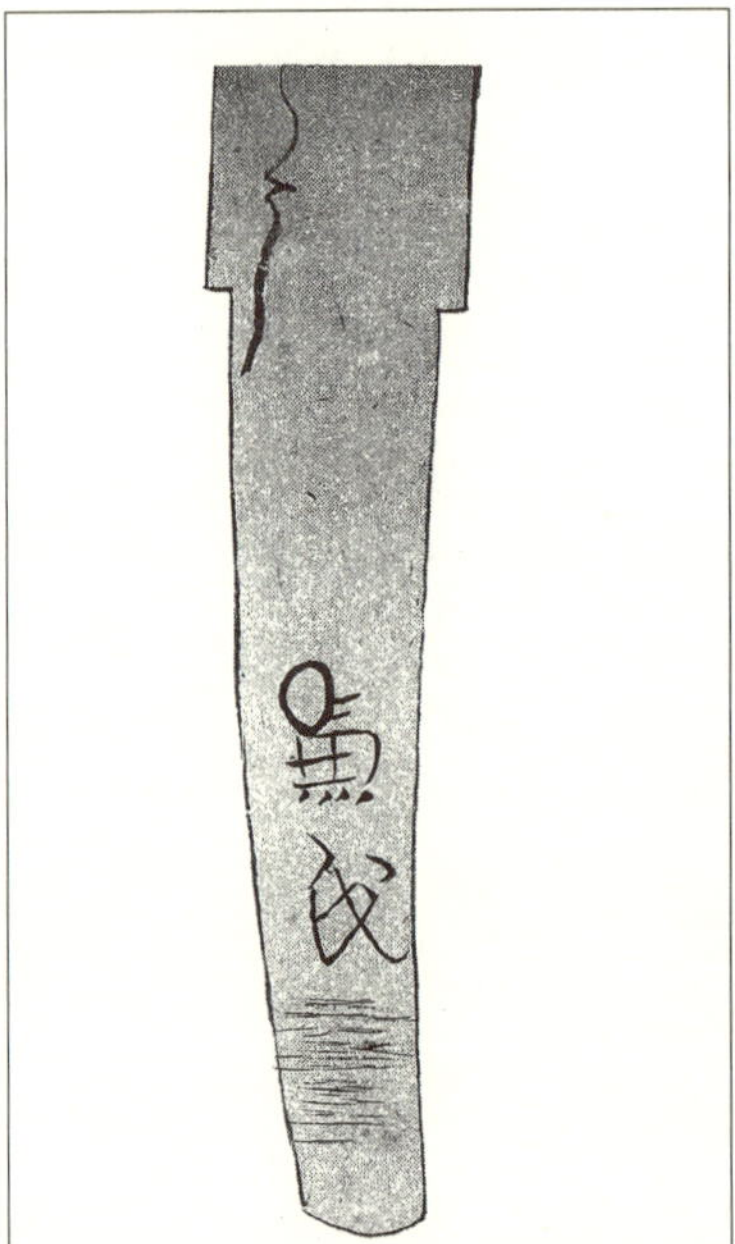

⑲ **短刀 兼氏 銘兼氏**

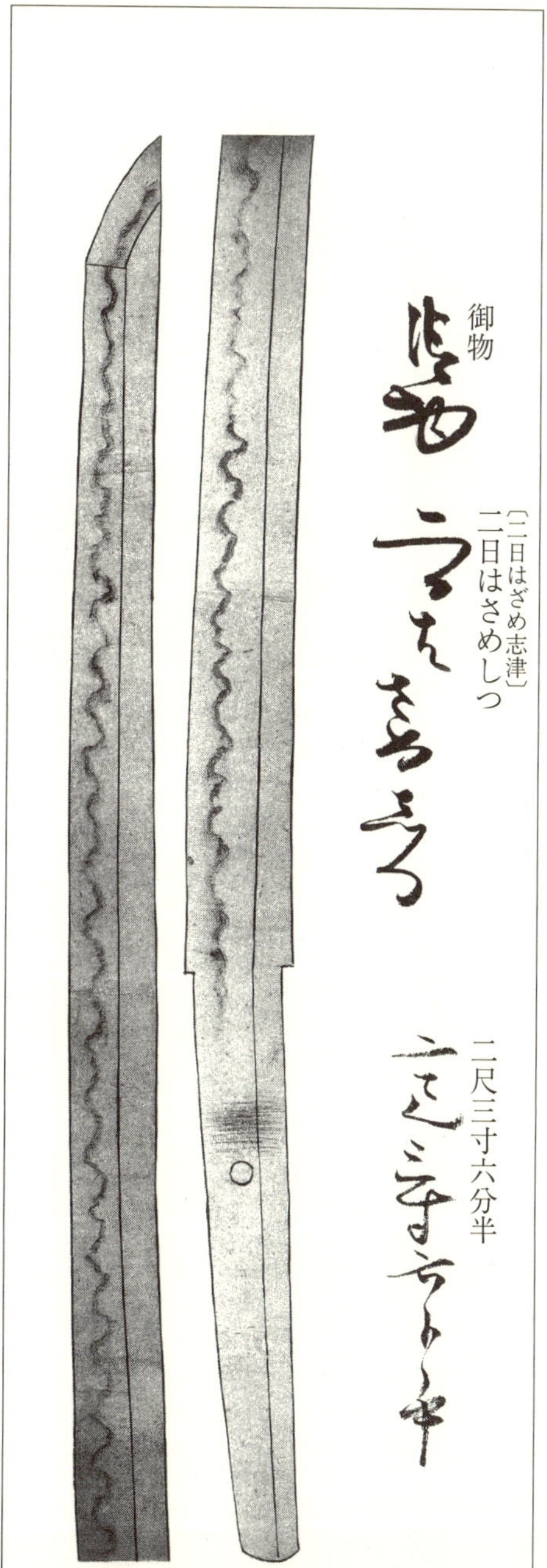
御物
〔二日はざめ志津〕
二日はさめしつ
二尺三寸六分半

⑧⓪刀 二日はさめ志津 磨上無銘

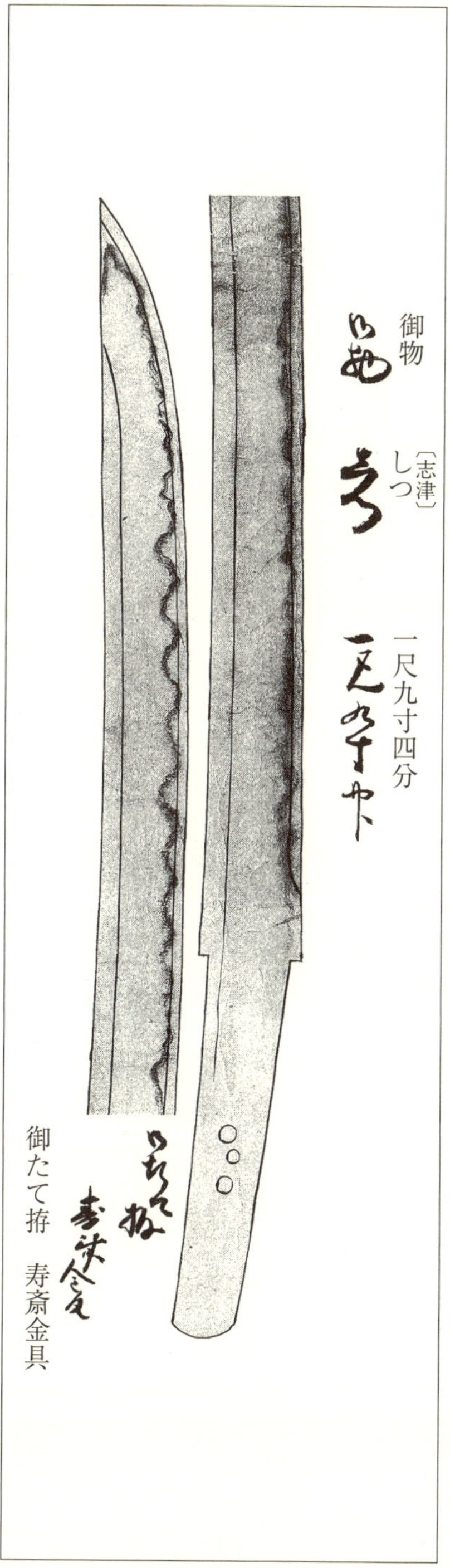
御物
〔志津〕
しつ
一尺九寸四分
御たて拵 寿斎金具

⑧①刀 志津 無銘

※御たて拵 寿斎金具…御たて拵（伊達拵か）で、寿斎が金具を制作した

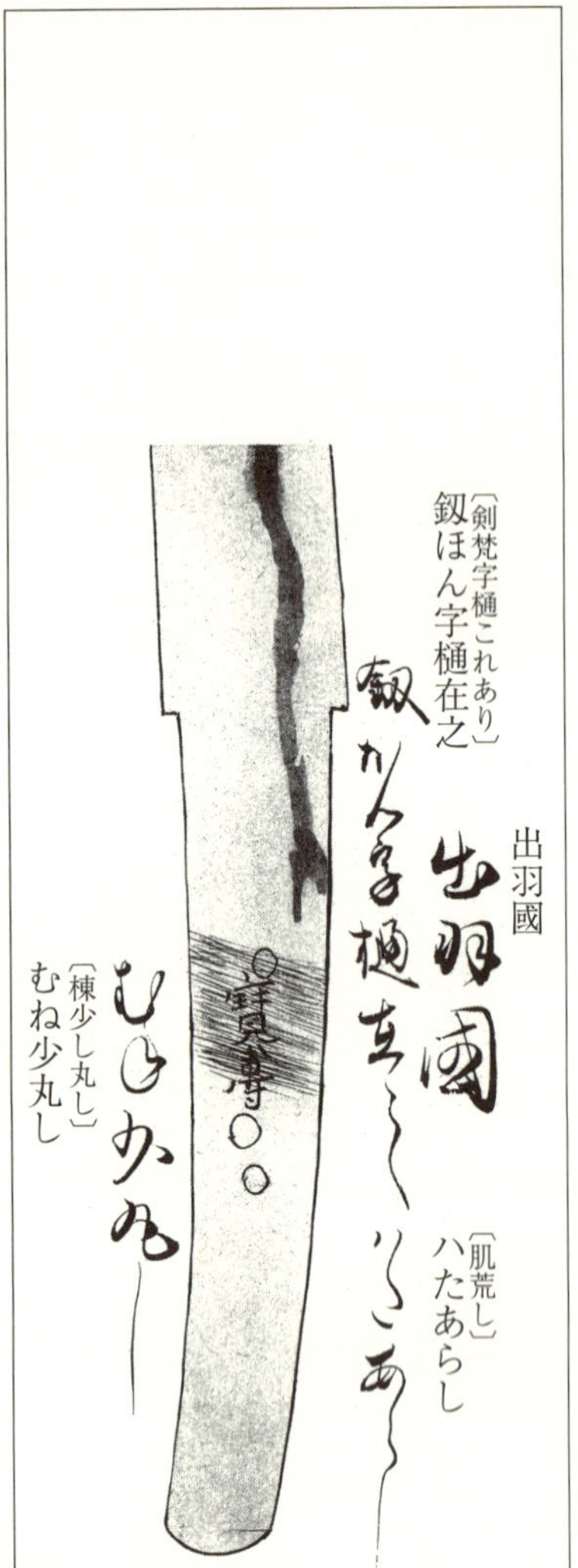
出羽國
〔剣梵字樋これあり〕
釼ほん字樋在之
〔肌荒し〕
ハたあらし
〔棟少し丸し〕
むね少丸し

⑫ 太刀 宝寿 銘宝寿

※ハたあらし（肌荒し）…地鉄の肌が荒い

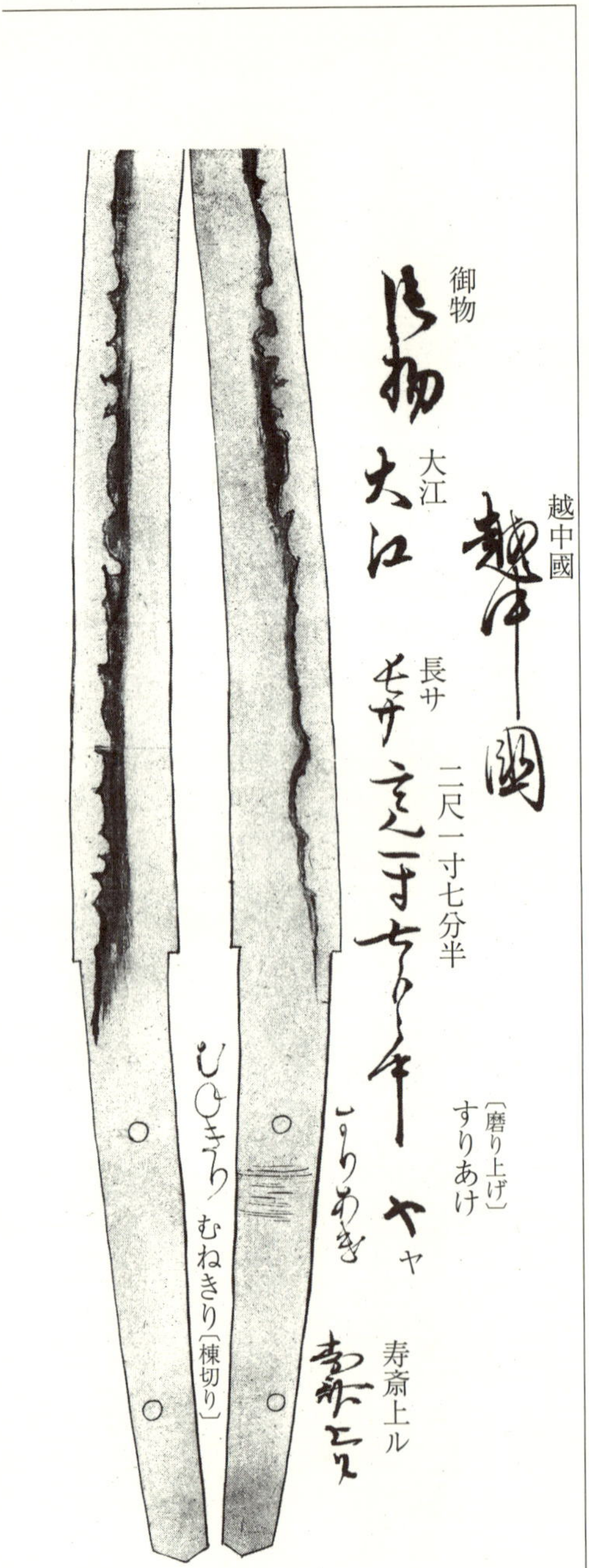
越中國
御物
大江
長サ
二尺一寸七分半
〔磨り上げ〕
すりあけ
ヤヤ
寿斎上ル
むねきり〔棟切り〕

⑬ 刀 大江 磨上無銘

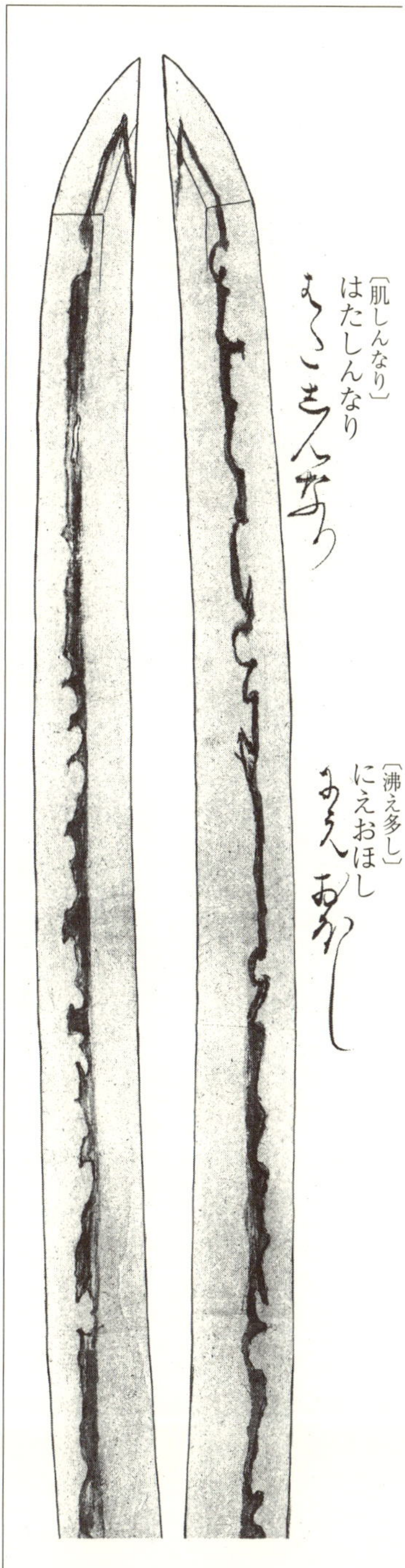
〔肌しんなり〕はたしんなり
〔沸え多し〕にえおほし

※ヤ…焼身　※寿斎上ル…寿斎が、「上ル」は「磨り上げる」　※はたしんなり〔肌しんなり〕…「しんなり」の語義未詳

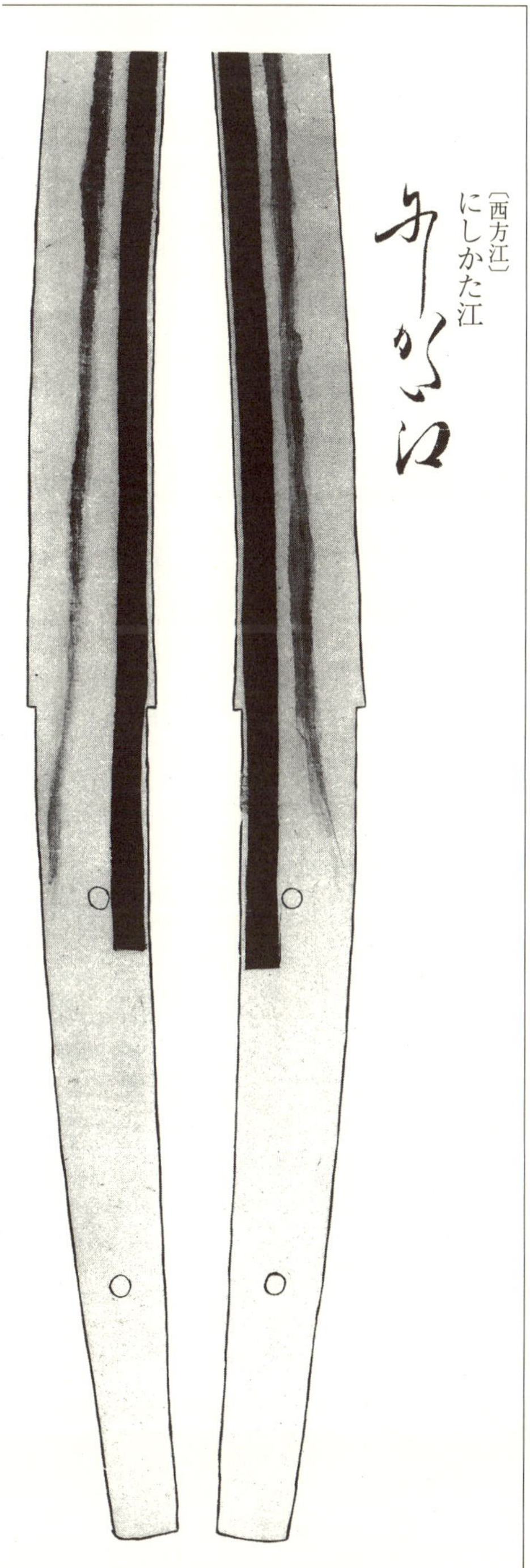
〔西方江〕にしかた江

⑧④ 刀 西方江　磨上無銘

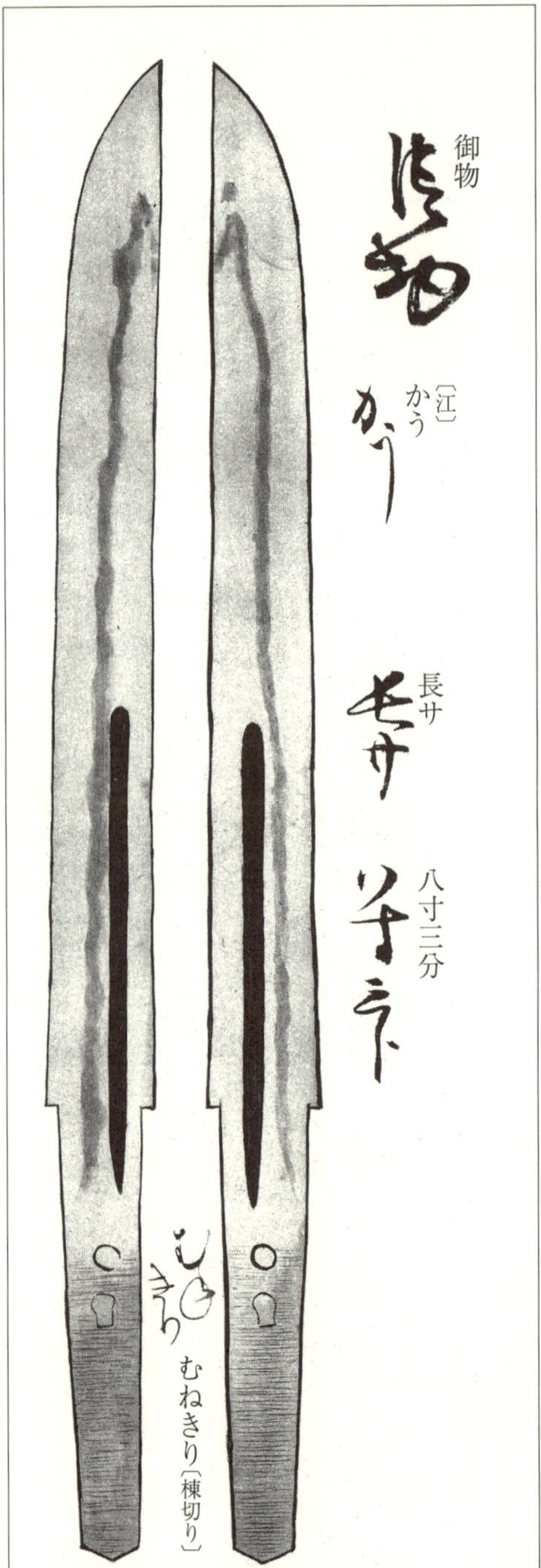

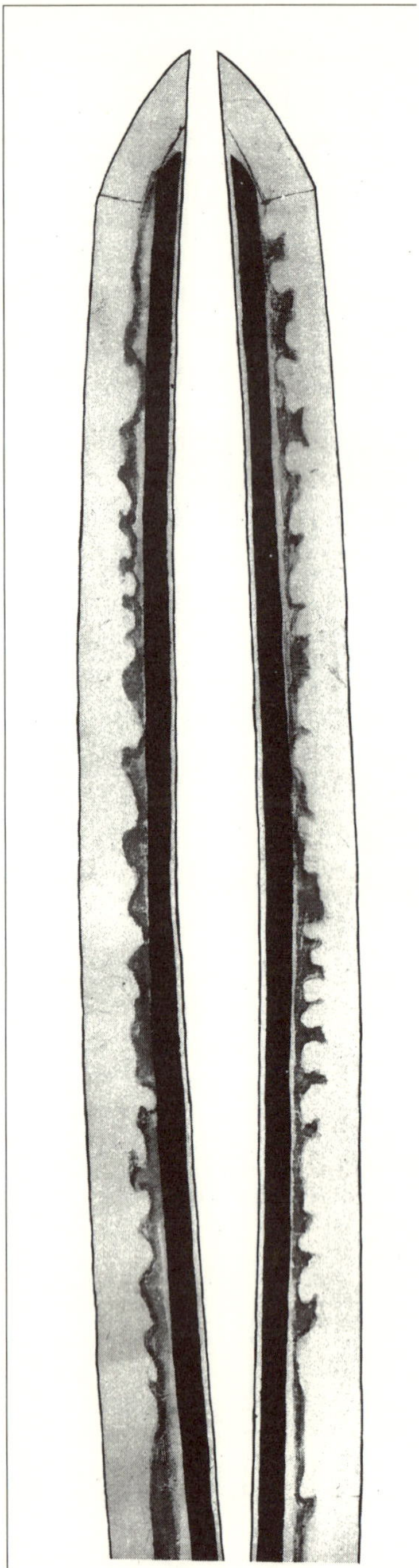

(85) 短刀 江 無銘

※大御所様より　むこひきて申て　いけた三左衛門殿　是江を上申付候（大御所様より婿引き出申して池田三左衛門殿、この江を申し付けたてまつり候）…大御所（家康）様から婿引き出（舅から婿への引き出物）を尋ねられた時、池田三左衛門（輝政）殿はこの江の刀をお上げになった　※寿斎金具ハ両度仕候…寿斎が金具を二度制作しました

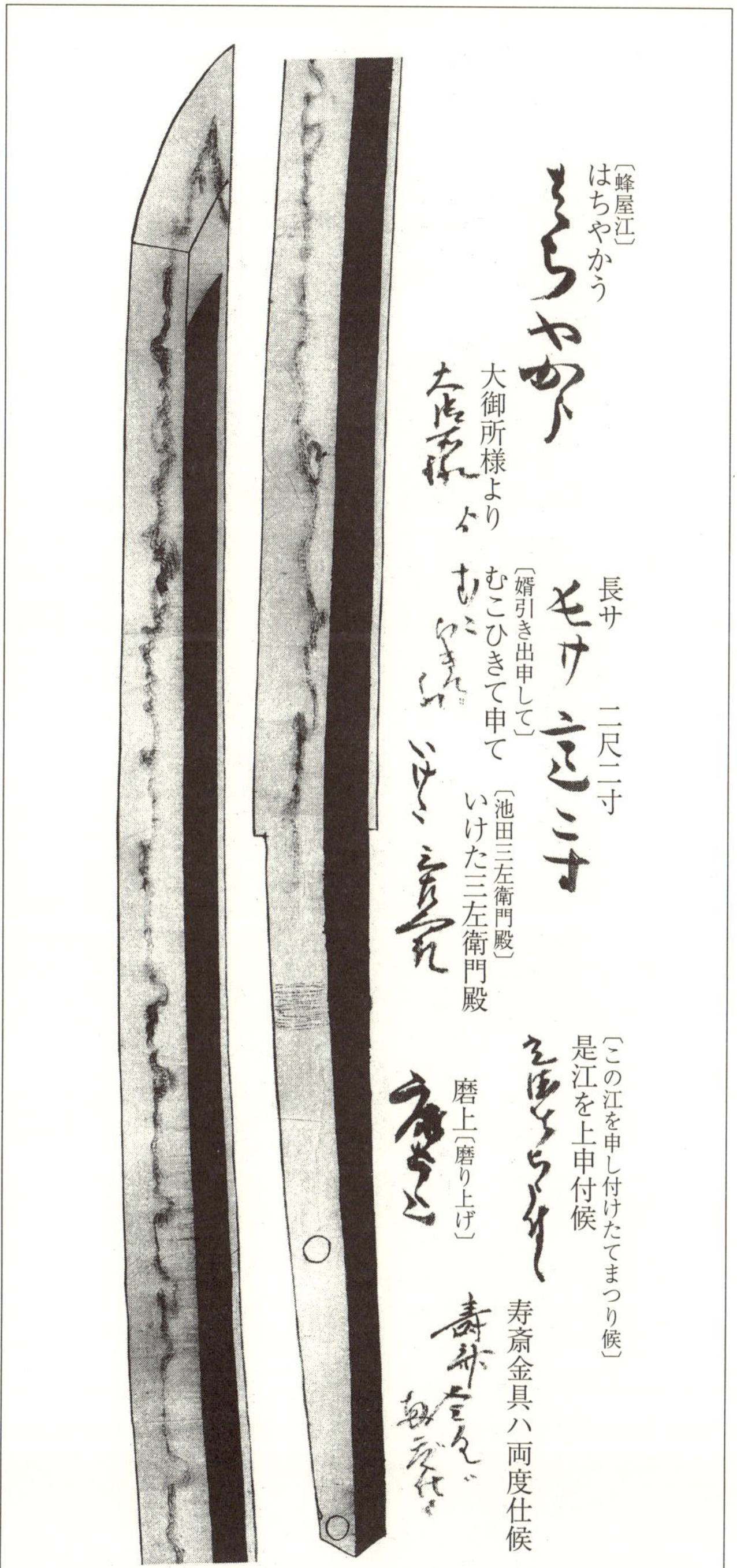
〔蜂屋江〕
はちやかう
長サ　二尺二寸
大御所様より
〔婿引き出申して〕
むこひきて申て
〔池田三左衛門殿〕
いけた三左衛門殿
〔この江を申し付けたてまつり候〕
是江を上申付候
磨上〔磨り上げ〕
寿斎金具ハ両度仕候

⑧⑥ 刀 蜂屋江 磨上無銘

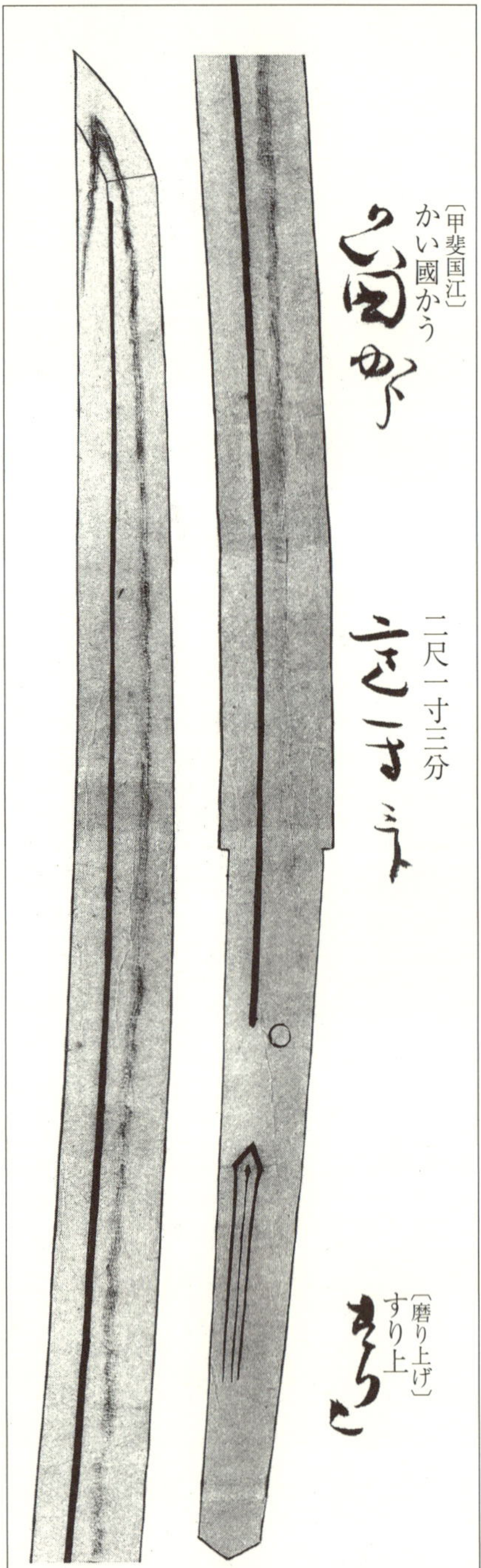
〔甲斐国江〕
かい國かう
二尺一寸三分
〔磨り上げ〕
すり上

⑰刀 甲斐国江 磨上無銘

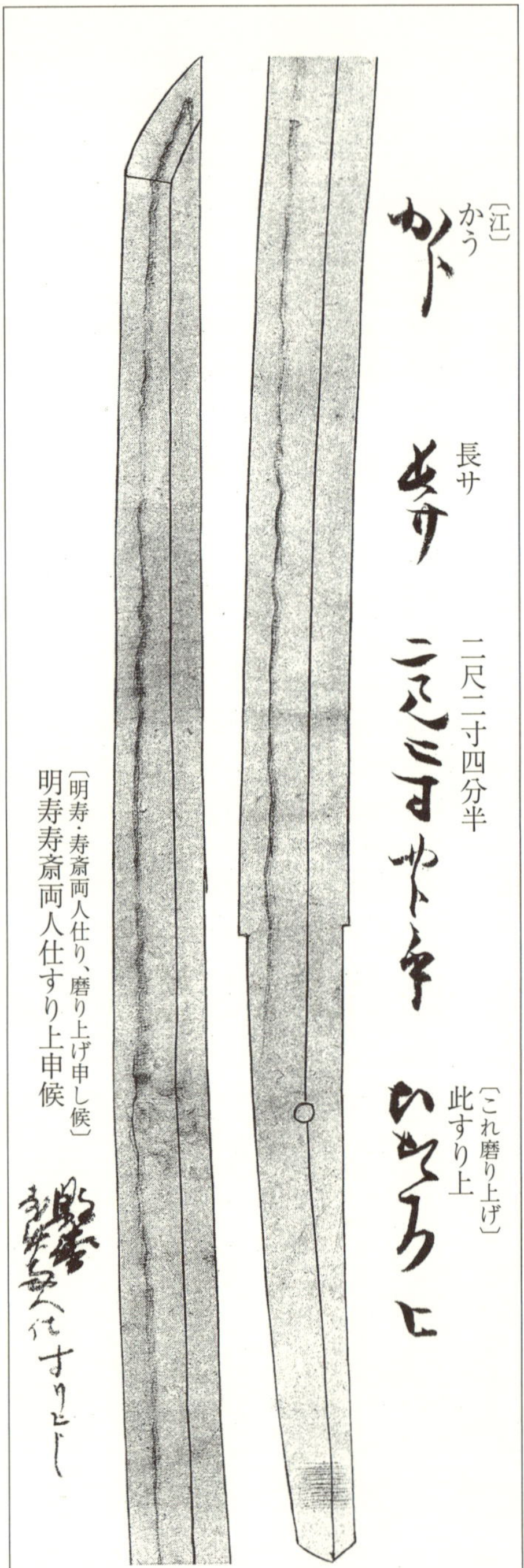
〔江〕
かう
長サ
二尺二寸四分半
〔これ磨り上げ〕
此すり上
〔明寿・寿斎両人仕り、磨り上げ申し候〕
明寿寿斎両人仕すり上申候

⑱刀 江 磨上無銘

※明寿寿斎両人仕すり上申候〔明寿・寿斎両人仕り、磨り上げ申し候〕…〔埋忠〕明寿と寿斎の両人が磨り上げを行ないました

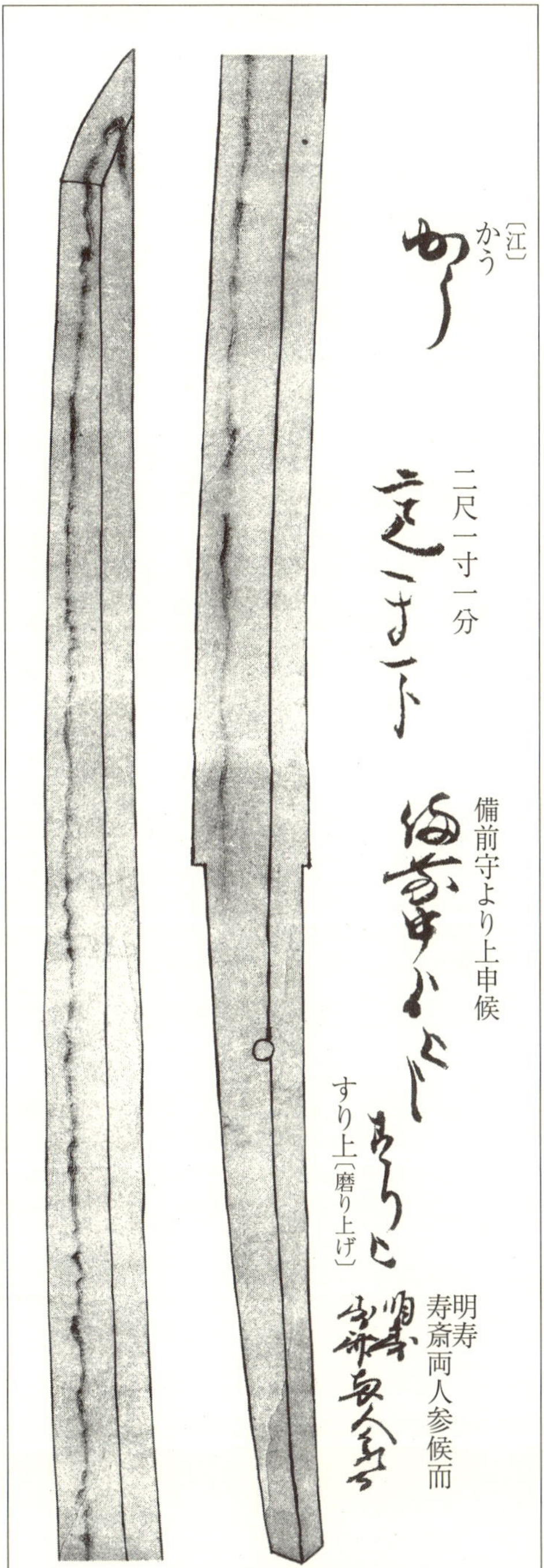
〔江〕かう
二尺一寸一分
備前守より上申候
すり上〔磨り上げ〕
明寿
寿斎両人参候而

⑧⑨刀 江 磨上無銘

※備前守より上申候…備前守（不詳）から献上されました

※明寿寿斎両人参候而…埋忠明寿と寿斎の二人が刀装具作成に関わった

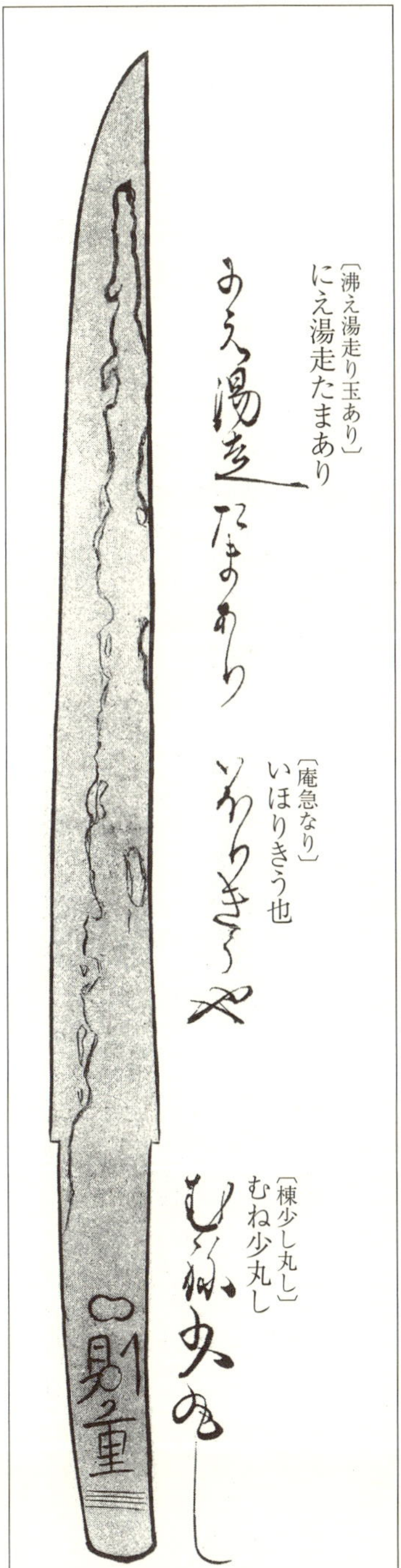
〔沸え湯走り玉あり〕
にえ湯走たまあり
〔庵急なり〕
いほりきう也
〔棟少し丸し〕
むね少丸し

⑨⓪短刀 則重 銘則重

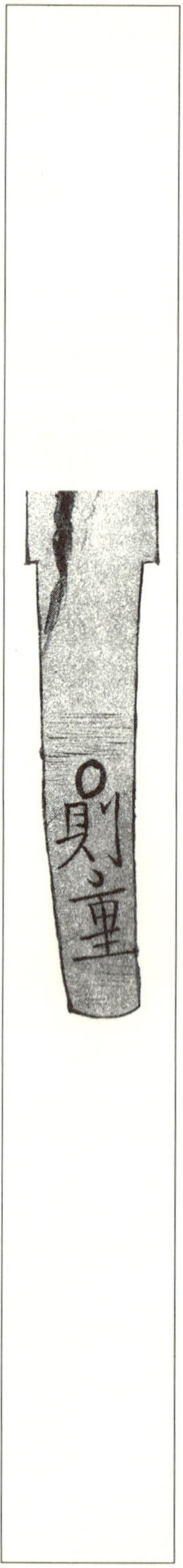

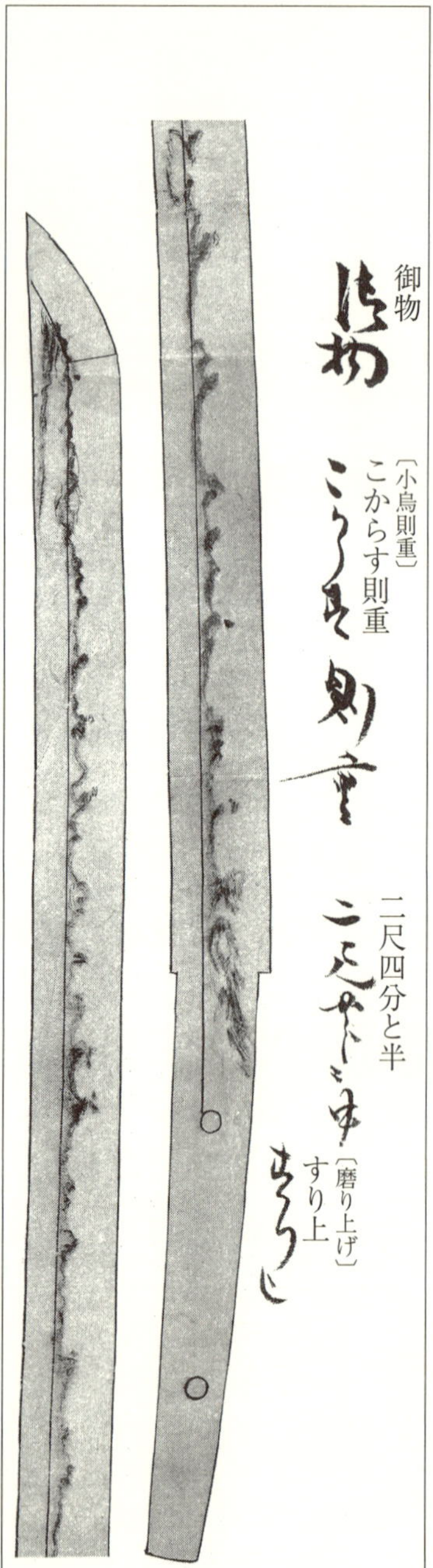

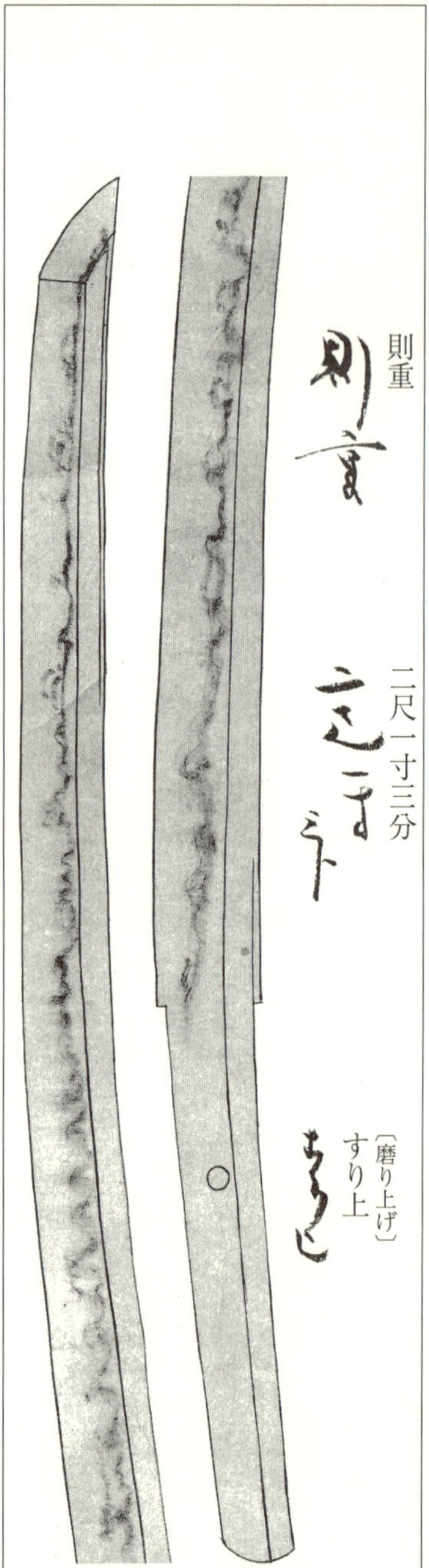

㉛ 短刀 則重
銘則重

㉜ 刀 小烏則重 磨上無銘

㉝ 刀 則重 磨上無銘

〔庵ぬるし〕いほりぬるし
このつ
〔湯走り〕湯はしり
むね丸し〔棟丸し〕
〔返り丸し〕かへり丸し
〔沸え〕にえ

※このつ…語義未詳※いほりぬるし〔庵ぬるし〕…庵の角度が緩やかである
※かへり丸し〔返り丸し〕…鋩子の返りが丸い

㉔ 短刀 宇多国光 銘宇多国光

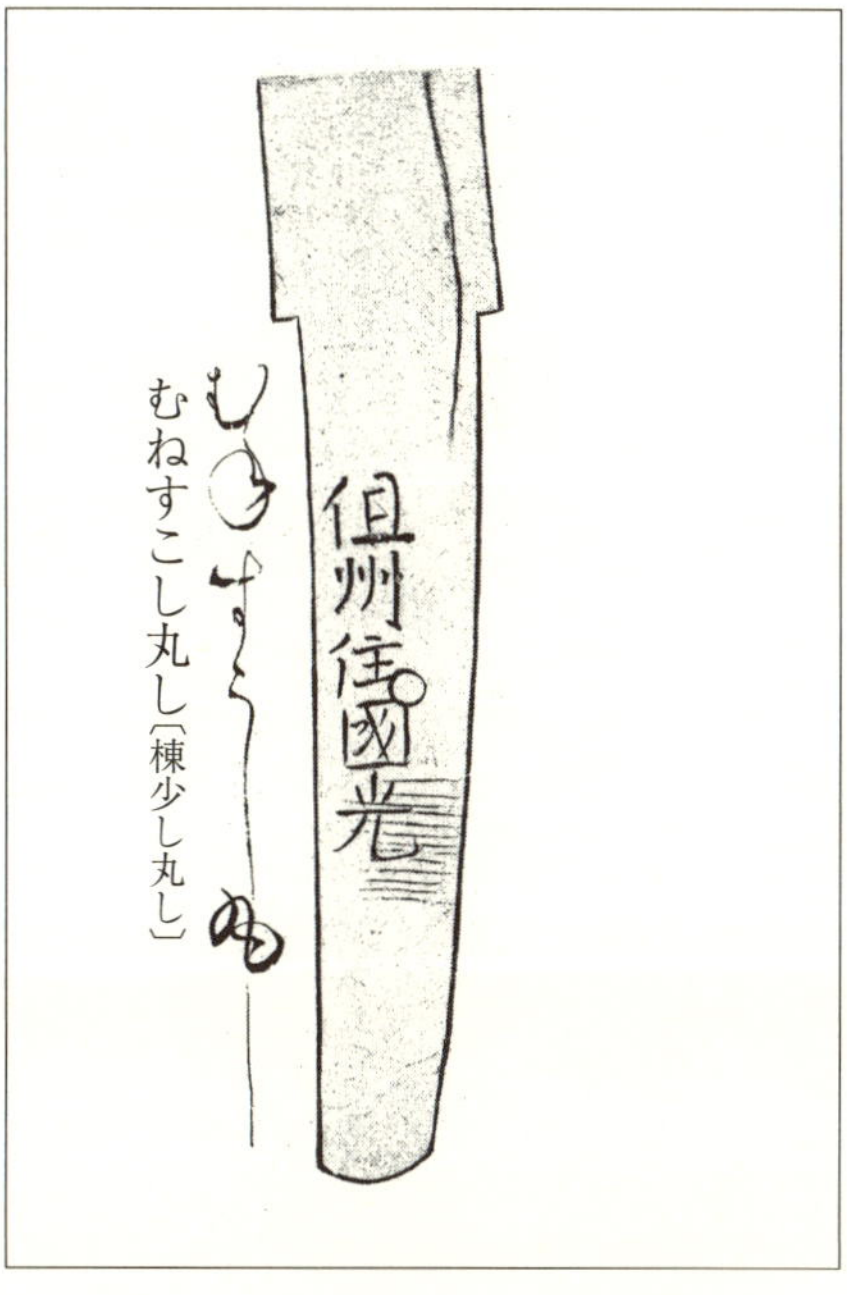
むねすこし丸し〔棟少し丸し〕

㉕ 短刀 但州住国光 銘但州住国光

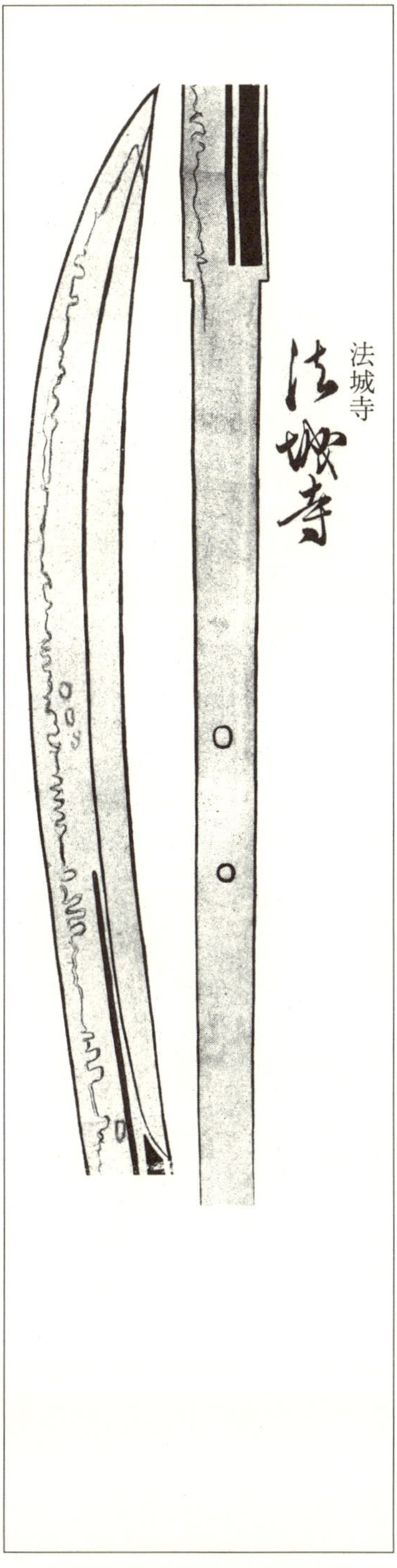
法城寺

㉖ 薙刀 法城寺 無銘

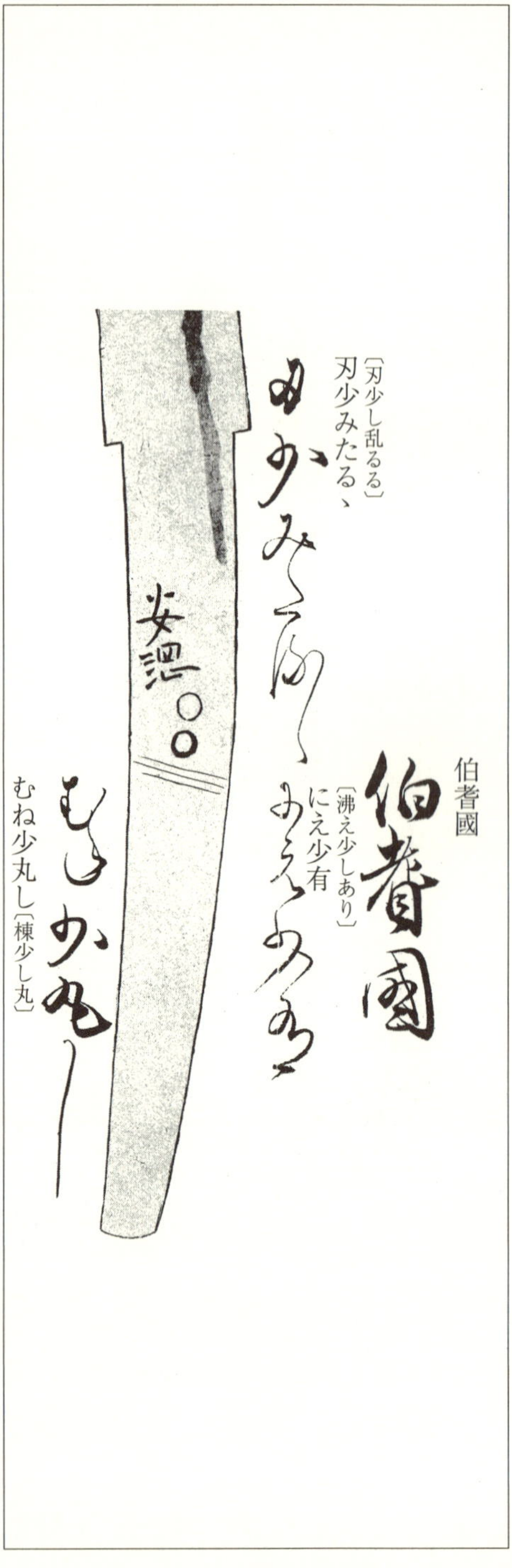

⑰ **太刀 安綱 銘安綱**

※**刃少みたる、にえ少有**（刃少し乱るる　沸え少しあり）…刃紋が少し乱れ刃になっていて、沸えが少しある

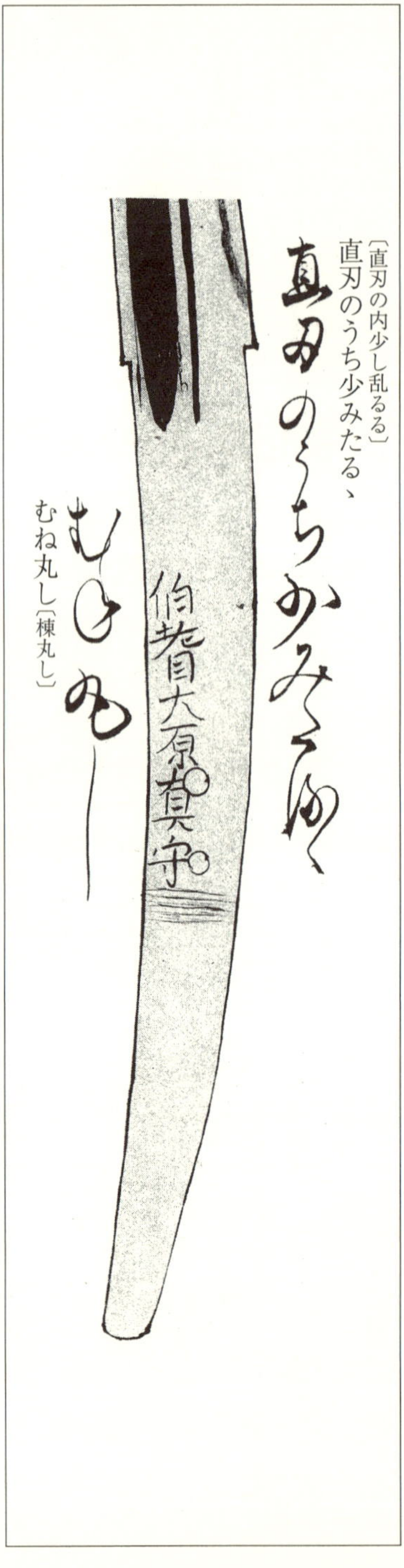

⑱ **太刀 大原真守 銘伯耆大原真守**

※**直刃のうち少みたる、**（直刃の内少し乱るる）…直刃に少し乱れ刃が交じる

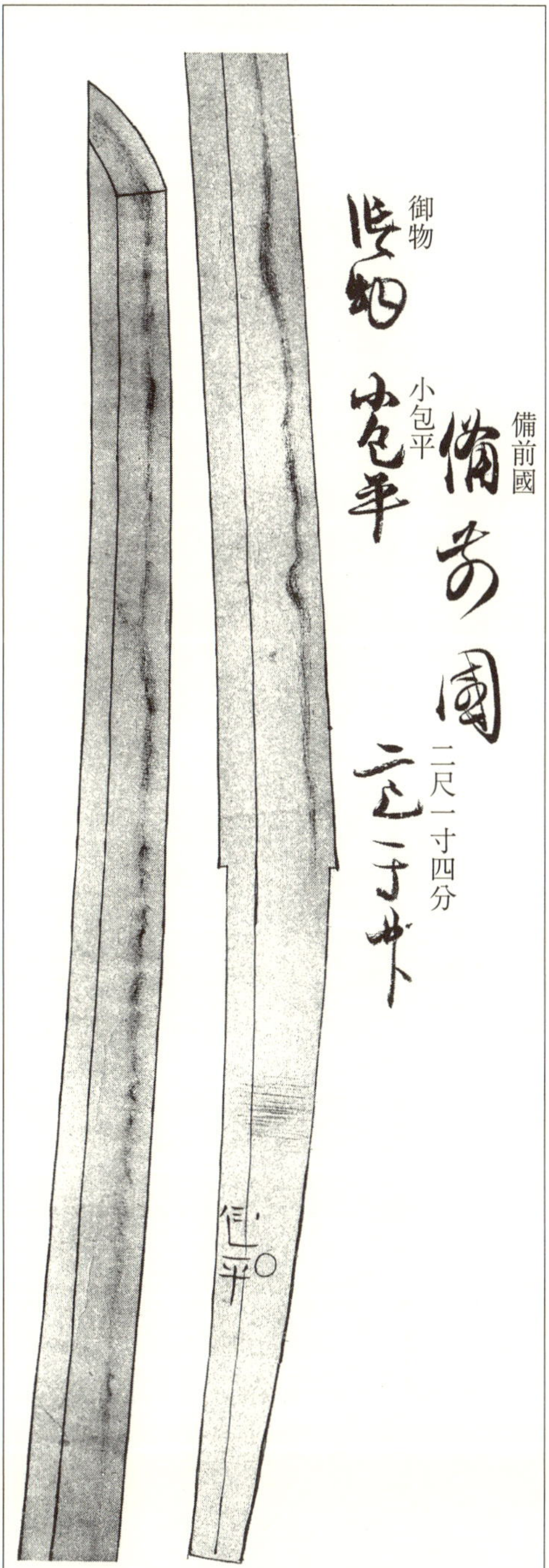

⑲ 太刀 小包平 銘包平

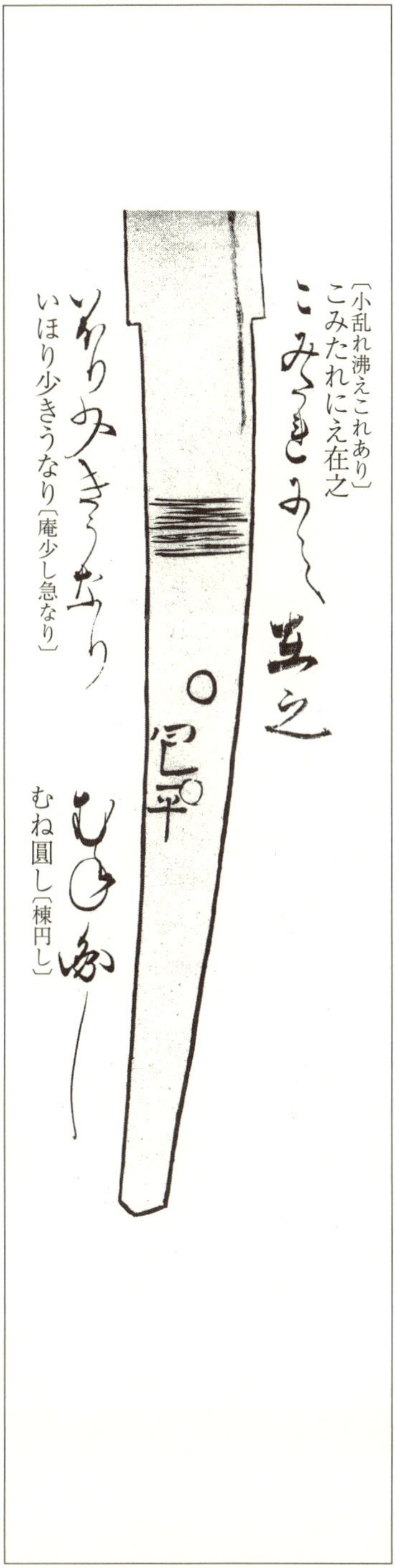

⑩⓪ 太刀 包平 銘包平

※こみたれにえ在之（小乱れ沸えこれあり）…刃紋は小乱れで沸えがある

※いほり少きうなり（庵少し急なり）…庵の角度が少し急である

※むね圓し（棟円し）…「円し」は「丸し」と同じ

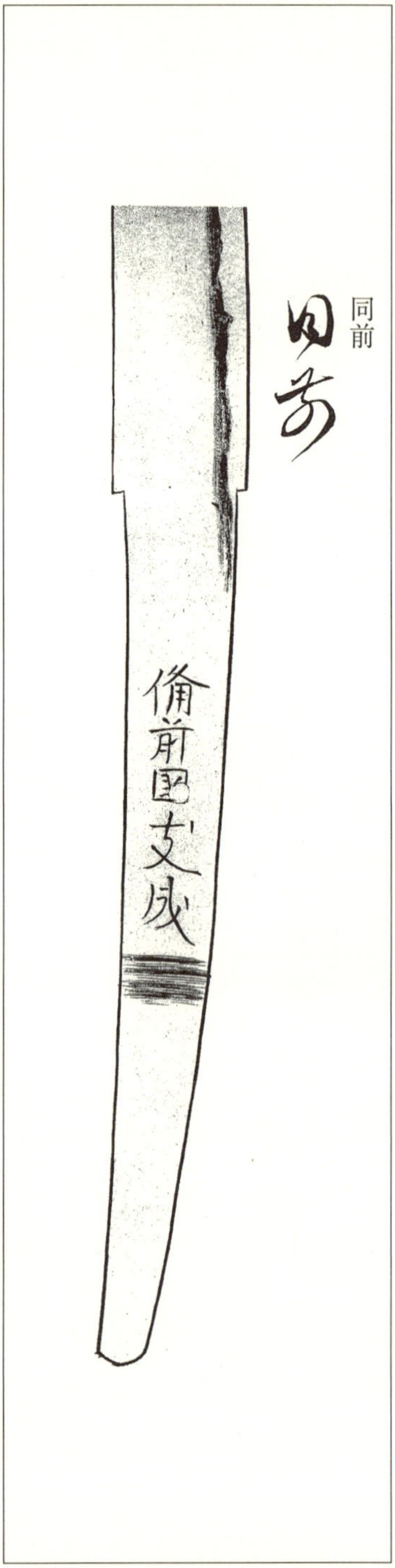

⑩①太刀 友成 銘備前国友成

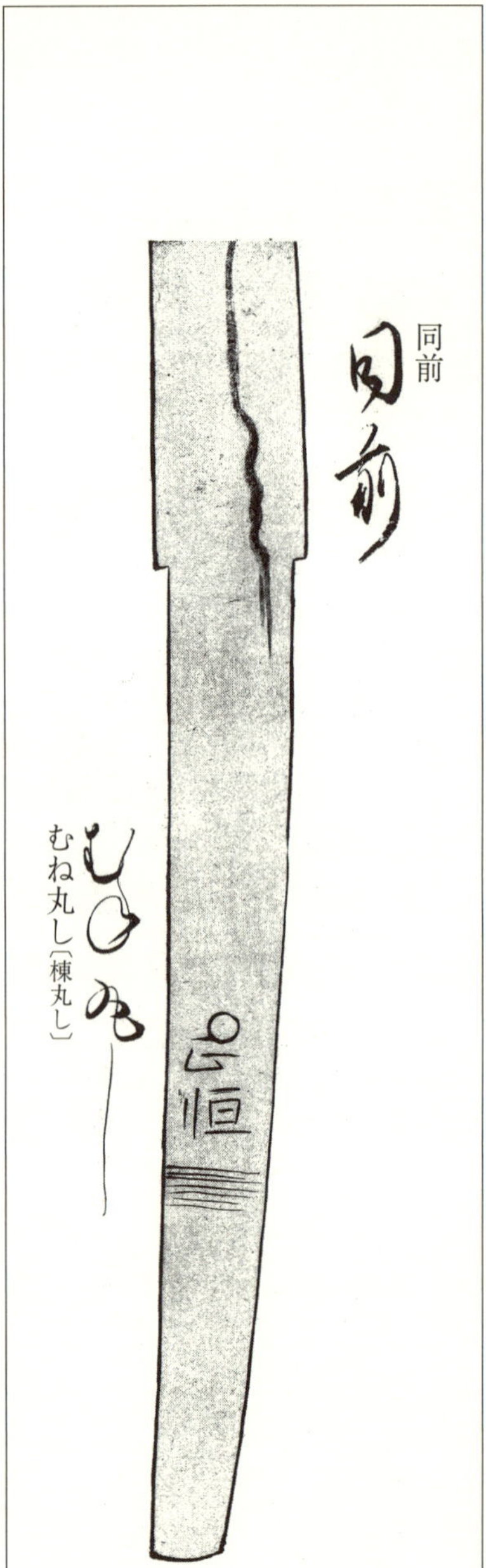

⑩②太刀 正恒 銘正恒

※あらなみ〔荒波〕…荒波一文字

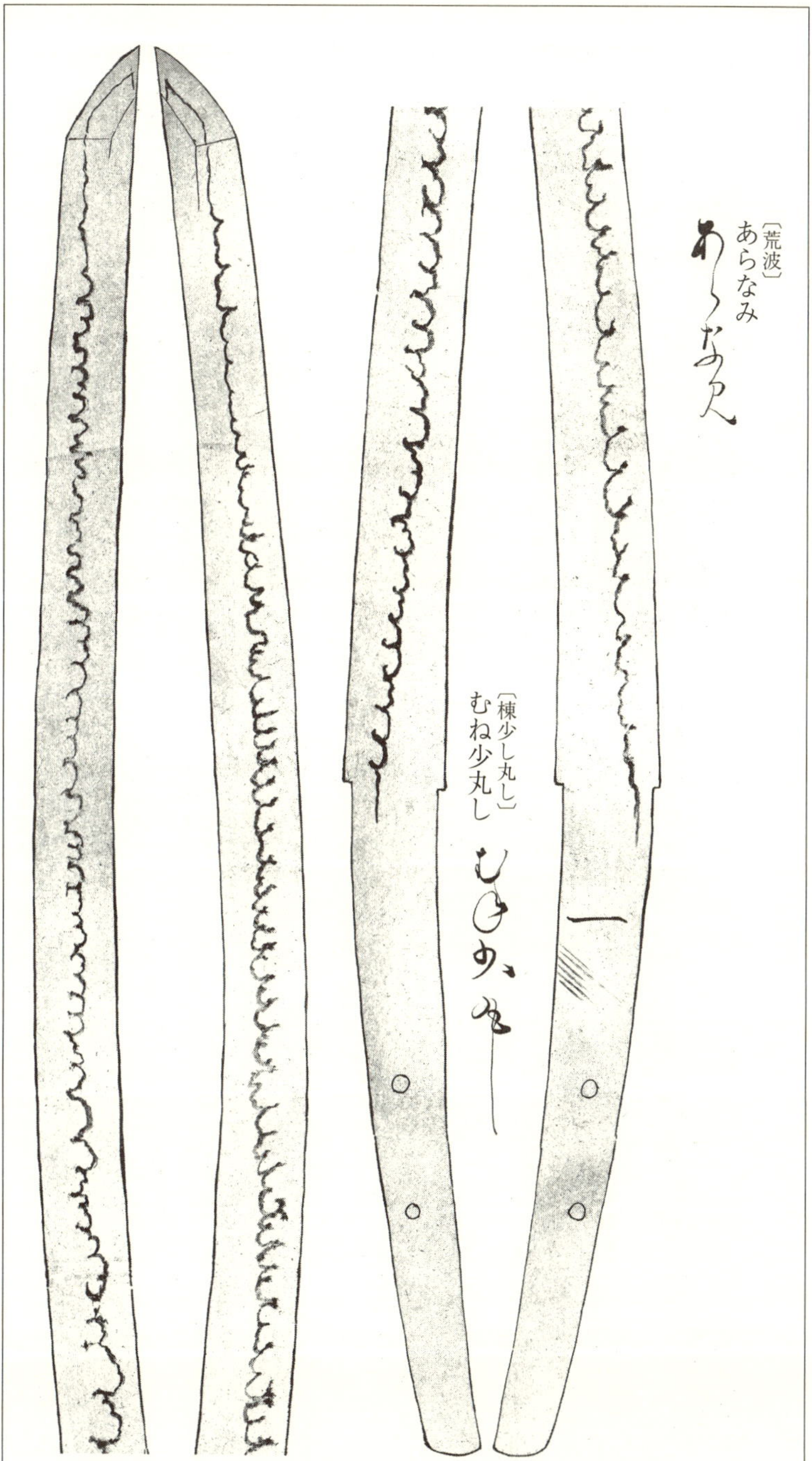

⑩③太刀 荒波一文字 銘一

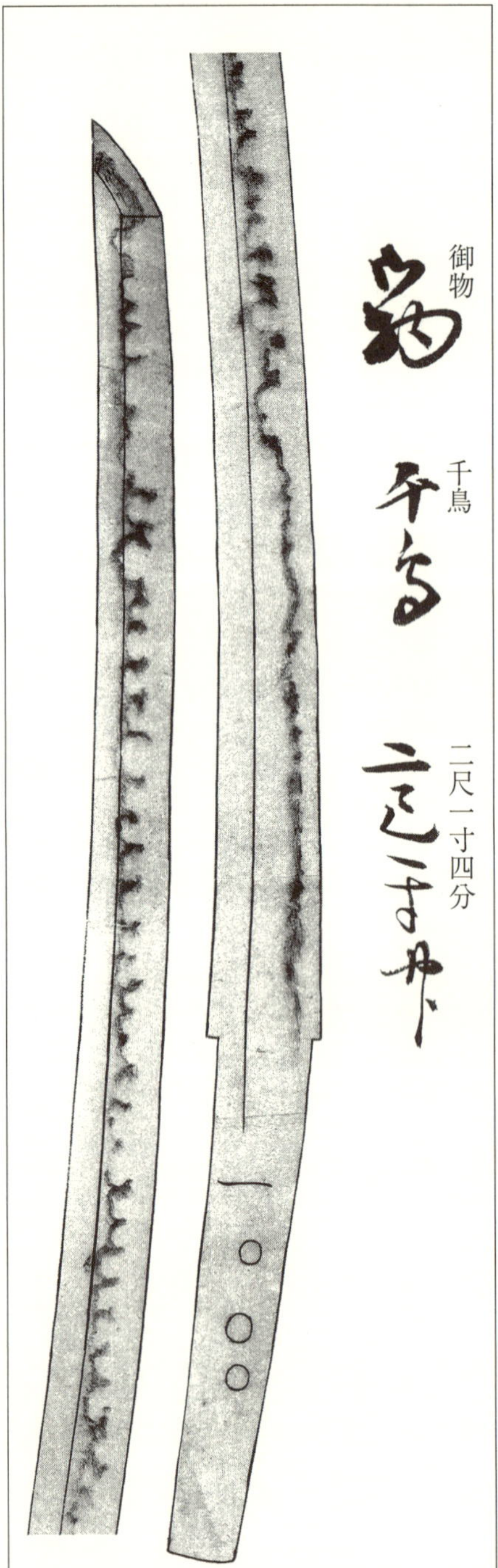
御物
千鳥
二尺一寸四分
※千鳥…千鳥一文字

(104) 太刀 千鳥一文字 銘一

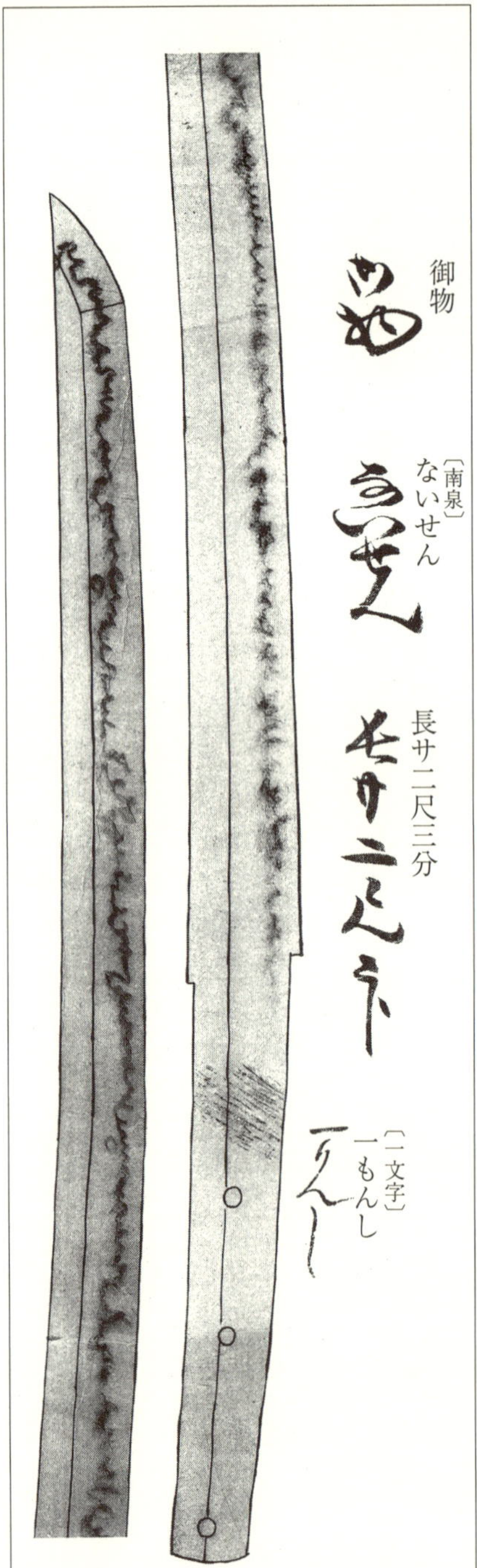
御物
〔南泉〕ないせん
長サ二尺三分
〔一文字〕一もんし
※ないせん（南泉）…南泉一文字

(105) 刀 ないせん一文字 無銘

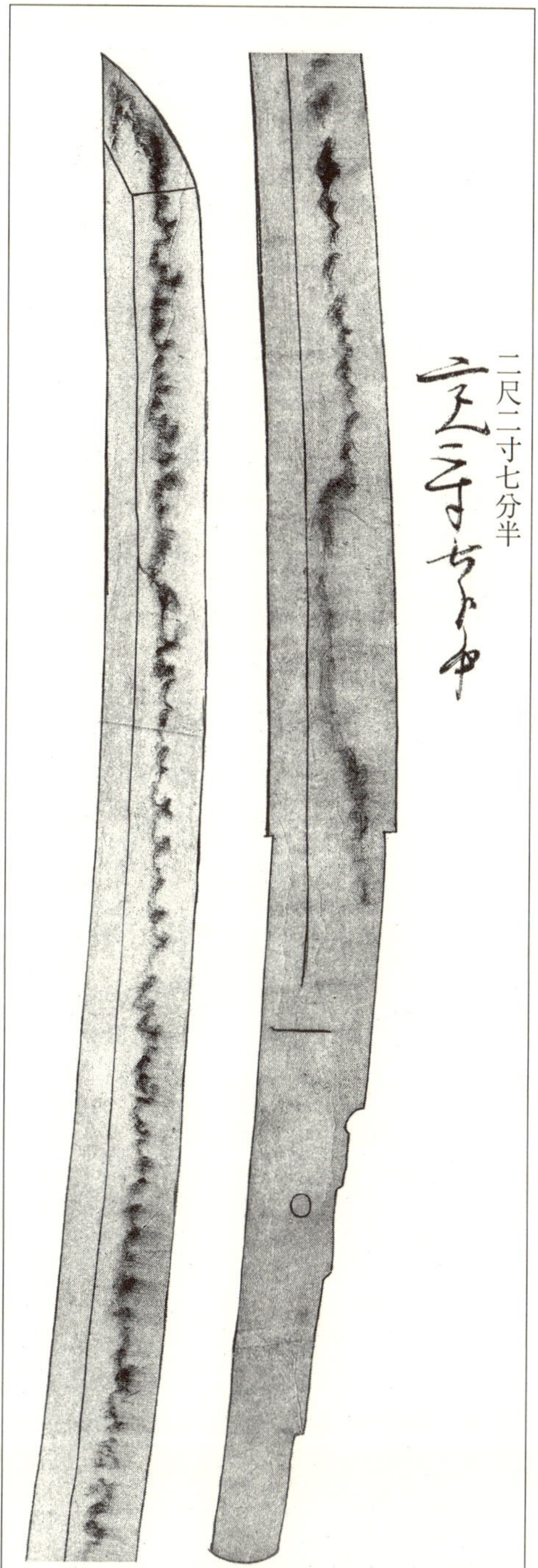

⑯ **太刀 一文字 銘一**

⑰ **太刀 助真 銘助真**

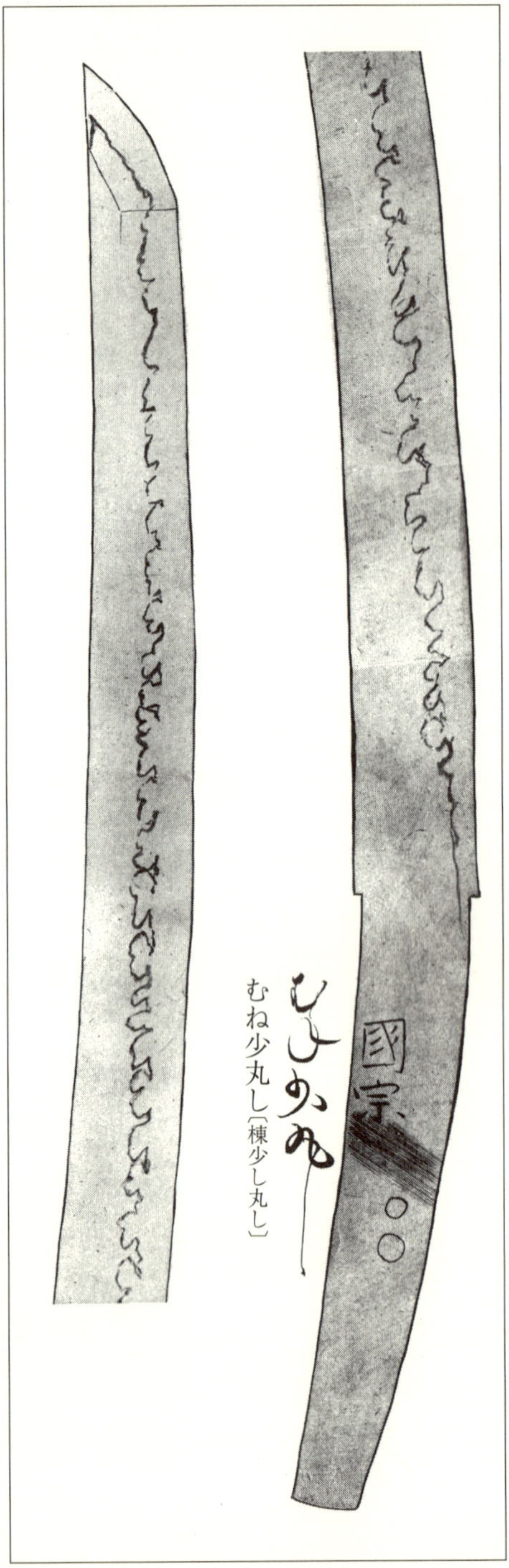
國宗
むね少丸し〔棟少し丸し〕

⑽⑻ 太刀 国宗　銘国宗

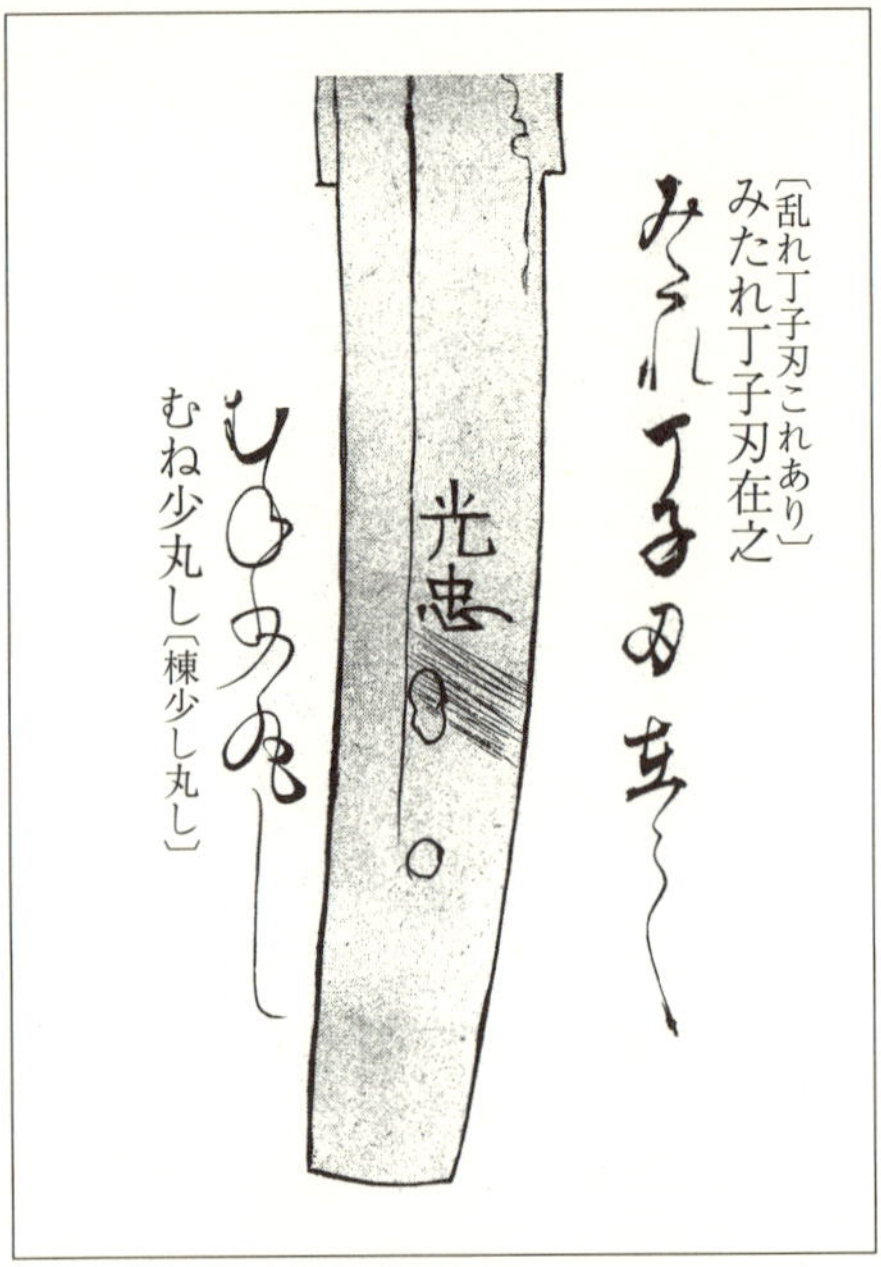
〔乱れ丁子刃これあり〕
みたれ丁子刃在之
光忠
むね少丸し〔棟少し丸し〕

⑽⑼ 太刀 光忠　銘光忠

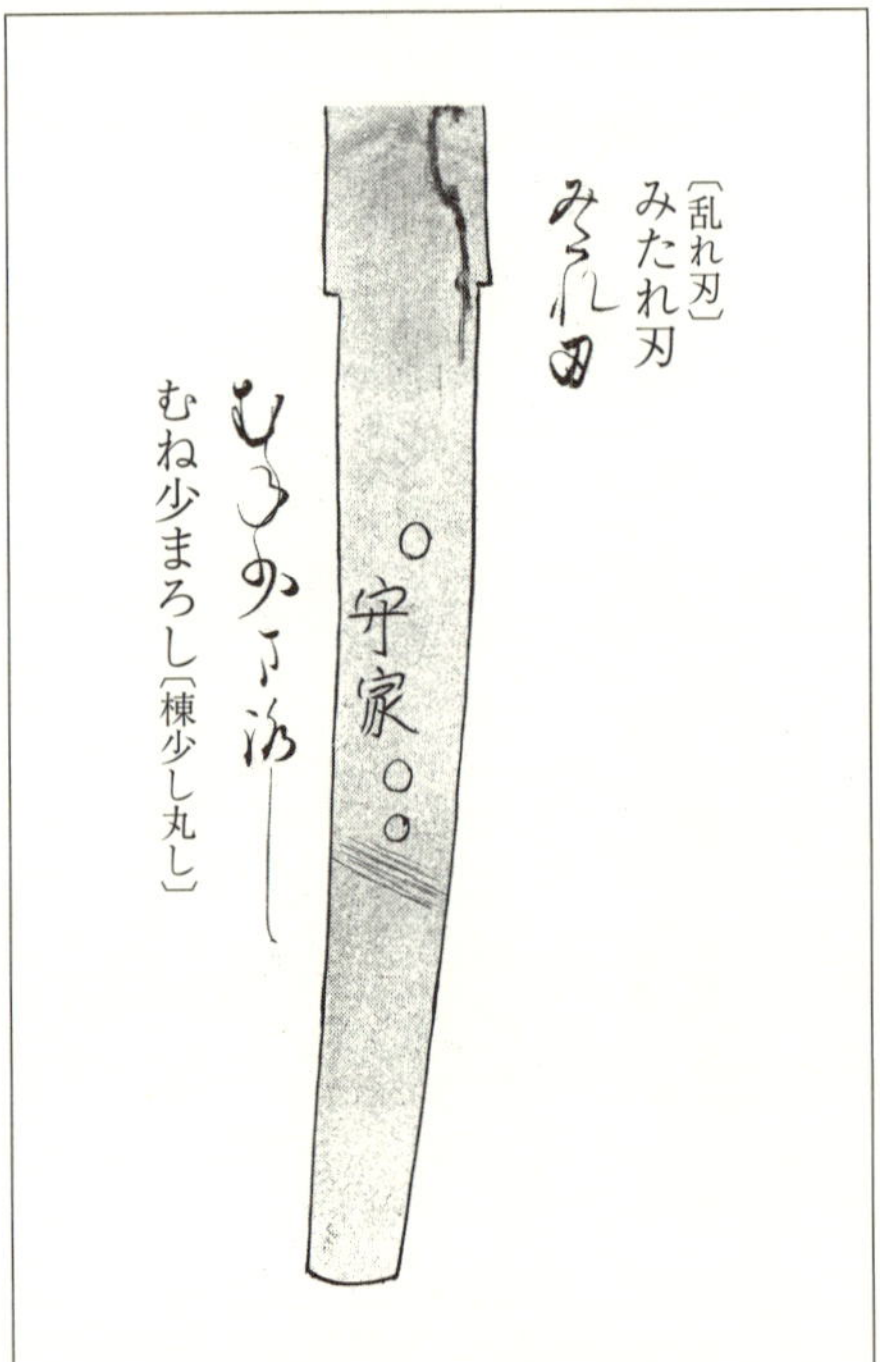
〔乱れ刃〕
みたれ刃
守家
むね少まろし〔棟少し丸し〕

⑾⑽ 太刀 守家　銘守家

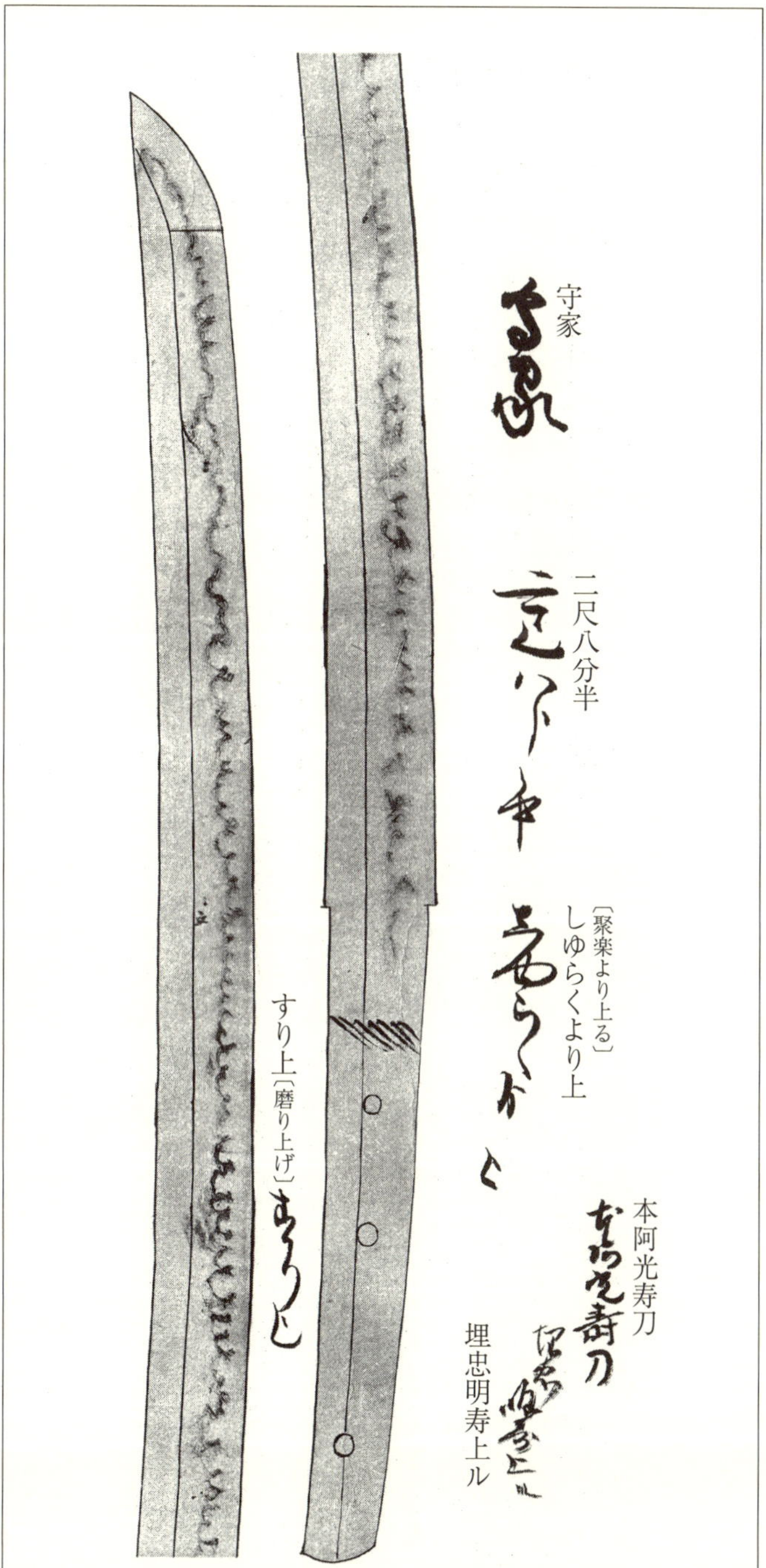

⑪ 刀 守家 磨上無銘

※しゆらくより上（聚楽より上る）…聚楽第（豊臣秀吉）から献上された　**※本阿光寿刀**…詳細未詳。本阿弥家の光寿という人物の刀であったもの、と読めるが、記録では本阿弥家に光寿という人物は見られない　**※埋忠明寿上ル**…上が「上げる」（磨り上げた）で、ここは磨り上げの意味

※あをや〔青屋〕…青屋長光

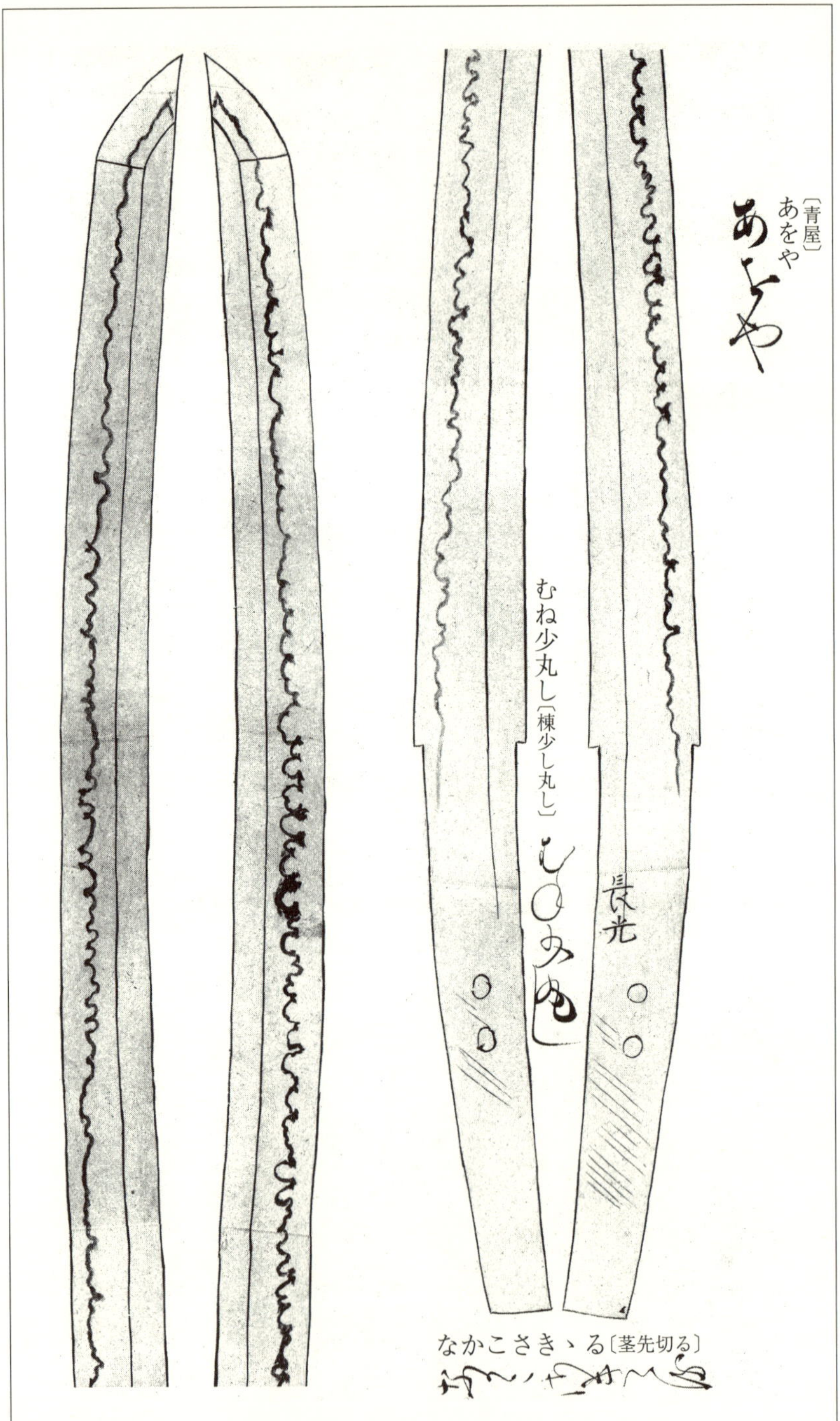
〔青屋〕あをや
むね少丸し〔棟少し丸し〕
長光
なかこさきいる〔茎先切る〕

⑫ **太刀 青屋長光 銘長光**

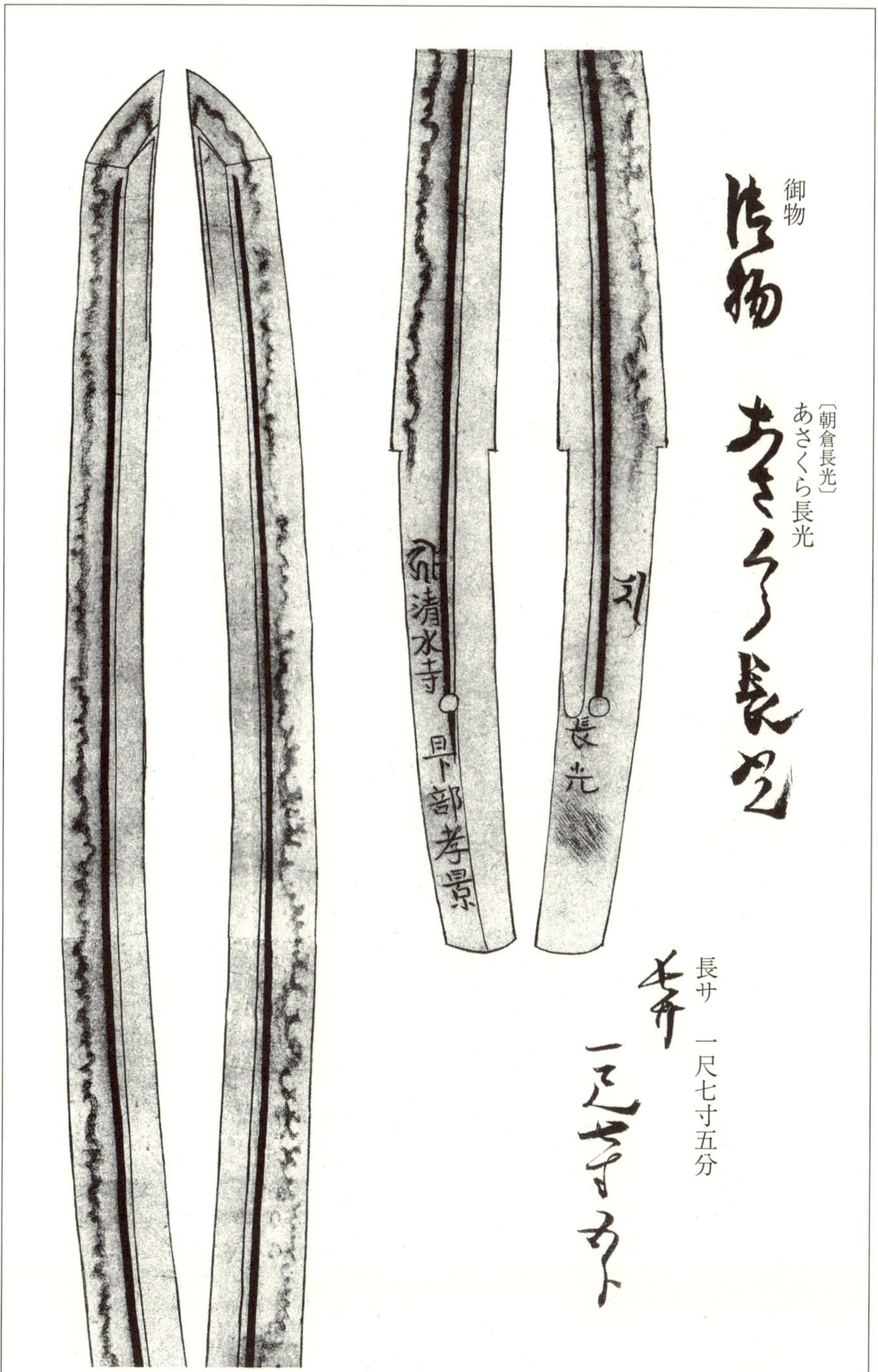

⑪③ 太刀 朝倉長光 銘長光
清水寺 日下部孝景

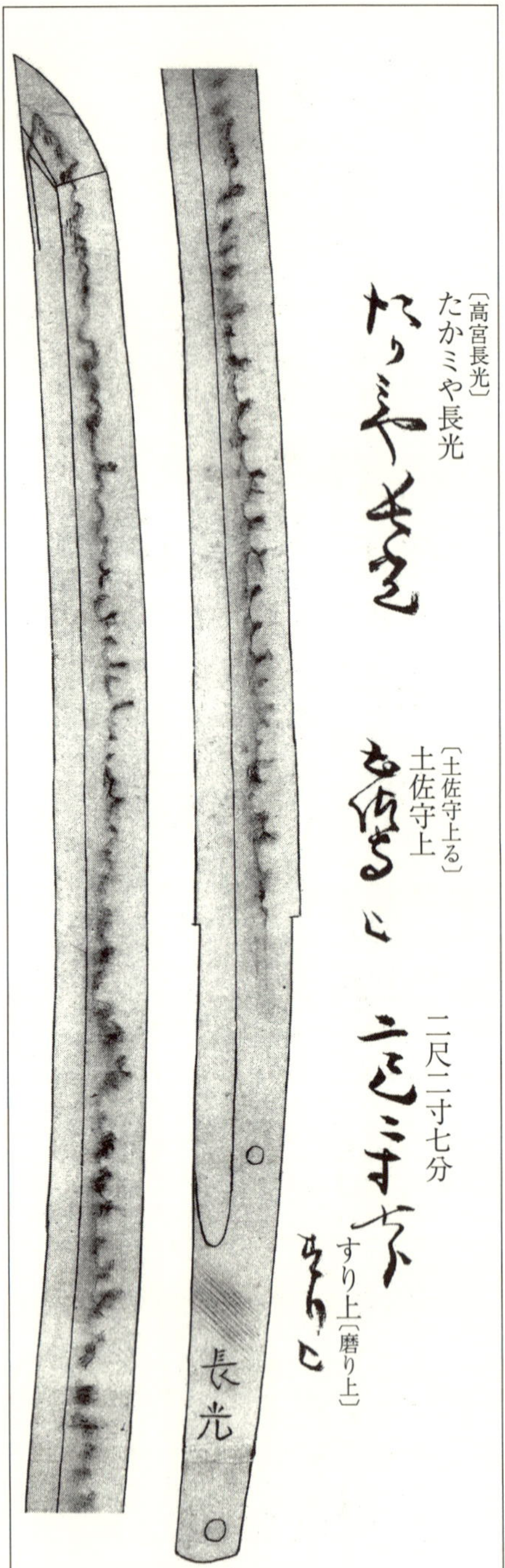
〔高宮長光〕たかミや長光
土佐守上〔土佐守上る〕
二尺二寸七分
すり上〔磨り上〕
長光

⑭ 太刀 高宮長光 銘長光

※土佐守上（土佐守上る）……土佐守が誰かは未詳

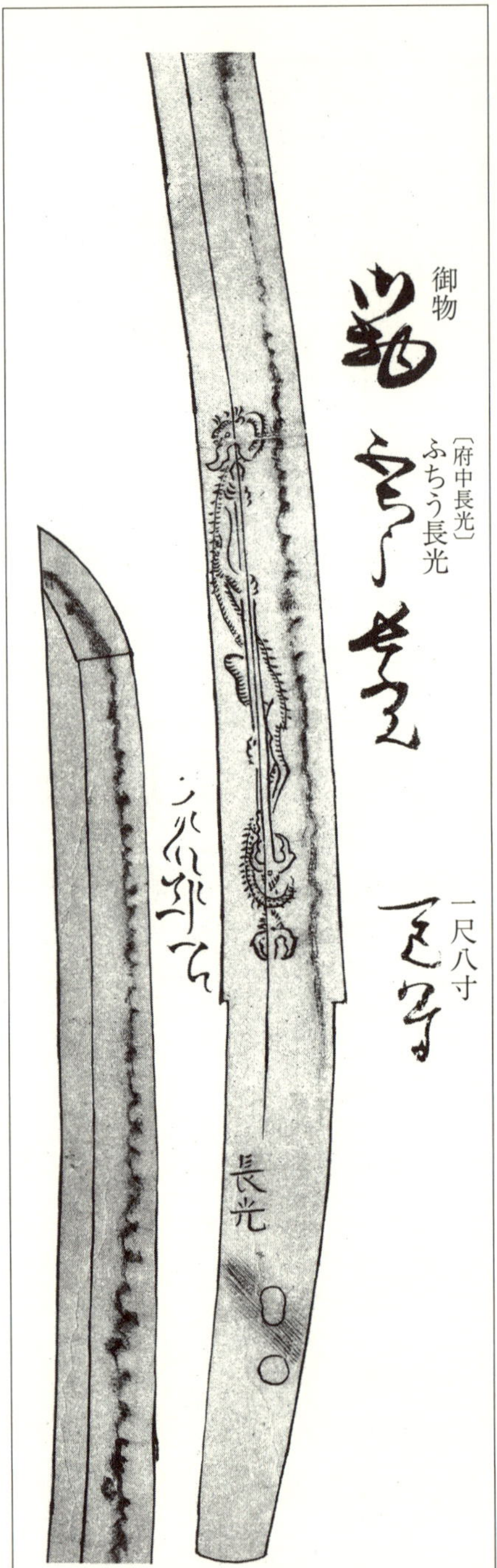
御物
〔府中長光〕ふちう長光
一尺八寸
長光

⑮ 太刀 府中長光 銘長光

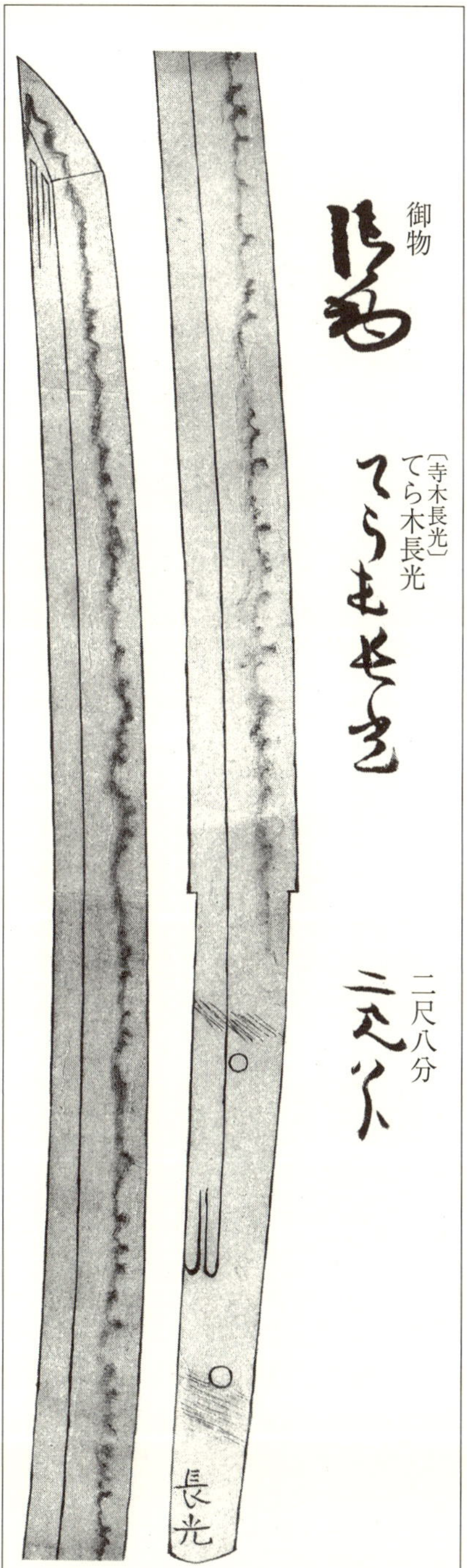
御物
〔寺木長光〕
てら木長光
二尺八分
長光

⑯ **太刀 寺木長光 銘長光**

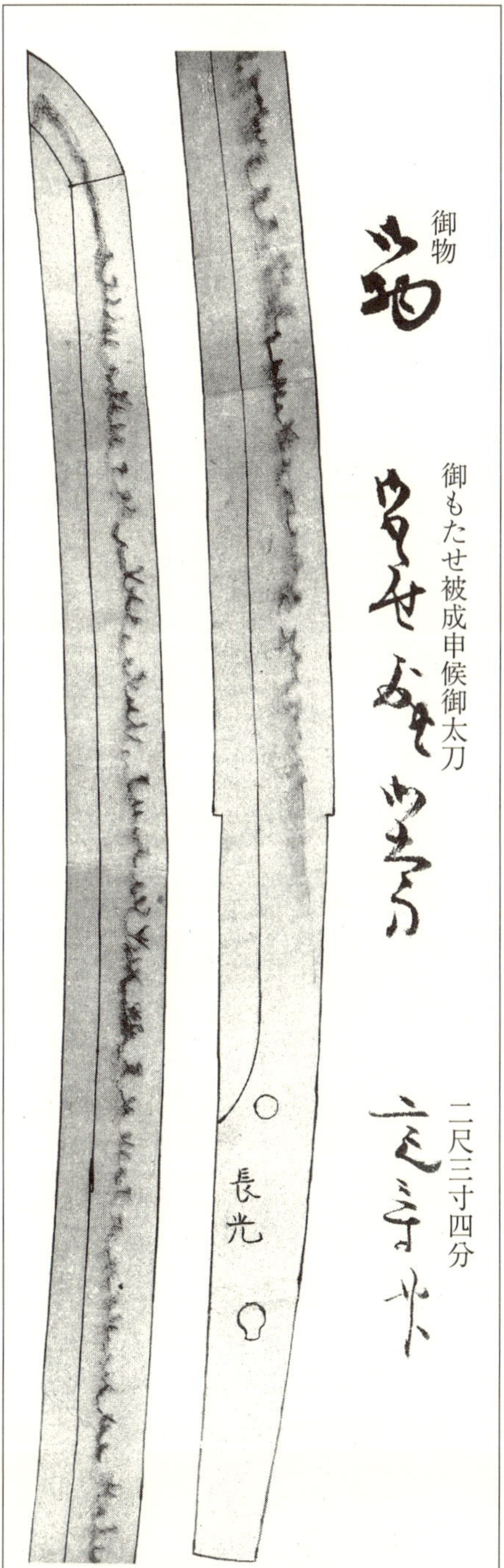
御物
御もたせ被成申候御太刀
二尺三寸四分
長光

⑰ **太刀 長光 銘長光**

※御もたせ被成申候御太刀…近侍の者に持たせていた御太刀

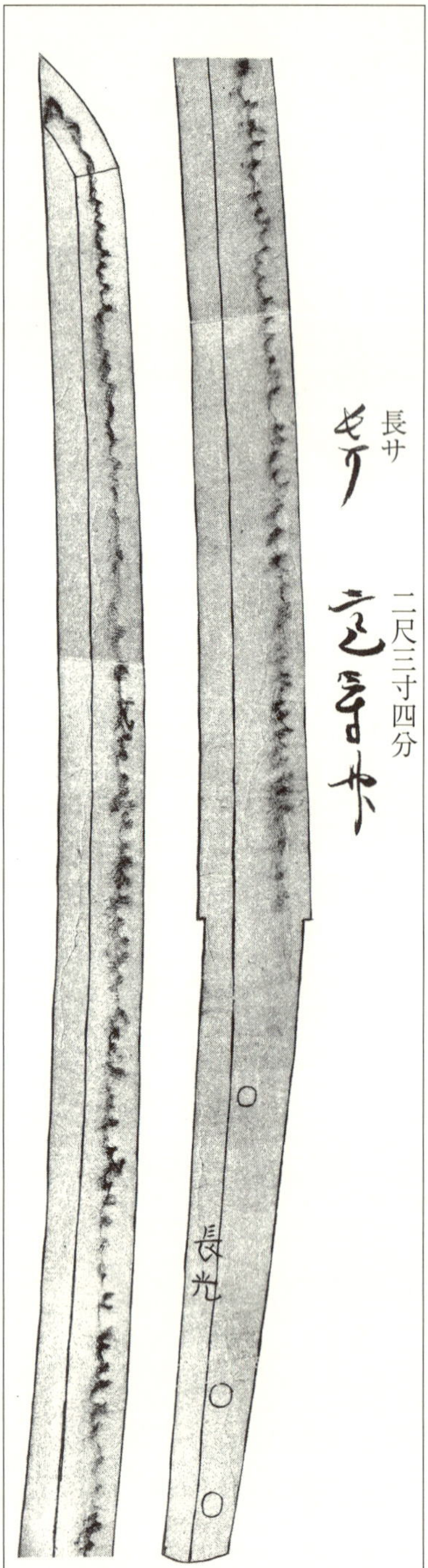
長サ
二尺三寸四分
長光

⑱ 太刀 長光 銘 長光

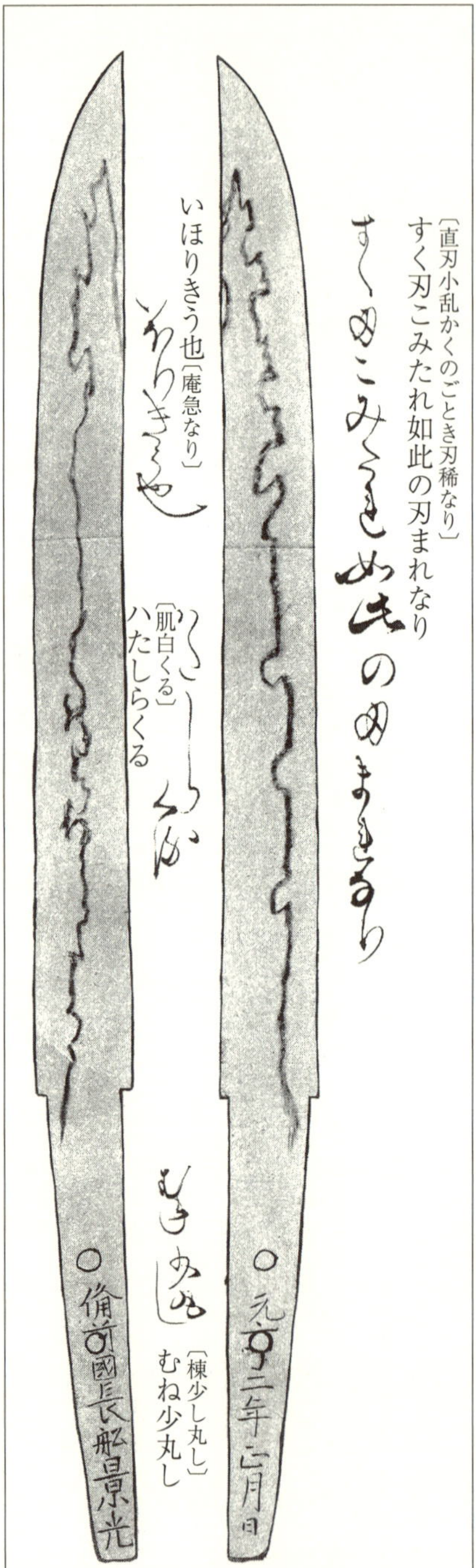
すく刃こみたれ如此の刃まれなり
〔直刃小乱かくのごとき刃稀なり〕
いほりきう也〔庵急なり〕
ハたしらくる
〔肌白くる〕
むね少丸し
〔棟少し丸し〕

⑲ 短刀 景光 銘 備前国長船景光
元亨二年正月日

※**すく刃こみたれ如此の刃まれなり**（直刃小乱かくのごとき刃稀なり）…刃紋は直刃に小乱れであるが、このような刃紋は（景光の作には）稀である

※ハたしらくる（肌白くる）…地鉄の肌が白みがかっている

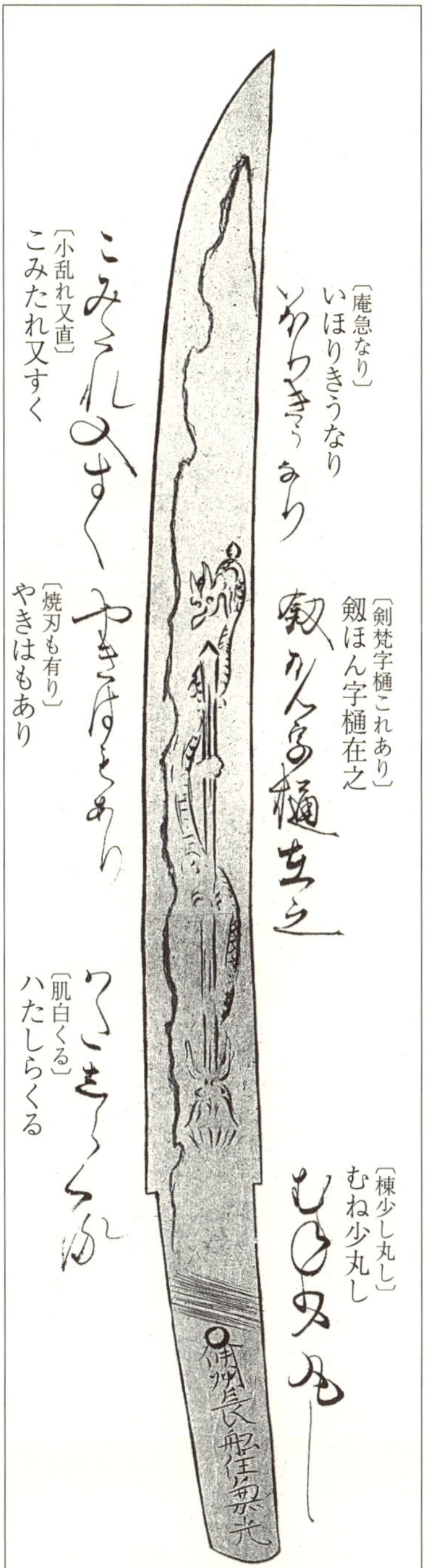

⑳ 短刀　兼光　銘 備州長船住兼光

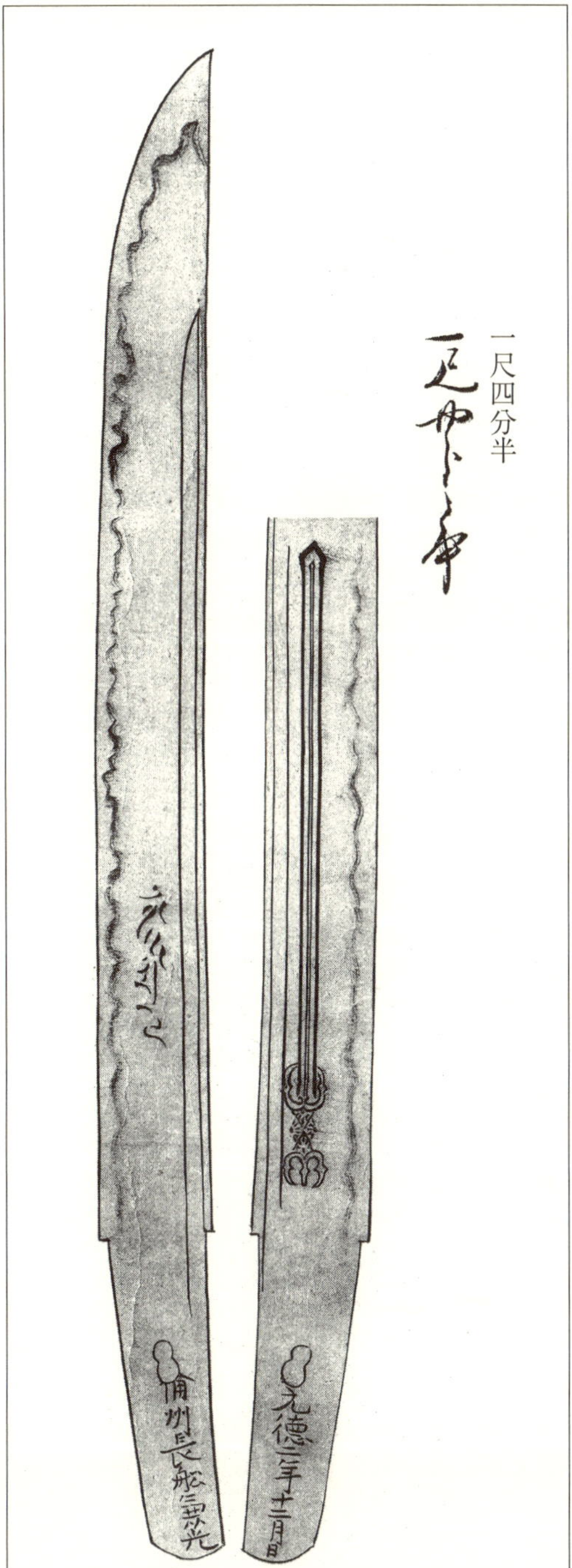

⑫ 短刀　兼光　銘 備州長船兼光
元徳二年十二月日

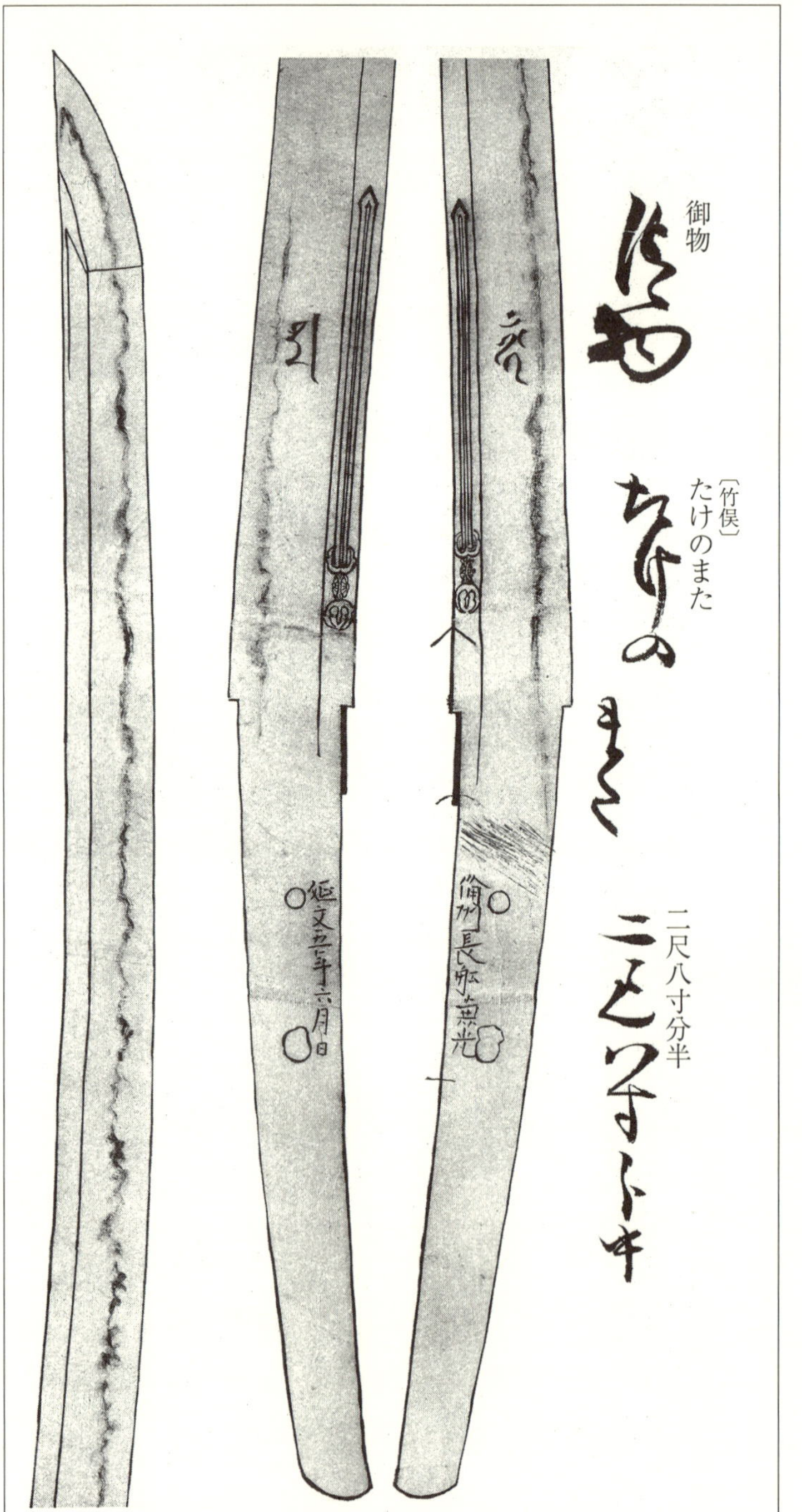

⑫ 太刀 竹俣兼光 銘 備州長船兼光
延文五年六月日

※たけのまた（竹俣）…竹俣兼光

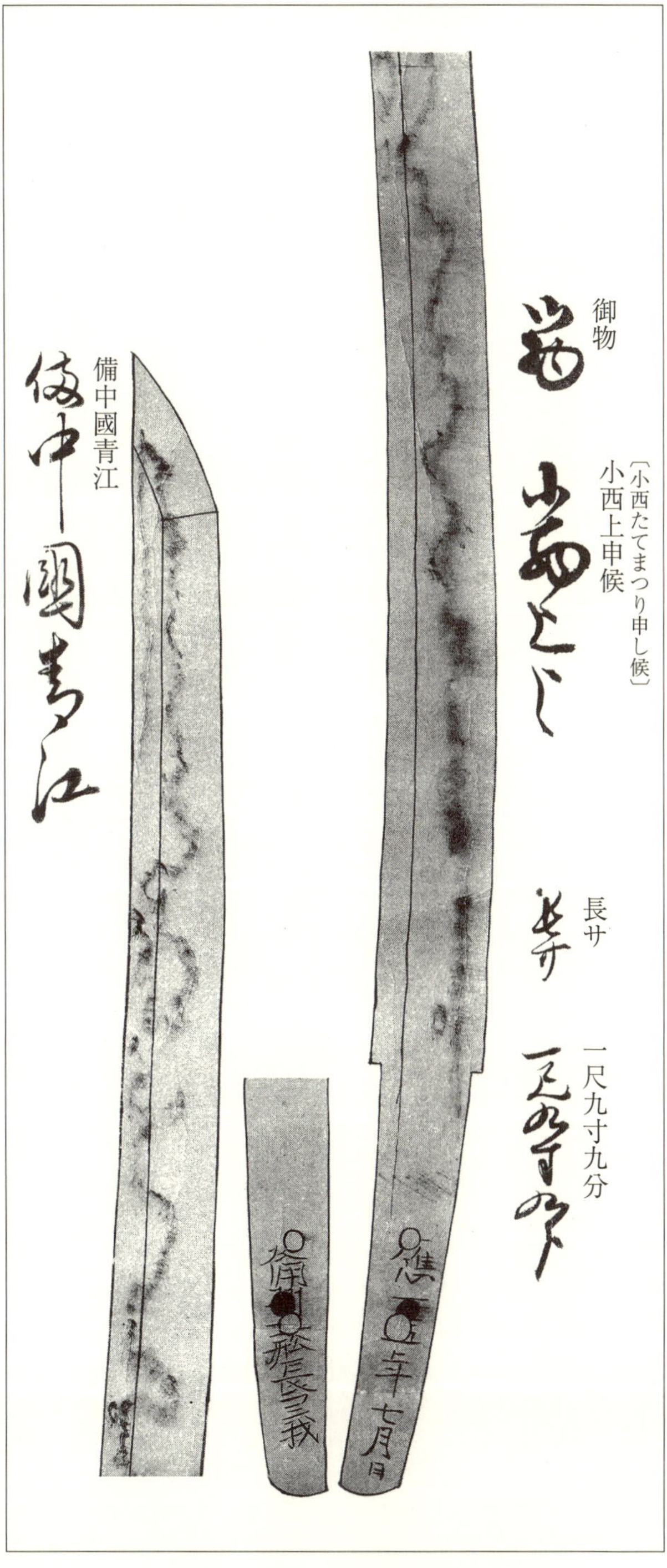

⑫③ **太刀 長義 銘備州長船長義**
応安五年七月日

※小西上申候（小西たてまつり申し候）…小西（行長か）が献上いたしました

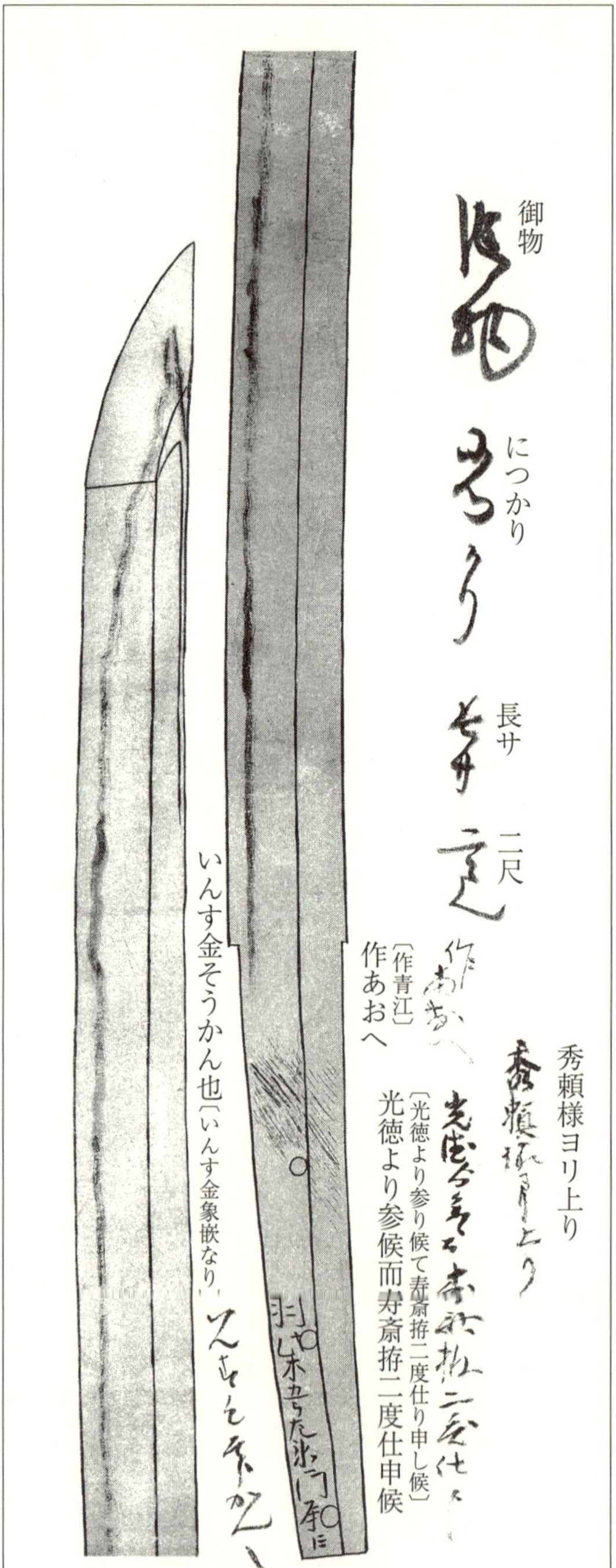

⑫④刀 にっかり青江 磨上無銘
但シ丹羽長秀ノ所持銘アリ

※にっかり（にっかり）…にっかり青江　**※秀頼様より上り　光徳より参候而寿斎拵二度仕申候**（秀頼様より上り　光徳より参り候て寿斎拵二度仕り申し候）…秀頼様から（帝に）献上されたもので、（本阿弥）光徳から預けられて（埋忠）寿斎が拵を二度制作いたしました　**※いんす金そうかん也**（いんす金象嵌なり）…銘が「いんす金」（明から輸入された高純度の金）で象嵌されている

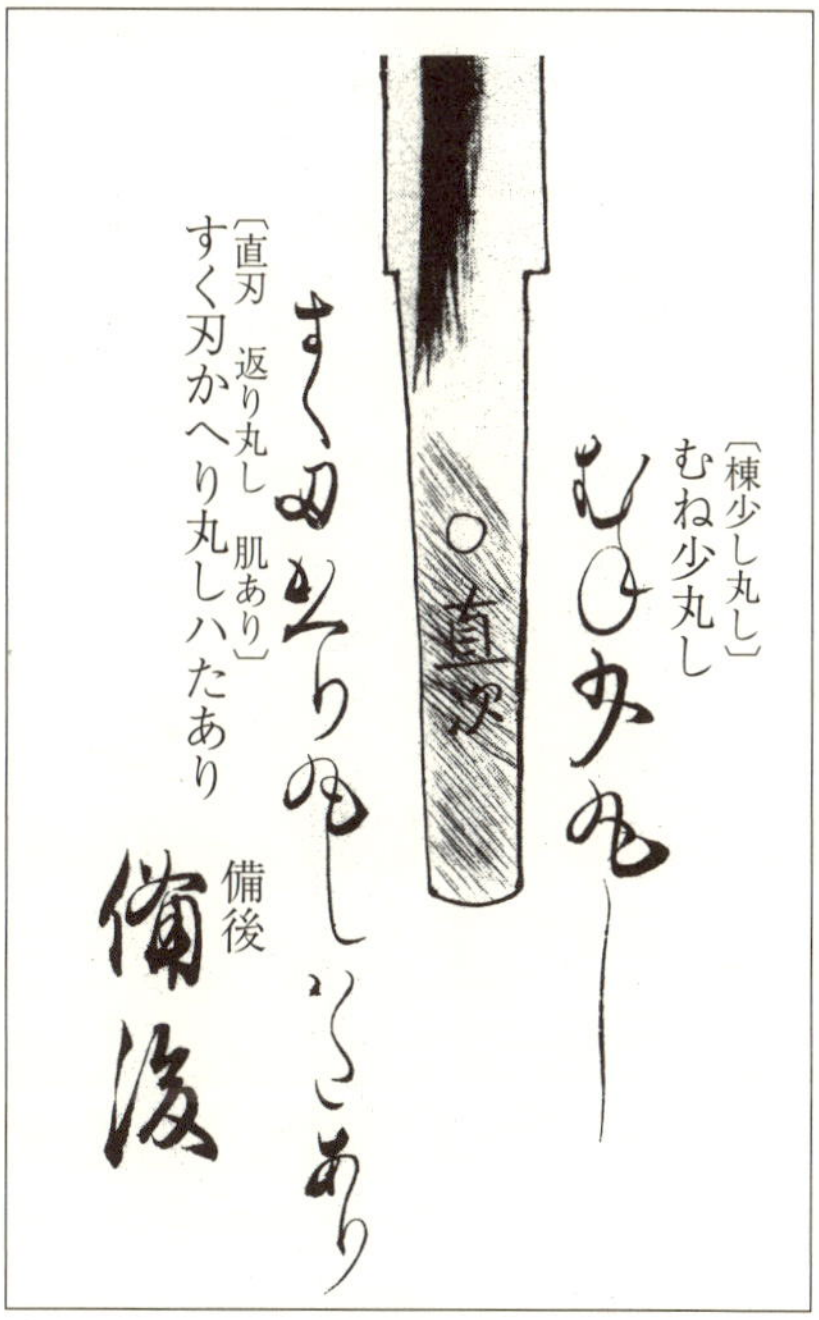
〔棟少し丸し〕
むね少丸し
〔直刃　返り丸し　肌あり〕
すく刃かへり丸しハたあり
備後

※すく刃かへり丸しハたあり〔直刃　返り丸し　肌あり〕…刃紋は直刃で、鋩子は返りが丸く、鍛え肌が表れている

⑫⑤ 短刀　直次　銘直次

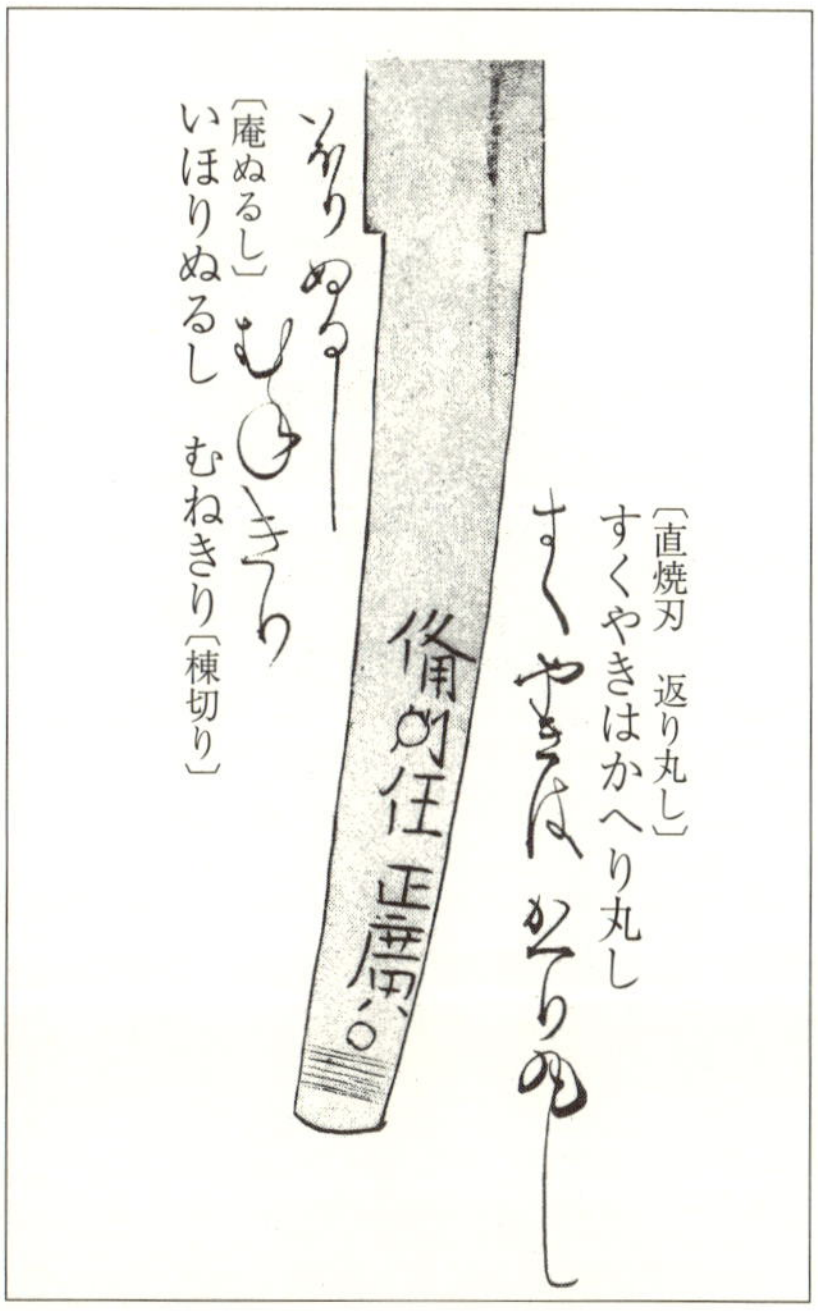
〔直焼刃　返り丸し〕
すくやきはかへり丸し
〔庵ぬるし〕
いほりぬるし
むねきり〔棟切り〕

※すくやきはかへり丸し〔直焼刃　返り丸し〕…刃紋は直刃で、鋩子の返りが丸い　※いほりぬるし〔庵ぬるし〕…棟の庵の角度がゆるやかである

⑫⑥ 太刀　正広　銘備州住正広

⑫⑦ 短刀　正家　銘備州住左衛門尉正家作

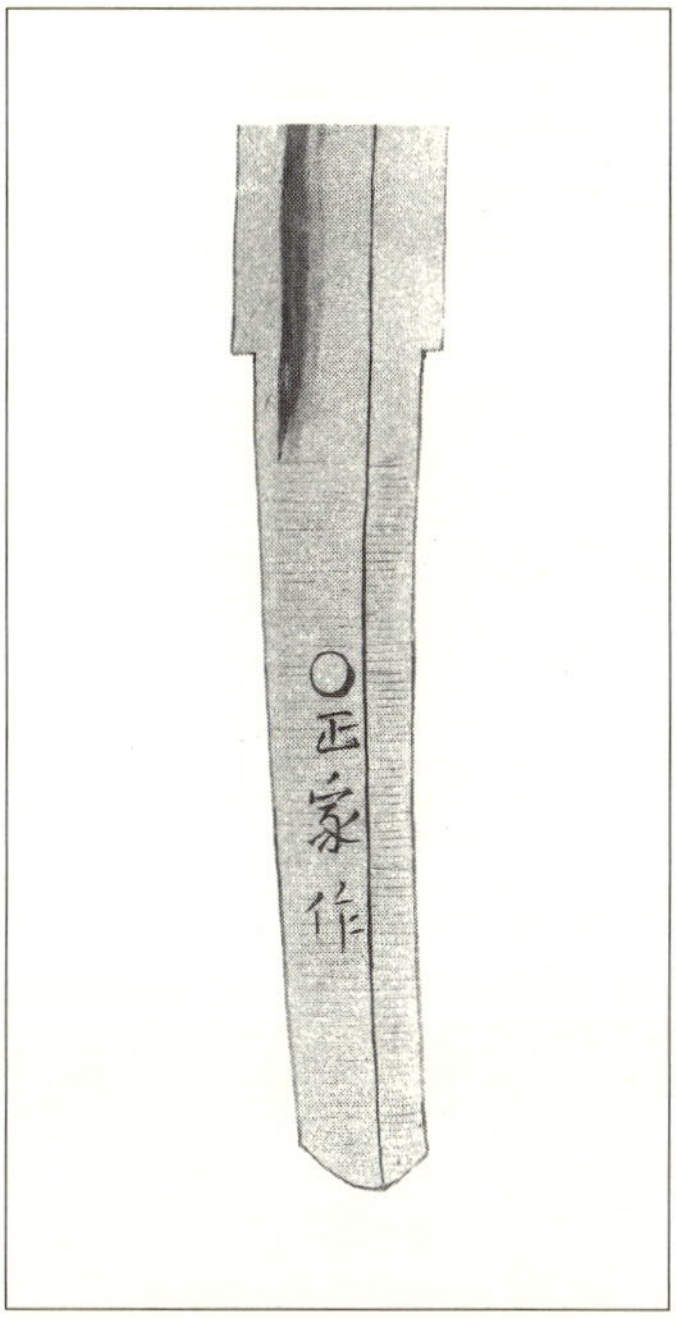

⑫⑧ 脇指　正家　銘正家作

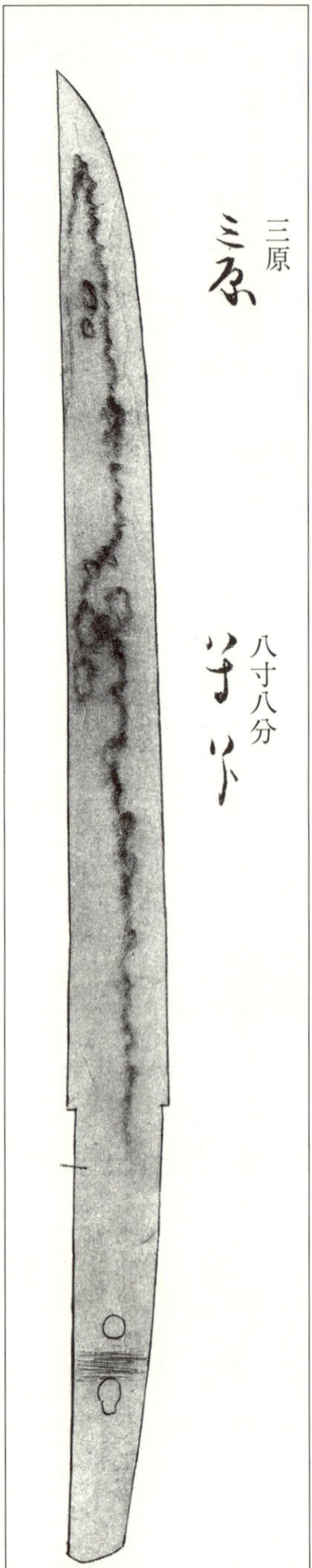

⑫⑨ 短刀 三原 無銘

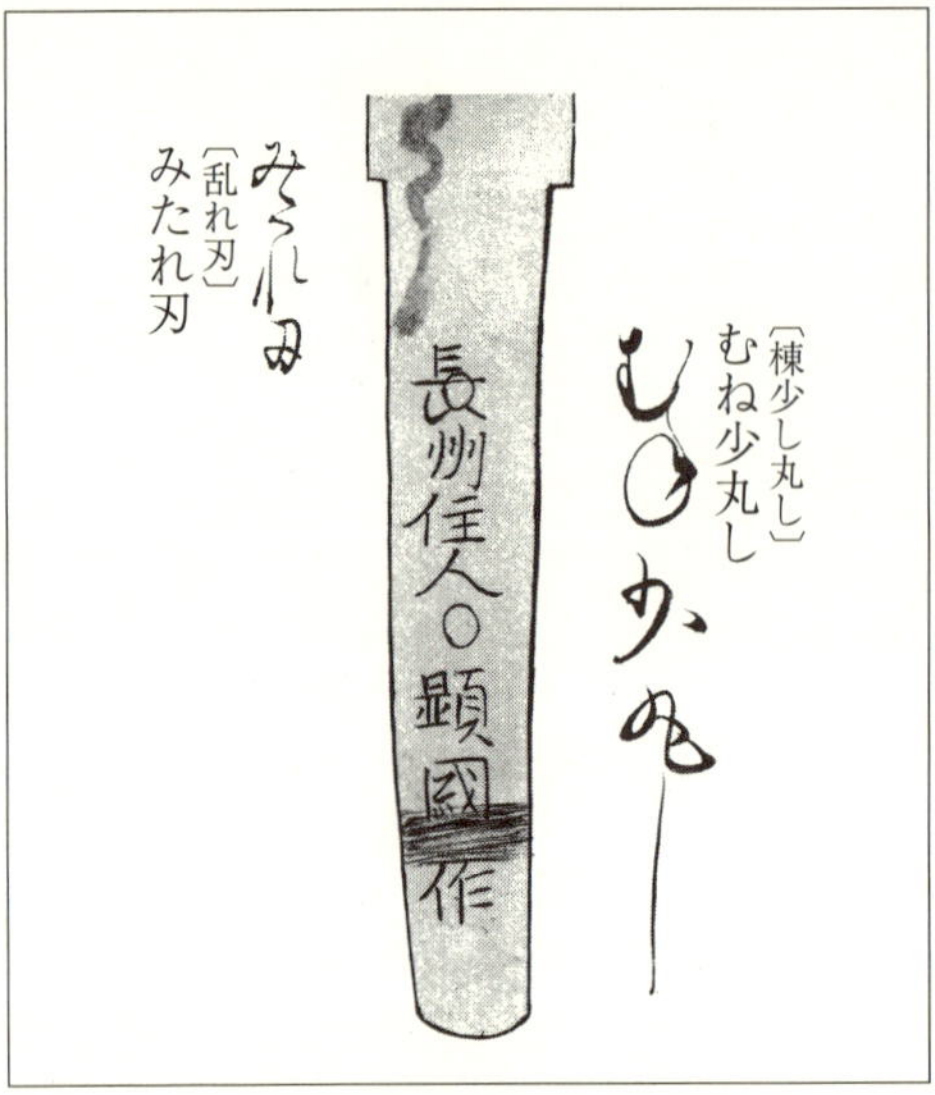

⑬⓪ 脇指 顕国 銘 長州住人顕国作

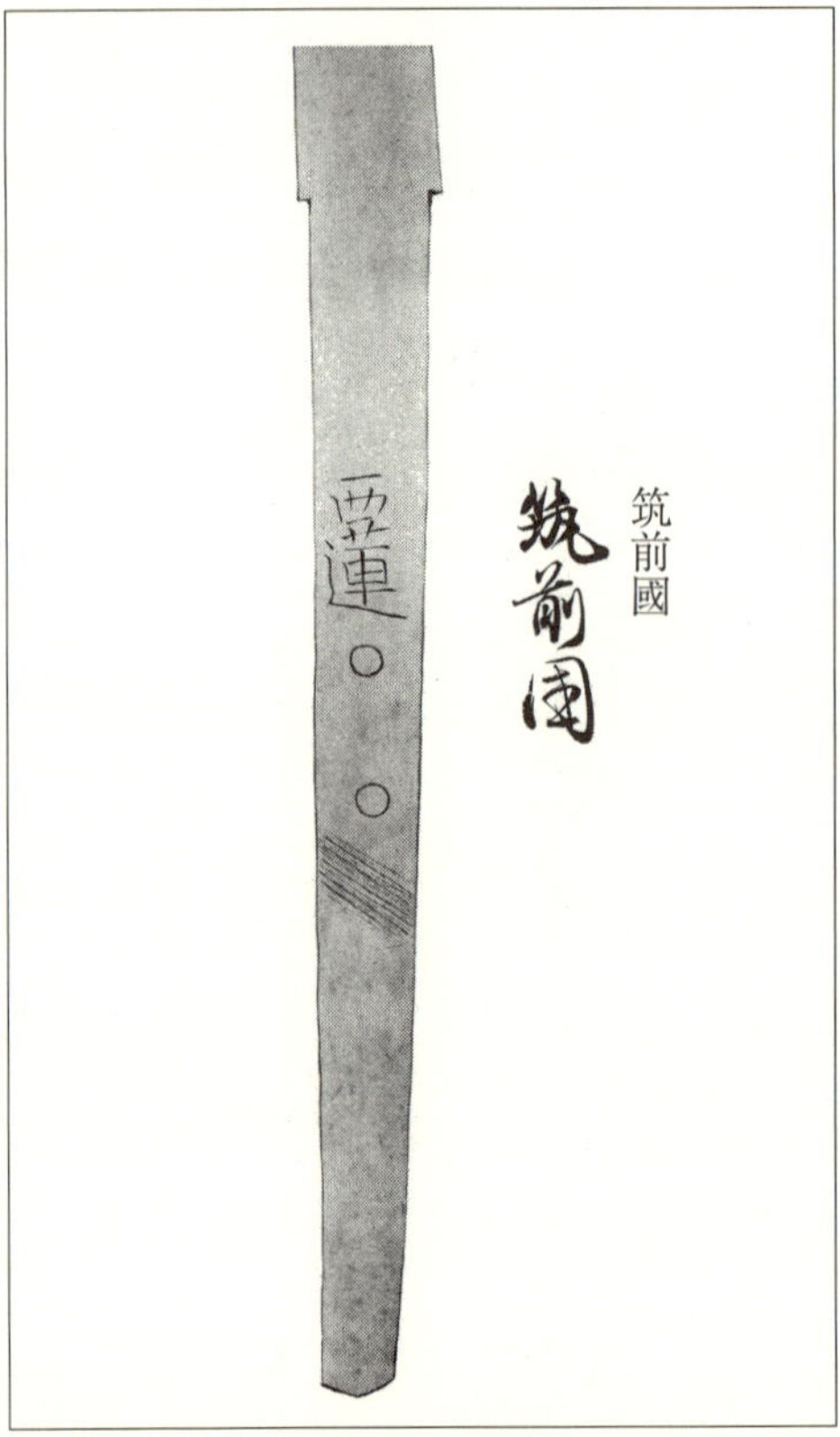

⑬① 太刀 西蓮 銘 西蓮

にえおほし〔沸え多し〕

むね丸し〔棟丸し〕

湯はしり在之〔湯走りこれあり〕

⑬② 短刀　左文字　銘左　筑州住

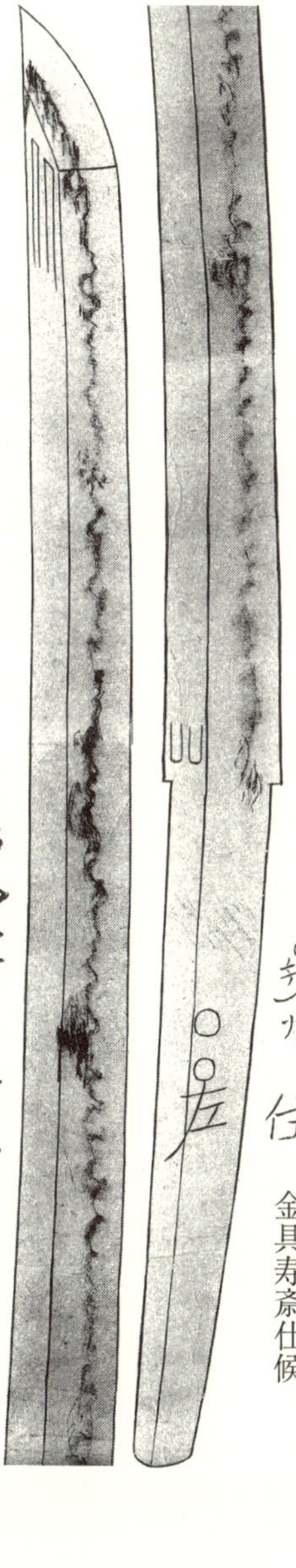

ひたち上〔常陸上〕

長サ

二尺二寸六分

秀頼様御佩用拵申候〔秀頼様ご佩用　拵申し候〕

金具寿斎仕候〔金具寿斎仕り候〕

さめさや黒さや二ツ二成申候〔鮫鞘黒鞘二つ二成り申し候〕

⑬③ 太刀　左文字　銘左　筑州住

※ひたち上〔常陸上〕…常陸から献上されたもの。常陸か人名か地名か未詳

※秀頼様御佩用拵申候　金具寿斎仕候〔秀頼様ご佩用　拵申し候　金具寿斎仕り候〕…豊臣秀頼さまが佩用なされたもので、拵は金具を埋忠寿斎が制作したものです

※さめさや黒さや二ツ二成申候〔鮫鞘黒鞘二つに成り申し候〕…鮫皮の鞘と黒漆塗りの鞘の二つになりました

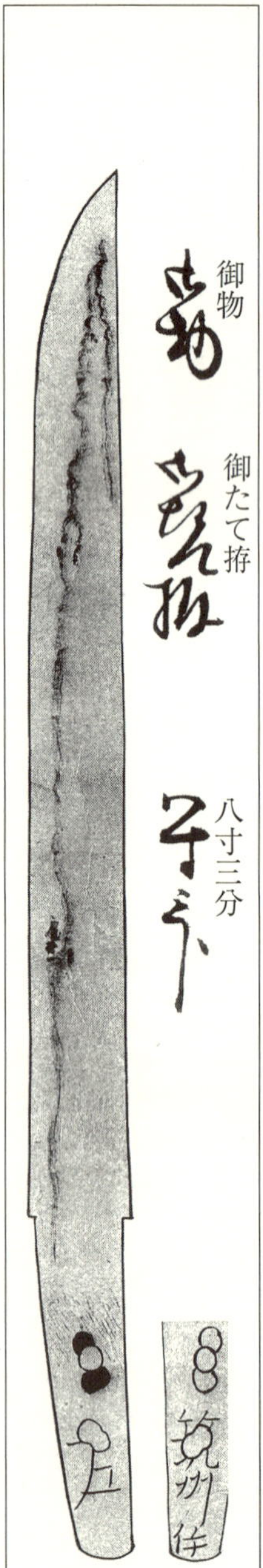
御物
御たて拵
八寸三分

※御たて拵…御伊達拵か

⑬④短刀　左文字
銘左　筑州住

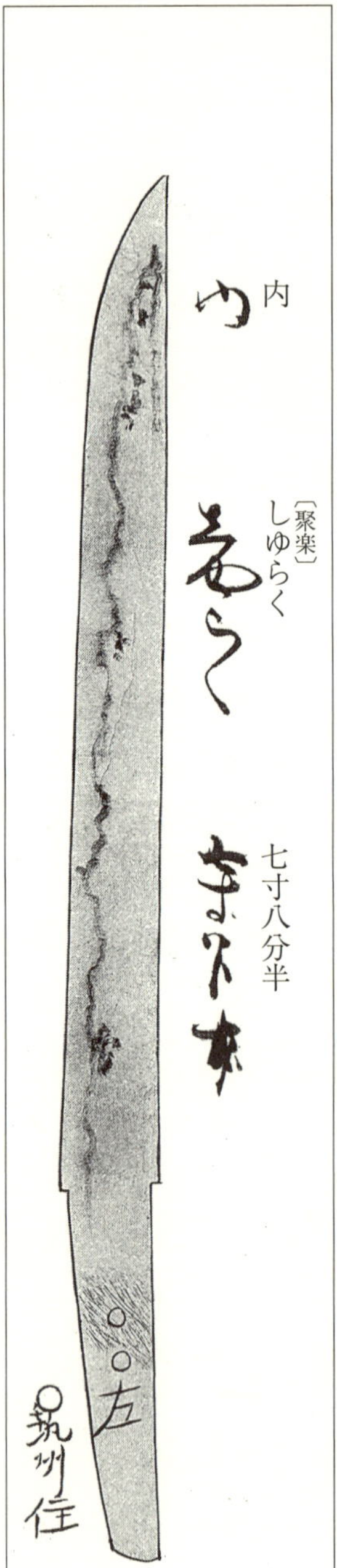
内
しゅらく〔聚楽〕
七寸八分半

※しゅらく（聚楽）…聚楽左文字

⑬⑤短刀　聚楽左文字
銘左　筑州住

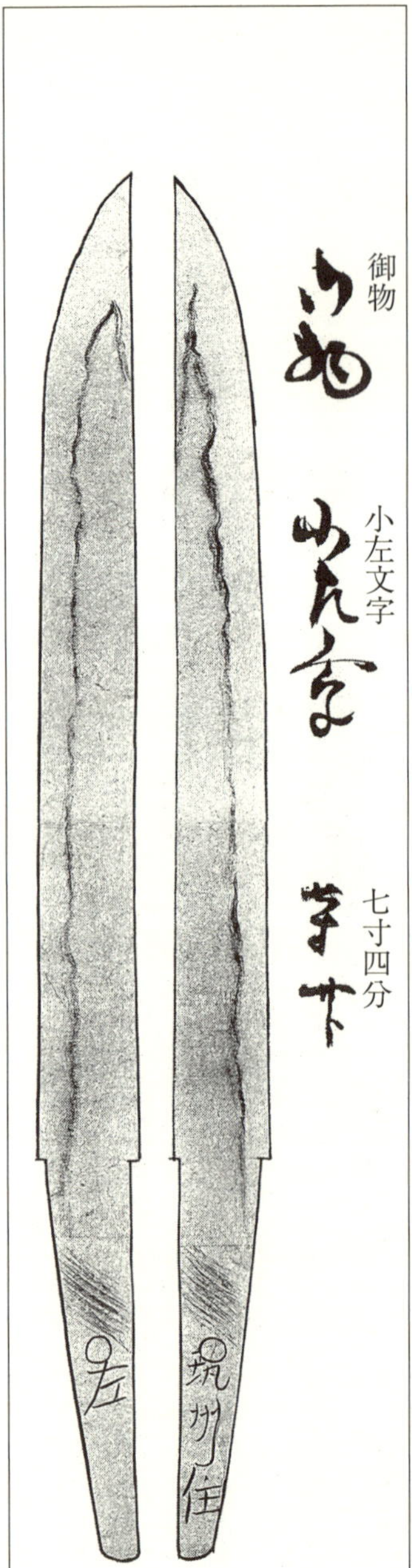
御物
小左文字
七寸四分

⑬⑥短刀　小左文字　銘左　筑州住

※まるむねしのき（丸棟　鎬）…丸棟で鎬が特徴的である

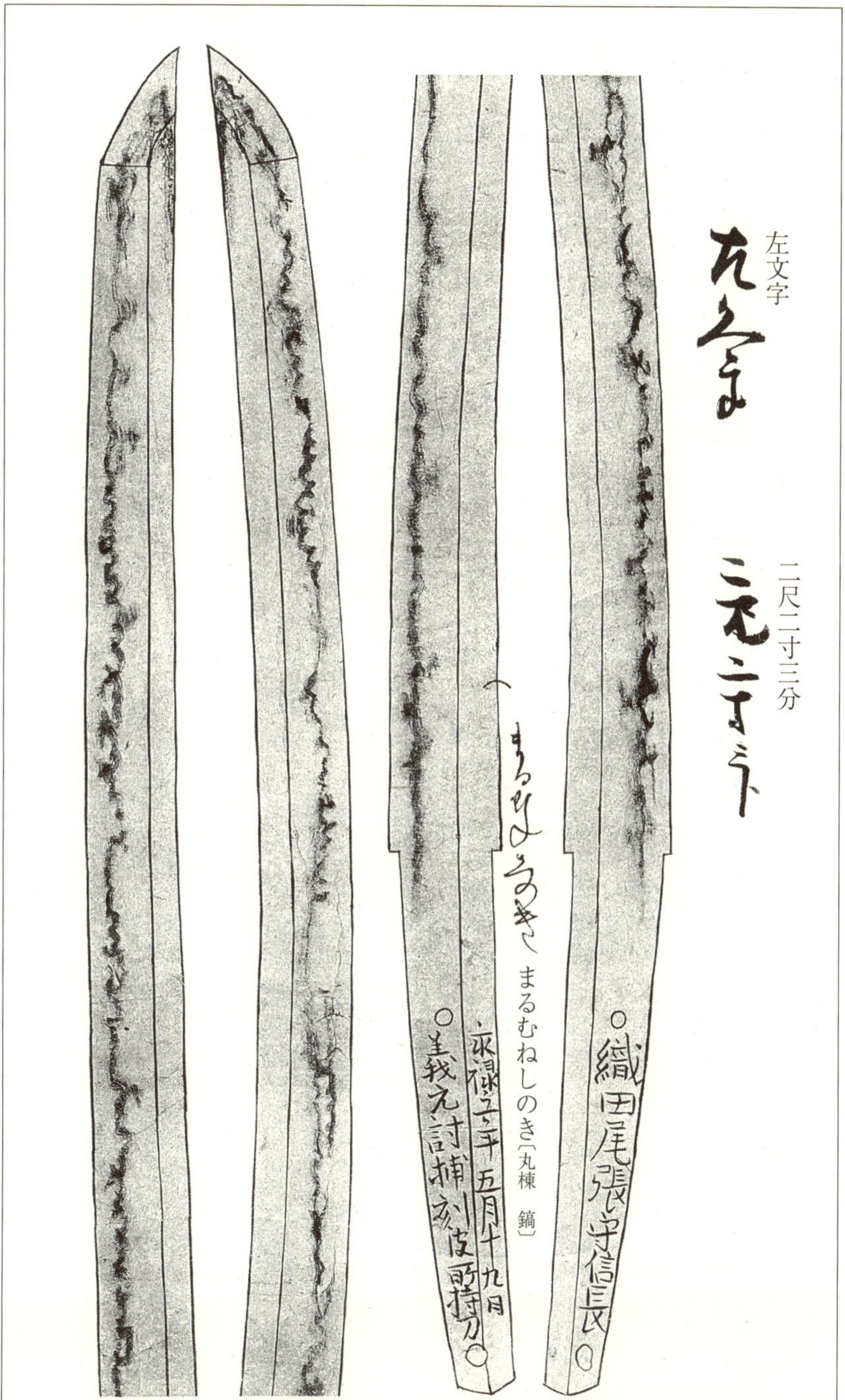
左文字
二尺二寸三分
まるむねしのき（丸棟　鎬）
永禄三年五月十九日
義元討捕刻彼所持刀
織田尾張守信長

⑬⑦刀 義元左文字 磨上無銘
但シ義元討捕、信長ノ所持銘アリ

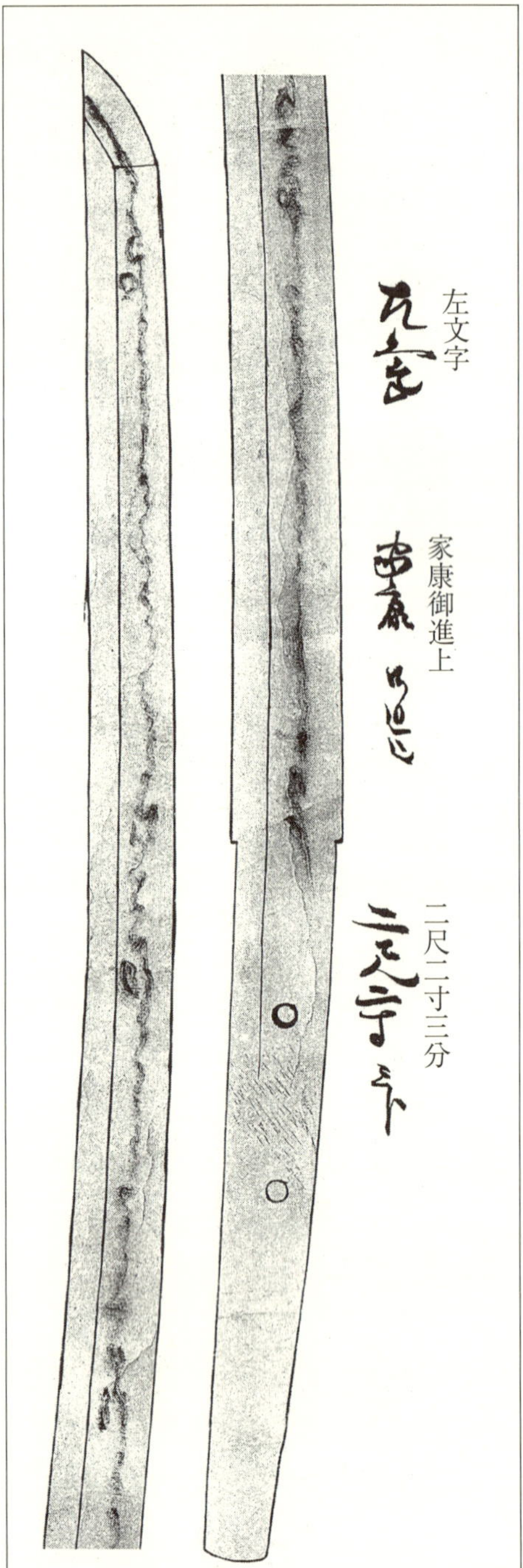

⑬⑧刀 左文字 磨上無銘

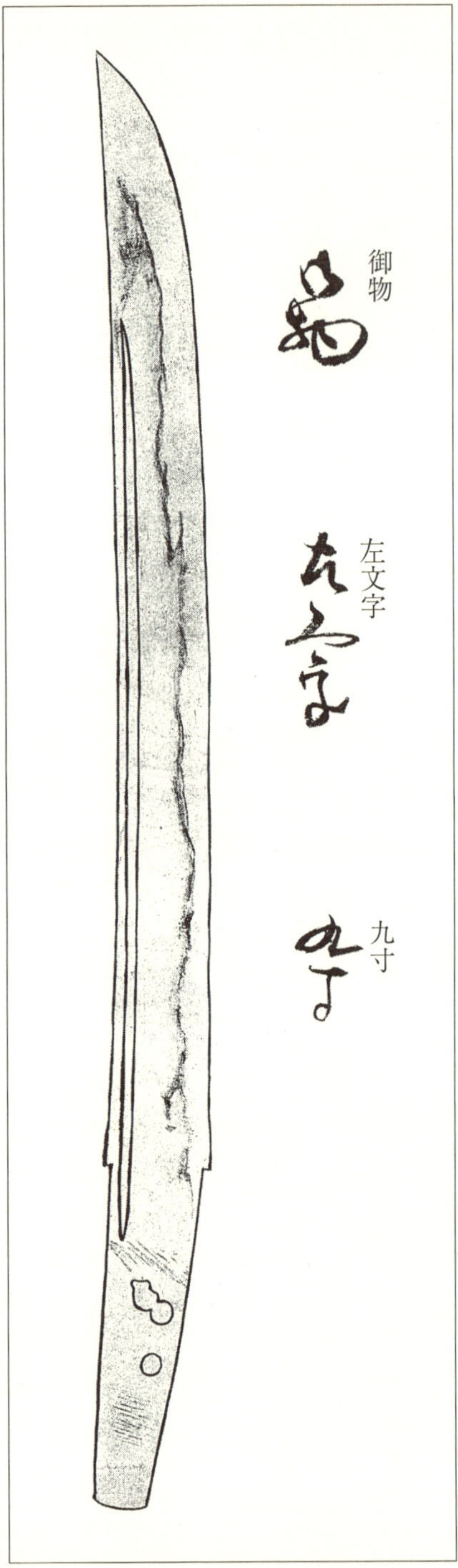

⑬⑨短刀 左文字 無銘

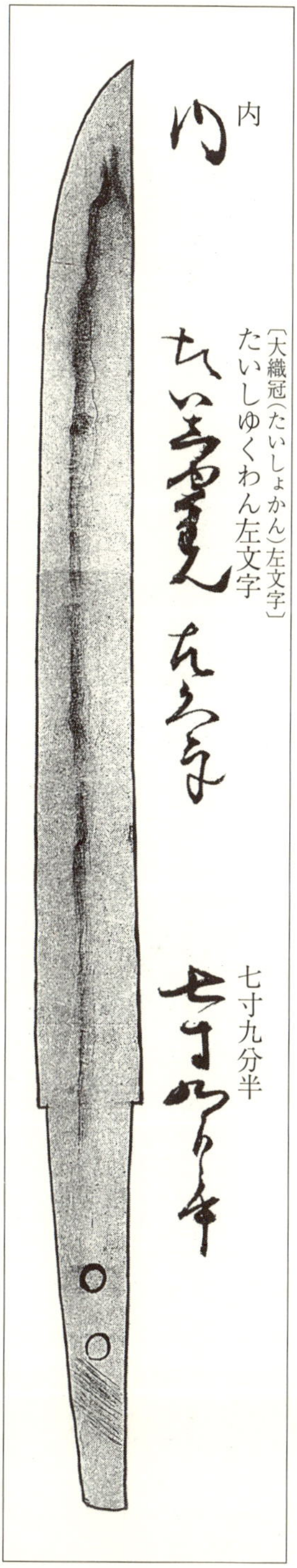

⑭ 短刀 大職冠左文字 無銘

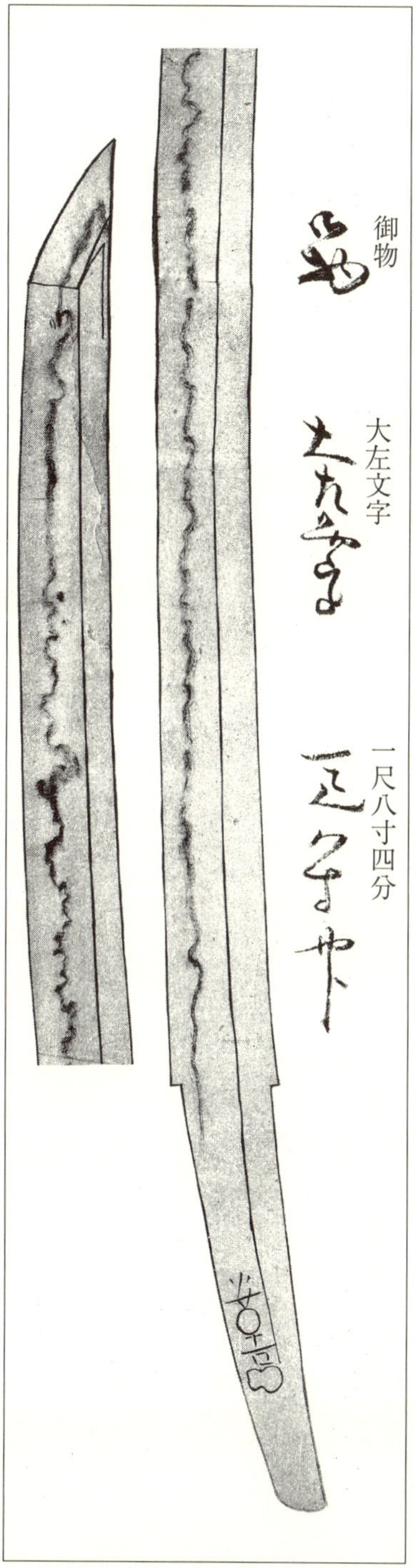

⑭ 脇指 大左文字 銘安吉

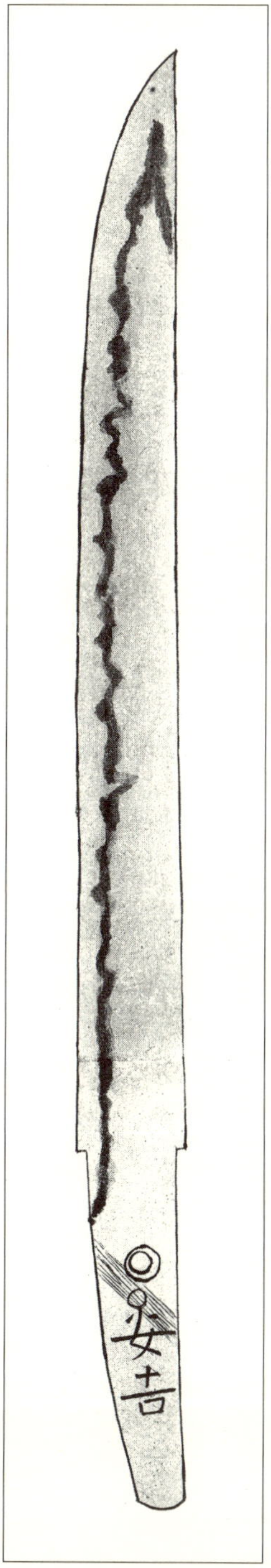

⑭ 短刀 安吉 銘安吉

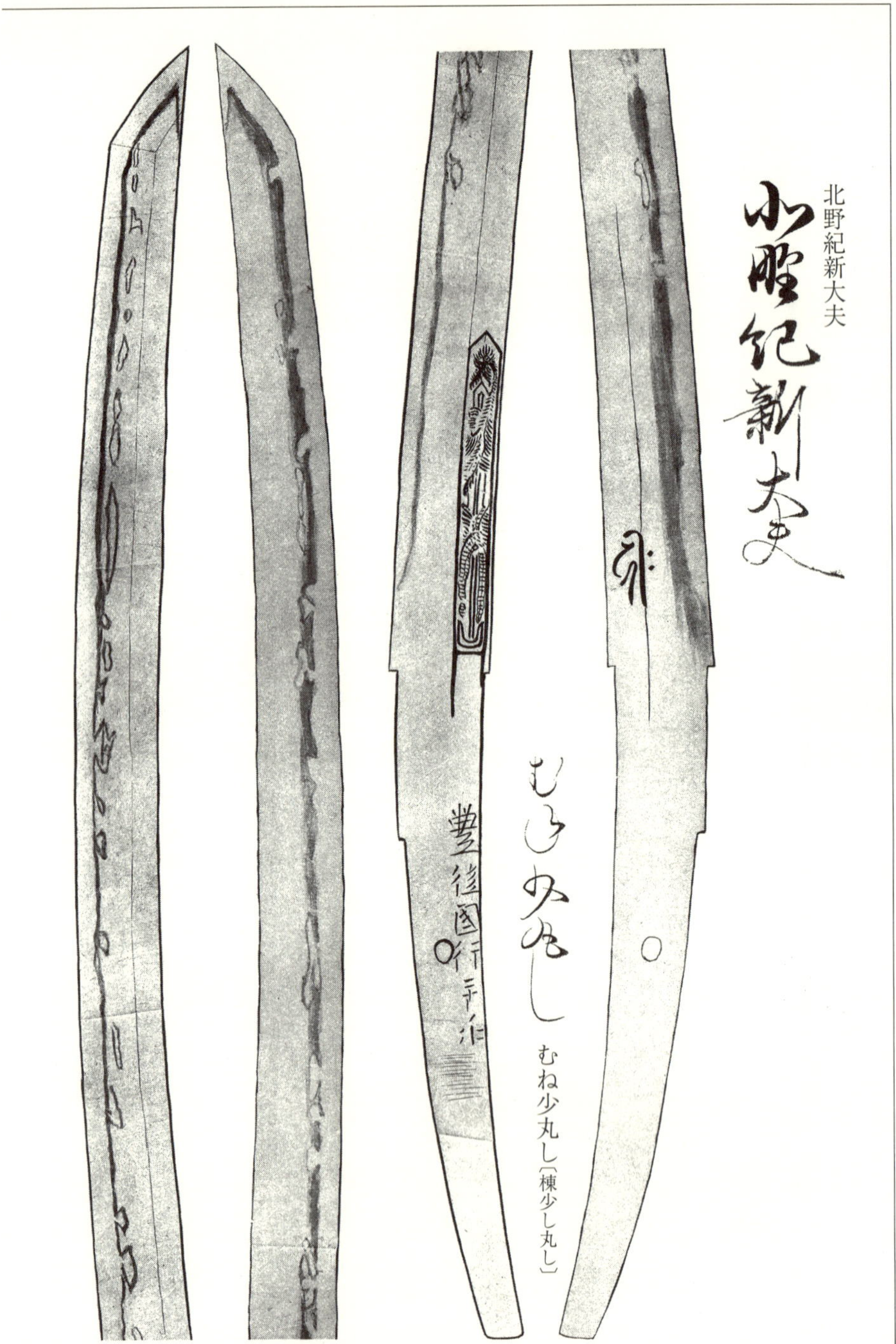
北野紀新大夫
むね少丸し
〔棟少し丸し〕

⑭ 太刀 北野紀新太夫 銘 豊後国行平作

※御ひん所（御鬢所）…御鬢所行平

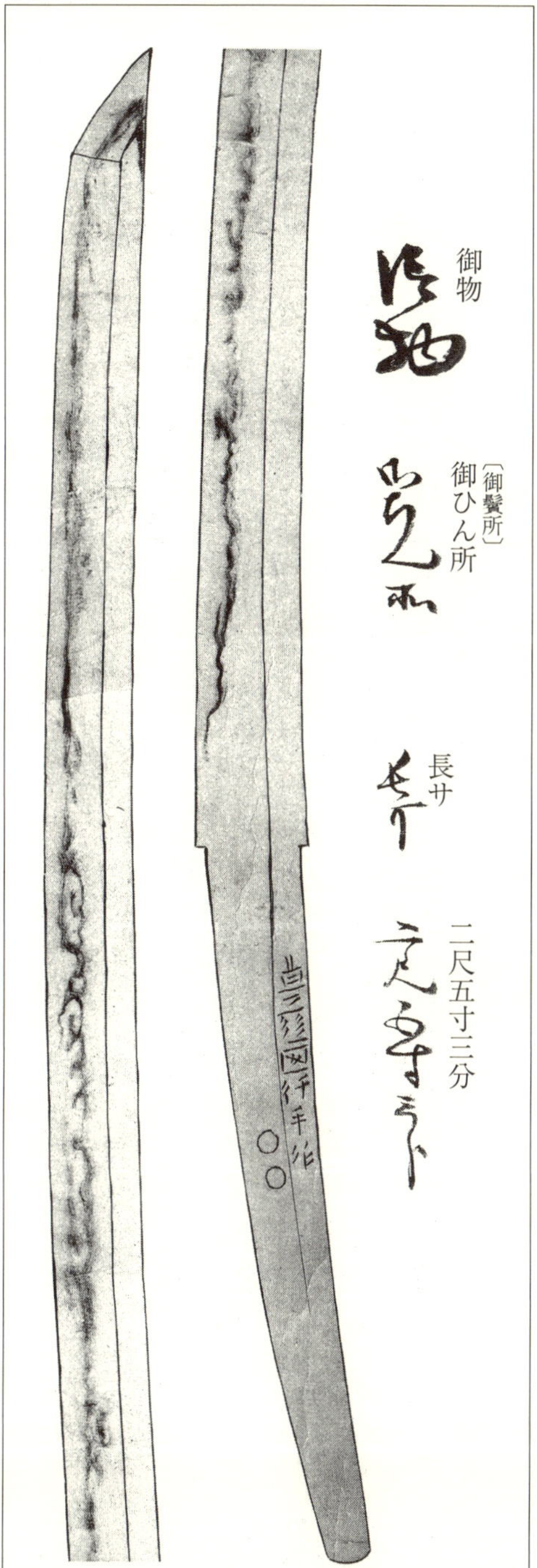
御物
〔御鬢所〕
御ひん所
長サ
二尺五寸三分

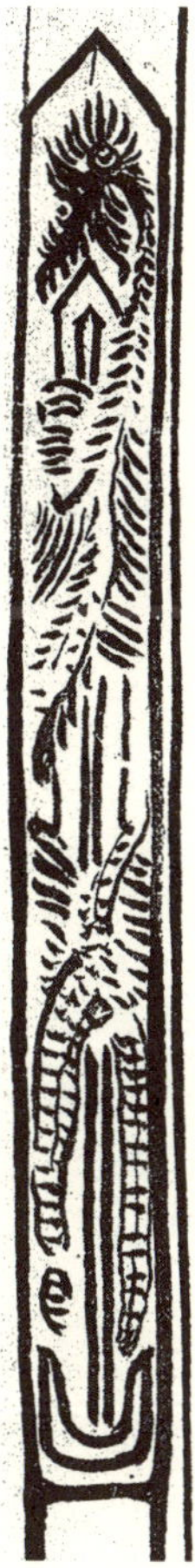
〈部分拡大図〉

⑭太刀 御鬢所行平 銘豊後国行平 作

【付録】刀の名称

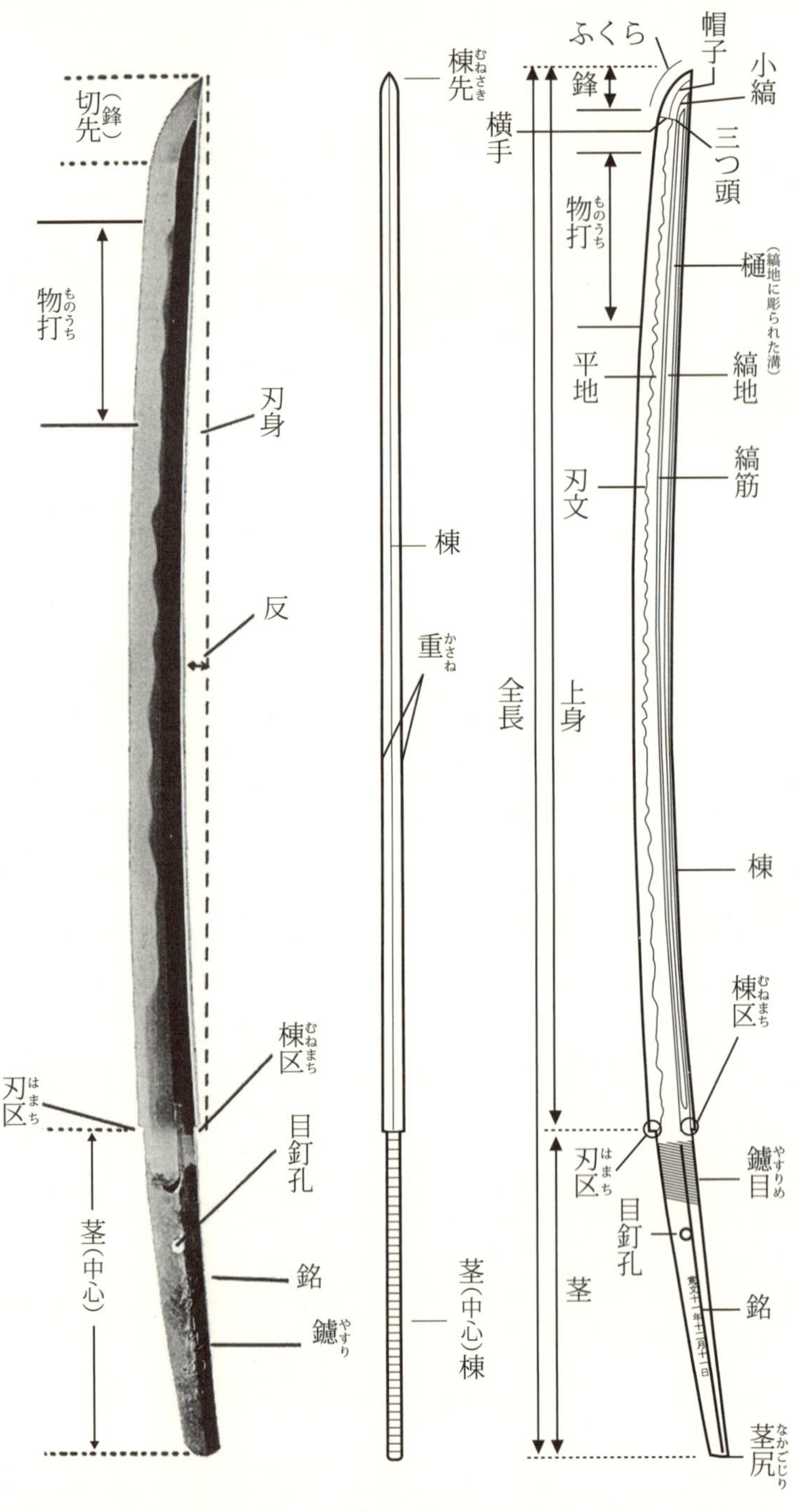

切先（鋒）
物打《ものうち》
刃身
反
棟区《むねまち》
刃区《はまち》
目釘孔
茎（中心）
銘
鑢《やすり》
棟先《むねさき》
棟
重《かさね》
茎（中心）棟
ふくら
帽子
小鎬
鋒
横手
三つ頭
物打《ものうち》
樋（鎬地に彫られた溝）
平地
鎬地
刃文
鎬筋
全長
上身
棟
棟区《むねまち》
刃区《はまち》
鑢目《やすりめ》
目釘孔
茎
銘
茎尻《なかごじり》

【付録】甲冑の名称

胴《どう》丸《まる》

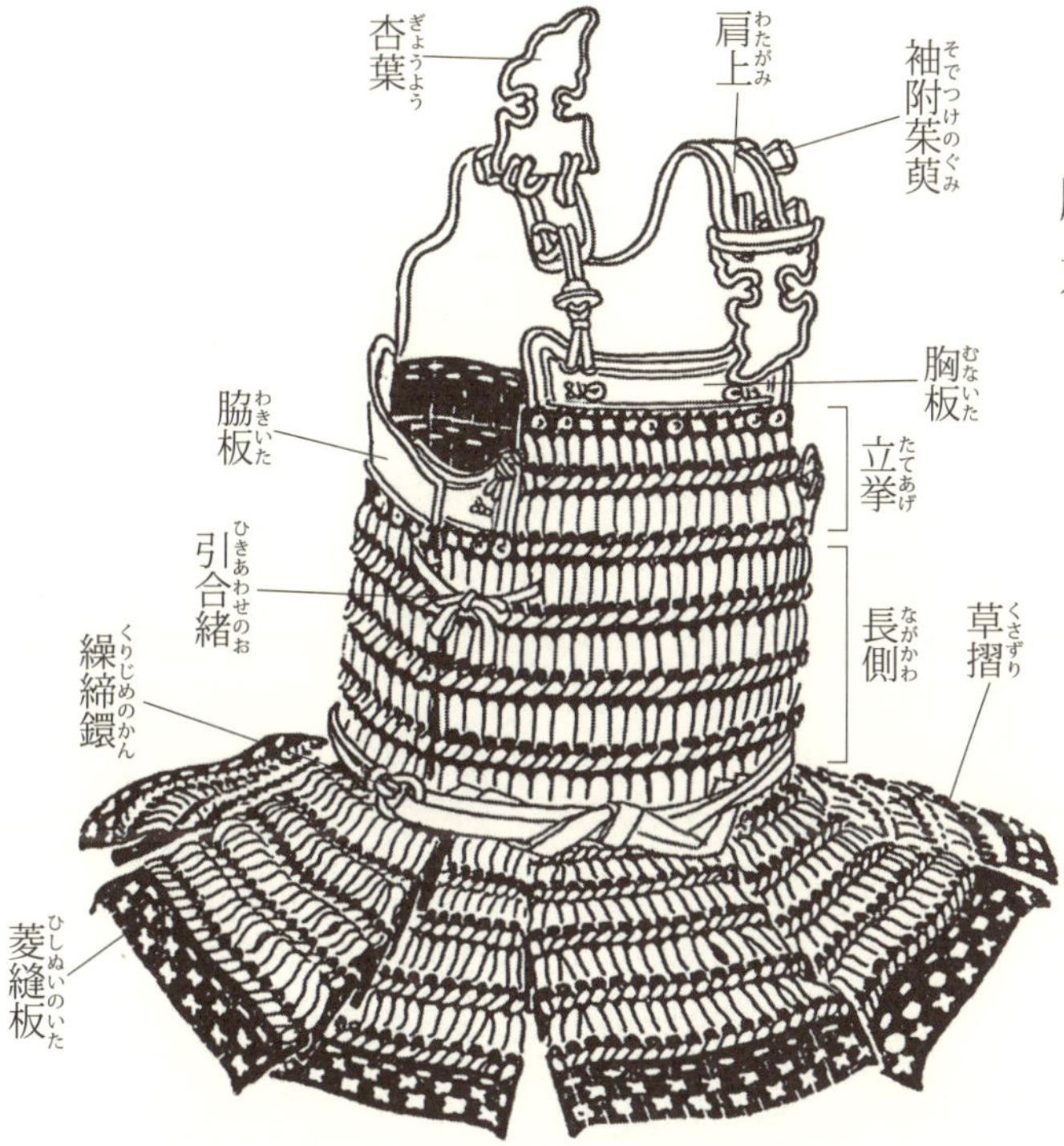
杏葉《ぎょうよう》
肩上《わたがみ》
袖附茱萸《そでつけのぐみ》
胸板《むないた》
脇板《わきいた》
立挙《たてあげ》
引合緒《ひきあわせのお》
長側《ながかわ》
草摺《くさずり》
繰締鐶《くりじめのかん》
菱縫板《ひしぬいのいた》

背板《せいた》(腹巻)

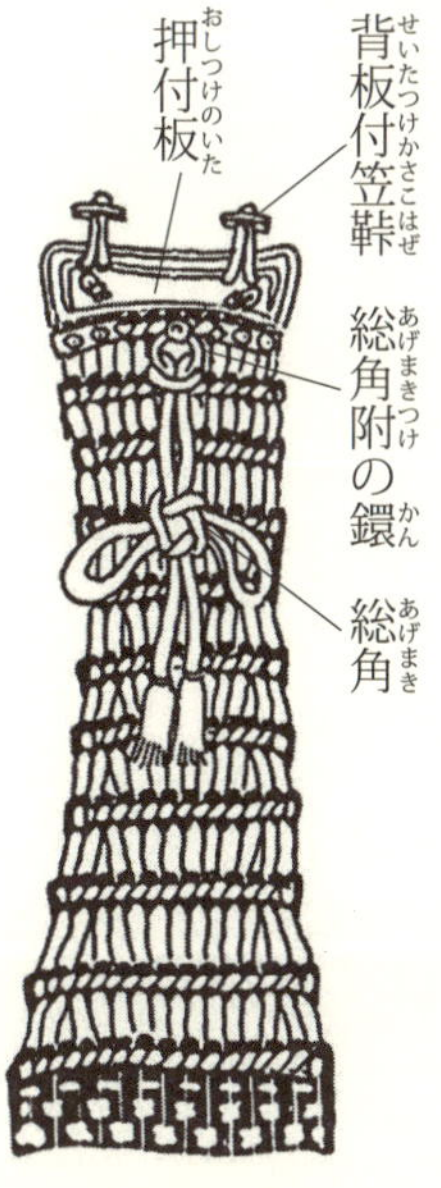
押付板《おしつけのいた》
背板付笠鞐《せいたつけかさこはぜ》
総角附の鐶《あげまきつけかん》
総角《あげまき》

腹《はら》巻《まき》(背面)

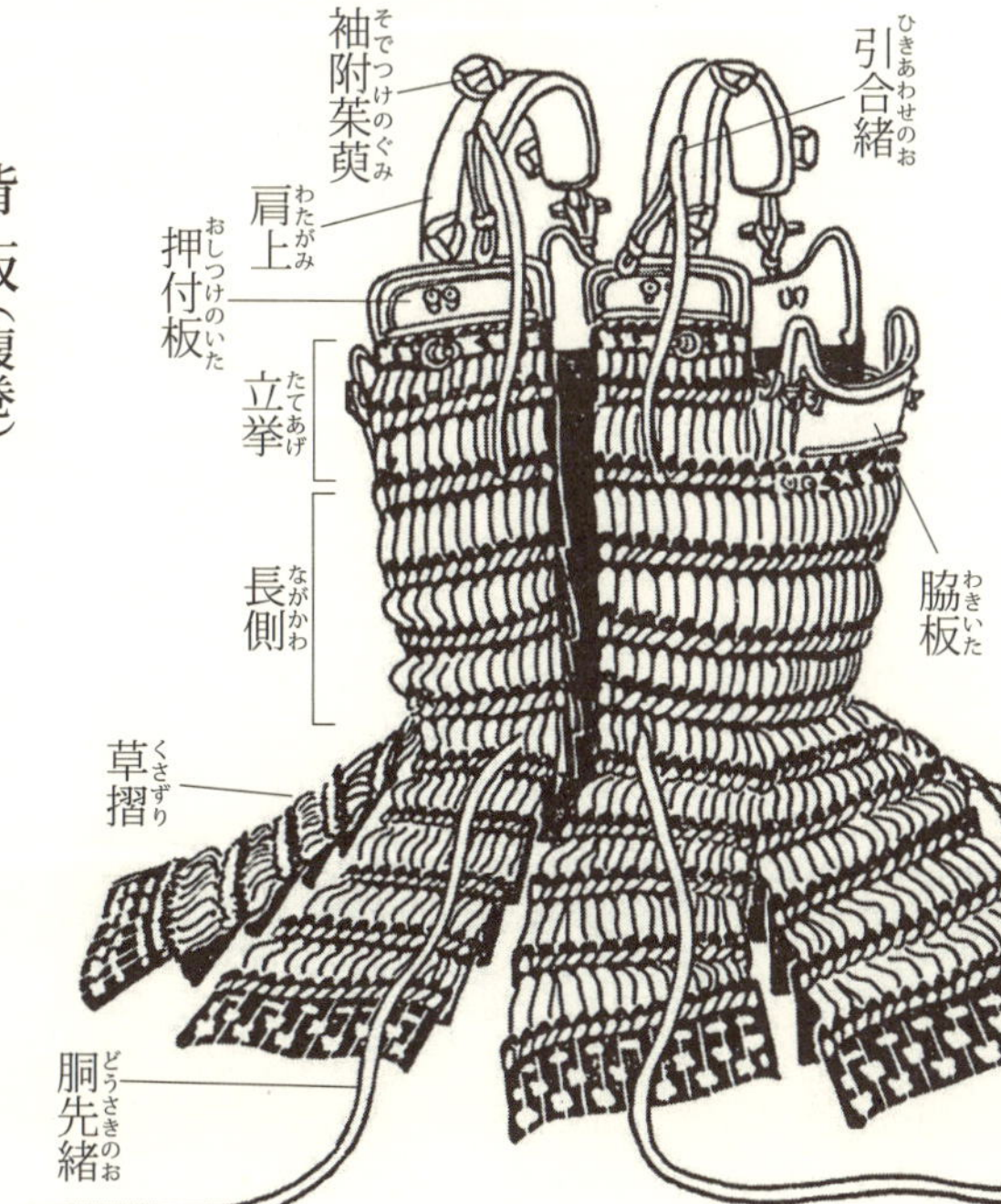
袖附茱萸《そでつけのぐみ》
引合緒《ひきあわせのお》
肩上《わたがみ》
押付板《おしつけのいた》
立挙《たてあげ》
長側《ながかわ》
脇板《わきいた》
草摺《くさずり》
胴先緒《どうさきのお》

兜（桃形）

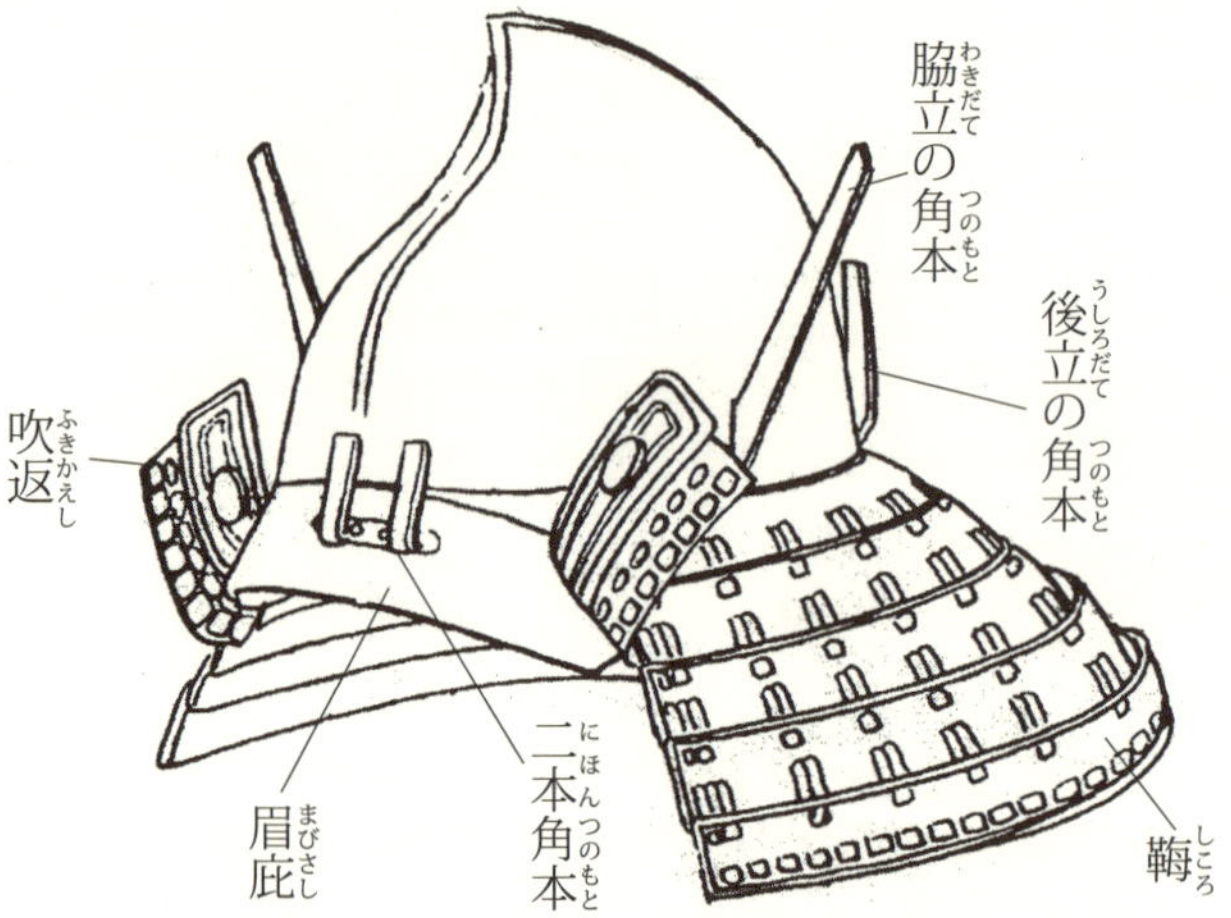

脇立《わきだて》の角本《つのもと》
後立《うしろだて》の角本《つのもと》
吹返《ふきかえし》
二本角本《にほんつのもと》
眉庇《まびさし》
錣《しころ》

当世具足（背面）

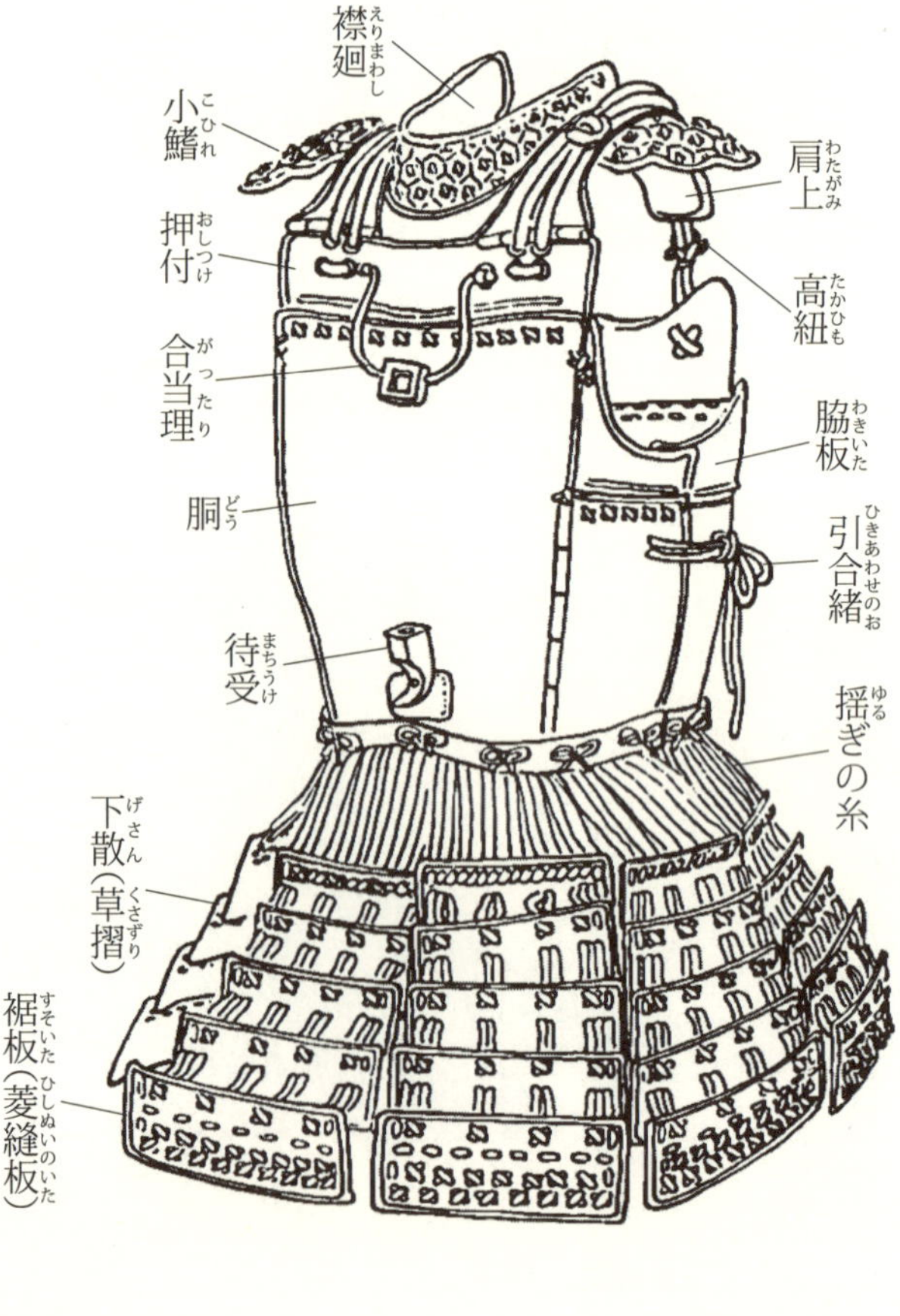

襟廻《えりまわし》
小鰭《こひれ》
肩上《わたがみ》
押付《おしつけ》
高紐《たかひも》
合当理《がったり》
脇板《わきいた》
胴《どう》
引合緒《ひきあわせのお》
待受《まちうけ》
揺《ゆる》ぎの糸
下散《げさん》（草摺《くさずり》）
裾板《すそいた》（菱縫板《ひしぬいのいた》）

あとがき

豊臣秀吉の蔵刀の数々は、『光徳刀絵図』によって最もよく知ることができる。なによりも大坂落城、明暦の大火などで失われた名刀のありし姿を彷彿とさせるものがある。刃文と銘の描写は卓越した鑑識をそなえた本阿弥光徳の直筆ならではのもので、太閤御物を払拭する機会に刀絵図を書写している。

いま『光徳刀絵図』はこれまで四巻（原本二巻）が知られていたが、本稿執筆中に一巻（模写本）がみつかり、所載のいくつかを本文に採用している。その奥付けによると、

天正十六年極月三日　本阿弥又三郎益忠（光徳）　石田治部少輔殿

宛てで、光徳が石田三成に進上したもの。これまで文禄三年奥付けの毛利本が最も古い刀絵図とされていたが、この石田本は毛利本より六年遡って古い。石田本の注目すべき点の一は、秀吉の愛刀七十二口を掲げる、その巻頭に薬硎藤四郎短刀を冠して描いていることである。秀吉の蔵刀を描いた刀絵図の巻頭に信長の遺品を掲げていることは、薬硎藤四郎が「代《よ》に隠れなき名刀」であるにしても、信長色を未だ色濃く残していることを示唆する。天正十六年は、本能寺の変から六年後のことである。

名物刀剣の中には、未だ明かされないままのことが多々ある。薬硎藤四郎は信長が本能寺で切腹し果てたときに用いられたものとみている。その同じ薬硎藤四郎が関白秀次の切腹の場でも使われたら

しいことは、本文で触れているが、いずれもこれまでに明かされていなかったことである。

信長が義元を討ちとったとき、義元が佩していた太刀が義元左文字であったことはよく知られているが、小刀《しょうとう》に松倉江の脇指を添指にしていたことは、ほとんど知られていない。義元が信長に討たれる前の今川家には名刀類が豊富だったらしく、義元左文字は義元の秘蔵の一刀であり、松倉江も肌身を離さぬ大切なものだったようである。その松倉江は桶狭間の戦ののち歴史の舞台から消されるかのように行方を絶っている。江戸時代の公式な記録や資料にほとんど残されることなく、『享保名物帳』にも収載されていない。

信長と秀吉をめぐる刀と甲冑の逸話は掘り起こすまでもなく豊富に存して、興趣のつきないものがあり、未知の事柄もまた多いが故に、なおますます深まっていくように思われる。本書ではそれらのほんの一端に触れたにすぎないまでも、ある部分には提起するものがあったかと思っている。

「秀吉がスペイン王に贈った甲冑」は、海外に伝世する日本武具の秘宝である。浮世絵や蒔絵物のように一般には周知されずにきているが、資料の裏付けがあり、伝来の経緯が明らかなだけにすこぶる貴重な存在である。

スペイン王へ甲冑とともに秀吉が贈った四振の名刀はいまに行方が知れずにあるが、マドリード王宮武器庫内にあるように思えてならない。

宇多国房太刀、長船光忠剣、貞宗小脇指、秋広長刀の四振は明治十七年に焼身となったが、本体は容姿を残しながら錆身となって眠っているに違いない。これからの発見が待たれるところである。

写真は宮内庁、美術館、記念館、社寺などからのご好意で掲載できたことに深謝したい。なかには個人所有者のご芳名が承知できないもの、また旧所有者名のままのものがあるかと思われる。押形資料のうち石田本、大友本(複写本)、『埋忠押形』『土屋家押形集』(土屋押形原本)などは、手元の資料から引用したほか、掲載資料名は知られる範囲で記載している。

本書は、はじめ秀吉がスペイン王へ贈った甲冑と刀剣についてまとめることからスタートしたが、秀吉そして信長との関連上、両雄の刀剣と甲冑が深くかかわることとなり本編のような構成となった。宮帯出版社の宮下玄覇社長からのアドバイスに負うところがあり、勝部智編集長からは諸事お手かずを頂き、北村龍氏から、また担当の西村加奈子氏からお力ぞえを下され、厚く御礼を申し述べたい。

平成二十二年正陽

飯田意天誌

〔著者紹介〕

飯田意天（いいだ いてん）

1934年東京に生まれる。本名一雄。1962年刀剣春秋新聞社を設立。「刀剣春秋」新聞を創刊し、日本刀、刀装具、甲冑武具などの書籍を刊行するとともに、鑑定、評価、評論にたずさわる。著書に『百剣百話—わが愛刀に悔なし』『わが郷土刀』『鐔小道具鑑定入門』『日本刀・鐔・小道具価格事典』（以上光芸出版）、『鐔・刀装具百選』（淡交社）、『越前守助廣大鑑』『甲冑面もののふの仮装』『刀剣百科年表』『図版刀銘総覧』（以上刀剣春秋新聞社）、『金工事典』『刀工総覧』『新日本刀の鑑定入門』『井上真改大鑑』（以上共著・刀剣春秋新聞社）などがある。

織田信長・豊臣秀吉の刀剣と甲冑

2013年3月17日 第1刷発行

著　者　飯田意天
口絵構成　宮下玄覇
口絵キャプション　北村 龍

発行者　宮下玄覇

発行所　株式会社宮帯出版社
京都本社 〒602-8488
京都市上京区寺之内通下ル真倉町739-1
営業（075）441-7747　編集（075）441-7722

印刷所　爲國印刷株式会社

定価はカバーに表示してあります。落丁・乱丁本はお取替えいたします。

ISBN978-4-86366-096-0 C3021

のぼうの姫　秀吉の妻となった甲斐姫の実像　　三池純正 著

天下人の側室としての生涯を、現代女性に問う注目の一冊！ 成田氏の娘 甲斐姫は、絶体絶命の忍城でいかなる活躍を遂げたのか、甲斐姫伝説の真実に迫る!!

四六判／並製／178頁　1,300円

千 利休　　桑田忠親 著　小和田哲男 監修

不巧の書、桑田忠親博士「千利休」待望の復刊。信長との関係、秀吉との因縁から、利休処罰の原因と動機に迫る。著者は、五十年余にわたる利休関係文献批判に基づいて、利休 七十年の生涯を究明する。

四六判／並製／248頁　1,500円

戦国武将と茶道　　桑田忠親 著　小和田哲男 監修

戦国武将たちの慰みの時間、それは茶の湯だった──。柴田勝家、明智光秀、伊達政宗、福島正則、加藤清正、高山右近、黒田如水、石田三成ら25人の茶の湯を、挿図も交えて詳細に語る。

新書判／並製／300頁　1,800円

戦国の「いたずら者」前田慶次郎　　池田公一 著

謎多き戦国武将、前田慶次郎の実像に迫る渾身の人物評伝。庶流・前田利家と嫡流・慶次郎。なぜ、慶次郎はかぶき者として生きなければならなかったのか──。秀吉の前で猿まねをして人々の度肝を抜いた逸話など、内容満載。

四六判／並製／332頁　1,300円

真田信繁 ～「日本一《ひのもといち》の兵《つわもの》」幸村の意地と叛骨～　　三池純正 著

徳川家康を恐れさせた真田家の強さを探る。真田信繁は如何にして「幸村伝説」となったのか？ これまでの資料を新たな視点から洗い直し再構築。真田氏の系譜、武士の意地と葛藤を明らかにした。「日本一の兵」の伝記決定版！

四六判／並製／296頁　1,300円

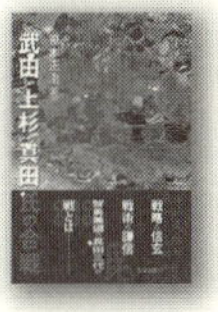

武田・上杉・真田氏の合戦　　笹本正治 著

戦略の信玄、戦術の謙信、智勇兼備の真田三代の戦とは──。信濃を戦場とした武将たちの知略を尽くした戦いを、武田信玄研究の第一人者がわかりやすく描いた書。

四六判／並製／240頁　1,500円

上杉景虎　謙信後継を狙った反主流派の盟主　　今福 匡 著

謙信の正統な後継者は誰だったのか──。北条氏康の七男で、上杉謙信の姪を娶りその養子となった三郎景虎。景虎の生涯をたどるとともに、謎多き「御館の乱」の真相、上杉一門の実態を解明する。上杉景虎初の本格評伝。

四六判／並製／384頁　1,800円

疾《はや》き雲のごとく ～早雲と戦国黎明の男たち～　　伊東 潤 著

第146・147回 直木賞候補作家　応仁・文明の乱後の関東の戦国前期、北条早雲（伊勢宗瑞）に関わった六人の男たち、彼らの視線から早雲の活躍を描く歴史小説。躍動する戦国の世が今ここに再現される。

四六判／上製／272頁　1,619円